Mesopotamia

Una guía fascinante de la historia y las civilizaciones de la antigua Mesopotamia, incluyendo a los sumerios, Gilgamesh, Ur, los asirios, Babilonia, Hammurabi y el Imperio persa

Índice

Primera Parte: Sumerios

Una guía fascinante acerca de la historia sumeria antigua, la mitología sumeria y el imperio mesopotámico de la civilización sumeria.

Una introducción a los sumerios antiguos

La historia antigua siempre es un tema fascinante. Para Layman, es como una mirada romántica a nuestros ancestros, descubriendo que "eran tiempos diferentes" y cómo las personas vivían sin las comodidades que el hombre tiene hoy en día. Para todo historiador que se precie, las civilizaciones antiguas son una fuente interminable de información, buenos indicadores de cómo vamos avanzando como una humanidad colectiva, aunque también es fascinante conocer antiguos detalles sobre el individuo, el estado o país mismo. En pocas palabras, aprender del pasado nos prepara para funcionar mejor en el futuro y, ocasionalmente, sonreír cuando encontramos algún dato identificable que nos habla directamente a nosotros.

Y en lo que respecta a hablarnos personalmente a nosotros, cada región tiene su encanto con su propia historia y la historia de las personas que lo rodean directamente. Los europeos aún aprenden de los antiguos griegos y romanos, prestando atención muy detalladamente a las demás culturas que los rodean como los Ilirios, tracios, celtas, etc. Los africanos miran a Egipto, Etiopía, Nubia, y otros reinos e imperios masivos que dominaron ese continente. Los asiáticos poseen un número inmenso de grupos culturales que investigar, como la antigua China y las culturas en el subcontinente indio. Las Américas y Australia, aunque ellos mismos son descendientes de los europeos, admiran las culturas de su propia gente, aprendiendo más sobre los aztecas, los mayas, los incas, los aborígenes de Australia, las tribus nativas de América del Norte, y así sucesivamente.

Sin embargo, todo esto tuvo que haber comenzado en alguna parte. Y lo más inmediato que se conoce como la "cuna de la civilización" resulta encontrarse en Asia Menor, o en el Medio Oriente, como es mejor conocido ahora sociopolíticamente. Este es el área entre largos ríos conocida cómo Tigris y Éufrates y, debido a su localización, lleva el nombre de Mesopotamia, "la tierra entre los ríos". Pero la propia Mesopotamia alberga una gran variedad de culturas: persas, sirios, asirios, amorreos, elamitas, babilonios, hititas, hurritas, y, más tarde, romanos y varias sectas y subgrupos musulmanes. Aun así, una cultura debía ser la primera, y esa sería la de los antiguos sumerios.

La gran importancia de la cultura sumeria en lo que respecta a la cultura mundial en su conjunto es imposible de ignorar. Esta civilización es responsable por sí sola de algunas de las innovaciones más importantes en casi todos los campos con respecto a mantener una sociedad civilizada: esto incluye la religión, legislación, arquitectura, educación, arte, literatura e incluso el entretenimiento. Naturalmente, la mayoría de lo que vemos como un aspecto negativo de la sociedad fue establecido en la antigua Sumeria también. No había un aspecto de la vida sumeria que no estuviera plagada de corrupción o devastación de alguna manera u otra. En otras palabras, los sumerios nos dieron tanto la sublimidad de la fe y la rigidez del pensamiento religioso junto con el deseo de supremacía política. Nos dieron tanto a los monarcas benévolos y afectuosos como a los tiranos crueles y castigadores; el niño educado y el niño mimado; el agrario trabajador y el juerguista borracho; y los imperios épicos, así como los restos patéticos de ellos. Los sumerios lo hicieron todo, y lo hicieron primero.

Lamentablemente, esa cultura desapareció hace mucho tiempo. Y como ocurre comúnmente con las culturas antiguas, interesantes para un lector o a ojos de los más curiosos, tienden a no ser identificables a causa de la gran brecha temporal entre ellos y nosotros, la cual, en este caso, asciende a, por lo menos, unos 7000 años. Pero este libro te mostrará la esencia de cómo eran los sumerios. Aprenderás acerca de su propia gente, como se organizaban como sociedad, en qué creían y cómo llegaron a creer en eso, cómo eran las ahora famosas ciudades-estados y quién las gobernaba, cómo vivían su día a día, qué inventaron o reinventaron que sea utilizado hoy en día, cómo se desarrolló su cultura con el cambio de milenio, y cómo interactuaban con otras personas que los rodeaban. Y la razón por la que los sumerios en particular deberían importarle, como lector y como defensor de su cultura actual, es simple: siendo la primera civilización, los sumerios no solo son específicos de Asia; son parte de nuestra herencia común y, como tal, son probablemente los antepasados directos de nuestra propia cultura y civilización. Y el viejo adagio de tratar a los ancianos con respeto también es importante aquí, especialmente si dichos ancianos pueden devolver ese respeto diez veces con información incalculable y hechos fascinantes.

Capítulo 1

Los antiguos sumerios explicados brevemente: ¿quiénes eran? ¿Dónde vivían? ¿De dónde vienen ellos? La línea del tiempo de la civilización Sumeria; composición genética potencial de los sumerios

La mayoría absoluta de los eruditos de todo el mundo está de acuerdo en que los antiguos sumerios fueron la civilización más desarrollada antiguamente en nuestra historia registrada. Esto no significa que sean los humanoides más antiguos registrados en nuestro planeta; descubrimientos recientes en Grecia y Bulgaria nos han revelado un humano más antiguo, incluso más antiguo que Lucy, que fue localizado en África. Y esto ni siquiera significa que esa cultura fuera la primera en mostrar el uso de herramientas simples de piedra, hierro, o bronce. Sin embargo, fue la cultura que nos dio muchas de las primeras cosas: el primer reino, y luego un imperio, la primera ciudad-estado, la primera democracia, la primar autocracia, ellos perfeccionaron la escritura, los estudios, las religiones organizadas, leyes, arte y literatura. Sí, los sumerios fueron los primeros en muchas áreas de experiencia.

Sin embargo, deberíamos hablar primero de la propia gente. Hablaremos de dónde vivían, los lugares potenciales de su origen antes de la antigua Mesopotamia, cómo se creó su civilización, y cómo se desarrolló a través de los años. También intentaremos ver cuál era su posible composición genética y cuándo fue comparada con otras personas que vivían en ese área.

¿Quiénes eran los sumerios?

Los sumerios eran una civilización que seguiría influyendo la totalidad del antiguo Medio Oriente, y sus logros e innovaciones se conocerían en diversas culturas antiguas como Egipto, Grecia, Roma, Etiopía y otras muchas. Desde un punto de vista práctico y mundano, eran altamente religiosos, una sociedad agricultora que ponía un gran énfasis en el arte, cultura y en las escrituras. Como es el caso en todas las culturas, ellos se desarrollaron desde una simple sociedad cazadora-recolectora, basada en la era de bronce y extendidos por todo el área que comprendía la antigua Sumeria. Ellos eran personas innovadoras, inventoras, imaginativas y lo suficientemente inquietos, comparables inclusive con sociedades modernas de hoy en día, tanto es aspectos positivos como negativos de la rutina. Todo esto se tratará con más detalle en capítulos posteriores.

¿Dónde vivieron los sumerios?

El área donde vivió la civilización más antigua ocupó el territorio del sur de Mesopotamia, partes del Iraq moderno y Kuwait. Está enclavado entre dos ríos importantes para la región, el Tigris y el Éufrates, así como también el Golfo Pérsico al sureste. Sus primeros "países" fueron numerosas ciudades-estado que, dependiendo del período de tiempo, dominaban la región, eran esclavizados por otras ciudades o incluso por otros pueblos, o actuaban de forma independiente. Vamos a hablar en más detalles sobre estas ciudades cuando tratemos las dinastías y los gobernantes de la antigua Sumeria.

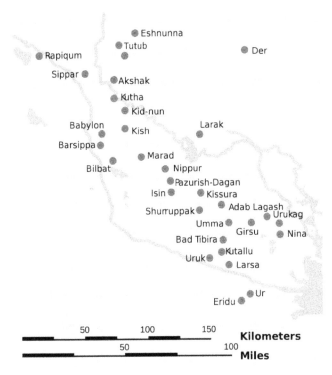

Mapa de ciudades sumerias y elamitas. Imagen original de Phirosiberia.

¿De dónde vienen los sumerios?

Este es un tema interesante que no se menciona muy a menudo ni tampoco de manera extensa. Normalmente, se supone que los sumerios provenían de la India actual o del lado oeste de los dos ríos. Sin embargo, un nuevo desarrollo arqueológico interesante puede posicionarlos en un lugar completamente diferente. Estudiando varios factores independientes, como la importancia religiosa y cultural del lapis lazuli para los sumerios, los yacimientos arqueológicos donde se encontraron con frecuencia con esta piedra antes de que los sumerios se establecieran en el sur de Mesopotamia, y los estudios del ADN biogeográfico de los pueblos antiguos en el Medio Oriente, coloca plausiblemente a los antepasados de los sumerios en sitios neolíticos y de la Edad del Bronce como Gonur Tepe y Anau, en el Turkmenistán moderno. Si esta hipótesis es cierta, significaría que los primeros pobladores de Sumeria llegaron allí después de que una gran sequía invadiera su lugar de residencia cerca de las minas de lapis lazuli. Sin embargo, aunque se marcharan, conservaron su cultura y mitos que dependian en gran medida del uso y la excavación de lapis lazuli.

La línea del tiempo de la civilización Sumeria

Los estudios sumerios han, en el último siglo y medio por lo menos, logrado armar una línea de tiempo real de la antigua Mesopotamia en términos de asentamientos humanos y culturas antiguas. El periodo más antiguo con pueblos permanentes en la región es llamado el periodo Ubaid, nombrado por un pequeño asentamiento descubierto en Tell al-Ubaid, cerca del antiguo UR. Este periodo empieza aproximadamente en el año 6500 a.C. y termina alrededor del 4100 a.C. Abarca la antigua cultura humana en la región que predice a los sumerios "modernos", y está marcado por muchos grandes eventos. La ciudad de Eridu, el asentamiento de Sumeria más antiguo basado en los datos disponibles, fue fundada en el año 5400 a.C. y, cuatro siglos después, el pueblo de Ubaid se estableció en Godin Tepe. Al mismo tiempo, descubrimos señales de sepulcros antiguos, y la cultura Sumeria empieza oficialmente a florecer en el mundo.

Lo que sigue es el periodo Uruk. Cinco siglos más tarde, el pueblo de Ubaid se asentó en las tierras de Sumeria, la ciudad de Uruk fue fundada, y construyeron su primer templo. El periodo Uruk duró 1200 años, aproximadamente 4100-2900 a.C. Durante este periodo, la escritura en Uruk estaba en pleno desarrollo. Se estima que fue inventada alrededor del año 3600 a.C. con el primer texto religioso un siglo después, y ya era frecuente su uso en el año 3200 a.C.

Justo después le sigue el periodo Dinástico Antiguo. Se extendió desde 2900 a.C. hasta 2334 a.C. Es en este periodo cuando se consiguieron las tumbas reales en la ciudad de Ur. El rey Eannatum gobernó la ciudad de Lagash alrededor del 2500 a.C., formando entonces la primera dinastía de la ciudad. Esto inicia el primer imperio registrado en Sumeria. En este momento, la literatura no religiosa, como los mitos y la poesía, se estaba convirtiendo en una característica destacada en las ciudades-estado, especialmente en Lagash. Casi un siglo después, alrededor del año 2350 a.C., el rey Urukagina escribió el primer código de leyes, que se convertiría en la base de todos los códigos legales futuros en la región.

En el año 2334 a.c., Sargon de Akkad tomó la mayoría de las tierras de Sumeria, convirtiéndolo en uno de los primeros emperadores del Medio Oriente con un imperio expansivo y multiétnico. El reinado de su dinastía duró hasta aproximadamente el año 2218 a.c., cuando el periodo gutiano empezó en Sumeria. Los gutianos nómadas tomaron el control de las tierras sumerias, reemplazando a los gobernantes acadios que sucedieron a Sargón. Pasó poco más de medio siglo tras la conquista de Gutian y se escribieron las primeras tablas de la Épica de Gilgamesh. Utu-Hegal tomó el control de Sumeria - y de ciertas ciudades acadias -, de regreso de los gutianos alrededor del año 2055 a.C., y le sucede Ur-Nammu en el 2048 a.C. Este es el período cuando la Tercera Dinastía de Ur reinó sobre Sumeria, aunque abarca más que esta dinastía solamente.

Este periodo se inició con el reinado de Ur-Nammu y terminó poco después del año 1750 a.C., con la invasión de los elamitas y los amorreos que emigraron a la zona. Hubo cambios muy significativos durante esta era, conocida como el renacimiento sumerio. El sucesor de King Shulgi, Ur-Nammu, construyó la llamada gran muralla de Uruk hacia el año 2038 a.C., la cual se erigió rápidamente durante ese periodo. A mediados del año 1900 a.C., el último vestigio de la tercera dinastía de Ur terminó junto a Ibi-Sin, en el año 1940 a.C. aproximadamente. La ultima dinastía Sumeria o, mejor dicho, acadia, gobernó sobre lo que quedaba del vasto imperio, que fue el de la dinastía de Isin. El imperio cayó bajo la Babilonia post-Hammurabi alrededor de 1750 a.C., y esta marcó el final de la civilización Sumeria por completo. El gobernante babilonio Hammurabi había elaborado su famoso código unos veintidós años antes, basado en códigos sumerios anteriores.

Naturalmente, la mayoría de estas fechas son aproximaciones realizadas lo mejor posible. La cronología sumeria es un tanto difícil de leer (habrá más información sobre este tema en la sección de gobernantes sumerios) debido a cómo están escritas las fuentes cuneiformes. Sin embargo, a la mayoría de los eventos prominentes se les puede calcular la fecha con cierta precisión en base a la evidencia periférica, por lo que podemos hablar sobre el ascenso sumerio a la prominencia y el declive con un buen grado de seguridad.

Posible composición genética de los sumerios

Este tema en particular, obviamente, no fue mencionado mucho en los primeros días de los estudios de Mesopotamia. Pero con el adelanto en la investigación del ADN, las preguntas de los orígenes genéticos de los antiguos sumerios surgieron una vez más. Un estudio extenso de la variación del cromosoma Y y ADNmt entre los árabes Marsh de Irak, implica en gran medida que son descendientes directos de los sumerios. Esto también trajo un tema separado, el de si los sumerios eran autóctonos o de ascendencia india o surasiática. Basándonos en los hallazgos, los Marsh árabes, que han estado en el área del sur de Mesopotamia durante generaciones, tienen más ancestros en común con los asirios y los iraquíes que con cualquier otro grupo de personas (los grupos de prueba incluyeron indios, europeos mediterráneos, drusos israelíes, palestinos, árabes de Khuzestani, africanos, asiáticos del Pacífico y más). Esto implicaba que los antepasados de los árabes Marsh no se movilizaban en diferentes áreas, sino que eran autóctonos, por lo menos mientras los sumerios estuvieran presentes. Naturalmente, esto no va en contra de la hipótesis de que los sumerios se originaron en la región actual de Turkmenistán, pero, sin embargo, explica la posible composición genética e incluso física de la civilización más antigua.

Conclusión

Si solo miras la línea de tiempo que se presenta más arriba, verás que la vida y la cultura sumeria abarcan no menos de cuatro milenios y medio. Ese es un enorme lapso de tiempo que muestra un verdadero tesoro de gemas arqueológicas e históricas. Si tenemos en cuenta sus posibles orígenes, junto con la forma en que se movilizaron y se establecieron en una región más baja y más arable, podemos crearnos una imagen precisa incluso del pasado más antiguo de esta cultura. Podemos ver de primera mano cómo las migraciones y el cambio climático afectaron las civilizaciones más vetustas, cómo fueron responsables por su forma de vida, sus creencias religiosas, así como sus posibles aspiraciones y ambiciones. En los siguientes capítulos, veremos más de cerca el modo de vida de los sumerios en todos los niveles de la sociedad. Naturalmente, cubriremos sus avances tecnológicos y culturales y cómo influyeron en las culturas que los rodean, expandiendo su sangre en numerosas y diversas tierras a través del mundo conocido en los tiempos antiguos.

Capítulo 2

La estructura social de los sumerios antiguos: gobernantes, sacerdotes, clases privilegiadas, gente común, esclavos, diferencias de género, niños

La mayoría de veces, muchos estudios coincidían en que los antiguos sumerios eran una sociedad autoritaria, autócrata predominante. En otras palabras, ellos debían estar más a la par con otras culturas antiguas como Egipto, China, e inclusive con sus descendientes directos, los "babilonios". Sin embargo, este no es el caso, o al menos no fue así durante todo el curso de la historia de los sumerios. Desde sus inicios, las ciudades-estados de Sumeria disfrutaban de un nivel de democracia no muy distinto al que tenemos hoy en día en el mundo occidental. La mayoría de los principales puestos gubernamentales fueron elegidos en lugar de ser heredados y un consejo tomaba las decisiones importantes con respecto a temas críticos del estado. Fue solo durante el crecimiento de la guerra entre las ciudades-estado, así como los enfrentamientos con las tribus bárbaras tanto del este como del oeste de Sumeria, cuando surgió la necesidad de un solo gobernante, y fue cuando el rey o Lugal - "hombre grande" en sumerio - tomaría el control.

El Ensi

En los inicios, cada uno de los estados de la ciudad tenía un gobernante, llamado Ensi. En los períodos antiguos de Sumeria, el ensi apenas actuaba como un "gobernador" electo de la ciudad, un título que mantendría hasta que el próximo fuera elegido. Fue visto como un par electo entre pares y no fue la única persona que decidía los asuntos importantes de la ciudad. De hecho, hay escasas pruebas de que haya existido una necesidad de ensis durante los procedimientos judiciales importantes. Durante el Período Dinástico antiguo, un ensi representaría al dios protector de la ciudad. Sin embargo, en los períodos siguientes, un Ensi estaría subordinado a un Lugal, pero este nombramiento aún se debate incluso hoy en día. Muchos gobernantes poderosos más tarde tomarían el título de ensi en lugar de lugal. Durante la última dinastía Sumeria que gobernó sobre estas tierras, la Tercera Dinastía de Ur, el título de ensi fue relegado casi por completo a los gobernadores locales de la ciudad, encontrándose en el segundo lugar después del lugal. Sus posiciones seguían siendo hereditarias, pero solo si eran del agrado de lugal.

La Asamblea

Como se dijo anteriormente, el ensi inicialmente no era el gobernante supremo de la ciudad-estado en la Sumeria antigua. La mayoría de las decisiones importantes fueron deliberadas por una asamblea bicameral. Esta asamblea estaba conformada por dos cámaras, las cámaras superior e inferior. La cámara superior estaba formada por "ancianos", principalmente miembros de la nobleza y clases sacerdotales. La cámara inferior, en consecuencia, mayormente consistía en plebeyos, principalmente hombres de origen menos noble o incluso con antecedentes plebeyos.

La asamblea deliberaría principalmente sobre asuntos estatales cotidianos, tales como la producción de alimentos, el comercio, ayuda en casos de desastre, asuntos exteriores, disputas legales, etc. Durante los tiempos de guerra, elegirían a un comandante militar durante la duración del conflicto, lo que, inevitablemente, conduciría al nacimiento del lugal. Lo que es interesante remarcar es que, durante el trascurso de la civilización sumeria, basada en miles de archivos de correspondencia y documentos oficiales de esa época, esta estructura superior de la ciudad sumeria mostraría los mismos períodos de prosperidad y corrupción por igual, no muy diferente a muchos de nuestros países modernos. En este sentido, Sumeria es la cuna de la monarquía hereditaria, la democracia liberal (ish) y, como veremos en la sección sobre gobernantes sumerios como Urukagina, la corrupción del gobierno.

Los Sacerdotes

Un ensi también actuaría como sacerdote principal del templo perteneciente al dios protector del estado de la ciudad, mientras que su esposa sería la sacerdotisa principal de la diosa protectora de la ciudad. En los años siguientes, no era extraño que un ensi se declarara a sí mismo un dios, haciendo que el personal del templo cuidara de él directamente. Cada templo tendría dos administradores al mando, el En y el Sanga. Si bien podría haber un sobrecargo entre un en y un ensi (y lugal, si vamos al caso), por lo que sabemos, un en supervisaba los deberes de todos los sacerdotes y sacerdotisas presentes en el templo. Cada sacerdote o sacerdotisa tenía un deber diferente, en gran parte relacionado con la composición de himnos y música, la preparación de alimentos y la alimentación de los "dioses", vistiéndolos, etc. Otros sacerdotes llevaban a cabo tareas religiosas para ayudar a la gente de la ciudad. No era poco común que los sacerdotes realizaran exorcismos, purificaciones, tratamientos médicos, oración y educación. El sanga, por otro lado, manejaba el ámbito de los negocios del templo. Esto significaba ocuparse del comercio, proporcionar empleos a los habitantes de la ciudad, supervisar a veces miles de trabajos realizados alrededor del templo, y mucho más. Mientras el en supervisaba a los sacerdotes en primera persona, el sanga supervisaba a los tejedores, chefs, amas de llaves, escribas, carniceros, guardias, contadores, artesanos, mensajeros y costureras. En resumen, a los trabajadores diarios que no pertenecían a una clase sacerdotal.

Al contrario de lo que creían los expertos, el templo no era el "propietario" de todas las tierras en el estado de una ciudad. De hecho, solo los terrenos que se encontraban en el templo estaban bajo su propiedad directa. Esta tierra, a diferencia de la tierra que era propiedad de ciudadanos privados fuera del templo, no podía ser vendida, comprada o traspasada a otro dueño de ninguna manera. En resumen, pertenecía al dios principal de la ciudad, es decir, a los sacerdotes que entonces lo ocupaban. Se explicará esto más detalladamente en otro capítulo.

Los sacerdotes eran parte de la nobleza en la Sumeria antigua. Considerando la importancia de su papel en el mantenimiento de la espiritualidad en las ciudades sumerias, esto difícilmente es una sorpresa. Como nobles, participaban en asuntos relacionados con el estado de la ciudad en la asamblea (como parte de la cámara superior), tenían su papel en la elección del ensi y podían poseer tierras privadas. Normalmente, estas tierras serían las que quedaban directamente adyacentes al templo principal o que pertenecían a él. Debido a su riqueza, reputación y posición, la mayoría de los sacerdotes eran instruidos y bien educados, a menudo sirviendo como escribas. También ejercían como los médicos y dentistas originales de los antiguos sumerios, proporcionando asistencia médica paralelamente a la atención espiritual. Otras habilidades en las que destacarían incluyen la música y el arte, que se utilizan principalmente con fines litúrgicos o ceremoniales.

Para poder llegar a ser un sacerdote o una sacerdotisa, un hombre o una mujer joven tenían que pertenecer a una familia noble, tener un cuerpo y una mente sana. El celibato era requerido a las sacerdotisas, aunque podían actuar como madrastras de los hijos de sus maridos. El entrenamiento sacerdotal era agotador y difícil, pero les otorgó gran privilegio y conocimiento.

Las clases sociales sumerias y sus privilegios

Basados en una extensa investigación de fuentes sumerias tanto en sus inicios como en su etapa final, la estructura socioeconómica sumeria se puede dividir en cuatro grupos principales. El primer grupo eran los nobles. Esto incluiría al ensi y su esposa, los sacerdotes, los príncipes locales y los hombres de renombre. Como se mencionó anteriormente, lo más probable es que formaran la asamblea de la cámara superior de la ciudad. Esta clase poseía grandes extensiones de tierra, obtenidas a través de propiedades privadas o familiares. También estaría incluida la tierra del templo.

El segundo grupo eran los plebeyos. No estaban tan acomodados como la nobleza y solo podían poseer tierras siendo miembros de una familia, no como individuos. Sin embargo, si alguna vez surgiera una disputa con respecto a la tierra o incluso para comercio, podrían participar tanto con el miembro superior de la nobleza o como suplente de no encontrarse presente. En términos de ciudadanía libre, esta sería la clase más baja.

El tercer grupo eran los llamados "clientes", y en esta categoría existían tres subgrupos: dependientes adinerados del templo, el personal del templo y los dependientes de los nobles. Se sabía que tanto el primer como el segundo subgrupo poseían pequeños espacios de la tierra del templo, aunque no permanentemente. Algunos miembros de estos subgrupos también recibían compensaciones en forma de raciones de comida y lana. El último subgrupo probablemente era pagado por sus respectivos nobles de acuerdo a su cantidad de trabajo.

El cuarto grupo mayor era el de los esclavos. Como ocurría con la mayoría de las culturas antiguas, los sumerios ya conocían la esclavitud. Sin embargo, este sistema no era tan riguroso como sus iteraciones posteriores en sociedades con más poder, como Siria, Persia e incluso las antiguas tierras europeas. De hecho, un esclavo sumerio aún podía retener algunos de sus derechos legales. Por ejemplo, un esclavo sumerio era bien tratado, en gran parte porque un maestro sumerio necesitaba un esclavo en buenas condiciones para trabajar. Sin embargo, esto no significa que los esclavos no fueran castigados severamente ni tratados de manera diferente a otras propiedades durante las negociaciones. Un esclavo saludable costaría menos que un burro en el mercado sumerio. Y en términos de tratamiento, si un esclavo tratara de escapar, sería azotado y marcado brutalmente por su dueño.

Un esclavo en Sumeria podía dedicarse al comercio e incluso pedir dinero prestado para comprar su propia libertad. Incluso, si un esclavo se casara con un ciudadano libre de cualquier clase, sus hijos también adquirirían el rango de ciudadanos libres. Convertirse en un esclavo, por otro lado, era sorprendentemente fácil. La forma más común era la de esclavizar a miembros de tribus no sumerias o incluso sumerios de las ciudades-estado vecinas durante una guerra. Un ciudadano libre que no hubiera pagado sus deudas o pudiera haber quebrado una ley severa también se convertiría en esclavo. Además, los padres tenían el derecho legal de vender a sus hijos a la esclavitud si tenían problemas financieros. Sorprendentemente, un hombre podría entregar a toda su familia a los acreedores para pagar su deuda, pero el período de esclavitud no duraría más de tres años. La mayoría de los esclavos eran hombres, considerando sus ventajas físicas comparadas con las de las mujeres, los niños y los ancianos, y generalmente se usaban para hacer trabajos físicos pesados, principalmente trabajos de campo o construcción.

A la izquierda: adorador masculino de Tell Asmar; *a la derecha*: mujer sumeria. Imagen original de Xuan Che y Osama Shukir.

Los hombres y mujeres de Sumeria

Durante todas las dinastías sumerias, los hombres normalmente eran tratados mejor que las mujeres, aunque las mujeres disfrutaban de una cantidad plena de derechos legales, como cualquier plebeyo. Por ejemplo, les era permitido poseer propiedades independientes de los hombres. Además, podían participar en una empresa independiente, haciendo negocios como lo haría cualquier hombre. Y hablando legalmente, una mujer podía actuar como un testigo viable como cualquier hombre lo haría, a diferencia, por ejemplo, de la cultura islámica que llegaría a dominar este área muchos milenios más tarde, donde varias mujeres deben servir como testigos en lugar de un solo hombre. Y aunque una mujer no podía convertirse en una ensi, sí podía mantener una posición alta dentro del templo. En este tema, los sumerios fueron algo progresistas. Sin embargo, un hombre aún podía divorciarse de su esposa por motivos simples sin ningún tipo de repercusiones e incluso casarse con una segunda esposa si la primera no era capaz de darle hijos.

Los hijos de Sumeria

Cuando se trataba de niños, la mayoría de las leyes que se aplicaran a cualquier plebeyo adulto se les aplicaba a ellos también: podían ser vendidos, comprados y liberados como esclavos, y, como se menciona en la sección de esclavitud, un niño nacido de un hombre libre y una esclava (o viceversa) se convertiría instantáneamente en un ciudadano libre. En términos familiares, los niños estaban bajo la autoridad absoluta de sus padres. Esto significa que un padre podía desheredar a un niño en cualquier etapa de la vida. Sin embargo, cualquier tierra poseída por el padre (aparte de las tierra del templo, por supuesto) era hereditaria, lo que significa que los niños la obtendrían tras la muerte de los padres. Pero esto era solo cierto en términos legales. En términos de sus relaciones familiares, los niños eran tratados con mucho amor y cuidado por sus padres. De hecho, esto es algo que se aplicaba tanto con niños biológicos como adoptivos. La adopción era una práctica común en la antigua Sumeria, y un niño adoptivo tenía todos los mismos derechos que un descendiente directo de sangre, así como también todas las limitaciones.

Conclusión

Por lo que podemos saber, los primeros sumerios fueron pioneros en varios campos socioeconómicos. Sus primeras estructuras sociales eran de naturaleza democrática y, más adelante, se volverían autocráticas durante los tiempos de grandes conquistas y desastres naturales. Las clases sociales en Sumeria tienen un parecido más o menos a la sociedad moderna, excluyendo la esclavitud. Pero incluso la esclavitud era de naturaleza más simple en comparación a culturas que vinieron después de Sumeria, incluyendo sus sucesores directos. También aprendimos que el trato de las mujeres y los niños era algo más progresista que en culturas venideras, con algunas salvedades importantes, por supuesto. Un punto importante que resaltar es la pertenencia de la propiedad privada, que se tratará con más detalle en los capítulos posteriores. Esto significaba que las estructuras de poder no eran tan autoritarias como, por ejemplo, durante la época de los lugals, sino que la institución más importante de la ciudad, el templo, operaba dentro de su propio círculo y que toda la tierra fuera de las tierras del templo era propiedad de la mayoría de las otras clases.

Además, pudimos ver lo que antiguamente era lo más parecido a un sistema parlamentario en la forma de la asamblea de la ciudad, y hasta su división en las cámaras superiores e inferiores. Podemos concluir que los asuntos de estado no estaban solo en manos de la nobleza. Resulta infinitamente interesante que tanto el sistema de votación democrática como el reinado autocrático de un solo monarca provenga de la misma fuente, y que ambos sistemas, en diversas formas, puedan continuar existiendo en muchas otras culturas, por ende, en todo el mundo y a través de los milenios.

Capítulo 3

La religión y la mitología de los antiguos sumerios: cosmología, dioses mayores y menores, rituales, mitos; conceptos erróneos y explicaciones pseudocientíficas

El comprender este aspecto particular de los antiguos sumerios es de vital importancia para la cultura mundial en general. Y no, esta no es una declaración hecha a la ligera. La mayor parte de lo que vemos en los antiguos mitos de Sumeria corresponden, completa o parcialmente, a numerosos mitos mundiales: la jerarquía y el comportamiento de los dioses, la creación del hombre, la gran inundación, los gigantes, los mitos de la creación, todos estos estaban presentes primero en la mitología Sumeria. Hasta aquí es importante resaltar que muchos investigadores modernos afirman que otras culturas del Cercano Oriente no necesariamente "tomaron prestado" estos mitos, o elementos de los mismos, y los reinterpretaron como propios. Están de acuerdo en que todos ellos, incluidos los sumerios, escribieron sus mitos basándose en una misma fuente.

sumerio. El Sar mediría 144 metros cúbicos cuadrados y tenía un canal perimetral para la hidratación.

La tecnología Sumeria

Extensas y diversas áreas de la tecnología, que incluyen el transporte, herramientas, guerra, caza, agricultura y la elaboración de cerveza, tuvieron sus orígenes en la antigua Sumeria. Hemos hablado brevemente de la rueda, el pico y los diferentes tipos de transportes de tierra y agua; sin embargo, eso es solo la punta del iceberg. La mente sumeria era una mente activa y creativa, y esto dio lugar a numerosas innovaciones tecnológicas. Cuando se trata de herramientas básicas, el pico era lo mejor de la compañía, ya que los sumerios también inventaron llaves, sierras, martillos, cinceles, clavos, brocas, azadas, alfileres, hachas y cuchillos. La mayoría de estos fueron utilizados por personas comunes para la construcción y las reparaciones. La guerra fue otra "industria" en la que los sumerios le brindaron al mundo toda una serie de herramientas nuevas, destacando las puntas de lanza, espadas y vainas, puntas de flecha y aljabas, dagas y armaduras. De hecho, un tipo de carro que se inventó en Sumeria fue utilizado específicamente para incursiones, como se puede ver representado en mosaicos y relieves, en estatuas y en otras obras de arte. Las herramientas más prácticas también estuvieron presentes, tales como pieles de agua, arneses de caballo, bolsos, varias prendas de vestir, calzado (sandalias y botas), pegamento, arpones de pesca y anillos. En términos de materias primas, la antigua Sumeria fue la primera en utilizar bronce y cuero mientras trabajaba con materiales como lapislázuli, betún, arcilla, alabastro, oro, marfil, plata y cornalina.

Pero fue en el ámbito cultural en el que realmente brillaron los inventos sumerios. La escritura cuneiforme es definitivamente el sistema de escritura más antiguo, y fue tan influyente que se extendió por todo el Antiguo Medio Oriente, manteniéndose en uso incluso hasta alrededor del siglo I a.C. (un total de más de cinco milenios después de su invención). Las matemáticas eran una parte importante del sistema de escolarización sumerio; ellos solos dieron nacimiento a la aritmética y la geometría, y fueron mayormente usadas para la medición y la contabilidad. También debemos mencionar el primer uso del calendario lunisolar, que luego se implementaría en las culturas tanto del este como del oeste de Mesopotamia.

La producción de alimentos no era necesariamente nueva para los sumerios, pero el mayor invento que la facilitó fue el riego, haciendo mejor uso de las tierras húmedas de los ríos y produciendo grandes cantidades de granos y frutas comestibles. Una invención particular que se convirtió en un alimento sumerio en todos los aspectos culturales fue la cerveza. De hecho, era tan importante que a los trabajadores de Uruk se les pagaba con cerveza por sus servicios.

Conclusión

La destreza arquitectónica y tecnológica sumeria nos da una idea de cómo su cultura se volvió dominante en la región durante varios miles de años. Tomó mentes ingeniosas para repensar la manera de construir casas, planear ciudades, proporcionar alimentos y agua, y construir estructuras defensivas en tiempos de guerra. Lo que también requirió fue imaginación y pensamiento abstracto, porque solo ese tipo de mente podía producir disciplinas no materiales como la escritura y las matemáticas, y además aplicarlas en situaciones de la vida real. Los antiguos sumerios sobrevivieron y florecieron, adaptándose y evolucionando en cada paso del camino y, en cierto modo, se puede establecer una similitud entre eso y su logro supremo en el terreno de la arquitectura: el ziggurat. Cada nuevo nivel de éxito los acercó a la grandeza, con los conceptos básicos todavía lo suficientemente fuertes como para manejar más innovaciones. Este punto de vista contradice la opinión principal que se suele tener de la antigua Sumeria, aquella que afirma que su cultura era más primitiva y orientada a la religión, y que ha prevalecido durante muchos años. Sus avances tecnológicos y basados en la construcción nos dan una imagen más clara y compleja de la primera civilización como una formada por personas de grandes ideas y de gran ejecución.

Capítulo 7

La cultura Sumeria: literatura, arte, música

Con la escritura llega la literatura. Con la artesanía viene el arte. Con el habla viene la música. Todos ellos estaban presentes y vivos en la antigua Sumeria. Como se señaló en capítulos anteriores, los sumerios realizaban la mayoría de sus actividades diarias al servicio de los dioses. Sin embargo, había un elemento práctico, más mundano y cotidiano en todo lo que hacían. En otras palabras, los sumerios fueron la primera cultura en separar el arte y la literatura de la religión y elaborar obras maestras simplemente por una necesidad creativa de expresión. En este capítulo nos centraremos en este lado creativo de los antiguos sumerios y examinaremos estas tres áreas más a fondo.

La literatura

Una cultura que inventó la escritura lógicamente iba a utilizarla con fines estéticos tarde o temprano. Como se dijo, los himnos y las lamentaciones fueron definitivamente parte de las ceremonias religiosas, y es muy probable que la escritura se hubiera desarrollado como una necesidad de transmitirlas a las nuevas generaciones de creyentes. Se conservaron cinco lamentaciones, la mayoría datan del período que marca la caída de la Tercera Dinastía de Ur. Son todos lamentos de la ciudad: Lamento por Ur, Lamento por Sumeria y Ur,

Lamento por Nippur, Lamento por Eridu y Lamento por Uruk. Entre los himnos, algunos de los mejores conservados son el himno del templo Kesh y el himno a Enlil.

La mayoría de lo que los sumerios escribieron era poesía o, más bien, alguna variación de ella. Destacan los famosos poemas largos sobre los dioses y tres grandes ciclos épicos. Uno de los ciclos mencionados contiene dos leyendas de Enmerkar, mientras que el otro contiene dos cuentos de Lugalbanda, ambos reyes prominentes y héroes de la antigua Sumeria. La obra más famosa, sin embargo, es el tercer ciclo épico, que incluye cinco historias sobre Gilgamesh. De toda la literatura Sumeria, Gilgamesh fue el más influyente en todo el mundo, ya que contribuyó al nacimiento al género de la poesía épica. El héroe principal de este ciclo, Gilgamesh, el rey de Uruk, viajaba por el mundo y realizaba hazañas impresionantes con su acompañante y mejor amigo Enkidu. La épica obtuvo una reescritura en la Vieja Babilonia, así como en otras culturas antiguas del Medio Oriente, por lo que es una verdadera piedra de toque cultural en la literatura mundial, incluso en aquel entonces.

Otros tipos de obras literarias incluirían mitos y poemas sobre dioses y diosas, con Inanna como protagonista del mayor número de ellas. La más famosa incluye su descenso al inframundo y su fuga, intercambiando a su esposo Dimuzi por su alma. En todos estos mitos rara vez se muestra a ningún hombre mortal en un papel positivo, y las mujeres mortales no hacen apariciones. Y, fieles a la naturaleza de los dioses antiguos, los dioses en estos mitos están representados con características muy humanas: pelean, discuten, se engañan unos a otros, cometen errores en sus tareas, son castigados y finalmente se salvan. Ningún dios era inmune a este trato, ni siquiera Enlil, la deidad mayor del panteón sumerio.

También existían los proverbios y los ensayos, generalmente escritos en forma de colecciones. Un género interesante de escritura incluía discusiones entre dos bandos diferentes, como una forma antigua de debate. Estos no solo ocurrían entre dos seres humanos, sino también entre animales, objetos inanimados, conceptos e ideas. Los filósofos griegos antiguos perfeccionarían estos en forma de diálogos.

Hay abundante evidencia de que se enseñaba alguna forma de "escritura creativa" como parte del currículo regular en edubba. A los estudiantes avanzados se les hacía memorizar textos sumerios más complejos y reproducirlos de memoria, tanto oralmente como por escrito. Con el tiempo, los estudiantes, los ex alumnos y hasta los maestros escribieron sus propios textos, contribuyendo aún más a la cultura general de sus respectivas ciudades.

La tableta de la inundación de la epopeya de Gilgamesh, alrededor del siglo VII a.C. Imagen original de Osama Shukir Muhammed Ami.

El arte

Un antiguo artista sumerio era a menudo un escultor. Como tal, encontramos muchos ejemplos de esculturas, relieves, jarrones y otros tipos de cerámica. Sin embargo, también encontramos rastros de mosaicos y murales, que muestran que los sumerios también pintaban, aunque no con tanta frecuencia.

En términos de jarrones, el artista sumerio elegía un jarrón cilíndrico para representar la Creación del Mundo, una técnica que pronto se extendió. Un ejemplo famoso de esto sería el jarrón Warka, encontrado en Uruk. Este jarrón estaba hecho de alabastro y mide alrededor de un metro de altura. Era parte de un par de jarrones dentro del Templo de Inanna, pero el relieve del otro jarrón apenas es legible debido al deterioro. Este jarrón representa una procesión de hombres que llevan frutas agrícolas del trabajo a Inanna, todo esto mostrado en cuatro niveles o registros, moviéndose de forma circular y continua de abajo hacia arriba.

Una pieza de arte interesante, y que originalmente no estaba destinada para ese propósito, es el sello del cilindro. Era un pequeño objeto cilíndrico con elementos tallados al revés. El objeto se enrollaría sobre la arcilla para formar la firma de un oficial, generalmente un sumo sacerdote o un rey. Estos sellos se han utilizado desde el período de Ubaid, y la razón por la que son tan fascinantes para los eruditos sumerios (y otros antiguos de Mesopotamia) es debido a los detalles que se incorporaron en su creación. Los sellos estarían hechos de varias piedras preciosas, como lapislázuli, mármol, jaspe, hematita, calcedonia, ágata, esteatita, serpentina y piedra caliza, reservando el oro y la plata para las clases más altas.

Sin embargo, en lo que a estatuas se refiere, cabe mencionar algunas. Dentro del templo de la remota ciudad-estado de Eshnunna, los excavadores encontraron doce estatuas de hombres en su mayoría en una posición de oración, con ojos grandes y salientes. El más famoso de estos fue apodado el adorador masculino permanente de Tell Asmar (la ubicación actual donde solía estar Eshnunna). Sin embargo, si alguna vez hubo una figura del estilo que contribuyó realmente al arte de la escultura, esa sería la Gudea de Lagash. Este gobernante encargó numerosas figuras de sí mismo, algunas muy realistas; una estatuilla en particular es la de él sosteniendo el plano del templo, encontrada en Girsu dentro del estado de Lagash, que gobernó Gudea. Estas estatuas estaban hechas principalmente de diorita y pueden ser tan altas como un humano promedio.

Mientras que Uruk, Lagash y Eshnunna proporcionaron espléndidas piezas de arte, una que continúa fascinando a los historiadores es el llamado Estándar de Ur. Esta pequeña caja de madera, con un mosaico de piedra caliza roja, lapislázuli y concha, es de colores vivos y tiene dos "lados", el lado de la Paz y el lado de la Guerra. El lado de la guerra muestra lo que podría ser la representación más precisa disponible de un ejército sumerio durante el conflicto. En consecuencia, el lado de la Paz muestra un banquete, con abundante comida y bebida, así como músicos que entretienen a los invitados. Originalmente se pensó que era un estándar de algún tipo, de donde tomó su nombre, pero su verdadero propósito aún se desconoce.

Otras obras de arte notables incluyen la Máscara Warka de Inanna, que mencionamos brevemente en uno de los capítulos anteriores, el toro calizo de Uruk, el carnero en un matorral, la estela de los buitres y el mosaico cónico del templo Eanna. La mayoría de estos trabajos están parcialmente restaurados o en una condición levemente decrépita, y, al igual que el jarrón Warka, a menudo vienen en pares.

La Escena de la Paz, El Estándar de Ur, alrededor del 2500 a.C. Imagen original de Osama Shukir Muhammed Amin.

La música

Hemos hablado un poco sobre los Nar, o el juglar, y de su destacado papel en la difusión de los mitos a través de la canción. Sin embargo, los músicos como tal eran una parte inseparable del antiguo templo sumerio. La música desempeñaba un doble papel, como herramienta religiosa y como forma de expresión artística.

Había tres tipos de instrumentos que usaban los sumerios, divididos en tres grupos: percusión, viento e instrumentos de cuerda. Dentro del grupo de percusión había varios tambores, tamboriles y cascabeles. Un nombre típico para un tambor en sumerio era Ub, como Ub-Tur que significa "pequeño tambor", "tambor de piel" Su-Ub y "tambor de bronce" Ub-Zabar. Un Balag sería un tambor enorme parecido a una lira, con un equivalente más pequeño, Balag-Di, usado en gran parte por mujeres. A-la y Su-A-La serían un tambor grande suspendido en un tipo de poste. Dos tambores más que se mencionan a menudo en Sumeria son Su Gu-Galu y Lilis. En cuanto a las panderetas, había dos tipos principales: el A-Da-Pa y el Me-Ze, y su variante de piel Su Me-Ze. Los nombres de los cascabeles normalmente serían muy difíciles de rastrear, pero los que conocemos se llamaban Katral y Nig-Kal-Ga.

Flautas, tubos y cuernos constituían los instrumentos de viento de Sumeria. El Ti-Gi y el Imin-E eran tipos de flautas prominentes de esta época, y el último mencionado literalmente se llamaba "la nota de siete", apuntando a un posible sistema de escala de siete notas. Entre los tubos de junco encontramos el Na, el Er-Šem-Ma y el Kitmu. El segundo de los tres era probablemente una sola pipa utilizada en procesiones, y el tercero probablemente tenía una tapa de cuerno o calabaza. Una tubería doble se llamaba Šem, y se llamaba Giš-Har-Har si estaba hecha de madera o de caña. Entre otros instrumentos de caña se incluyeron el Pitu, el Dun-Gi Gu y el Imbubu. Acerca de los cuernos, dos instrumentos particulares se mencionan en la Epopeya de Gilgamesh, Giš Rim y Giš E-Ag, constituyendo probablemente dos partes del mismo instrumento. Un tipo similar de cuerno podría ser el Karan. Los cuernos de animales típicos tenían una variedad de nombres: Sim, Si-Im, Si-Mu, Si-Im-Da, Si-Im-Du. Todos estos instrumentos funcionaron en gran medida guiándose por el mismo principio que los instrumentos de viento modernos.

Pero debemos dirigir nuestra atención a los instrumentos de cuerda -el arpa, la lira y el laúd- por ser las herramientas musicales mejor conservadas de la antigua Sumeria: las liras o arpas de Ur. Se encontraron tres liras y un arpa en el cementerio real de la ciudad, pero todos estaban clasificados como liras por conveniencia. Dos de ellos, el Great Lyre y el Queen's Lyre, están tan bien adornados que con solo verlos ya son una obra de arte, mostrando cabezas doradas con algunos elementos hechos de nácar y lapislázuli. Estas liras se llamaban Al-Gar, y un típico Al-Gar tenía un número diferente de cuerdas según el modelo: podía oscilar entre seis y ocho, y el estándar de oro tenía once. Las arpas también variaban en tamaño y número de cuerdas, y había numerosos tipos, como el Zag-Sal o Al, Miritu y Giš-Miritu, Giš-Mi-Ru, Giš-Sabitu y muchos otros. En cuanto a los laúdes, los sumerios tocaban el Pan-Tur y el Sa-Li-Ne-Lu (originalmente los investigadores pensaron que era un instrumento de viento).

Una pregunta interesante es la de la notación y la escala. Es evidente en los instrumentos sumerios que una escala estaba definitivamente presente, probablemente sea una pentatónica o heptatónica o, en otras palabras, una escala de cinco o siete notas principales. Sin embargo, esto no se puede verificar con ningún nivel importante de precisión. Lo mismo vale para la notación. Se encontraron tabletas cuneiformes que sugieren música escrita; sin embargo, no se puede definir qué nota representaría cada signo, ni cómo se clasificaban.

Las liras plateadas y doradas de Ur, Período Dinástico Antiguo. Imagen original de Osama Shukir Muhammed Amin.

Conclusión

En lugar de un resumen de cada actividad artística, literaria o musical, cabe destacar un detalle importante cuando se trata de estas disciplinas en la antigua Sumeria. Es cierto que los dioses y su adoración a ellos era el tema principal presente y el propósito de un buen número de obras esculpidas, escritas y musicales. Pero a juzgar por la abundancia de material que ilustra la vida cotidiana, podemos estar casi seguros de que los sumerios literalmente fueron pioneros en el lema del arte por el arte. En varias esculturas y jarrones verá representaciones del trabajo del campo, de tributos, del canto y baile, del comer y beber, de peleas e incluso del descanso. Los escribas antiguos también participaban en eventos más mundanos y regulares de la vida de las personas, mientras que los músicos disfrutaban tocando canciones y cantando durante las celebraciones fuera de los terrenos del templo. Esta apreciación por el entorno que los rodeaba hizo que los antiguos sumerios no solo fueran los primeros artistas del mundo, sino también los primeros creadores de obras maestras reconocidas.

Capítulo 8

La política exterior de Sumeria: relaciones con otras naciones

Tan poderosos y tan influyentes como podrían haber sido los sumerios, estaban lejos de ser el único grupo de personas que habitaba la antigua Mesopotamia. Durante sus más de cinco milenios de existencia, compartieron el espacio con varios pueblos y naciones, y hubo un grado variable de interacción entre ellos.

Tierras con ubicaciones desconocidas o no confirmadas

Los sumerios solían escribir sobre tierras que consideraban importantes para el comercio, o incluso dignas de mención en el mito por una razón u otra. Sin embargo, la historia moderna no puede señalar la ubicación de estas áreas con ningún tipo de certeza. Los cuatro estados prominentes en los que los sumerios estaban en buenos términos eran Aratta, Magan, Meluhha y Dilmun.

Aratta, al menos la de mito, era un estado con cantidad de piedras y metales buenos, de gobernantes sabios y audaces y sumos sacerdotes, y, posiblemente, incluso hogar de la adoración de Inanna. Si tomamos los escasos detalles disponibles, que obviamente no parecen legendarios o imaginarios, podemos asumir que, de haber existido

Aratta, habría estado muy influenciada por la cultura sumeria, desde su sistema religioso y gobernante hasta su lenguaje y títulos de nobleza. Sin embargo, a pesar de no saber la ubicación exacta de esta ciudad-estado, algunos científicos todavía especularon dónde podría haber estado ubicada, colocándola cerca del Mar Caspio, el moderno Irán o al este del mismo.

Magan es otro estado prominente cuya ubicación se sigue especulando. La mayoría de los científicos apuntan a Omán como un lugar probable, con Irán y Pakistán e incluso Egipto como alternativas probables. Ur y Magan mantuvieron un comercio frecuente, principalmente uno de cobre y diorita. Como se mencionó, las antiguas ciudades sumerias no tenían canteras u otras fuentes de piedra sólida, y los metales que usaban para la fabricación de herramientas y arte eran importados. Esta importación de cobre continuó hasta que los gutianos tomaron el control de Ur. Cuando Ur-Nammu recuperó la ciudad, el comercio se restableció de nuevo.

Meluhha era el otro socio comercial importante de Sumeria, generalmente mencionado junto con Magan. Entre muchas cosas, Meluhha exportó cornalina, cebollas, cobre, marfil y aceite de sésamo. Junto a Magan, se enumeran como trayendo tributos a los gobernantes sumerios y acadios, lo cual se hizo por medio de barcos. A diferencia de la ubicación de Magan, la de Meluhha es mucho más difícil de precisar. Su gente se describe en los mitos como "hombres negros", por lo que Etiopía podría ser una posible ubicación, pero no hay pruebas directas o incluso circunstanciales suficientes para probar esto. Otro posible candidato sería la civilización del valle del Indo, ya que hay algunas pruebas menores de que esta cultura interactuaba con las de Asia Menor.

El lugar más "verificable" de estas ubicaciones es Dilmun, una región que probablemente se encuentra en la actual Bahrein y el territorio circundante. Dilmun fue seguramente un importante puesto comercial para todas las culturas del Cercano Oriente, donde tendrían lugar importaciones y exportaciones. Sin embargo, el sitio podría incluso haber sido un lugar religioso importante. El mito de la inundación de la antigua Sumeria tiene su propia versión de Noé, Ziusudra, que se establece allí para el resto de la eternidad con su esposa, convirtiendo a Dilmun en un proto-jardín del Edén. No hay hallazgos arqueológicos directos que lo confirmen, por lo que esta especulación proviene en gran medida de la exaltación de Dilmun en los escritos sumerios. Como región, intercambiaron numerosos artículos con Sumeria, incluyendo piedras, metales, madera, metales preciosos y perlas, incrustaciones de conchas y huesos y marfil. Se cree que Dilmun mantuvo el monopolio de todo el comercio durante el período Isin-Larsa, en los últimos años de la civilización sumeria. Si bien fueron influenciados por los sumerios, la cultura y los pueblos de Dilmun eran probablemente semíticos.

Las relaciones con los otros pueblos

Los gutianos y los hurrianos

Aunque se sabe poco de los gutianos como raza o cultura, eran enemigos acérrimos de las culturas de Mesopotamia. Con frecuencia atacaban a los sumerios en redadas, empleando tácticas de golpe y fuga. El prominente imperio acadio tampoco fue justo contra ellos, ya que uno de los gobernantes gutianos derrotó a su último emperador y comenzó una efímera dinastía gutiana sobre la mayor parte de lo que Acad tenía bajo control en ese momento. Sin embargo, si lo que sabemos por la leyenda es cierto sobre los gutianos y su estilo de vida bárbaro, podemos decir con seguridad que sus dominios anunciaron una era de decadencia en Mesopotamia, una especie de "Edad Oscura" antigua. La mayoría de las naciones independientes se desarrollaron ampliamente en este período, como Lagash, y los gutianos pronto fueron suficientemente derrotados y expulsados de la región por el rey Utu-Hengal de Uruk.

En cuanto a los hurritas, los sumerios no tenían una opinión particularmente agradable de ellos. Si el lenguaje sirve como pista, "hurum" significa "tonto" o "boor" en sumerio, etiquetando así a un grupo de personas completo como tal. Sin embargo, los propios hurritas estaban lejos de ser tontos. Según su historia, nunca se enfrentaron a conquistas extensas, y su ciudad más prominente fue Urkesh, cerca de la moderna Tell Mozan. Dentro de Urkesh formaron su primer reino y colaboraron o lucharon con los pueblos semíticos vecinos. Más tarde, mucho después de que los sumerios ya se hubieran ido, los hurritas formarían otros reinos poderosos, como Mitanni, alrededor del año 1500 a.C. o Urartu durante los años 900 a 1000 d.C.

Fue después de esto que fueron derrotados y absorbidos por la población armenia local.

Los semitas de Mesopotamia

Tan importante, o no tanto, como las personas que no son semitas como los gutianos o los hurrianos eran para Sumeria, fueron las diversas ramas de los semitas que interactuaron con ellos con mayor frecuencia, ya sea en el comercio pacífico o en la guerra abierta. Los primeros elamitas y amorreos a menudo atacaban las ciudades sumerias, tomaban el control de las ciudades y establecían poderosos reinos o imperios. Los descendientes de los elamitas eran, de hecho, acadios, y uno de los períodos más prósperos de la historia sumeria y acadia fue la era sargónica. Los primeros semitas fueron fuertemente influenciados por la cultura y el arte sumerios, pero basados en los eventos y cambios que tuvieron lugar durante el reinado de Sargón, eran muy conscientes de su origen étnico y estaban orgullosos de él. La mayoría de los documentos oficiales en ese momento se escribieron en forma bilingüe, tanto en sumerio como en acadio, pero el segundo de los dos tenía mayor dominio y era el idioma oficial.

Los amorreos, por otro lado, fueron los precursores de los babilonios. Fue este vástago semítico el que finalmente aplastó los últimos vestigios de la cultura sumeria bajo el mando de Hammurabi y sus descendientes. Sin embargo, al igual que los acadios, los babilonios tomaron muchas señales míticas, culturales y artísticas de Sumeria. Escribieron en el mismo estilo, adoraron a algunas de las mismas deidades, y probablemente también eran bilingües, considerando que la lengua sumeria permaneció en uso litúrgico mucho después de que el último sumerio hubiera desaparecido.

Sargón de Akkad, alrededor del 2300 a.C.

Conclusión

Como es el caso de las naciones modernas, la relación de los sumerios con sus vecinos inmediatos era complicada. No escasearon las sangrientas batallas, los golpes, las adquisiciones hostiles, las liberaciones hostiles, las presentaciones y las destrucciones. Sin embargo, casi todos estos grupos fueron influenciados por los sumerios notablemente y, considerando lo geográficamente distantes que estaban de las prominentes ciudades-estado sumerias, eso dice mucho de lo influyente que realmente tuvo que ser la primera civilización del mundo.

Los sumerios

Conclusión

Este libro ofrece algunos de los conocimientos más básicos que tenemos sobre los antiguos sumerios, junto con algunos detalles interesantes que pueden generarle curiosidad. Sin embargo, hay dos cosas importantes a tener en cuenta.

Lo primero es que el alcance de los datos existentes sobre Sumeria es mucho mayor de lo que este libro puede abarcar. Una asombrosa riqueza de hallazgos acumulados a lo largo de más de un siglo de investigación arqueológica puede ser abrumadora para cualquiera que esté dispuesto a aprender más sobre esta fascinante cultura y sobre las personas que la crearon. Y es precisamente por este enorme esfuerzo de los investigadores de la antigua Mesopotamia que podemos aprender acerca de la civilización más antigua de la tierra, sobre sus costumbres, ideas, moral, ética, comportamiento durante la paz y la guerra, sobre cómo vivieron sus vidas cotidianas, lo que amaban, lo que odiaban, a quién temían, a quién adoraban, lo que promovieron, lo que perfeccionaron, quién los llevó a las victorias y cuál fue la causa de su ruina, sobre lo mundano y lo mítico del increíble tesoro oculto de la civilización de los antiguos sumerios.

La segunda cosa importante a tener en cuenta es que mientras seguimos descubriendo nuevos y esclarecedores datos sobre los sumerios, sigue sin ser suficiente en el gran esquema de su historia. Reconstruir una cultura de tan solo dos décadas es una tarea ardua que implica mucha investigación y mucho trabajo de campo, pero haciendo lo mismo con una cultura que abarcó varios milenios, en un área geográfica repleta de guerras, destrucción, reconstrucción y con condiciones climáticas cambiantes, de hecho, es una tarea tremendamente difícil, o Gilgameshan, si queremos mantenernos en el tema. Y si bien Einstein dijo que las únicas dos cosas que son infinitas son el universo y la ignorancia humana, y diciendo así que el corpus global de conocimiento humano es pequeño y frágil en comparación, es nuestra tarea para con nuestra civilización moderna aprender tanto como podamos de nuestros antepasados y enriquecernos con todo lo que nos ofrecen mientras seguimos nuestro camino.

Pero no concluiremos este libro hablando de nosotros. Lo estamos concluyendo, apropiadamente, con los sumerios. En cierto modo, se parecen más a nosotros de lo que la mayoría de la gente podría pensar: tenían una larga y amplia historia que incluía tanto aspectos mitológicos como legendarios, así como también eventos más laicos y centrados en la realidad. Ellos crearon por sí solos muchas de las herramientas, tanto físicas como educativas, que utilizamos inclusive hasta el día de hoy, y las que fueron creadas antes de ellos fueron perfeccionadas por sus creativas mentes. Además, de ellos nacieron algunos de los gobernantes más famosos y notables, no solo de los antiguos, sino también de nuestro mundo moderno, reyes e incluso reinas cuyas legendarias hazañas en sí constituían innovaciones y reinvenciones. Maravillas arquitectónicas, fundaciones institucionales, incluso el pensamiento democrático antiguo, todos ellos encontraron su primer hogar en Sumeria. Y, como es inevitable, también lo hicieron la corrupción, las disputas, las guerras, la destrucción y la devastación, todas las áreas que también fueron perfeccionadas por los "cabezas negras" de Mesopotamia. Pero, en medio de toda esa innovación, los sumerios sabían apreciar la belleza estética, pronunciar una palabra escrita e incluso divertirse de vez en cuando. Y aunque pudieron haber sido una espina en el costado de sus vecinos directos y enemigos acérrimos, su cultura hizo eco en sus enemigos durante siglos después de que se hubieran marchado.

En definitiva, esa es la mejor manera de terminar. La antigua Sumeria ya no existe, pero con todo lo que han hecho y deshecho que hemos descubierto en este libro, permanece inmortalizada como la primera cultura en atreverse a hacer lo que regularmente hacemos todos los días. Todo esto se resume mejor con el título que Samuel Noah Cramer eligió para uno de sus aclamados trabajos sobre el tema: "La historia comienza en Sumeria".

Segunda Parte: Gilgamesh

Una Fascinante Guía de la Epopeya del rey Gilgamesh

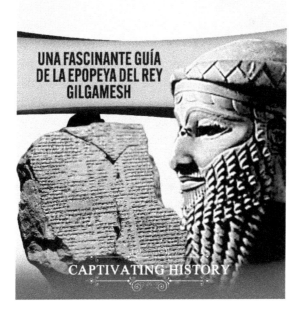

Introducción

En muy pocas ocasiones, un nombre perdura durante tantos milenios como lo ha hecho el de Gilgamesh. Hombres de letras internacionalmente conocidos, como Carl Gustav Junt y Rainer Marie Rilke, han dedicado los mayores elogios a la antigua epopeya babilonia sobre el célebre y querido rey sumerio. Muchas obras de la literatura han sido inspiradas por la epopeya o la imitan abiertamente, y numerosos escritores sienten el mayor de los respetos por este tesoro de la escritura cuneiforme.

Pero como suele suceder con la escritura antigua, aún quedan muchas cosas por descubrir sobre Gilgamesh y sus proezas. Las fuentes que nos narran su historia están rotas, dañadas, incompletas y son contradictorias entre sí en varios momentos cruciales. La historia del rey de Uruk fue tan popular que fue mucho más allá de las ciudades-estado sumerias, su área original de influencia. Acadios, hititas, asirios, babilonios y muchos otros pueblos de la antigua Asia Menor consideraron a Gilgamesh como un héroe digno de ser preservado en sus respectivos entornos culturales. Las historias de sus logros se narraron una y otra vez, para después transmitirse de generación en generación. Además, la historia del héroe de Uruk no se contentó con quedarse anclada en la época antigua. Desde su descubrimiento en 1853 y su posterior primera traducción en la década de 1870, la epopeya ha alcanzado a un público totalmente nuevo y diferente, gracias al cual ha vuelto a la vida tras casi cuatro mil años de olvido absoluto. Sería imposible calcular cuánta investigación se ha dedicado al poema, y con los nuevos fragmentos que siguen descubriéndose, el interés por el mismo no hace más que crecer.

Debemos preguntarnos: ¿cómo algo tan antiguo y separado del alocado mundo moderno puede recibir tanta adoración? ¿Por qué cientos de autores y estudiosos en todo el mundo afirman estar enamorados de esta obra? No puede tratarse únicamente de su valor histórico: antes del descubrimiento de la epopeya, ya se habían traducido textos más antiguos e importantes de la antigua Mesopotamia. Debe ser algo más: su contenido, o más concretamente, la cultura que derivó del mismo.

Gilgamesh supone todo un hito en la historia de la literatura, puesto que se trata de la primera obra literaria que conocemos. Ciertamente, no fue el primer documento que se escribió; ni siquiera la primera obra literaria que se compuso. Pero sí es la primera verdadera obra de arte, el primer clásico literario instantáneo. Y como tal, ha cautivado la imaginación de críticos y estudiosos de la literatura tanto como lo han hecho las epopeyas de Homero o las obras teatrales de William Shakespeare. Y hablando del bardo, puede que Shakespeare sea la mejor comparación posible para entender la importancia de Gilgamesh. En la mayoría de las malas obras literarias abundan los estereotipos; personajes y situaciones con los que uno no se siente identificado. Solo un autor realmente diestro puede humanizar algo inherentemente absurdo o poco serio. Estos son los creadores que consiguen que sus obras destaquen por encima del resto y constituyan el eje del mundo cultural. Suele decirse que el Hamlet de Shakespeare (el personaje, no la obra) es el primer hombre moderno de la literatura. En ese aspecto, Gilgamesh, el rey-héroe de Uruk, es el primer hombre de la literatura.

Si esa última frase le confunde, querido lector, a buen seguro que quedará clara tras leer la epopeya. Pero antes de adentrarnos en la historia, es necesario repasar brevemente el trasfondo de Gilgamesh.

La Historia de la Epopeya

La epopeya fue descubierta en 1853 por Hormuzd Arassan, un experto asiriólogo, y Austen Henry Layard, un joven viajero británico, en la Biblioteca del rey asirio Asurbanipal en Nínive. Esta versión consistía en doce tablillas escritas por un escriba conocido como Sîn-lēqi-unninni. Debido a su aparente completitud en comparación con otras fuentes, esta se convirtió en la "versión estándar" de la epopeya, conocida popularmente por sus primeros y ominosos versos: "Aquel Que Vio Las Profundidades".

Anteriormente se habían encontrado otras versiones de la epopeya en varios lugares del mundo antiguo, la más conocida de las cuales era "El Rey que Superó a Todos los Demás". También se encontraron varios fragmentos que contenían tan solo ciertas partes de la historia, algunos escritos incluso por aprendices de escriba, con interpretaciones mucho más libres de la narración. Las dos tablillas que constituyen "El Rey que Superó a Todos los Demás" se conocen como la Tablilla de Pennsylvania y la Tablilla de Yale, que deben su nombre a los museos que las cobijan en la actualidad. Otros fragmentos también reciben su nombre de la universidad en la que están o el lugar en el que fueron desenterrados, como la Tablilla de Filadelfia, la tablilla de la Escuela de Nippur, las de Tell Harmal, la de Ischchali, la tablilla parcial de Bagdad y una tablilla que supuestamente se encontró en Sippar. La mayoría actuaron como material adicional para reconstruir la epopeya en su totalidad.

La primera traducción llegó en la década de 1870, pocas décadas después de ser descubierta. George Smith, el primer traductor de la epopeya, dijo haber reconocido la historia de la Gran Inundación en la escritura cuneiforme de la composición. Smith se sintió tan emocionado por su descubrimiento que, inmediatamente después de compartir sus buenas noticias con todo el mundo, empezó a desvestirse. Antes de que consiguiera traducir la epopeya (que más tarde se denominó "La Narración Caldea del Génesis"), Rassan tradujo erróneamente el nombre del dios-rey como "Izdubar". La traducción que sigue sin tener parangón a día de hoy es la Andrew George, un asiriólogo de prestigio internacional, publicada por Penguin Books en 2003. Aunque incompleta, esta traducción confirió a los estudiosos una mejor comprensión de la epopeya y su desarrollo.

Gilgamesh – una Posible Narración Histórica

Si ignoramos la epopeya, o al menos sus elementos fantásticos, podemos formarnos una idea aproximada de quién era Gilgamesh. Según las escasas fuentes que tenemos de él, se trataba de un gobernador de Uruk alrededor del año 2600 a. C. Por tanto, habría sido contemporáneo de Enmebaragesi y de su hijo Aga o Akka, dirigentes de Kish en la época. Kish era la ciudad-estado más importante de su era, lo que puede apreciarse en el hecho de que otros dirigentes se denominaban a sí mismos "rey de Kish" cuando querían demostrar que tenían poder absoluto. A Gilgamesh se le acredita la construcción de las enormes murallas de Uruk y la reconstrucción general de la ciudad. De haber sido una verdadera figura histórica (y teniendo en cuenta que el propio Enmebaragesi PODRÍA haberlo sido también, dados los recientes descubrimientos de objetos y lugares que construyó o encargó), Gilgamesh habría sido tan quedo y respetado que no es sorprendente que se erigiera a posteriori un culto en torno a él. No existen registros históricos de su gobierno ni de sus amigos y familiares cercanos (incluyendo su madre divina, sus dos hermanas y su hermano adoptivo Enkidu, nombres que juegan un papel destacado en la epopeya y uno secundario en anteriores poemas sumerios), al menos en la actualidad. Lugalbanda, a menudo descrito como el padre de Gilgamesh, podría haber sido contemporáneo suyo o incluso haber muerto mucho antes de que Gilgamesh naciera. Pero basándonos en el estado de Uruk tras su mandato, y en la abundante literatura posterior sobre el personaje, puede decirse con certeza que dejó una importante marca tanto en la historia como en la cultura de la antigua Mesopotamia.

Tablillas inscritas con un antiguo fragmento babilonio de Gilgamesh. Período Isin-Larsa

Notas Acerca de Esta Versión

La versión que está a punto de leer es una adaptación prosaica de la epopeya. Las dos principales fuentes a las que se ha recurrido para la adaptación son la traducción de Andrew George en 2003 y la adaptación poética de Stephen Mitchell, publicada por primera vez en 2004 por Profile Books Ltd. Si bien la polémica versión de Mitchell ofrece una versión más poética y entendible de la epopeya, es cierto que se toma ciertas libertades para conseguir algunas soluciones lingüísticas. Por otra parte, la fabulosa versión de George ofrece no solo una gran traducción, sino que aporta material adicional que ayuda a colocar en contexto varias cosas que la epopeya, de por sí sola y en su presente estado, no conseguiría ilustrar.

En cuanto a los poemas sumerios sobre Gilgamesh, se ha utilizado tanto la traducción de George como las notas originales de Samuel Noah Kramer para reconstruirlos y adaptarlos en prosa. Otras fuentes han ayudado también en menor medida, proporcionando algo de contexto y varias interpretaciones aceptables sobre algunos puntos importantes de la versión prosaica de este libro. Para no interrumpir la fluidez narrativa, incluiremos algunas notas breves al término de cada historia.

Tablilla 1: La Llegada de Enkidu

La primera tablilla ejerce tanto de prólogo como de primera escena de la historia. El poeta-escriba empieza por describir al principal protagonista, es decir, Gilgamesh, el rey de Uruk. Gilgamesh aparece descrito como un hombre de gran sabiduría. Ha contemplado la "fundación del país" y viajado a numerosos lugares, incluyendo las regiones más alejadas del universo conocido, como el Gran Mar bajo la tierra (conocido como Abzu, o el Abismo). Este poderoso rey ha adquirido su sabiduría en sus arduos y numerosos viajes, desafíos y tribulaciones. Incluso ha descubierto el secreto de cómo era el mundo antes de la gran inundación, el poderoso Diluvio que acabó con casi toda la humanidad. Pero el viaje le resultó agotador, y regresó vencido, desgastado y con ansias de tranquilidad. Encontrándose así, decidió grabar sus aventuras en arcilla, presumiblemente para que otros pudieran leerlas en años venideros.

Gilgamesh no siempre fue un hombre sabio, pero sí fue siempre un hombre grande. Su grandeza puede apreciarse en los edificios que ordenó construir, sus verdaderas obras maestras. En primer lugar está la gran muralla de Uruk, el gran baluarte que ninguna otra ciudad-estado tuvo; un auténtico regalo para la vista. Es larga, duradera y con un imponente parapeto que ningún gobernante podría replicar. Al igual que tampoco puede imitarse el almacén sagrado llamado Eanna, encargado también por el gran rey al que estamos empezando a conocer. Subiendo por las escaleras, llegamos a la base de la diosa Ishtar, la diosa patrona de Uruk, ciudad con numerosos epítetos (Uruk el Redil, Uruk el Refugio). Pero solo desde lo alto de la muralla se puede contemplar el paisaje y hacerse a la idea del verdadero tamaño de Uruk. Tanto su centro urbano como su huerto de dátiles alcanzan el kilómetro y medio cuadrado, al igual que su barreda. La mitad de esa superficie está dedicada íntegramente a la adorada Ishtar. Los casi cinco kilómetros cuadrados que la rodean forman parte del dominio de Uruk. Se trata sin duda de una ciudad poderosa, ideal para un rey de la talla de Gilgamesh.

Todos estamos invitados a conocer a este rey y aprender cómo llegó a ser quien es, las hazañas que vivió y las enseñanzas que le procuraron su sabiduría. Y podemos aprenderlo fácilmente, pues dentro de una caja de cedro yace un cierre de bronce, bajo el cual aguarda una tapadera que protege el secreto. No tenemos más que leerlo para conocer las vivencias del gran rey de Uruk, escritas cuidadosamente en una tableta de lapislázuli.

En su juventud, Gilgamesh fue un individuo impredecible. No se podía subestimar su fuerza. Sus ejércitos lo seguían a todas partes. Lo apodaron "toro salvaje" por cómo cargaba contra todo. Muchos decían que era como un imponente fuerte que protegía a sus compañeros de batalla, un violento torrente de agua capaz de derribar muros de piedra. Como perfecta combinación de fuerza y poder, descendía del rey Lugalbanda y la diosa Ninsun, de los que se decía acertadamente que eran dos tercios divinos y un tercio humano.

El joven Gilgamesh cavó pozos, abrió pasos a través de las montañas, cruzó los mismos océanos para encontrarse con el amanecer, restauró muchos edificios dañados por el gran diluvio y devolvió los rituales sagrados para la prosperidad del pueblo. Era sin duda un hombre al que tener en cuenta, y al que no convenía desafiar. Fue creado por Auru, la dama de los dioses, mientras que Enki, o Nudimmud, lo cinceló hasta darle una forma perfecta. Su cuerpo era enorme y tenía una espesa barba, un largo cabello y un atractivo que ningún mortal podía igualar.

Este Gilgamesh caminaba con arrogancia por las calles de su ciudad, como cualquier tirano consciente de serlo. Su ejército estaba a su completa disposición, sin que nadie se atreviera a desafiarlo. Muchos hombres en la ciudad sufrieron su arrogancia; muchos padres perdieron a sus hijos. Pero Gilgamesh no dejó de divertirse también con las mujeres, haciendo cuanto quisiera con ellas y dejando a muchas madres sin hijas. Previsiblemente, el pueblo de Uruk se hartó y pidió ayuda a Anu, la principal deidad del panteón sumerio (y también del acadio). Hablaron largo y tendido sobre Gilgamesh, lamentaron cada hijo perdido, cada hija abusada, cada pareja rota, cada viudo, cada derecho aplastado y la impotencia general que se sentía. Ese no era el rey que necesitaban. Era sabio y fuerte, sin duda, y había hecho cosas espectaculares por la ciudad. Pero ello no era excusa para la tiranía.

Tras oír sus razonables peticiones, el gran Anu les dijo a sus creaciones que buscaran a Aruru y le pidieran que creara otro hombre; uno que fuera igual que Gilgamesh en todos los aspectos, pero que fuera capaz de traer la paz a la esplendorosa ciudad. Los habitantes de Uruk siguieron su consejo e invocaron a Aruru. Tras escucharlos, la diosa hizo exactamente lo que se le pidió: creó otro hombre de la nada, un proceso que parecía bastante sencillo para ella. Se lavó las manos, cogió algo de arcilla, le dio forma y arrojó el resultado al mundo. Y ciertamente, un hombre apareció y respiró por primera vez. Se trataba de Enkidu.

Enkidu era, a su manera, espectacular. Se parecía mucho al poderoso dios Ninurta. Su enorme cabello era tan largo como el de una mujer, al igual que su barba, y no vestía más que con harapos. Era un hombre salvaje que no pertenecía a ningún pueblo ni a ninguna ciudad. Tan solo hombre salvaje que había encontrado a su familia entre la fauna local. Comió hierba junto con las gacelas, bebió agua con ellas y nadó libremente con los peces y otras bestias. Pero no pasó desapercibido por mucho tiempo.

Un trampero avistó al extraño divirtiéndose en el campo, lo que por supuesto le asustó. De hecho, cada vez que volvía al campo volvía a ver al hombre salvaje, y su descubrimiento le dejaba inquieto. Cuando reunió el valor suficiente, el trampero le contó a su padre lo que había visto. Dijo que Enkidu era el hombre más poderoso del lugar, y que tenía la fuerza de un meteoro. Habló largo y tendido sobre lo que el hombre salvaje hacía en el campo y no olvidó mencionar lo mucho que se había asustado al verlo. Sin embargo, lo que más le frustraba al trampero era lo que Enkidu había hecho con sus trampas. Enkidu rellenaba cada hoyo cavado por el joven cazador, rompía cada trampa y liberaba a cada animal. Una cosa era tener miedo, pero aquello interfería directamente con el medio de subsistencia del trampero.

El padre del trampero reconoció que la situación era grave, así que aconsejó a su hijo que viajara a Uruk y buscara a Gilgamesh. Le dijo también que encontrara a la cortesana Shamhat y le pidiera que sedujera a Enkidu. El trampero memorizó todo esto y partió hacia la imponente ciudad. A su llegada, le contó al rey la historia del hombre salvaje que merodeaba por sus campos. Gilgamesh, que era al fin y al cabo un rey dotado de sabiduría, le dio permiso para que se llevara a Shamhat, la sublime ramera, quien podría seducir y tranquilizar a Enkidu, la no-tan-proverbial bestia salvaje.

El plan era sencillo. Mientras Enkidu comía y bebía, Shamhat se dejaría ver y se quitaría la ropa, revelando un cuerpo listo para la cópula. Enkidu se acercaría a ella y le haría el amor hasta perder sus instintos y tendencias animalescas, convirtiéndose así en algo más humano -cuando no en un humano-, lo que ahuyentaría a los animales con los que pasaba sus días. El trampero y la ramera partieron de Uruk y se dispusieron a llevar a cabo su plan.

Shamhat sabía lo que se hacía. Se desvistió, revelando sus grandes pechos y sus tiernas regiones inferiores. El trampero le recordó que no debía retroceder ni forcejear; tan solo dejar que Enkidu se divirtiera a placer hasta volverse más humilde. Y así hizo. En cuanto Enkidu vio a Shamhat, desnuda y dispuesta, se aproximó plenamente erecto y le hizo el amor durante seis días y siete noches de pasión.

Al terminar, Enkidu se puso en pie, visiblemente debilitado, y todos sus amigos animales se alejaron de él, ahora asustados. Enkidu lamentó verse abandonado, pero su mente estaba ocupada con algo más. Y lo que distraía a su mente era la misma idea de estar pensando en algo, pues ahora Enkidu era capaz de pensar y razonar. Ya no era un hombre salvaje. Era un hombre.

Enkidu volvió con Shamhat y descansó su cabeza entre los pies de la ramera, observándola. Shamhat le preguntó por qué convivía con animales cuando podría estar con ella en la esplendorosa Uruk. La forma en que describió la ciudad no era menos exaltada que la de los poetas que nos hablan de Gilgamesh y su hogar. Habló de hombres elegantes, de festivales con música alegre y jolgoriosa, de mujeres tan sensuales y voluptuosas que incluso los ancianos se ponían erectos. Pero sobre todo habló de Gilgamesh, el único que podría competir con la fuerza y la agilidad del hombre salvaje; el dios-rey de Uruk a quien Enkidu debería retar. Como es natural, Shamhat tenía abundantes alabanzas para su rey. Habló de su ascendencia, de cómo los dioses más poderosos, como Anu, Enlil y Ea le concedieron su eterna sabiduría, de lo fuerte y resistente que era (¿qué otro humano era capaz de permanecer despierto las veinticuatro horas del día cada día?) y de su atractivo sin igual. Y ciertamente, el rey del que habló Shamhat esperaba la llegada de Enkidu, pues lo había visto en dos sueños muy parecidos. Enkidu escuchó lo que la sublime ramera le contó sobre el sueño perturbado de Gilgamesh. Al parecer, el gran rey le había hablado a su madre, la diosa Ninsun, acerca de estos sueños. En ellos, algo caía justo ante los ojos del rey; y ya fuera una roca, un hacha o una enorme estrella del cielo, Gilgamesh no podía levantarla ni moverla. Entonces una multitud se agolpaba en torno a él y al objeto, y entonces lo alzaba y lo amaba tal como un hombre amaría a una mujer; lo sostenía entre sus brazos y lo veía como algo importante, algo igual a él. Ninsun le dijo que ese objeto sería ciertamente su igual, su más fiel amigo y compañero, y algo aún más importante: su salvador. Alguien que le aconsejaría y acompañaría en sus arduos viajes, arriesgando su vida y dejándose la piel por él. Y así, antes incluso de conocerse, la amistad entre Gilgamesh y Enkidu quedó forjada.

Enkidu escuchó atentamente la historia. Incluso antes de que Shamhat terminara de narrarla, juró acompañarla y cruzar las murallas de Uruk con ella. Prometió que desafiaría a Gilgamesh. Y lo que era aún más importante: juró demostrar que era el hombre más fuerte sobre la tierra. Cuando Shamhat terminó su narración, ambos volvieron a hacer el amor y se prepararon para partir. Pronto visitarían al poderoso rey de Shamhat.

Posible representación del Gilgamesh en el museo del Louvre, Francia[ii]

Tablilla 2: Gilgamesh contra Enkidu

Enkidu y Shamhat fueron de camino a Uruk. Durante el viaje, pausaron a menudo para mantener relaciones sexuales que, de nuevo, duraron varios días y noches. Se detuvieron para descansar en un campamento de pastores, los cuales se reunieron en torno a ellos, sobre todo para maravillarse ante Enkidu. Lo comparaban, por supuesto, con su rey Gilgamesh. Alabaron su estatura, su fuerza, su corpulencia y su majestuoso porte. Pusieron abundante comida en su mesa, concretamente pan y cerveza. Sin embargo, Enkidu no comió nada de lo que le ofrecieron, sino que miró confuso a su alrededor, pues nunca antes había comido pan ni bebido cerveza. Pero la sublime ramera Shamhat habló con su amante y le convenció de que probara un poco de pan y tomara un sorbo de cerveza, pues ambos alimentos eran esenciales para el hombre y platos sagrados de la raza humana. Tras escucharla, Enkidu comió pan en abundancia y bebió al menos siete copas de cerveza. Sintiéndose contento y un tanto ebrio, Enkidu se relajó y empezó a cantar. Un barbero se acercó entonces para arreglarle el pelo y afeitarle, tras lo cual Enkidu fue ungido con aceite y recibió vestiduras comunes, pero sofisticadas. Ahora era un hombre, en todos los sentidos de la palabra. Con su nuevo atuendo, cogió una lanza y se fue a cazar leones para poner a prueba su masculinidad.

Mientras copulaba con Shamhat, Enkidu avistó a un joven que parecía correr hacia algún sitio. Le pidió a Shamhat que llamara al joven, pues tenía curiosidad por ver adónde se dirigía. Lo que el joven compartió con Enkidu y Shamhat enfureció al antiguo hombre salvaje. Se disponía a unirse a una boda local, donde habría música, bailes y gozo suficiente para iluminar al mismo cielo. Lo que enfureció a Enkidu fue que el joven mencionó una costumbre particular de Uruk: concretamente, que la novia no perdía su virginidad con su futuro esposo, sino con su rey, el poderoso Gilgamesh. Según el muchacho, los mismos dioses habían decretado esta norma y se la habían encomendado a Gilgamesh en el mismo instante en que se cortó su cordón umbilical. Todas las mujeres de Uruk pertenecían a Gilgamesh y no había excepciones.

Enkidu se encaminó a Uruk, acompañado por la ramera Shamhat. En cuanto llegaron a la plaza central, la gente empezó a formar un corro en torno a ellos. Al igual que en el sueño de Gilgamesh, observaron al hombre salvaje con asombro, atónitos y perplejos al ver que alguien de tamaña estatura acababa de llegar a la ciudad. Sin embargo, los habitantes también observaron a Enkidu con más minuciosidad que los pastores días atrás. Lo compararon con Gilgamesh de forma un tanto más objetiva: Gilgamesh superaba a Enkidu en cuanto a estatura, pero Enkidu era más fornido y huesudo. Concluyeron acertadamente que el hombre que yacía ante ellos se había amamantado con leche de bestias salvajes y que había crecido en la montaña.

Sin embargo, en Uruk había una gran actividad antes de que llegara Enkidu. Se celebraba regularmente un festival de sacrificios en el que los jóvenes elegían a un campeón para que se enfrentara a su rey. Una novia adoptaba el papel de doncella del altar, un papel que Shamhat y sus compañeras ya habían representado, y se disponía a postrarse en la cama destinada a la diosa de los matrimonios. Este era el momento en el que Gilgamesh practicaba su rito y rompía el himen de la mujer. Sin embargo, Gilgamesh no llegó a cruzar la puerta, pues Enkidu le bloqueó el paso.

Los oponentes no perdieron tiempo observándose entre sí, ni dedicaron un solo segundo a pensar si podían o no vencer a su rival. Enkidu no se declaró el hombre más fuerte del mundo ante Gilgamesh, algo de lo que sí había presumido con Shamhat. En cuanto tapó la puerta del dormitorio con su pie, Gilgamesh lo agarró y ambos empezaron a luchar. Se produjo una feroz batalla en la plaza de la ciudad. Las puertas temblaron, los muros se estremecieron y todos observaron con asombro el forcejeo de los dos titanes. Fue Gilgamesh quien acabó venciendo. Tendió a Enkidu en el suelo con su rodilla hasta que la rabia del hombre salvaje se disipó. Cuando estuvo más calmado, Enkidu se retiró de la pelea y habló directamente al hombre que le había vencido. Admitió que Gilgamesh era mejor, que estaba predestinado a gobernar Uruk y sus tierras colindantes desde el mismo momento en que su madre, la diosa Ninsun, le dio a luz y Enlil declaró su realeza. Sin embargo, Enkidu usó esa misma exaltación como argumento para que Gilgamesh abandonara la costumbre de desvirgar a la novia frente a su esposo. Le hizo notar a Gilgamesh que ya tenía todo cuanto quería, pues estaba literalmente bendecido por los dioses, y que si renunciara a esa costumbre, podría concentrarse en gestas más grandiosas. Gilgamesh accedió, tras lo cual ambos se abrazaron y besaron, convirtiéndose al fin en amigos y compatriotas.

Gilgamesh decidió presentar a Enkidu a su madre, la diosa Ninsun. La diosa riñó a Enkidu por atacar su hijo, lo que puso de manifiesto que el propio Enkidu era huérfano y ni siquiera tenía hermanos. Esto afectó mucho emocionalmente a Enkidu; tanto que, de hecho, se puso de rodillas y empezó a sollozar. Su nuevo amigo, el rey, lo abrazó y le preguntó por qué lloraba. Enkidu relató lo que Ninsun le había dicho, y en respuesta, Gilgamesh propuso lo impensable: matarían a Humbaba, la gran bestia del Bosque de Cedro.

Enkidu ya no estaba triste, sino estupefacto. De inmediato, empezó a hablar con Gilgamesh sobre su próximo combate contra Humbaba. En sus días como bestia, Enkidu había visto y oído personalmente a Humbaba. Sabía de la atronadora voz de la bestia, su encendida forma de hablar, su mortal aliento, su oído capaz de detectar sonidos a sesenta leguas de distancia, y su absoluta devoción por proteger el Bosque de Cedro. Según Enkidu, Humbaba solo se postraba ante Adad, y ninguno de los dioses menores podría desafiar a la bestia. Enlil había creado a Humbaba específicamente para proteger el bosque, y nada lo apartaría de ese cometido.

Pero Gilgamesh interpretó todo esto como una señal de miedo por parte de Enkidu. Le recordó a su nuevo amigo que era el hombre salvaje de las montañas, que antes de enfrentarse a Gilgamesh ya había sembrado el terror en los corazones de hombres y bestias, y que el miedo no era propio de él. Fueron juntos a la forja, donde se habían elaborado muchas armas para ellos: hachas, destrales, dagas, todas de enorme tamaño y bañadas en oro. Después se produjo el cierre de la ciudad. Las siete puertas de Uruk echaron sus cerrojos y Gilgamesh reunió a un grupo de jóvenes y viejos para contarles su plan. Se proponía cortar los cedros para atraer a Humbaba y derrotarlo. Los jóvenes escucharon cómo su rey les decía que estaba a punto de adentrarse en lo desconocido, donde se enfrentaría a una criatura a lo que solo él había osado desafiar. Lo único que les pidió fueron sus bendiciones, pues haría el viaje por su cuenta.

Temiendo por la seguridad de su nuevo amigo, Enkidu trató de hacer entrar en razón al consejo compuesto por ancianos y veteranos de antiguas guerras. Insistió en cuanto a lo que sabía de Humbaba, como su tamaño, su fuerza, su ferocidad y su devoción. El más anciano de los hombres se puso en pie y habló personalmente con el rey, con quien no se calló nada. Le dijo a Gilgamesh que era aún un monarca joven y oportunista ansioso por ponerse a prueba, que controlara su excesiva emoción y su energía. En pocas palabras, le dijo al rey que no estaba pensando con claridad. Volvió a mencionar la fuerza y la ferocidad de Humbaba, como si quisiera subrayar que Gilgamesh no tenía oportunidad de derrotar a la bestia. Gilgamesh se limitó a echarse a reír y le preguntó a su amigo, al tiempo que se dirigía al consejo, si debería retirarse después de oír todas aquellas advertencias. Lo dijo con voz burlona, haciéndose el asustado. Lo que Gilgamesh respondió al consejo y a Enkidu no se conoce con exactitud, pues la tablilla que contenía sus palabras se ha perdido; pero a juzgar por lo que Gilgamesh haría después, es justo afirmar que no consiguieron persuadirle de no enfrentarse a la bestia en el Bosque de Cedro.

Tablilla 3: Preparándose para la Aventura

Obviamente, los ancianos de Uruk no lograron convencer al gran rey para que no se enfrentara a Humbaba. Enkidu, su querido amigo, tampoco pudo hacerlo. Tras aceptar la decisión del rey, el consejo apremió a Enkidu para que siguiera a su amigo. Las habilidades que Enkidu había adquirido durante su vida salvaje podrían ser útiles si Gilgamesh necesitaba ayuda. Le dieron instrucciones de proteger al rey con su vida y traerlo de vuelta a casa para reunirse con sus numerosas esposas. Por supuesto, también le dijeron esto a Gilgamesh, y tanto él como Enkidu aceptaron. A continuación, Gilgamesh sugirió visitar a su madre para obtener su bendición.

Los dos amigos fueron juntos de la mano al imponente templo de Ninsun. Gilgamesh fue el primero en entrar, de modo que se acercó a la diosa y se lo contó todo: su plan para talar los cedros, acabar con Humbaba y regresar a Uruk envuelto en gloria para celebrar el Año Nuevo dos veces seguidas en honor a su éxito en combate. Sin embargo, su hijo, por poderoso que fuera, necesitaba su bendición para emprender su peligroso viaje con seguridad. Le prometió a Ninsun que volvería con ella, y que entraría de nuevo en Uruk sano, salvo y victorioso.

Al igual que Enkidu, Ninsun no se alegró precisamente al oír esto. La tristeza abrumó a la poderosa diosa de las vacas y se retiró a los baños públicos, los cuales acabó visitando siete veces. Primero se bañó a conciencia en agua mezclada con jabón y tamarisco. Limpia y esplendorosa, se puso un traje adecuado para una diosa, rodeó su cuello con un collar enjoyado y se colocó su tiara sobre las cejas. Al fin estaba preparada.

La imponente diosa subió las escaleras del zigurat de Shamash hasta llegar al templo en la cima. A continuación, encendió un incensario. De rodillas, con las manos alzadas al cielo, habló con el dios del sol. Como cualquier otra madre haría, pidió protección para su hijo. Shamash bendijo a Gilgamesh con un ánimo incansable; una energía que ahora le motivaba a adentrarse en lo desconocido y dar caza a la gran bestia Humbaba. Ninsun tuvo más peticiones para Shamash. Le pidió a Aya, su prometida, que le acompañara en su viaje de una punta a otra del mundo y le recordó que Gilgamesh estaba ahora bajo su cuidado. Elogió a Shamash, mencionando cómo la naturaleza brillaba y se despertaba a su paso, y recordando que incluso los sublimes Annunaki aguardaban su llegada. Sin embargo, no dejó de rogarle a Aya que recordase a Shamash su deber de proteger a Gilgamesh. Le pidió asimismo a Shamash que hiciera los días más largos y las noches más cortas, para que Gilgamesh avanzara con seguridad y su devoción no menguara.

En sus ruegos, Ninsun explicó cómo Shamash podía ayudar a su hijo. Gilgamesh debía recibir indicaciones para poder comunicarse con él en sueños y aprender los rituales que debería seguir durante su viaje. A continuación, pidió a Shamash que acometiera a la bestia Humbaba con los trece vientos que conocían los sumerios. Aprovechando esa distracción, Gilgamesh podría golpear con fuerza y precisión. Después de ayudar a Gilgamesh, Shamash debería volverse hacia su suplicante y enviarle mulas para que la condujeran hacia los cielos. Allí, sus hermanas le servirían comida deliciosa, su prometido Aya limpiaría el sudor de su rostro y sus vestimentas, y una estupenda cama estaría lista para ella.

Antes de terminar su ruego a Shamash, Ninsun le preguntó, casi de forma retórica, si Gilgamesh no era digno de unirse a los dioses, si su hijo no era adecuado para compartir el cielo, las profundidades del océano y el mundo en sí mismo con los dioses de los que descendía.

Le preguntó a Shamash si su hijo era apto para aprender de Ea, el dios del océano, o para reinar sobre los sumerios de tez oscura junto con la diosa Irnina, o para morar en la Tierra-Sin-Retorno con Ningizzida. Una vez más, le rogó a Shamash que protegiera a Gilgamesh y lo ayudara a vencer si fuera necesario.

Cuando Ninsun terminó sus súplicas, volvió a descender la escalera para ocuparse de otras tareas importantes. Una de ellas implicaba a Enkidu, el poderoso hombre salvaje. Se acercó a él y dibujó una marca en su cuello, tras lo cual anunció a todos los presentes que Enkidu era ahora su hijo adoptivo. Mirándole a los ojos, le dijo a Enkidu que él no había nacido de su vientre, pero que su amistad con Gilgamesh le concedía parentesco según su propio decreto. Puso a todas las sacerdotisas, hieródulas y trabajadoras del templo a disposición de su nuevo hijo, quien fue aceptado por todas como descendiente de Ninsun.

Ninsun les dijo a los dos héroes que deberían practicar ciertos rituales durante la travesía, pero que dichos rituales debían hacerse ahí mismo, en el templo. El dañado estado de las tablillas originales nos impide saber qué rituales eran exactamente o qué implicaban, pero tenemos algunas pistas. Requerían que los héroes estuvieran en la capilla, donde harían algo con enebros y bayas. Además, parte del personal del templo, cuando no todo el personal, debía estar presente. Enkidu y Gilgamesh recibieron entonces instrucciones sobre lo que deberían hacer cada cierto tiempo durante el viaje. Gran parte de esas instrucciones están detalladas en la siguiente tablilla.

A continuación, Gilgamesh procedió a dar ciertas instrucciones a sus ancianos y sus jóvenes guerreros. Ordenó que los oficiales no hicieran ninguna asamblea en las calles y que cumplieran adecuadamente con sus responsabilidades judiciales hasta que regresara de su misión. Muchos oficiales le desearon suerte y fortuna a Gilgamesh mientras le besaban los pies y le seguían de cerca. Le pidieron que no confiara únicamente en su fuerza bruta, sino que aprovechara su intelecto y que tratara de derrotar a Humbaba con estrategia. Una vez más, le insistieron a Enkidu que su ayuda sería importante para el rey. Rogaron que el hombre salvaje liderara la marcha, dada su experiencia en la naturaleza y sabiendo que había recorrido esos parajes en muchas ocasiones. Finalmente, volvieron a suplicarle a Enkidu que protegiera a su rey, puesto que ahora estaba al cargo de su seguridad. Aun sabiendo que no serviría de nada, Enkidu intentó convencer de nuevo a su hermano para que desistiera de enfrentarse a Humbaba, pero Gilgamesh hizo oídos sordos a sus ruegos. El hombre salvaje decidió no insistir más y le pidió a Gilgamesh que siguiera atentamente sus pasos sin perderle nunca de vista, pues sabía dónde dormía Humbaba. Le pidió a su hermano que enviara a la multitud de vuelta a casa, y cuando Gilgamesh así hizo, ambos se encaminaron hacia una aventura en la que quizá la misma muerte los aguardaba.

Placa de terracota que representa a Humbaba. Museo del Louvre, Francia[iii]

Tablilla 4: El Viaje

Gilgamesh y Enkidu viajaron al Monte Líbano y al Bosque de Cedro. Sus pasos y movimientos eran impresionantes en comparación con los de un humano normal: viajaban 50 ligas cada día, y en tres días lograron avanzar un equivalente a 45 días a pie. Sin embargo, no todo fue caminar. Cada 20 ligas se tomaban una pausa para comer y recuperar energías, y a las 30 ligas, acampaban y descansaban. En cada descanso aprovechaban para cavar un pequeño pozo y llenarlo de agua, tras lo cual Gilgamesh subía a una colina cercana y pedía un sueño que le enviara buenos presagios.

Las preparaciones para el descanso no terminaban ahí. Enkidu establecía un pequeño campamento en cada alto en el camino. En la entrada de su morada temporal, instalaba una robusta puerta para que el mal clima no perturbara su sueño. Después, el hombre salvaje esparcía un círculo de harina alrededor del lugar donde su hermano dormía, mientras él descansaba junto a la puerta. Gilgamesh dormía casi exclusivamente en posición sentada, con la cabeza sobre las rodillas. Algo que lo hacía humano y no completamente divino era que, al igual que todos los demás, dormía. Sí, podía atravesar enormes extensiones de terreno en un tiempo récord, pero también se cansaba y precisaba descanso y comida.

Cada vez que hacían el ritual, Gilgamesh se despertaba hacia la medianoche y hablaba con su hermano. Le preguntaba si había pasado algún dios por el camino, si había sido Enkidu quien lo había despertado, por qué estaba despierto, asustado o tenía frío. Y cada vez que Gilgamesh le contaba sus sueños, que se volvían progresivamente peores, Enkidu sabía cómo consolar a su amigo. Le decía qué significaban sus sueños, qué era lo que representaba cada cosa... Y siempre procuraba que la interpretación fuera positiva para Gilgamesh. Repitieron este proceso cinco veces antes de llegar al Bosque de Cedro y enfrentarse a Humbaba.

Por supuesto, Gilgamesh describió sus sueños con todo detalle. Su primer sueño era bastante sencillo: Gilgamesh estaba en el valle de una montaña que no conocía. Una de las montañas decidió perseguir al rey hasta caer sobre él y aplastarlo. Al despertar, Gilgamesh se sintió extremadamente confuso por su sueño, pero Enkidu sabía cómo calmarlo. Le dijo a Gilgamesh que esa montaña no podía ser Humbaba: antes bien, aplastarían a la bestia que protegía el Bosque de Cedro como la montaña había hecho con Gilgamesh, y Shamash lo demostraría mostrando una señal favorable la mañana siguiente.

En el segundo sueño de Gilgamesh aparecía, naturalmente, otra montaña. En esta ocasión, la montaña era aún más activa, pues tiraba al poderoso rey al suelo y lo inmovilizaba cogiéndole por los pies. Gilgamesh tuvo que soportar tanto el hecho de estar tendido en el suelo como un intenso brillo que emanaba desde las alturas y que cada vez se hacía más fuerte. Pero entonces, un hombre se le aparecía al rey de Uruk. Un hombre que Gilgamesh describió como el más hermoso y atractivo que jamás había visto. El bello desconocido rescató a Gilgamesh de las garras de la montaña, sacó una cantimplora y dejó que el monarca bebiera hasta calmarse un poco. También levantó a Gilgamesh y lo puso en pie, tras lo cual, el rey despertó. Por supuesto, Enkidu tenía una interpretación optimista para el sueño. De nuevo, insistió en que Humbaba no era realmente esa montaña, pues la bestia era de una naturaleza diferente. Aseguró a Gilgamesh que vencerían, y le pidió que no temiera a la bestia, sino que dejara su miedo a un lado y prosiguiera con la misión. Debido a la falta de información, no sabemos quién era el hombre de la cantimplora en el sueño, pero es muy probable que se trate de una representación de Shamash o quizá de Lugalbanda.

El tercer sueño le resultó una auténtica locura a Gilgamesh. La naturaleza estallaba de rabia. Los cielos aullaban amenazadoramente y la tierra se estremecía con dantescos terremotos. La luz cedía poco a poco ante la poderosa oscuridad, pero dicha oscuridad no fue nada comparada con el enorme destello de luz que vino a continuación. Se produjo un incendio cuyas llamas eran colosales, llegando hasta el cielo. A continuación, según Gilgamesh, empezó a llover muerte, y las llamas empezaron a convertirse en cenizas muertas. Enkidu volvió a hablar a su hermano con voz tranquilizante: le dijo que Humbaba sería derrotado muy pronto, y que eso era lo que representaba el fuego que se convertía en ceniza. La intensidad de los sueños era la prueba de que se acercaban al hogar de Humbaba, el Bosque de Cedro, y por lo tanto, también se aproximaba la batalla de la que saldrían victoriosos.

El cuarto sueño fue un poco más directo. Gilgamesh dijo haber soñado con un poderoso pájaro de trueno. La descripción que dio del mismo se parece a la de muchas otras bestias que pueblan las mitologías del mundo antiguo: volaba por encima de las nubes mientras se cernía amenazadoramente sobre el rey. Su cara parecía deformada, de modo que no se parecía a nada que Gilgamesh hubiera visto antes. Tal como haría un dragón, el pájaro de trueno escupía fuego y su aliento tenía el efluvio del veneno. Pero en ese sueño había algo más aparte de Gilgamesh y el pájaro de trueno. Un hombre misterioso hizo acto de aparición, cargó contra el pájaro y lo derrotó sin esfuerzo. A continuación, el hombre cogió al rey del brazo y lo llevó hasta un lugar seguro. Enkidu sabía lo que esto significaba, al igual que había ocurrido con los tres sueños previos. Ese pájaro era obviamente Humbaba, solo que su poder aparecía ahora representado con más concreción (fuego, aliento venenoso, alas, sonidos estruendosos). El hombre que había logrado vencer a la bestia era Shamash, el dios del sol. Enkidu estaba convencido de que los dioses concederían su apoyo para dar muerte a Humbaba, y eso fue lo que le dijo a Gilgamesh: atarían las alas de la bestia, haciéndola caer al suelo; allí le cortarían la cabeza, la cual traerían de vuelta a Uruk. Y harían todo esto con la plena ayuda del dios del sol.

El quinto sueño ofrecía una representación un tanto más realista de la situación. De nuevo, Gilgamesh se enfrentaba a una bestia, y de nuevo, un hombre misterioso se convertía en su salvador. Pero en esta ocasión la bestia era un toro; uno salvaje. Sus pezuñas pisoteaban el suelo con tanta fuerza que se formaban columnas de polvo que alcanzaban el cielo. Gilgamesh habría perdido si no fuera porque un inesperado salvador lo alejaba del peligro y le daba agua de su cantimplora. En esta ocasión, Enkidu dio una explicación un tanto diferente para interpretar el sueño. Sorprendentemente, el toro no era Humbaba, sino Shamash, que proporcionaba su ayuda. El hombre que le daba agua al rey era su padre y dios personal, el antiguo Rey Lugalbanda. Para Enkidu, esta era la confirmación de que su hermano y él recibirían todo el apoyo del mundo para acabar con Humbaba y hacerse con el control de sus queridos cedros. Los cinco sueños consecutivos eran buenos presagios, y Enkidu estaba convencido: Gilgamesh daría muerte a Humbaba y regresaría a Uruk convertido en leyenda.

Al fin llegaron a las inmediaciones del Bosque de Cedro. A Gilgamesh se le habían congelado los pies y empezó a llorar. Cuando su hermano se dio cuenta, intentó consolarlo recordándole de dónde procedía y qué ciudad dependía de él. Le apremió a ponerse en pie y seguir adelante, pues la terrible bestia Humbaba los aguardaba.

Sin embargo, antes de entrar en combate recibieron un mensaje de Shamash. El dios sol observó a los dos hermanos y les advirtió que debían darse prisa. Humbaba aún no había entrado en el bosque, pero si lo hacía, sería imposible derrotarlo. Gilgamesh y Enkidu aprendieron que la bestia contaba con siete capas que actuaban de escudos. Humbaba solo llevaba una en ese momento, pero en el momento en que entrara en el bosque, portaría las otras seis. Y cuando acababan de oír esto, Humbaba rugió en la distancia con un aullido que hizo temblar de miedo a los mismos cielos. Enkidu sintió ese miedo, y buscó ánimos en el mismo Gilgamesh al que había reconfortado apenas unos segundos atrás. El rey le devolvió el favor y le dijo a su hermano que no retrocediera ante la imponente bestia. Le recordó que habían atravesado cientos de leguas en terreno tanto llano como montañoso para llegar a ese lugar y aprovechar la ventaja que les confería ese preciso momento. Y también le recordó a Enkidu que había sido criado *por* la naturaleza *en* la naturaleza, que había cazado bestias salvajes con sus propias manos, y que tenía una fuerza inmensa y un deseo de vivir inquebrantable. Debían centrarse en el combate y olvidarse de la muerte; ese fue el punto esencial del discurso de Gilgamesh. Como guinda, el sabio rey le recordó a Enkidu que tenía la obligación de proteger a su hermano, situarse al frente y atacar la garganta de Humbaba, a la par que mantenía a Gilgamesh a salvo y los llevaba a ambos a la gloria eterna. Los dos hermanos se cogieron entonces de la mano y se adentraron en el bosque, poniendo fin a su charla y preparándose para el combate.

Tablilla 5: La Batalla contra Humbaba

El rey de Uruk y su hermano salvaje llegaron al Bosque de Cedro, el cual era tan glorioso como habían imaginado. Los enormes árboles se alzaban por encima de todo lo demás, pero aún más impresionante era el hecho de que cubrían la montaña en su totalidad. Toda una montaña repleta con un magnífico árbol que llegaba al lugar en el que se sentaban los mismísimos dioses. ¡Y qué enormes eran las sombras! Tan extensas y abundantes que podrían mantener a un hombre al fresco de la mañana al anochecer.

Pero los árboles no fueron lo único que asombró a Gilgamesh y Enkidu. Había un enorme camino que atravesaba el Bosque de Cedro en el que todos los árboles estaban derribados y nada crecía. Los hermanos se hicieron rápidamente a la idea: esa senda era obra de Humbaba. Cuando regresaba a casa, la bestia no guardaba ningún respeto por las ramas espinosas de los cedros ni su denso follaje: entraba como si nada, y el rastro que dejaba a su paso estaba ante sus ojos. Gilgamesh y su hermano sabían que la bestia era poderosa, sin contar que Enkidu la había visto varias veces. Pero aquella era la prueba definitiva de que no se enfrentaban a un enemigo fácil. Humbaba sería todo un desafío. Desenfundaron sus hachas y dagas y siguieron caminando.

Al acercarse a la guarida de Humbaba, Enkidu sintió que se le congelaban los pies. No era la primera vez que aquello sucedía desde que habían puesto pie en el Bosque de Cedro; y de hecho había ocurrido varias veces desde el principio de su viaje. Gilgamesh se dio cuenta y, como tantas veces había hecho, reconfortó a su hermano. Le hizo saber a Enkidu que, si bien por separado no eran rivales para Humbaba, juntos podrían derrotar a la bestia sin problemas. Dos escaladores pueden vencer a la más escarpada montaña, le dijo a su hermano salvaje. Una cuerda de tres capas no puede cortarse ni deshacerse fácilmente. E incluso el más poderoso de los leones puede ser derrotado por dos cachorros juntos. Enkidu respondió a su regio hermano haciéndole notar que Humbaba no se parecía en nada a una montaña que hubiera que escalar, ni era alguien a quien pudiera derrotarse con una cuerda gruesa, ni era tan débil como un león. No. Humbaba era una fuerza de la naturaleza. Podía igualar a la más violenta de las tormentas, y si no regresaban de inmediato, los masacraría hasta convertirlos en polvo. Enkidu volvió a rogarle a su hermano que tirara sus armas y volviera a Uruk con la cabeza intacta. Si bien la parte que contiene la respuesta de Gilgamesh se ha perdido, Gilgamesh hizo oídos sordos a estos ruegos a juzgar por lo que vino a continuación.

Humbaba apareció entonces, y era tan poderoso y terrorífico como las leyendas lo retrataban. Divisó a los dos héroes y de inmediato se dirigió a ellos con abierta hostilidad. Tildó a Gilgamesh de bruto y grosero, además de decirle que era un necio aconsejado por otro necio. En cuanto a Enkidu, fue aún más directo. Dijo que el hombre salvaje era un "engendro de pez", una "cría de tortuga sin padre" y un vástago que no conocía la dulzura de la leche materna. Dijo haber observado al gigante cuando aún merodeaba por la naturaleza y se codeaba con los animales, y si no lo devoró entonces era porque no habría sido capaz de saciar su hambre. Riñó a Enkidu por traer a Gilgamesh a su hogar: Humbaba opinaba que, dado que Enkidu había vivido en sus dominios muchos meses atrás, no podía actuar como si no conociera las normas de su morada. La bestia terminó de despotricar prometiendo abrir la garganta de Gilgamesh por la mitad y derramar su sangre, tras lo cual utilizaría su cadáver para alimentar a los buitres y a otros plumosos carroñeros.

Gilgamesh, que momentos atrás había sido un modelo de firmeza, retrocedía ahora asustado ante aquellas palabras. Vio a Humbaba como la imponente bestia que era y se giró hacia Enkidu para expresar el miedo que acababa de descubrir. Le dijo a su amigo que, pese a los esfuerzos que habían hecho para llegar allí y matar a Humbaba, su corazón temblaba y su cuerpo no respondía. Se sentía tan asustado como Enkidu lo había estado apenas momentos atrás. Enkidu, que había jurado proteger a su rey y hermano, tuvo que adoptar el papel de consejero y convencer al rey para que retornara a la batalla. Le preguntó a Gilgamesh, no sin cierta irritación, por qué actuaba de pronto como un cobarde. Observando que su cobardía podría contagiarse, Enkidu insistió en que el momento decisivo había llegado, que el cobre fundido ya había sido arrojado al molde; era el momento de atacar. Animó al rey a que golpeara con todas sus fuerzas y librara al Bosque de Cedro de su protector: la terrible bestia que yacía ante ellos.

Dado lo que ocurrió a continuación, es evidente que Gilgamesh aceptó en silencio. Los golpes al suelo que asestaron los tres, así como varias sucesivas cargas entre uno y otro bando, hicieron que la tierra se partiera por la mitad. Tanto el Monte Hermón como el Mone Líbano se resquebrajaron bajo la furia que los estremecía. Se formó una gigantesca y ominosa nube oscura, y la lluvia cayó con fuerza sobre los tres magníficos seres que se enfrentaban. Tan densa era la lluvia que casi parecía niebla. Pero un nuevo participante se uniría pronto a la batalla: Shamash, el dios sol, cumplió su parte del trato y lanzó los trece poderosos vientos contra Humbaba. La bestia quedó cegada por el viento y no pudo cargar hacia adelante ni retroceder. Gilgamesh aprovechó la oportunidad y balanceó su arma contra la bestia, a la cual no consiguió matar, pero sí hizo caer al suelo.

Con el arma del rey en su garganta, Humbaba pedía ahora clemencia. Habló de la juventud del rey, de cómo Gilgamesh descendía ciertamente de Ninsun y había logrado allanar las mismas montañas con sus gestas, hasta el punto de poder derrotar a la poderosa bestia Humbaba en ese mismo momento. La bestia suplicó a Gilgamesh que le perdonara la vida y ofreció su vasallaje al monarca de Uruk. Humbaba se quedaría en el Bosque de Cedro, donde gobernaría en nombre de Gilgamesh. Cuando quisiera, Gilgamesh podría talar tantos cedros como quisiera, puesto que ahora eran propiedad del rey, y podrían usarse para obtener madera, materiales de construcción o lo que más le placiera al rey de Uruk.

Pero Enkidu no estaba dispuesto a escucharle. Apremió a Gilgamesh para que acabara con Humbaba y regresara a Uruk como un héroe. Las súplicas de Humbaba, según dijo, no debían tomarse en serio y lo mejor sería ignorarlas. Humbaba se dirigió entonces directamente al hombre salvaje. Con tristeza, dijo arrepentirse de no haber matado al nuevo hermano de Gilgamesh cuando aún vivía en la naturaleza, cuando aún no poseía la capacidad de razonamiento de un humano; cuando, en palabras del guardián de los bosques, era tan solo una plántula y no un árbol maduro. Rogó a Enkidu que le perdonara la vida y le dejara marchar, pero Enkidu volvió a negarse, y le dijo a Gilgamesh que si los dioses como Enlil de Nippur o Shamash de Larsa se enterasen de que le habían perdonado la vida a Humbaba, los perseguirían incesantemente. Para que reconsiderara su decisión, Humbaba mencionó su lealtad al rey y su posición en la jerarquía de Uruk, comparando su papel con el de un pastor. Pero Enkidu se mantuvo firme. Repuso a Gilgamesh el argumento de la venganza de los dioses, y alegó que lo mejor sería acabar con Humbaba y regresar a Uruk convertido en un héroe. Desesperado, pero igualmente furioso, Humbaba maldijo a los dos hermanos y rogó a los dioses que nunca llegaran juntos a la mayoría de edad; que Enkidu muriera primero y que su cuerpo nunca pudiera ser enterrado. Para Enkidu, pero también para Gilgamesh, esta maldición fue la gota que colmó el vaso, y devolvieron el insulto de la forma más apropiada en aquella situación. Gilgamesh sacó una de sus armas y atravesó a Humbaba directamente en la garganta. Enkidu mencionaría más tarde haber visto las auras de protección restantes, y urgió a Gilgamesh que atacara de nuevo, esta vez con un golpe fatal. Gilgamesh utilizó su hacha para volver a tajar la garganta de Humbaba, lo cual bastó para dar muerte a la bestia. Humbaba cayó al suelo y la tierra tembló. El graznido que profirió al morir resonó en las cimas de los montes Hermón y Líbano, al igual que en otros montes y colinas de la zona. Abrieron a la bestia en canal, le sacaron los intestinos, arrancaron sus cuernos y, finalmente, le cercenaron la cabeza. La lluvia y otras precipitaciones cayeron sobre las tres figuras, mientras las dos que seguían vivas, Gilgamesh y Enkidu, se disponían a talar algunos de los enormes cedros, acabando con algunas de las auras en el proceso.

Tras cortar un cedro especialmente grande, Enkidu le dijo a su hermano que tenía intención de usar ese árbol para construir una puerta. Sería una puerta enorme, de seis varas de alto, dos de ancho, un codo de anchura y elaborado con una única pieza de madera sólida. Tenía pensado llevarla a Nippur y colocarla en el templo de Enlil, el dios que había colocado a Humbaba en el Bosque de Cedro para que lo protegiera. Así, el poderoso dios se maravillaría con su éxito y disfrutaría de un tributo adecuado. Reunieron tantos troncos de cedro como pudieron, construyeron una balsa y colocaron los troncos sobre ella, preparándose para regresar a Uruk. Enkidu, tal como había prometido a los ancianos de Uruk, dirigió la balsa en su regreso a la ciudad, mientras Gilgamesh se mantuvo en la parte trasera. La cabeza de Humbaba descansaba en sus manos. Había vencido.

Ishtar asiéndose los pechos. Estatuilla procedente de Susa, años 1300 - c. 1100 a. C.

Tablilla 6: Ishtar y el Toro del Cielo

Tras su monumental victoria contra Humbaba, y una vez la mayor parte de la flora del Bosque del Cedro hubo caído, Gilgamesh y Enkidu regresaron a Uruk. El rey mata-bestias, encontrándose con un pequeño momento de intimidad, procedió a lavarse el cabello y se desvistió. También limpió su cuerpo, sus armas y todo su equipamiento. Momentos después, alisó su largo cabello y se puso una indumentaria regia: varios mantos, un hermoso cinto y, finalmente, su corona. Gilgamesh vestía ahora con toda la gloria propia de un rey.

Incluso una de las diosas se fijó en lo espectacular y majestuoso que lucía ahora Gilgamesh. La bella y poderosa Ishtar observó al rey mientras se lavaba y vestía, y el cuerpo de la diosa empezó a desear lo que veía. Descendía a la tierra y habló directamente con el héroe. Sin perder tiempo, le pidió que se casara con ella y se convirtiera en su cónyuge para que Ishtar pudiera recibir su fruto. Como esposa, Ishtar cubriría a Gilgamesh de regalos, tanto materiales como societales. Le daría un enorme carro hecho con oro y lapislázuli, con ruedas doradas y cuernos ambarinos. Un grupo de espectaculares bestias, incluyendo leones y mulas gigantes, conduciría el carro, y llevarían cada día a Gilgamesh a su palacio con aroma a cedro. Tanto las puertas como los escabeles besarían sus majestuosos pies, y los demás gobernantes, cortesanos y nobles se postrarían a sus pies. Como tributo, los nobles le darían parte de su producción cada día.

Y aún había más. Ishtar también le prometió a Gilgamesh cabras que darían luz a trillizos, ovejas que engendrarían gemelos, burros capaces de correr más que el más veloz de los caballos, caballos aún más rápidos y los bueyes más voluminosos y trabajadores que se hubieran visto.

Pero Gilgamesh no quedó impresionado. Lo que vino a continuación fue uno de sus discursos más largos hasta este punto, y uno de los rechazos más sonados del mundo antiguo. Le hizo a Ishtar una serie de preguntas importantes. ¿De dónde obtendría ropa para él, y cómo cuidaría de su cuerpo? ¿Comería realmente lo mismo que los dioses? ¿Bebería cerveza digna de un rey? Procedió a comparar a la poderosa diosa con toda una letanía de insultos aristocráticos. Para él, Ishtar era una escarcha que no endurecería a hielo alguno, una enorme puerta que no mantendría calor ni fresco en casa cuando fuera necesario, un palacio en el que los guerreros se marchitaban, un elefante que pisoteaba a sus jinetes, un betún que manchaba las manos de quien lo usara, una cantimplora que no saciaba a los sedientos, una piedra caliza que debilitaba los muros en vez de reforzarlos, un ariete que nivelaba las murallas enemigas, y finalmente, un zapato que mordería el pie de quien lo comprara y se lo pusiera.

Se preguntó qué guerrero en su sano juicio aceptaría convertirse en el consorte de Ishtar, dada su reputación. Y era toda una reputación a tener en cuenta, lo cual Gilgamesh dejó claro a continuación con bastante brusquedad. Enumeró los anteriores amantes de Ishtar en orden cronológico (y también en orden jerárquico, según su magnitud). Mencionó a Dumuzi, un legendario amante de Ishtar. Ambos estaban tan enamorados que existía toda una tradición basada en su amor y su matrimonio. Sin embargo, a Isthar le bastó con cambiar de opinión, y un día el pobre Dumuzi despertó en el inframundo. Su próximo amante fue Allallu, un pájaro moteado. Allallu era lo que más le importaba a la diosa... Hasta que, sin más, dejó de ser importante. Le rompió las alas y lo arrojó al suelo, donde quedó tendido mientras sollozaba: "¡Mis alas! ¡Oh, mis alas!". Su tercer amante fue un león, aún más fuerte y hermoso que el pájaro. Fue también un gran amor para Ishtar, pero en cierto momento la diosa cavó catorce pozos en los que abandonó al león. Su cuarto amante fue un caballo, y por supuesto, acabó dando una respuesta que la diosa no aprobó. Ishtar lo puso a tirar de carros, obligado a soportar latigazos, golpes, espuelas, y galopadas de siete leguas. También le obligó a beber agua sucia, lo que hizo llorar eternamente a Silili, su madre. El quinto amante de Ishtar fue un pastor. Un simple pastor que, un día tras otro, se vio obligado a darle pan recién hecho y corderos recién sacrificados. Pero la vanidosa Ishtar no estaba satisfecha, y el pastor se vio convertido en nada menos que su peor enemigo: un lobo. Y así, nunca pudo volver a acercarse a sus rebaños, que huían despavoridos al verlo mientras los perros pastores le mordían la piel. Finalmente, el sexto y último amante fue Ishullanu, el jardinero de su divino padre Anu. Ishullanu le traía dátiles cada día, e Ishtar le pedía, con términos muy claros, que le dejara probar su pene mientras él le tocaba su sensible clítoris. Pero Ishullanu, al contrario que los demás, intentó rechazarla. Riñó a la diosa por la cantidad de comida que consumía y el mantenimiento que exigía. El pobre jardinero sabía que ser el amante de Ishtar implicaría comer pan horneado con insultos y humillaciones, así como dormir en invierno sin apenas mantas. Ishtar, vanidosa como siempre, convirtió al jardinero en un sapo, dejándole incapaz de atender sus tareas. Gilgamesh no era un necio: no se convertiría en la séptima estadística de Ishtar.

Como es previsible, Ishtar no se tomó todo esto precisamente a bien. Su ira la impulsó de inmediato a los cielos, donde habló con su Anu y Antu, su padre y madre respectivamente. Derramó lágrimas de cocodrilo y alegó que Gilgamesh se había burlado de ella, que le había insultado y le había hecho sentirse miserable aun estando enamorada de él. Anu, que era muy consciente de los trucos de su hija, le preguntó si acaso había hecho algo para provocar esa reacción en el rey semidios. La reacción de Ishtar vino más o menos a contestar tanto a la pregunta de Anu como al lector de la epopeya: quería el Toro del Cielo para traerlo al mundo terrenal y aplastar a Gilgamesh hasta que nada quedara de él. Si su padre no cumplía su deseo, Ishtar juró abrir las puertas del inframundo para que los muertos regresaran con los vivos, a los cuales superarían en número hasta que el caos reinara en el mundo humano. Anu, no obstante, no cedió. Afirmó que los habitantes de Uruk debían, en primer lugar, acumular paja y heno suficiente para alimentarse durante siete años, pues el Toro destruiría sus cosechas al descender y los haría morir de hambre. Ishtar dijo que ya se había encargado de ello, y, así pues, su padre le entregó al fin el

Toro del Cielo. Ishtar ató al animal, sujetó la cuerda con el anillo de su nariz y descendió a la ciudad sumeria.

El Toro era una bestia magnífica y colosal; quizá aún más que Humbaba. Con tan solo caminar creaba cañaverales y ciénagas y destruía bosques. Cuando cruzó el río, el agua llegó a desbordarse en hasta siete codos. Sus bufidos eran especialmente peligrosos: el primero creó una enorme grieta en el suelo y mató a un centenar de hombres. El segundo acabó con doscientos más. Finalmente, el tercero logró alcanzar a Enkidu hasta la cintura. Pero Enkidu, que no era como los demás hombres, saltó y agarró al imponente animal por los cuernos. El toro le escupió a Enkidu en el rostro y le golpeó con la cola, demostrando ser todo un reto para el antiguo hombre salvaje. El hermano de Enkidu andaba cerca, así que el guerrero salvaje habló con él. Le dijo que acababa de darse cuenta de lo poderosa que era aquella bestia, pero que tenía un plan para derrotarla. El plan de Enkidu era simple, pero letal: se colocó detrás del Toro, le agarró la cola y colocó su pie sobre el muslo superior del animal. Sin perder un segundo, Gilgamesh desenvainó una daga y la clavó en el cuello del Toro mientras lo agarraba por los cuernos. El ardid de Ishtar quedó desbaratado cuando el Toro mordió el polvo, pero los guerreros no habían acabado con él. Lo abrieron por la mitad, le sacaron el corazón y lo ofrecieron como sacrificio a Shamash, el dios sol. Tras hacerlo, se sentaron y observaron al animal que yacía muerto ante ellos, disfrutando su triunfo.

Ishtar estaba furiosa. Sentada en la enorme muralla de Uruk, lloró y se lamentó de que Gilgamesh, quien nunca la había amado, y su hermano adoptivo hubieran dado muerte al poderoso Toro de los Cielos. Al oírla, Enkidu decidió burlarse de la diosa arrancando una pata del Toro y arrojándosela. En palabras claras, le dijo a la diosa que su propia pierna habría acabado así si hubiera decidido atacarles personalmente, y que sus brazos habrían acabado envueltos en los intestinos del Toro. Derrotada, Ishtar convocó a sus cortesanas, rameras y prostitutas para realizar un ritual de luto por el muslo del Toro.

Gilgamesh, por su parte, decidió seguir aprovechándose de la situación. Convocó a todos los herreros y artesanos disponibles en Uruk, y estos observaron asombrados al cadáver del animal, sobre todo sus cuernos. Eran gruesos, increíblemente grandes y compuestos únicamente de lapislázuli. Podrían albergar enormes cantidades de aceite. El rey decidió cortarlos e instalarlos en la cámara de Lugalbanda, su difunto padre. La cámara necesitaba un lugar en el que guardar el aceite de unción, y aquellos cuernos eran el recipiente perfecto.

Una vez terminada la batalla, era momento de celebración. Tras lavarse sus ensangrentadas manas en el gran río Éufrates, Gilgamesh y Enkidu regresaron a la ciudad y decidieron lucirse ante el público. Al llegar a su palacio, Gilgamesh se dirigió orgullosamente a sus sirvientas. Les preguntó (retóricamente, por supuesto), quienes eran los más bellos y poderosos héroes. Lógicamente, respondieron que eran él y su hermano Enkidu, lo cual fue razón suficiente para organizar un banquete. Al concluir la inmensa celebración, Enkidu y Gilgamesh se fueron a dormir para descansar tras un largo día de batalla. Pero algo estaba fuera de lugar. Enkidu tuvo un sueño muy particular. Preocupado, decidió salir de la cama y contarle a su hermano lo que había soñado.

Sello cilíndrico que ilustra a Enkidu derrotando al Toro del Cielo, 1970 - 1670 a. C.

Tablilla 7: La Muerte de Enkidu

Perturbado y al borde del llanto, Enkidu le contó su sueño a Gilgamesh. En el sueño había visto a los dioses del consejo sumerio: Enlil, Ea, Shamash y el poderoso Anu discutían las gestas de Gilgamesh y Enkidu. Cuando hablaron del éxito que habían tenido al matar a Humbaba y el Toro del Cielo, Anu decidió que uno de los dos debía morir. Enlil pidió que Enkidu muriera y Gilgamesh conservara la vida. Shamash le reprendió, pues había sido el propio Enkil quien decretó que los dos héroes mataran a las bestias. Lejos de sentirse amedrentado, Enlil riñó a Shamash por haberlos ayudado en sus combates. Pero todo eso fue de poca importancia para Enkidu, quien empezó a gimotear irremediablemente. Iba a morir. Los mismos dioses lo habían decidido.

Tras llorar y lamentarse por el hecho de que ya no podría acompañar a su querido hermano Gilgamesh en sus aventuras, Enkidu se dejó llevar por el delirio. Se puso ante la enorme puerta de cedro que había elaborado en honor a Enlil y habló con ella, como si la puerta pudiera responder. Con rabia, o más bien con desesperación, describió la magnificencia de dicho objeto, desde el cedro con que estaba construido (con un prodigioso tamaño en comparación a otros enormes troncos del Bosque de Cedro) hasta la maravillosa madera con que la puerta había sido tallada. Recordó cómo había talado el tronco, lijado la puerta y cómo después la había colgado en Nippur.

Con los ojos acuosos afirmó que, de haber sabido que construir esa puerta le llevaría al punto en el que estaba, condenado a muerto por decreto divino, la habría desmantelado y usado como balsa para viajar al templo de Shamash en Ebabbara. No habría colocado esa puerta en Nippur, sino en el templo de Shamash, con un pájaro de trueno y un toro gigante como guardianes de la entrada. Así, habría ofrecido tributo a Shamash, quien le había ayudado mucho más que el divino patrón de Nippur, donde había acabado la puerta.

Enfurecido, cortó la puerta a hachazos y la destrozó. Gilgamesh entendió el dolor de su amigo, y con lágrimas en los ojos, intentó consolarlo. Le preguntó a Enkidu por qué se comportaba de forma tan profana e indecorosa. Trató de reinterpretar el sueño de su hermano, afirmando que tales pesadillas solo le ocurrían a mentes fuertes y saludables que pudieran sobrevivir a las duras pruebas de la vida. Y añadió que, si Enkidu llegara a encontrarse en peligro, suplicaría a los dioses. Hablaría con Shamash, Anu, Enlil y Ea para que protegieran su bienestar, y después construiría una estatua dorada cuyo esplendor no tuviera parangón.

Enkidu le pidió a su hermano que no malgastara su riqueza. La decisión de Enlil era la ley, y por lo tanto, el destino de Enkidu estaba decidido. Con sorprendente serenidad, afirmó que lo que le esperaba era lo mismo que todos los humanos encontrarían tarde o temprano. No había remedio para la muerte. Pero su repentina serenidad se esfumó rápidamente, pues Enkidu procedió a suplicarle a Shamash que le perdonara la vida, a lo que siguió una poderosa y salaz sarta de blasfemias. Primero maldijo al joven trampero que lo había encontrado, el que más tarde traería a Shamhat ante él. Le maldijo de una forma muy específica: el pobre trampero nunca sobresaldría en su oficio, nunca ganaría ni ahorraría dinero y jamás cazaría lo suficiente como para poder alimentarse. Terminó deseando que el hogar del cazador permaneciera vacío y hueco, sin un dios patrón que lo habitara.

La siguiente víctima de sus insultos no fue otra sino su sublime ramera, Shamhat. Esta vez, su maldición fue aún más larga y detallada. Shamhat nunca formaría su propia familia. Su belleza sería superada por mujeres más jóvenes, los borrachos vomitarían sobre ella y mancillarían sus vestiduras. Jamás poseería nada hermoso ni gozaría de una comida decente en su hogar. Dormiría en una cama que apenas serviría como banco, para después acabar en la calle, durmiendo en mitad de un campo vacío y malviviendo a la sombra de la gran muralla. Los arbustos y las rocas dañarían su piel. Tanto los borrachos como los sobrios la apalizarían con violencia, tendría una casa cuyo techo se derrumbaría en mitad de la noche; los búhos cantarían junto a su lecho sin descanso y en su mesa jamás habría comida. Además, Shamhat era la responsable de haberse llevado su inocencia salvaje, pues se había acostado con él y lo había llevado al mundo de los hombres civilizados. Según el enfurecido Enkidu, Shamhat lo había vuelto débil.

Shamash, como es natural, prestaba mucha atención al vitriólico discurso de Enkidu. Respondió al antiguo hombre salvaje, preguntándole en primer lugar por qué la maldecía tanto. Le recordó a Enkidu que ella le había procurado pan y cerveza, vestido como un rey y presentado a su hermano Gilgamesh. Después le dijo a Enkidu lo que el rey de Uruk haría por él. Gilgamesh prepararía una espectacular cama funeraria para que el gigantesco Enkidu descansara sobre ella, mientras su hermano yacía a su derecha. Los reyes y gobernantes del inframundo besarían los pies del antiguo hombre salvaje. El pueblo de Uruk lloraría su muerte, y no solo la gente corriente, sino también los ricos y nobles. A continuación, Shamash mencionó cómo el rey de Uruk se comportaría cuando Enkidu abandonara el mundo de los vivos. Gilgamesh se dejaría el cabello sucio y despeinado, vestiría con la piel de un león y merodearía por la naturaleza en busca de la vida eterna, llorando constantemente la pérdida de su hermano.

Al oír esto, la furia de Enkidu menguó un poco. Volvió a pronunciar el nombre de Shamhat y convirtió su maldición en una bendición. Shamhat seduciría a nobles y ricos que la vieran desde hasta dos millas de distancia. Recibiría una plétora de regalos hechos con oro, plata, joyas y lapislázuli para recompensar su talento y su belleza. Con el tiempo, sería una maravillosa esposa para un hombre de renombre, gracias a la bendición de Ishtar. De hecho, ese hombre le daría siete hijos que permanecerían por siempre al lado de Shamhat.

Enkidu volvió a quedarse dormido, lo cual solo condujo a una pesadilla aún peor. Se la contó a su hermano: la tierra y los cielos vibraban debido a una colosal tormenta. Vio a un hombre que se parecía a un pájaro de trueno, con pezuñas de león y garras de águila. El hombre luchaba contra Enkidu, superándole con facilidad. Cada vez que Enkidu contraatacaba, sus puñetazos rebotaban sin producir ningún efecto. Entonces, Enkidu se transformaba en una paloma y el hombre lo vencía con aún menos esfuerzo. El hombre ataba las alas de Enkidu-la-Paloma y lo llevaba al Irkalla, el inframundo; un lugar, según dijo Enkidu, del que ningún hombre regresaba jamás. Acababa en una casa en la que nunca entraba la luz y donde todos comían arcilla y barro; sus habitantes llevaban plumas en lugar de ropa y vivían en perpetua oscuridad. Después, Enkidu entraba en una Casa de Polvo, llamada así por las muchas capas de polvo que la envolvían tanto en el exterior como en el interior. Anu y Enlil estaban sentados a una mesa y, para gran sorpresa de Enkidu, todos los antiguos reyes, nobles, sacerdotes y hombres célebres servían de camareros. Junto a Anu y Enlil había otras divinidades sentadas: se trataba de Etana, Shakkan y la poderosa Ereshkigal, la diosa que reinaba en el inframundo, a la cual acompañaba Belet-seri, su escriba, quien le leía varias cosas de una tablilla. A la tablilla original en la que Enkidu describe el inframundo le falta un gran fragmento, pero sabemos que Ereshkigal divisó al hombre salvaje y preguntó, sorprendida, quién había enviado a aquel pobre hombre a su reino.

Al escuchar su sueño, Gilgamesh aceptó el destino de Enkidu. A partir de ese evento, Enkidu fue a peor. Su cuerpo se debilitó y sucumbió lentamente a la enfermedad. Enkidu se debatió entre la vida y la muerte durante doce días. Al décimo día llamó a su hermano. Cuando Gilgamesh acudió, Enkidu le dijo lo mucho que temía a la muerte, sobre todo a una muerte tan cobarde como aquella. Quería morir en batalla, preferiblemente luchando junto a su hermano adoptivo, el rey. Pero su destino le había postrado en la cama, y al contrario que el rey, Enkidu moriría como lo hacen los débiles. Por supuesto, dijo muchas más cosas, pero las aproximadamente treinta líneas que componen su discurso se perdieron hace tiempo. No obstante, el desenlace queda bastante claro: Enkidu falleció.

Tablilla 8: El Funeral de Enkidu

Gilgamesh guardó luto por su hermano a primeras horas de la mañana. Narró una prematura elegía en la que detallaba la corta pero memorable vida de Enkidu. Recordó cómo el burro salvaje y la gacela habían criado a Enkidu como padre y madre, cómo bebió la leche de asnos en lugar de la de una madre humana, cómo correteaba por la hierba junto con otras bestias salvajes de praderas y bosques. Rogó al Bosque de Cedro, el mismo al que ambos habían deforestado en parte y liberado de su guardián, que llorara la muerte de Enkidu. El rey pidió entonces a los ancianos de Uruk que se unieran al luto. Eran los mismos ancianos que les rogaron en su momento que no persiguieran a Humbaba; los que habían tutelado a Enkidu y le encomendaron la tarea de proteger a Gilgamesh en sus viajes. El afligido monarca rogó también a la gente de Uruk que llorara la pérdida de Enkidu junto a él: el mismo pueblo que había visto a Enkidu como el igual de Gilgamesh durante aquel primer encuentro. Les pidió a las montañas, las colinas, las praderas, los árboles caídos, el sagrado río Ulay el fértil río Éufrates, las bestias que él mismo había cazado como la hiena, la pantera, el guepardo, el ciervo, el chacal, el león, el toro salvaje, el antílope, el íbice... A todas les pidió que lloraran por su hermano adoptivo, que ahora yacía postrado y muerto ante él. Rogó a los jóvenes de Uruk, quienes habían visto a los dos hermanos derrotar al Toro del Cielo y enfurecer a Ishtar, que se unieran al duelo. Gilgamesh también mencionó a pastores y pastorcillos, cerveceros, labradores y todos los que habían ayudado a civilizar a Enkidu. Asimismo, le pidió a Shamhat, así como a otras rameras y a los nobles, que lamentaran la pérdida de su hermano. Ciertamente, en su soledad junto al cuerpo del hombre salvaje, Gilgamesh le pidió al mundo entero que guardara luto por Enkidu. Y por supuesto, se unió a ellos, llorando con más fuerza y dolor que nadie.

¡Y cuan doloroso fue el llanto de Gilgamesh! Se comparó a sí mismo con una mujer destrozada por la pérdida de su descendencia. Pues el mundo había dejado al poderoso rey de Uruk sin su hermano, el hacha en el muslo, el puñal en el cinto, el escudo ante el rostro, el atuendo festivo que llevaba, el cinturón que sostenía dicho atuendo... Estas y otras piezas eran de igual importancia para Enkidu. Y Gilgamesh siguió comparando a Enkidu con otros objetos gloriosos. Se refirió a su hermano como un asno salvaje a la carrera, un burro de las montañas, una pantera que recorría la naturaleza. Y volvió a mencionar cómo habían matado a la poderosa bestia Humbaba y aniquilado al Toro del Cielo, recordando lo que ambos habían sido capaces de hacer juntos. En un desesperado acto de negación, gritó directamente al rostro del fallecido Enkidu para intentar despertarlo, fingiendo no saber que su hermano nunca volvería a abrir sus ojos.

Una mortaja cubría ahora el rostro de Enkidu. Tras colocarla, Gilgamesh empezó a dar vueltas alrededor del lecho de muerte, imitando a los animales salvajes y las aves de presa que circunvuelan un posible bocado o bien un pariente muerte. El poderoso rey de Uruk empezó a enfurecerse mientras hacía esto, y acabó arrancándose sus vestiduras y su cabello, hasta parecer un mendigo o un demente. Este ataque de locura no le abandonó hasta el siguiente amanecer, cuando al fin salió y convocó a sus compatriotas. Pidió a herreros, lapidarios, caldereros, orfebres, joyeros y demás artesanos que construyeran una estatua de Enkidu hecha de oro, lapislázuli y otros materiales. Ordenó que la estatua se colocara junto al lecho de muerte de Enkidu, para que todos los gobernantes del mundo y sus sucesores besaran los pies del héroe caído. De nuevo, se dirigió al cuerpo de su amigo y le prometió que toda la nación lloraría su muerte. También prometió que se dejaría el cabello sucio y llevaría pieles de animal en lugar de vestiduras regias para embarcarse en un peregrinaje autoimpuesto.

Gilgamesh entró en su enorme tesorería y contempló sus riquezas, que abarcaban objetos de obsidiana, lapislázuli, cornalina, alabastro, oro, plata, gemas y otros materiales valiosos. La lista de cuanto Gilgamesh otorgó a su hermano fallecido, por desgracia, está muy dañada en los textos originales, pero se sabe que proporcionó enormes cantidades de artículos de oro, marfil, cornalina y hierro, además de carne de buey y de oveja. El rey procedió entonces a dar ofrendas a cada uno de los dioses. Ishtar, la diosa a la que había rechazado no mucho tiempo atrás, recibió un bastón de madera reluciente. Namra-sit, o Nanna-Sin, el dios de la luna y padre de Shamash, recibió un regalo que lamentablemente desconocemos debido al daño de la tablilla original. Ereshkigal, la diosa del inframundo, recibió un frasco de lapislázuli. Dumizi el Pastor, amante de Ishtar, obtuvo una flauta de cornalina. Namtar, el visir del inframundo, recibió una silla de lapislázuli. Otro regalo que no conocemos es el destinado a Hushbisha, la azafata del inframundo. Hubo varios regalos para Qassu-tabat, barrendero de Ereshkigal, entre los que se incluyen un broche de plata y un brazalete de cierto metal. Ninshuluhha, la diosa limpiadora del hogar, recibió un objeto de alabastro que incluía incrustaciones de lapislázuli y cornalina y mostraba una imagen del Bosque de Cedro. El dios Bibbu, carnicero del inframundo, se llevó una daga de doble filo que tenía una empuñadora de lapislázuli y una imagen tallada del gran río Éufrates. La diosa Dumuzi-abzu, también conocida como el chivo expiatorio del inframundo, que en esta epopeya aparece representada como un hombre con el mismo nombre que el otro Dumuzi, recibió un objeto cuya parte trasera estaba hecha de alabastro. Finalmente, un dios cuyo nombre no se menciona recibió lo que probablemente era una caja de cornalina con una tapa de lapislázuli. Todos estos regalos fueron dispuestos ante el Dios Sol Shamash, y Gilgamesh pidió una sola cosa a cambio: que los dioses lo recibieran en el inframundo, y que caminaran junto a él para que su alma no muriera.

A continuación, se produjeron varios eventos que no conocemos debido a los daños de la tablilla, aunque sí sabemos que alguien le habló a Gilgamesh de los Anunnaki y que el rey de Uruk consideró construir una presa en un río no especificado. Después, el rey de Uruk se encontró de nuevo con los primeros rayos del alba, bajo los cuales siguió trabajando para honrar a su hermano muerto. Abrió las puertas de la ciudad y trajo una enorme mesa sobre la cual dispuso comida y bebida, incluyendo varios platos de cornalina con miel y platos de lapislázuli con mantequilla. También decoró suntuosamente la mesa, todo para contentar al Dios Sol Shamash. Tristemente, el resto del funeral sigue siendo un misterio para los lectores modernos, pues aún no se han encontrado las líneas que conforman las escenas posteriores.

Ruinas del templo de Inanna[vi]

Tablilla 9: Las Andanzas de Gilgamesh

Tras enterrar a su amigo, Gilgamesh cumplió su palabra y se adentró en la naturaleza. De nuevo, empezó a lamentar la muerte de Enkidu, pero en esta ocasión no solo expresó palabras de duelo. Por primera vez, Gilgamesh expresó un miedo casi paranoico a la muerte.

Su solución pasaba por buscar al legendario Utanapishtim, hijo de Ubar-Tutu y uno de los primeros reyes de Sumeria. De algún modo, este hombre, al que también se le llamaba Ziusudra y Atra-Hasis, había conseguido obtener la vida eterna y compartir comida con los mismísimos dioses. Sin embargo, Gilgamesh sabía que Utanapishtim era mortal de nacimiento, como todos los demás humanos. Por tanto, debía haber hecho algo para procurarse vida eterna y ganarse el favor de los dioses.

El problema era que Utanapishtim vivía excepcionalmente retirado del resto del mundo, en algún lugar profundo y oscuro al que ni siquiera Shamash había viajado. Así pues, Gilgamesh se embarcó en un largo y arduo viaje. Cuando se encontró con un desfiladero y empezó a lamentarse, avistó a unos leones y se quedó paralizado. Pero pronto superó su miedo y rezó a Nanna-Sin para que le protegiera. Tras un sueño y una visita nocturna por parte del dios de la luna, Gilgamesh reunió coraje y cogió su arma, dispuesto a atacar. Mató a todos los leones que encontró, descuartizándolos pata por pata. Después los desolló y utilizó sus pieles como vestimenta, reservando la carne para alimentarse. Sediento, cavó y encontró pozos que la gente normal quizá no hubiera hallado nunca, y bebió de ellos.

Shamash avistó a su protegido y, desde los cielos, habló al ahora harapiento y demacrado rey. Le preguntó por qué había decidido vagabundear y trató de decirle que nunca encontraría la vida eterna. Pero Gilgamesh no atendió a razones. Le dijo claramente a su dios que ya descansaría abundantemente cuando muriera, pues en el inframundo habría tiempo de sobra para descansar. Por ahora, quería ver por dónde salía el sol y alcanzar el lugar en el que yacía la oscuridad eterna. Terminó su breve respuesta con el pensamiento de que, de todos modos, los muertos jamás verían un solo rayo de sol.

Tras días y días de merodeo, en los que cubrió el terreno que a hombres y mujeres les llevaría meses recorrer, Gilgamesh llegó al fin a las montañas gemelas de Mashu. Los picos de las enormes montañas alcanzaban los mismos cielos, mientras que sus lomas se extendían hasta el inframundo. La única tarea de las montañas era vigilar el sol naciente por la mañana. No obstante, esta "puerta" de montañas no estaba sola. Un enorme hombre escorpión, acompañado por una mujer escorpión, montaban guardia. Su aspecto habría bastado para aterrorizar a cualquier hombre normal, pero Gilgamesh no era tal cosa. Aunque al principio se quedó paralizado, Gilgamesh observó a las bestias y tomó nota de sus terroríficas miradas, sus auras de miedo, sus enormes cuerpos que se imponían a las mismas montañas, y superó rápidamente su miedo. Después de todo, ya había dado muerte a otras bestias poderosas en el pasado. Cuando el hombre escorpión vio al rey que se acercaba, le dijo a la mujer escorpión que aquel individuo tenía la carne de los dioses. La mujer escorpión le respondió que aquel hombre era un tercio humano, lo que llevó al hombre escorpión a dirigirse a Gilgamesh y hacerle una ronda de preguntas que, dadas las circunstancias, eran bastante razonables. Le preguntó al rey de Uruk cómo había llegado allí, cómo había podido cruzar mares tan peligrosos y si estaba dispuestos a narrarles su viaje. Gilgamesh, con un discurso regio, aunque con algún que otro matiz tosco, se presentó y explicó que pretendía encontrar a Utanapishtim y obtener la inmortalidad. Al hombre escorpión le maravilló que Gilgamesh hubiera logrado llegar hasta ellos, pero le advirtió que el camino que atravesaba las montañas Mashu era muy peligroso, pues la senda yacía bajo eterna oscuridad. Intuimos, en base a las líneas de la tablilla que se han perdido, que otras personas habían intentado entrar en el paso sin éxito. Tampoco sabemos qué respondió exactamente Gilgamesh, pero su respuesta fue tan convincente que el hombre escorpión y su compañera le permitieron pasar. Pidieron a las montañas que se abrieran para el rey peregrino, y rezaron para que le protegieran.

El hombre escorpión le advirtió a Gilgamesh que debía llegar al final del camino antes de que pasaran 12 horas, momento en el que el sol lo alcanzaría. Ocurrieron varias cosas en las primeras siete horas, aunque los daños de las tablillas nos impiden conocer esos detalles. Sin embargo, la oscuridad persistió y el rey no tenía luz alguna que pudiera ayudarlo. Apremió el paso al llegar la octava hora, se enfrentó a un frío viento del norte en la novena, se dio cuenta de lo cerca que estaba de su objetivo en la décima, se apercibió de que se le acababa el tiempo en la undécima, y justo después de la doceava hora, corrió a la salida segundos antes de que el sol saliera. El resplandor del sol iluminó el entorno, y Gilgamesh se encontró en lo que podía describirse como el bosque de los dioses.

Cuando exploró el bosque, se dio cuenta de lo distinto que era de los demás bosques de su mundo. Por ejemplo, un árbol daba frutos de cornalina. Otro árbol, hecho de lapislázuli, estaba atestado de hojas y daba frutos que parecían deliciosos. Había cipreses y cedros, algunos de los cuales mostraban hojas y tallos hechos de un tipo particular de piedra. En otro lugar divisó un mar de coral repleto de gemas preciosas. Algunas de las plantas que vio tenían redomas de piedra en lugar de brezos y espinas. Al tocar un algarrobo, se dio cuenta de que estaba hecho de un tercer tipo de piedra, pero también de ágata y hematita.

Pero Gilgamesh no había acudido allí a maravillarse ante materiales valiosos. Aunque faltan varias líneas de texto, podemos discernir que al final llegó a su destino, donde se encontró con una mujer muy particular que lo había visto caminar desde lejos.

Tablilla 10: Más Allá del Mundo Conocido

En los confines del mundo humano, más allá del glorioso bosque de gemas preciosas, yacía una taberna, o una posada. Y allí había una diosa llamada Shiduri que se encargaba de cuidar el lugar. La posada daba a un mar en el que Shiduri rellenaba sus ollas y tinas hechas de oro, forradas con pieles y mantos.

Shiduri vio a Gilgamesh acercándose. Presintió que el hombre tenía atributos divinos, pero también que su corazón estaba afligido por la tristeza. Las pieles de animal y su aspecto horripilante estremecieron a la diosa. Lo tomó al principio por un cazador de animales salvajes y se preguntó cómo debía dirigirse a él, qué hacer cuando se acercara. Su decisión fue tan sencilla como instintiva: cerraría puertas y verjas, subiría al tejado y se quedaría allí para protegerse.

Pero Gilgamesh oyó la conmoción. Alzó la cabeza y vio a la diosa en el tejado de su propia posada. Al principio le preguntó por qué se había molestado en cerrar las puertas y subir al tejado, y, a continuación, profirió una amenaza muy directa: o abría las puertas por su voluntad, o Gilgamesh las forzaría e iría a por ella.

Aún asustada, Shiduri le dijo a Gilgamesh que le tenía miedo y por eso había actuado así. Pero, aun así, sentía curiosidad por él, pues muy poca gente visitaba el lugar. Le preguntó a Gilgamesh quién era y por qué realizaba aquel viaje. De inmediato, el rey de Uruk le habló de su vida y de Enkidu: su primera pelea y la hermandad que vino a continuación, las montañas que escalaron y las millas que recorrieron juntos, la muerte de Humbaba en el Bosque de Cedro, los leones que masacraron en las montañas antes y después de matar al ogro del bosque, y su victoria ante el Toro del Cielo.

Pero Shiduri no quedó impresionada. Le preguntó a Gilgamesh cómo podía tener aquel aspecto si realmente era quien decía ser, si de verdad había completado todas aquellas hazañas y, de algún modo, había llegado a su inalcanzable morada. Quería saber por qué sus pómulos estaban hundidos, por qué su rostro parecía huraño y demacrado, por qué estaba de tan miserable humor, y por qué su aspecto parecía tan castigado y su alma emanaba tanta tristeza. También le preguntó por su piel castigada por el sol y la escarcha. Quería saber por qué un rey del esplendor de Gilgamesh vestiría pieles de animal y vagabundería por la naturaleza.

Apenas capaz de contener su tristeza, Gilgamesh respondió. Sostuvo que tenía muy buenas razones para lucir tan desarrapado y vencido, lleno de cicatrices de batalla y de viajes por la naturaleza, y con un aspecto tan huraño y desnutrido. Esta vez, habló de Enkidu de forma diferente. Una vez más, enumeró los epítetos del más fuerte, rápido, salvaje y libre de todos los animales de la naturaleza, admitiendo que lo quería como a su verdadero hermano. Pero incluso ese Enkidu, bendecido con una fuerza y un esplendor capaces de rivalizar con el propio Gilgamesh, se encontró con su destino como cualquier hombre corriente. Fue en este punto cuando Shiduri supo que Gilgamesh había llorado la muerte de su amigo durante seis días y siete noches en los que se negó a enterrarlo e incluso a admitir que estaba muerto. Pero acabó convencido cuando una larva salió de la nariz de su hermano. En ese momento, la aflicción que sentía por su compañero se mezcló con un sentimiento muy humano: el miedo a la muerte. No quería morir. No quería convertirse en arcilla como su querido hermano Enkidu. Así que optó por merodear por el mundo, en busca de una forma de evitar la muerte a cualquier precio.

Y aquella era la razón de su aspecto. Gilgamesh le exigió a Shiduri que revelara dónde se encontraba Utanapishtim, el hombre inmortal. Su ultimátum fue sencillo: dime dónde está el hombre al que busco para que pueda cruzar el océano hasta encontrarlo, o seguiré vagando por el mundo hasta el día en que muera. Shiduri intentó hacer entrar en razón al rey. Ese océano, según dijo, era tan extenso que nadie salvo

Shamash podría cruzarlo. Mencionó, además, que la extensión del océano era tan solo uno de los obstáculos. A medio camino se encontraban las Aguas de la Muerte, donde una sola gota podría matar a un humano al instante. Pero dado que Gilgamesh estaba decidido a encontrar a Utanapishtim, Shiduri le habló de Urshanabi, el barquero del hombre inmortal. Urshanabi vivía en un bosque cercano, donde cortaba y almacenaba pinos. Pero no estaba solo. Convivía con los misteriosos Hombres de Piedra, a quienes las Aguas de la Muerte no afectaban, y quienes podrían mantenerle a salvo de ellas. Si Urshanabi aceptaba, llevaría a Gilgamesh ante Utanapishtim. Si no, Gilgamesh podría hacer lo que quisiera y regresar a su tierra.

Gilgamesh, no obstante, tenía otro plan en mente. Cuando consiguió acercarse sigilosamente a Urshanabi y sus Hombres de Piedra, sacó su hacha y, con un alarido desgarrador, arremetió contra una multitud de Hombres de Piedra. Sorprendido, Urshanabi empuñó su arma, pero Gilgamesh logró acabar con cada uno de los Hombres de Piedra, dejando tan solo a dos en pie. Gilgamesh, enfurecido y rebosante de adrenalina, arrojó sus cuerpos al agua. Cuando regresó, se enfrentó al barquero, que miraba fijamente al enloquecido hombre.

Urshanabi se presentó. Era el sirviente de Utanapishtim el Distante; a continuación, le pidió a su oponente que le devolviera el favor y dijera su nombre. El rey de Uruk explicó quién era y de dónde venía, así como los acontecimientos que le habían llevado hasta allí con aquel aspecto. De forma similar a lo que Shiduri había dicho, Urshanabi también mencionó que Gilgamesh parecía afligido y castigado por el clima. La misma conversación que Gilgamesh y Shiduri habían mantenido se repitió más o menos: Gilgamesh habló de Enkidu, de sus logros y su muerte, su propio duelo, sus andanzas, su propósito y su exigencia.

Sin embargo, Urshanabi conservó la calma. Apesadumbrado, informó al rey errante de que acababa de matar y hundir, literalmente, sus posibilidades de atravesar el océano. Lamentándose por los pinos que aún quedaban por cortar, Urshanabi le propuso otro plan a Gilgamesh. El rey de Uruk regresaría al bosque y talaría al menos trescientos mástiles de navegación, cada uno de cinco varas de largo más un mango. Gilgamesh obedeció y le trajo los mástiles al barquero. Lo que vino a continuación fue el largo y deprimente viaje de ambos hombres a través del enorme océano. Igual que en sus viajes con

Enkidu, Gilgamesh consiguió cruzar en tres días lo que la mayoría de la gente habría tardado mes y medio en hacer, pues Urshanabi tampoco era un barquero ordinario.

Llegaron a las Aguas de la Muerte. Urshanabi le pidió a Gilgamesh que cogiera uno de los mástiles y empujara al barco hacia adelante, utilizándolo más o menos como un remo. Pero debía dejarlo sobre el agua y repetir el proceso con el siguiente mástil, pues el más ligero contacto con el agua mataría a Gilgamesh en el acto. Así pues, Gilgamesh colocó el segundo mástil, el tercero, los siete siguientes y otros diez a continuación, hasta que había recorrido 120 estadios de agua y se quedó sin mástiles. Entonces, Urshanabi y Gilgamesh se desvistieron, y el rey utilizó la ropa como velas improvisadas, sosteniéndolas con sus brazos y dejando que el viento hiciera su trabajo.

Utanapishtim observaba el barco desde la costa. Murmuró para sí mismo que no podía ver a los Hombres de Piedra, pero sin embargo había dos hombres en el barco, y a uno de ellos no lo conocía de nada. Al llegar a la orilla, Gilgamesh se acercó a Utanapishtim y le preguntó si era el hombre que se había unido a los dioses y había alcanzado la vida eterna tras el poderoso Diluvio. Y de nuevo, la conversación que Gilgamesh había mantenido con Shiduri y Urshanabi se repitió. El hombre inmortal se fijó en el aspecto de Gilgamesh, quien procedió a hablarle de la muerte de su amigo, para después explicarle su misión de buscar la inmortalidad. Sin embargo, en esta conversación hubo algo más. Gilgamesh le dijo a Utanapishtim que lo buscaba a él específicamente. Que había recorrido extensas tierras, numerosas montañas y océanos peligrosos, incluyendo los que le habían llevado directamente a él. Que durante su viaje apenas había tenido tiempo para dormir y que su cuerpo, privado de sueño, estaba inundado de tristeza hasta la médula. Explicó que el atuendo que llevaba se había roto antes incluso de llegar a la posada de Shiduri. Se había vestido con las pieles de los mismos animales con los que se había alimentado, y no eran solamente leones: también osos, íbices, hienas, ciervos, panteras, guepardos y otros animales habían "donado" las vestiduras que ahora mostraba ante Utanapishtim. Dejó claro que estaba harto de su propia tristeza, harto de sentirse miserable; que quería poner fin a aquellos sentimientos y disfrutar de su posible vida eterna como un hombre feliz.

Todo esto le resultó absurdo a Utanapishtim. Le preguntó retóricamente a Gilgamesh si eran los dioses quienes le habían creado. Al hombre inmortal le resultaba un misterio que un rey pudiera sentir tanto pesar. Le pidió a Gilgamesh que comparara su vida con la de un necio. Él había nacido en la realeza, había sido puesto en el trono para gobernar a quienes estaban por debajo de él. Por otra parte, un necio jamás obtendría nada valioso de los dioses. Gilgamesh había recibido mantequilla, la mejor harina, las mejores vestiduras sostenidas por el mejor de los cinturones, y además estaba rodeado de consejeros y sabios para que lo ayudaran con sus tareas. Un necio, en cambio, debía contentarse con sobras de levadura, avena y molienda rancia, harapos por vestiduras y nada más que una cuerda para sostenerlas, por no mencionar que sería ridículo pensar que un necio pudiese contratar a consejeros. Lo que Utanapishtim dijo a continuación está demasiado fragmentado como para entenderlo, pero tiene algo que ver con el dios de la luna, el necio, los templos de los dioses y sus servidores, y alguna especie de regalo. No obstante, lo que dijo después quedó claro como el agua: Enkidu había muerto, sin duda, pero era Gilgamesh quien había perdido el tiempo. Con su aspecto triste, patético y vencido, no había conseguido sino acercarse un paso más a la muerte. La vida del hombre es corta, dijo el inmortal; se corta en un instante como un junco en una laguna. Hombres y mujeres jóvenes y saludables mueren rápidamente cuando a veces están aún en la flor de la vida. Nadie ha visto a la muerte y nadie la verá. Ni siquiera podía oírse a la muerte o describirla. Aun así, la muerte acababa con los humanos con terrible facilidad. Para guardarse de ella, la humanidad construía refugios, se disputaba herencias, emprendía guerras y, pese a todo, la muerte acababa llegando. Así pues, la muerte llegaría finalmente como un imponente río. Y cuando ese río se secara, no quedaría nada más que tierra y arcilla. Utanapishtim comparó a los muertos con raptados, aunque existía una importante diferencia entre ambos grupos. Un hombre secuestrado tenía una posibilidad de regresar. Un muerto jamás la tendría. Nadie volvía de la muerte para contar su historia, y así había sido durante siglos. Tras crear el mundo, los hijos de Anu habían convocado una asamblea. A dicha asamblea se unió Aruru, la madre Diosa (quien tenía muchos nombres, como Ninhursag, Mammitum, Belet-ili, etc.), y discutieron cómo funcionarían los seres humanos. Fue entonces, según dijo Utanapishtim, cuando se estableció la vida y la muerte para los humanos. Lo que no hicieron, como sabían todos, fue establecer un tiempo de vida determinado para los humanos. No había un número ni una fecha exacta: los humanos nunca sabrían cuándo morirían.

Impronta en un sello cilíndrico. Probablemente se trate de Dumuzi, aprisionada en el inframundo[vii]

Tablilla 11: El Fin del Viaje de Gilgamesh: Diluvio, Inmortalidad y Regreso a Uruk

La conversación entre Gilgamesh y Utanapishtim continuó. Urshanabi escuchó de cerca, mientras la esposa de Utanapishtim hacía cuidaba de la casa y el jardín. Gilgamesh observó que Utanapishtim no tenía un aspecto diferente al suyo, lo que significaba que la inmortalidad no era visible. También dejó claro que había pensado en atacar a Utanapishtim, quien lo superaba en título y edad, pero que el aura que desprendía le impidió hacerlo. Al fin, le preguntó a Utanapishtim cómo había conseguido la vida eterna.

El anciano e inmortal hombre le contó a Gilgamesh una historia que nunca había contado desde el día en que sucedió. Una historia tan importante que se consideraba un misterio divino, un secreto sagrado que no muchos tendrían la oportunidad de escuchar. Utanapishtim recordó sus orígenes regios como Lugal de Shuruppak, una ciudad que seguía activa y que el rey de Uruk conocía muy bien. Enlil había intentado aniquilar a la raza humana con un enorme diluvio, y casi todos los dioses superiores hicieron un juramento con el que apoyaban esa decisión. Anu, el padre de todos los dioses, fue uno de esos dioses;

igual que lo fueron Ninurta y Ennugi, chambelán y alguacil de los dioses, y por supuesto, el propio Enlil.

Pero uno de los dioses recitó su juramento de una manera muy peculiar. El sabio y poderoso Ea repitió el juramente en una barrera de juncos; la barrera que delimitaba los dominios de Utanapishtim. Ea le dijo varias cosas al rey de Shuruppak, heredero al trono que una vez ocupó su padre Ubar-Tutu: le pidió que demoliera su palacio y utilizara sus ruinas para construir un enorme barco. Utanapishtim debía dejar atrás todas sus riquezas terrenales y traer consigo semillas de todos los seres vivientes: en otras palabras, dos ejemplares de cada animal y cuantas plantas pudiera conseguir. Dispuesto a servir a los dioses, Utanapishtim le preguntó qué deberían hacer los ancianos y ciudadanos de Shuruppak. Ea tenía una solución. Utanapishtim declararía que Enlil lo odiaba y que no tenía otra opción aparte de mudarse a Abzu con Ea. Cuando oyese dicha mentira, Ea traería lluvia abundante para los campos de cultivo de Shuruppak, además de una gran cantidad de aves y peces, generosas cosechas, lluvias de pan por la mañana y torrentes de trigo por la tarde.

Esa misma mañana, Utanapishtim congregó a cuantos trabajadores pudo. Llegaron carpinteros con hachas, recolectores de juncos con piedras, constructores navales con sus herramientas, etc. Tanto jóvenes como viejos participaron en la tarea, así como ricos y pobres, todos con distintas funciones según su estatus social y su edad. Cinco días después, el casco del enorme barco estaba terminado: medía un acre de largo y diez varas de alto, con lo que era un perfecto cubo gigante. Utanapishtim colocó un techo encima y después procedió a dividir el interior en varios compartimentos y secciones. Usó alquitrán y aceite para juntar las piezas, pero conservó buena parte de esos materiales para almacenarlos en el barco. Muchos de sus hombres comieron las enormes cantidades de carne que Utanapishtim extrajo de sus propios rebaños. También bebieron su alcohol sin descanso, en prodigiosas cantidades. Cuando acabaron el trabajo, celebraron un banquete que podría hacerle sombra a los que se organizaban en las celebraciones de Año Nuevo.

Mover el colosal barco fue todo un reto para los hombres. Lo empujaron lentamente hasta que dos tercios de la embarcación quedaron sobre el agua. Cuando llegó la hora que Ea había señalado, Utanapishtim cargó cuanto pudo en el barco: sus riquezas, sus familiares y amigos íntimos, todo tipo de animales salvajes y domesticados, etc., y selló su escotilla. Puzur-Enlil, el hombre a cargo de sellar el barco, recibió el palacio de Utanapishtim y todas sus mercancías como recompensa.

Utanapishtim se dio cuenta de que el clima estaba empeorando. Se avecinaban nubes de tormenta, cada vez más opacas y oscuras. Adad, el dios de las tormentas, hacía su trabajo. Los truenos caían por todas partes. Shullat y Hanish, guardas personales de Adad, se unieron a la destrucción. Errakal liberó la plaga y Ninurta ayudó a que los ríos se desbordaran. Annunaki empuñó antorchas en llamas durante el resto del día, incendiándolo todo. Los vientos azotaron la tierra durante todo el día, hasta que llegó el Diluvio. Fue tan denso y oscuro que la gente no se distinguía ni se veía entre sí bajo la lluvia. El mundo quedó tan destruido que incluso los dioses se asustaron y buscaron refugio. Se escondieron todos en el palacio de Anu, donde Aruru lamentó que sus hijos estuvieran muriendo y lloró porque todos sus esfuerzos hubieran sido en vano. Para Aruru, aquellos hombres eran sus hijos, y ahora estaban siendo aniquilados por la inundación. Otros dioses sollozaron junto a Aruru, sintiéndose cada vez más agitados y enfermos conforme el Diluvio causaba sus estragos. Se prolongó durante seis días y siete noches, tras los cuales remitió. La tierra quedó aplanada, con el aspecto de un enorme océano. Todo volvía estar en calma.

El sol brilló directamente en el rostro de Utanapishtim, quien se puso de rodillas y empezó a llorar, dándole las gracias a Ea y a otros dioses por haber sobrevivido. Divisó catorce pequeñas islas en el horizonte, pero su barco se había quedado encallado en la cima de la montaña hundida de Nimush. Tras siete días de encallamiento, Utanapishtim envió a una paloma en busca de tierra, pero regresó a él sin haber encontrado nada. La golondrina no tuvo mejor suerte que la paloma. No obstante, el cuervo sí la tuvo, pues cogió una ramita de un árbol con el pico y emprendió de nuevo el vuelo para no regresar. Para Utanapishtim, esa fue la señal que necesitaba para desembarcar y abandonar su barco salvador.

En la orilla, Utanapishtim hizo una ofrenda a los dioses: quemó incienso en la cima de una montaña y montó una mesa con comida. También quemó juncos, madera de cedro y mirto. Los dioses percibieron el agradable olor y descendieron para unirse al banquete. Aruru alzó el collar de lapislázuli que le había hecho su consorte, y pidió que nunca se olvidaran aquellos trágicos días. También le pidió específicamente a Enlil que no atendiera a la ofrenda, pues la idea de provocar un genocidio en la tierra con un Diluvio había sido suya.

Pero Enlil sí se presentó, y en cuanto vio a Utanapishtim, gritó enfurecido al resto de los dioses. Lo había dicho bien claro: ningún hombre debía sobrevivir al Diluvio, y uno de los dioses debía ser responsable de su supervivencia. Ninurta acertó al sugerir que quizá había sido Ea, aunque Ea lo negó y le dijo a Enlil que inundar el mundo había sido una idea estúpida: cada crimen tenía un justo castigo, y según Ea, se debía aflojar cuando la cosa estaba apretada y apretar cuando estaba suelta. Sugirió varias soluciones que habrían funcionado mejor que el Diluvio, como leones voraces, lobos, hambruna o una plaga. Sin embargo, Ea fue un tanto evasivo en cuanto al papel que había cumplido para salvar a Utanapishtim. Afirmó que él solo había repetido el juramento junto a una barrera de juncos, donde Utanapishtim lo oyó por casualidad, incluyendo los detalles del barco y demás. Ahora le correspondía a Enlil decidir qué haría con el pobre superviviente de su Diluvio.

Enlil, sin duda descontento por lo que acababa de oír, subió al enorme barco y se acercó a Utanapishtim y su esposa. Les hizo ponerse de rodillas, les tocó la frente y los hizo inmortales, tras lo cual declaró que ahora eran equivalentes a los dioses. Sin embargo, había un precio. Deberían vivir alejados de todos los demás, en los confines del mundo conocido, donde los ríos fluían hacia arriba y no germinaba ninguna clase de vida.

Fue en este momento de la historia cuando Utanapishtim habló directamente con Gilgamesh. Le preguntó, con cierta sorna, quién avalaría su inmortalidad y cómo pensaba conseguir que todos los dioses importantes discutieran esa posibilidad. Considerando que Gilgamesh no era digno de la inmortalidad, le dijo que probara a no dormir durante siete noches y tal vez entonces podría pensar en vivir para siempre. Por supuesto, Gilgamesh aceptó. Y por supuesto, se quedó dormido en cuanto se sentó. Utanapishtim habló entonces con su esposa. Le pidió que despertara a aquel pobre desgraciado, pero mantuvo que los hombres son mentirosos por naturaleza y que, por ese mismo motivo, Gilgamesh intentaría mentirles en cuanto despertara. Le pidió a su esposa que preparase un trozo de pan por cada día que Gilgamesh durmiese. Debería alinear dichos trozos de pan en la pared, junto a la cabeza del rey errante, e inscribir en ellos la fecha en que fueron horneados. Su esposa obedeció. El primer trozo de pan estaba seco; el segundo, gomoso como el cuero; el tercero, empapado; el cuarto emblanqueció, el quinto se puso gris debido al moho, el sexto estaba recién sacado del horno, y el séptimo seguía en el horno cuando Utanapishtim tocó a Gilgamesh para despertarlo. Previsiblemente, el rey de Uruk mintió y dijo que acababa de quedarse dormido cuando el hombre inmortal lo había tocado. Utanapishtim se limitó a señalar los trozos de pan en el suelo y se los describió al vencido rey.

Gilgamesh se desesperó. Cayendo de rodillas, lloró mientras murmuraba que la muerte acechaba en todas partes, incluso dentro de él. Quería acabar con todo, pues no había logrado cumplir su objetivo. Utanapishtim no respondió. Se giró hacia el barquero Urshanabi y, como castigo por haber traído a Gilgamesh, le desterró para que jamás pudiera volver con él. A continuación, ordenó al barquero que acompañara a Gilgamesh al baño, donde se lavaría el cabello y el cuerpo. Las pieles que vestía serían arrojadas al océano y se le darían nuevas vestiduras apropiadas para un rey. Así, Gilgamesh podría regresar a Uruk como el rey que era. Urshanabi obedeció, y pronto Gilgamesh volvió a lucir con su esplendor de siempre.

Cuando zarparon, la esposa de Utanapishtim le pidió a su marido que le diera algún obsequio al rey por haber llegado tan lejos en su búsqueda. Gilgamesh, que no quería desperdiciar aquella oportunidad, giró el barco y regresó a la orilla de Utanapishtim. El inmortal se puso de acuerdo con su esposa, y procedió entonces a revelarle a Gilgamesh otro secreto protegido por los dioses. En el fondo del poderoso Abzu había una planta con el aspecto de una caja con espinas capaces de cortar a quien pusiera una mano encima. Si se ingería, la planta restauraba parte de la juventud, así que Gilgamesh no se iría totalmente de vacío. Gilgamesh cavó entonces un foso de enorme profundidad y, a continuación, ató dos grandes piedras a sus piernas y se precipitó al foso. Cuando llegó a Abzu, divisó la planta y la cogió, tras lo cual se liberó de las piedras y regresó a la superficie. En un inusual momento de altruismo, Gilgamesh le dijo a Urshanabi que la Planta de las Palpitaciones, como se llamaba, sería útil tanto para él como para sus ciudadanos. La probaría primero en un anciano, y si realmente rejuvenecía, comería parte de la planta y plantaría el resto para las futuras generaciones. Pasaría entonces a llamarse Anciano Rejuvenecido.

Al igual que hiciera en sus viajes con Enkidu, Gilgamesh y Urshanabi se detuvieron cada 20 ligas para hacer pan, y cada 30 ligas para dormir. Durante una pausa nocturna, Gilgamesh avistó un estanque de agua fresca y decidió darse un chapuzón, dejando la planta en el suelo por un momento. Una serpiente se sintió atraída por el aroma de la planta y se la comió. Las espinas descamaron su piel hasta matar a la serpiente. Gilgamesh lloraba con más fuerza que nunca: había vuelto a perder. Le preguntó retóricamente al barquero de qué servían ahora sus esfuerzos y sus tribulaciones, qué había conseguido ahora que un animal se había llevado la poderosa planta. Lo que era aún peor: no tenía modo de regresar al lugar del que había arrancado la planta, y si hubiera dejado el barco donde estaba, habría vuelto a por otra muestra.

Siguieron viajando durante millas y millas hasta que al fin llegaron a la gloriosa ciudad de Uruk. En ese momento, Gilgamesh habló con el barquero y lo apremió a escalar las imponentes murallas de la ciudad. Desde lo alto, podría ver la gran ciudad que el rey había reconstruido. Y así termina la epopeya, con Gilgamesh pronunciado literalmente las mismas palabras que al principio, cerrando el círculo y haciéndole saber, tanto a su interlocutor como a los lectores, que el hombre que compuso la epopeya es el mismo que se embarcó en un viaje de aventuras y dolor, de miedo y coraje; el hombre que vio las profundidades y llegó a los confines de la tierra. Un hombre que se ganó su sabiduría y, pese a no obtener la inmortalidad, logró algo que lo distinguía del resto de la masa. Ese hombre era el rey Gilgamesh, y la hermosa ciudad en la que reinó era su legado.

Tablilla XI, la Tablilla del Diluvio, de la Epopeya de Gilgamesh. Siglo VII a. C.[viii]

Notas Sobre la Epopeya

Las once tablillas tienen lugares y elementos que han cautivado la imaginación de los académicos. Por ejemplo, las dos primeras tablillas, en las que se detalle el primer encuentro entre Gilgamesh y Enkidu, así como la subsiguiente conducta y los manierismos de Gilgamesh, han llevado a algunos académicos a pensar que era homosexual. Y según nuestra perspectiva moderna, cierto uso del lenguaje en la epopeya (Gilgamesh habla a menudo de abrazar a Enkidu igual que un marido abraza a su mujer, llora por su muerte como una viuda y le tapa los ojos para que se parezca a una prometida), así como algunas acciones (ambos se besan tras la batalla y a menudo caminan de la mano), parecen reforzar esta idea. Sin embargo, al igual que ocurre con muchos recursos literarios en textos antiguos, este tipo de lenguaje se utilizó muy probablemente para representar afinidad de manera muy estilizada, como cuando la epopeya utiliza números para indicar cantidades (los "ochocientos soles" u "ochocientos brazos" del Mahabhrata, por ejemplo, significan simplemente "mucho brillo" o "una cantidad incontable de brazos"). La heterosexualidad de ambos personajes es más que evidente a lo largo de la epopeya, y las metáforas amorosas se utilizan para enfatizar lo íntima y cercana que su amistad se había vuelto.

Otro pasaje que se examina a menudo es el episodio de Ishtar y el Toro del Cielo. Algunos académicos han sugerido que su proposición de matrimonio a Gilgamesh, y el consiguiente rechazo, son algo más que un simple "no" debido a la reputación de Ishtar. Por la forma en que Ishtar formula ciertas frases, se puede argumentar que tal vez solo está intentando convencer a Gilgamesh de que muera. El intercambio de delicias terrenales con la diosa puede ser tan solo una forma velada de enviar a Gilgamesh al Inframundo, lugar en el que, según la tradición sumeria, estaba destinado a reinar sobre los muertos como dios menor. Teniendo en cuenta que esta fue una nueva adición a la epopeya en el momento en que fue escrita, esta interpretación podría tener cierto sentido.

Y hablando de nuevas adiciones, el texto original acababa en realidad con el episodio en el que Gilgamesh viaja Más Allá del Mundo Conocido. En principio, era Shiduri quien enviaba a Gilgamesh de vuelta a Uruk tras sus andanzas. Es muy posible que el episodio del diluvio se añadiera más tarde (la mayoría de los académicos, aunque no todos, consideran que la Tablilla XII no es canónica), pero incluso dentro del episodio de Utanapishtim hay evidencias de nuevas incorporaciones. Por ejemplo, el momento en el que Gilgamesh no consigue mantenerse despierto, tras lo cual Utanapishtim lo manda de vuelta a Uruk junto a Urshanabi, podría haber tenido otra versión en la que la planta rejuvenecedora ni siquiera se menciona. Los escribas babilonios podrían haber añadido fragmentos a estos episodios en un esfuerzo por mejorar la fluidez de la narración, convirtiendo el texto en la obra maestra que fue en su día, y sigue siendo en la actualidad.

Poemas Sumerios Sobre Gilgamesh

Hasta hoy, se han encontrado y traducido al menos cinco poemas sobre Gilgamesh anteriores a la epopeya acadia. Estos poemas se encontraron normalmente en ciudades importantes de la antigua Babilonia, donde fueron escritos y traducidos por escribas acadios. Algunos fueron tan populares que las escuelas sumerias las incluían en tablillas como material de estudio. También se encontraron tablillas similares en hogares particulares y bibliotecas, o que significa que los estudiantes copiaron los poemas a menudo.

De esos cinco poemas, tres comparten muchos elementos importantes con la versión estándar de la posterior epopeya acadia. Algunos aspectos y situaciones difieren, al igual que ocurre con los nombres de los dioses, todos sumerios, y del propio héroe protagonista, que en estas versiones se llama Bilgames. (Por cuestión de continuidad, seguiremos refiriéndonos al protagonista por el nombre que tiene en la epopeya acadia, mientras que nombraremos al resto de los dioses con su forma original).

Cualquier lector puede entender en cierta medida, únicamente en base a estas cinco historias, por qué Gilgamesh fue un personaje tan importante como para ser inmortalizado por varias naciones babilonias en escritura cuneiforme. Los poemas describen a un rey valiente, aunque con ciertos defectos, que se sirve de la fuerza bruta y de su ingenio para superar sus retos. También discuten la naturaleza de la vida y la muerte, un tema muy conocido para los pueblos de la antigüedad y que no ha dejado de ser relevante en la actualidad. Gilgamesh aparece descrito en los poemas como un rey y un semidiós, pero no es menos humano que el resto de los mortales: el mismo destino que nos espera a todos le supera, dejando un poderoso e inspirador legado literario.

Gilgamesh y Akka

Este breve poema comienza con los enviados de Akka, el hijo de Enmebaragesi y rey de Kish, entrando en Uruk. Allí discuten con Gilgamesh y le exigen que vacíe todos los pozos de la ciudad, tanto los hondos como los poco profundos. Lo más probable es que se trate de una forma de exigir la rendición de Uruk y Kish en términos de vasallaje directo. En aquella época, Kish era una ciudad dominante de Mesopotamia y ejercía de capital en funciones. El título de "rey de Kish" siguió siendo codiciado mucho tiempo después de que los protagonistas de este poema murieran. Sin embargo, Gilgamesh no quiere precipitarse. Visita a los ancianos de Uruk, quienes constituyen la Cámara Alta del consejo, y les pregunta qué puede hacer. Los ancianos apoyan unánimemente la opción de rendirse a Akka y vaciar los pozos. Gilgamesh no queda contento por la respuesta, así que se dirige a los jóvenes de Uruk, una clase guerrera con moderada influencia en los asuntos de la ciudad-estado. Su respuesta al ultimátum de Akka es luchar, lo cual Gilgamesh acepta. Los jóvenes alaban al dios-rey en el distrito de Kullab (un nombre que aparece en casi todos los poemas, lo que da una idea de su importancia), mencionando el gran templo dedicado a Inanna y las enormes murallas que rodean a Uruk y que el propio dios-rey construyó. Tras escuchar sus alabanzas,

Gilgamesh le pide a Enkidu que prepare sus armas, reúna a los hombres y libere a los perros de guerra. Enkidu propone dejar que Uruk sea invadida; así, Akka temerá aún más a Gilgamesh cuando éste ponga su mirada sobre ellos.

Apenas dos semanas después, Akka decide asolar Uruk. En el campamento de Gilgamesh, un valiente guardaespaldas real llamado Birhurturra se ofrece a ser capturado por Akka, lo que sucede poco después. Birhurturra es atado, amordazado, golpeado y torturado por los hombres de Kish. Mientras esto ocurre, Akka avista a un administrador de Uruk subiendo por la muralla y observando. Akka le pregunta al soldado torturado si el hombre de la muralla es Gilgamesh. Birhurturra, evasivo, contesta con una serie de preguntas retóricas: le pregunta al dirigente de Kish si Gilgamesh tenía realmente una apariencia tan ordinaria como la del hombre en la muralla, para, a continuación, enumerar una serie de eventos que demostrarían la valentía de Gilgamesh y le pregunta al rey de Kish si cree que esos eventos se producirían si el hombre de la muralla fuera el verdadero Gilgamesh. Por esta respuesta, Birhurturra se lleva una paliza adicional.

Acto seguido, es Gilgamesh que sube a la muralla, tras lo cual, el ejército dirigido por Enkidu toma posición. Akka divisa a Gilgamesh y le vuelve a hacer la misma pregunta de antes a Birhurturra, esta vez con una respuesta positiva. Los ejércitos se enfrentan y Uruk no tarda en ganar la batalla. Las fuerzas de Gilgamesh capturan a Akka.

En su celda, Akka suplica a Gilgamesh que lo libere. Gilgamesh demuestra ser un rey piadoso y le recuerda a Akka que él también fue una vez prisionero en Kish, y que el rey que había allí entonces le trató con el máximo respeto. Akka admite la supremacía de Uruk y afirma que los dioses favorecen claramente a Gilgamesh. Akka y Gilgamesh se van cada uno por su lado, y el segundo conserva su posición como héroe respetado y temido.

Gilgamesh y Huwawa

Este texto tiene dos versiones y ambas reciben su título en base a sus primeros versos. Difieren en algunos aspectos clave, pero cuentan mayormente la misma historia narrada en las tablillas III y IV de la epopeya acadia, es decir: la muerte de Humbaba/Huwawa y el botín obtenido en forma de árboles de cedro.

La historia comienza cuando Gilgamesh y Enkidu discuten la naturaleza de la mortalidad humana. El poderoso dios-rey le dice a su hermano adoptivo que no quiere morir y ser olvidado como la mayoría de los hombres. Gilgamesh busca la inmortalidad, y si no puede obtenerla en términos literales, se la ganará en forma de gloria eterna para que las generaciones posteriores le recuerden. Para ello tendrá que talar el bosque de cedros y matar a su guardián, Huwawa. Enkidu observa que Gilgamesh tendrá que hablar con Utu, el dios sol, y pedirle consejo. Tras sacrificar a dos corderos, Gilgamesh se arrodilla ante su dios y le pide ayuda. Utu le concede al rey siete guerreros, cada uno con habilidades distintas: uno tiene pezuñas de león y garras de águila, otro tiene el rostro de una cobra, el tercero se parece a una serpiente dragón, el cuarto escupe fuego, el quinto se asemeja a una sierpe con una enorme lengua, el sexto tiene los poderes de una cascada y el séptimo lanza relámpagos. La diosa Nissaba también aporta su ilustración para ayudar al dios-rey. Con sus nuevos hombres, Gilgamesh se dirige hacia Uruk y convoca a todos sus hombres en la plaza central de la ciudad, donde pide que 50 guerreros sin familia inmediata le ayuden a talar cedros y derrotar al poderoso Huwawa. 50 hombres se prestan voluntarios. Tras pasar por la forja y pedir que le confeccionen varias armas, Gilgamesh se encamina al bosque de los cedros con su ejército. Atraviesan seis cordilleras, y solo en la séptima encuentran los cedros que buscaban. Los guerreros empiezan a talarlos, lo que enfurece a la poderosa bestia Huwawa, que aparece con un rugido. Sus siete auras protectoras están activas, lo que hace que todos se desmayen de terror. Enkidu, el primero en despertarse, riñe a Gilgamesh por quedarse parado y no perseguir a la imponente bestia. Enkidu se da cuenta de que todos los guerreros se han quedado inconscientes, con lo que solo quedan los dos para enfrentarse a la bestia. Tras invocar a su madre Ninsun y su padre Lugalbanda, el dios-rey decide de inmediato que no se irá a ninguna parte hasta que Huwawa haya caído. Al oír esto, Enkidu le pide a su hermano que le deje regresar a Uruk para informar a Ninsun de la eventual victoria o derrota de Gilgamesh. Pero Gilgamesh le pide que se quede, pues juntos son más fuertes que separados. Reaciamente, Enkidu acepta y los dos avanzan.

Huwawa ve al guerrero que se aproxima y, con solo hablar y mencionar que Gilgamesh ha venido en vano, el dios-rey se queda paralizado. Huwawa le dice que no tenga miedo: lo que debe hacer es ponerse a cuatro gatas y decirle qué quiere. Gilgamesh obedece y procede a dar una serie de ofrendas para conseguir las auras de Huwawa y convertirse en su descendiente. Ofrece a dos de sus hermanas (la mayor de las cuales se llama cómicamente Enmebaragesi, y la más joven, Peshtur), harina y agua, sandalias grandes y pequeñas para los distintos pies de Huwawa, piedras preciosas y dos regalos más que desconocemos debido al daño de la tablilla. Cada vez que Gilgamesh ofrece algo, Huwawa deja caer una de sus auras, las cuales son prontamente recogidas y atadas por los soldados. Huwawa, ahora desprovisto de auras, empieza a retirarse, pero Gilgamesh le persigue y lo golpea con un puño, enfureciéndolo. Su furia, no obstante, resulta ineficaz, pues Gilgamesh logra atar a la bestia con la ayuda de Enkidu. Huwawa suplica por su vida, y al contrario que en la versión acadia estándar de la epopeya, Gilgamesh considera su petición y le dice a Enkidu que Huwawa podría ser su sirviente y vasallo. Enkidu se niega en redondo y observa que, si bien otros quizá regresen tras ser liberados, Huwawa no lo haría dada su situación. Huwawa se burla de Enkidu por su actitud servil hacia Gilgamesh, lo que lleva al hombre salvaje a enfadarse y golpear a la bestia en el cuello, cercenándole la cabeza.

Los dos héroes le presentan la cabeza de la bestia a Enlil y su consorte Ninlil. Enlil se enfurece al saber que Gilgamesh no ha permitido que Huwawa se marche. Aun así, le encuentra un uso a las auras y las divide entre una multitud de zonas y criaturas: los campos, los ríos, los cañaverales, el palacio, y finalmente la diosa Nungal, quedándose él mismo con las auras restantes.

Una diferencia crucial entre las dos versiones del poema es el momento en que Gilgamesh y Enkidu despiertan de los efectos de las auras de Huwawa. Gilgamesh no convence a su hermano para que persiga a la bestia de inmediato. En vez de eso, le pide ayuda a Enki para que le conceda su sabiduría y pueda así derrotar más fácilmente a Huwawa. En cuanto Enki se la concede, se produce el subsiguiente intercambio de auras.

Gilgamesh y el Toro del Cielo

Esta tablilla es la que en peor estado de conservación se encuentra, y es una influencia directa en la versión estándar, concretamente en la tablilla VI. El poema empieza cuando Gilgamesh dialoga con su madre Ninsun, quien le dice que baje al río con una guadaña y corte algunas plantas y se lave. Desconocemos el propósito exacto de estas órdenes, aunque puede que se traten de parte de un ritual. Gilgamesh obedece, y cuando se está lavando, Inanna, la principal deidad de Uruk, se excita sexualmente al verlo. Inanna le propone al héroe que sea su consorte, pero la madre de Gilgamesh le persuade para que no acceda a ello. No sabemos cuál es la respuesta del propio Gilgamesh, pero lo que ocurre a continuación nos indica qué podría haber ocurrido: es probable que escuchara a todos los anteriores amantes de Inanna y decidiera rechazarla. En los cielos, Inanna llora y le ruega a su hermano An que le entregue el Toro del Cielo. An le recuerda que el Toro se alimenta de estrellas y que la tierra no bastaría para saciarlo. Inanna amenaza con gritar, lo cual acaba haciendo. An, incapaz de soportar los gritos, accede a sus peticiones y le entrega el Toro. Inanna procede a descender al Toro a la tierra con su cuerda. Al ver la lozanía de la tierra, el Toro se bebe de inmediato toda el agua, desatando el pánico.

Lugalgabangal, el juglar de Gilgamesh, encuentra a su rey bebiendo y divirtiéndose en una taberna y corre hacia él. Al enterarse de lo que ha hecho Inanna, Gilgamesh no se amilana. Prepara sus armas y le dice a su madre, así como a su hermana pequeña Peshtur, que se refugien en el templo. Promete derrotar al Toro, arrojar su cuerpo a las calles más estrechas, sus intestinos a las más anchas, darles la carne a los pobres y usar sus cuernos como frascos de aceite en el templo de Eanna, en honor a Inanna. En una de las versiones del poema, Gilgamesh le repite esta misma amenaza directamente al Toro, tras lo cual él y Enkidu le dan muerte. Gilgamesh le corta un muslo y se lo arroja a Inanna, quien mientras tanto ha estado llorando en lo alto de las murallas de la ciudad. Inanna cae y la muralla se estremece. Entre lágrimas, Gilgamesh se asegura de que Inanna se dé cuenta de que habría acabado igual que el Toro si así lo hubiese deseado el rey. La carne y los huesos del Toro acaban divididos tal y como Gilgamesh había predicho.

Gilgamesh y el Inframundo

Este poema también cuenta con varias versiones, aunque la mayoría son iguales que el original salvo por unas pocas líneas añadidas posteriormente. Una gran sección de este poema se convirtió en la tablilla XII de la versión estándar acadia. Al contrario que otros, este poema empieza con un resumen de los acontecimientos que se produjeron inmediatamente después de la Creación el Mundo, es decir, empieza con mitología. Enki está navegando en su barco y una tormenta lo coge desprevenido. El dios se atemoriza cuando ve que su barco está a punto de hundirse. Durante la tormenta, el viento desarraiga a un sauce y lo envía al río Éufrates. Inanna recoge el árbol, vuelve a plantarlo y lo riega con el pie, esperando que crezca para poder usarlo para hacer muebles. Pero tres criaturas peligrosas se mudan al árbol. Una Serpiente Que No Conoce el Encanto anida en sus raíces, un Pájaro de Trueno pone sus huevos entre el follaje y un Demonio-Doncella se muda al interior del tronco. Inanna le pide a su hermano Utu que le ayude a deshacerse de estas bestias, pero el dios sol se niega por mucho que Inanna invoque a las deidades mayores a las que respeta y adora. Desesperada, Inanna le pide ayuda a Gilgamesh, quien de inmediato obedece y soluciona su problema. La Serpiente muere a manos del acicalado semidiós, mientras que el Pájaro de Trueno y el Demonio-Doncella deciden marcharse. Buena parte de la madera queda en manos de Inanna, aparte de algunas partes selectas de las raíces y las ramas. Gilgamesh construye dos objetos, el pukku y el mikku; uno a partir de las raíces y otro con las ramas. Los académicos aún debaten qué podrían ser el pukku y el mikku. Algunos dicen que podrían ser instrumentos, mientras que otros sugieren que se tratan de artefactos de poder. La solución más aceptada es que el pukku es una bola y el mikku es un mazo.

Gilgamesh regresa a Uruk con ambos objetos, y tanto él como los jóvenes de la ciudad juegan con ellos durante horas. Sin embargo, debido a las quejas de las mujeres de la ciudad, los dos objetos caen al Inframundo, el reino de la poderosa y terrorífica diosa Ereshkigal. Gilgamesh solloza por haber perdido los objetos, lo cual lleva a Enkidu a ofrecer su ayuda para recuperarlos. Gilgamesh se sienta junta a Enkidu y le explica lo que de ninguna manera deben hacer si viajan al Inframundo: no llevar ropa limpia ni ungüentos de aceite, no arrojar sus palos, no llevar varas de cornejo ni sandalias, no besar a esposas o hijos amados ni golpear a los odiados. Si hicieran cualquiera de estas cosas, la afligida Ereshkigal los capturaría. La forma con que Gilgamesh describe a la diosa está revestida de angustia: Ereshkigal yace tendida en una cama enorme, donde se desgarra a sí misma con sus uñas y se arranca el cabello, pues aún está afligida por la muerte de su hijo Ninazu.

Enkidu, por supuesto, hace justo lo contrario de lo que le ha dicho Gilgamesh, palabra por palabra. Y para sorpresa de nadie, acaba capturado. Desesperado, Gilgamesh suplica a varios dioses que le ayuden, incluyendo a Enlil, Nanna y Enki. Es este último quien accede a ayudarlo, pidiéndole a Utu que traiga a la sombra de Enkidu y abra las puertas del Inframundo por un momento, para que los dos hermanos puedan reunirse. Esto es justo lo que sucede, y Enkidu, abrumado por la cantidad de cosas que su hermano le pregunta sobre el Inframundo, le dice que se prepare para llorar sin descanso. A continuación, le explica que su cuerpo se está descomponiendo y que no hay mucho que pueda comer en la mesa de los muertos.

De Enkidu, Gilgamesh aprende que todos los padres cuentan con un decente, aunque doloroso asiento en la mesa, siempre y cuando hayan tenido hijos. Los padres sin herederos comen un pan que sabe a ladrillo. Los eunucos que no han conocido el placer están apuntalados contra la mesa, y las mujeres desterradas sufren un destino similar, al igual que los hombres y mujeres vírgenes de clases no sacerdotales. Los leprosos, las víctimas de plagas, los magullados, los que han caído de un tejado, los ahogados: todos lloran por la pérdida de utilidad de sus extremidades, pues no las recuperarán en el Inframundo. Los padres e hijos irrespetuosos reciben un trato horrible, mientras que los héroes caídos reciben reverencias de sus sollozantes familias. Los bebés nacidos muertos y los hombres que murieron prematuramente gozan de las mejores comodidades, mientras que los navegantes que encallaron y los hombres que no tienen a nadie que les rinda tributo sufren. Pero el peor destino lo sufren aquellos que murieron quemados, pues sus espíritus se desvanecen en el humo y ni siquiera están en el Inframundo. Aquí es donde acaba el poema original.

Sin embargo, algunas de las versiones halladas en diversas excavaciones muestran adiciones posteriores. Gilgamesh hace más preguntas; por ejemplo, pregunta por quienes rompieron juramentos sagrados. Aunque la parte más fascinante y contemporánea del poema es la que incluye las siguientes preguntas. La primera gira en torno a los ciudadanos de Girsu, ciudad que en el momento en que se escribió la sección había sido conquistada por los amorreos. Los hijos de Sumeria y Acadia sufrieron debido a esto, al igual que los padres de Gilgamesh, pues debido a la guerra tendrían que beber agua llena de sangre y barro. Gilgamesh regresa a su ciudad, donde promete a las estatuas de sus padres que hará cuanto pueda para que quienes cayeron bajo los amorreos beban agua limpia.

Hay pequeñas diferencias entre este poema y la tablilla XII, sobre todo en lo referente a las súplicas de Gilgamesh y los detalles con que Enkidu describe quién sufre, y de qué manera, en el Inframundo.

Relieve de la Reina de la Noche, también llamado Relieve Burney, que representa probablemente a la diosa Ereshkigal. Siglos 19-18 a. C.ᵃ

La Muerte de Gilgamesh

Este poema tiene algunos puntos tangenciales en común con la tablilla VI, aunque solo sea porque concreta lo que Ishtar le dice a Gilgamesh que le ocurrirá cuando pierda la vida. En el poema encontramos al dios-rey postrado en la cama, a punto de morir. El poeta rememora sus grandes gestas y las contrasta con la persona que ahora desprende su último aliento en la cama. Pasan seis días hasta que se queda dormido, momento en el que tiene un espléndido sueño a través de los ojos del dios Enki.

En el sueño, Gilgamesh aparece ante una asamblea de los dioses. Las divinidades enumeran sus logros: la muerte de Huwawa y el Toro del Cielo, la deforestación del bosque de los cedros, sus victorias frente a otras bestias salvajes, su llegada a Ziusudra, donde aprendió sobre el Diluvio, su reconstrucción de Uruk y los ritos sagrados que devolvió a sus ciudadanos. Sin embargo, pese a todas estas hazañas, Gilgamesh no podrá reunirse con los dioses tras su muerte. Después de todo, dos tercios de él son divinos, pero un tercio sigue siendo humano. No obstante, aunque sea arrojado al Inframundo, tendrá una vida similar a la que tuvo en su regia vida: se convertirá en un dios menor, el gobernador del Inframundo, el jefe de las sombras, y juzgará a los muertos. Será igual que Dumuzi o Ningishzida, cuando no más importante.

Por orden de Sissig, el Dios de los Sueños, los jóvenes construirán estatuas funerarias en la superficie y lucharán en honor a Gilgamesh durante el Mes de las Antorchas. Gilgamesh será celebrado durante muchas generaciones posteriores, lo que a efectos prácticos le hará inmortal.

Enlil se dirige directamente a Gilgamesh. Le dice que la muerte es inevitable, tanto para él como para todo hombre, mujer y niño. Le aconseja que se rinda y que viaje al Inframundo para reunirse con su padre, sus hermanas y su hermano Enkidu. Reyes y sacerdotes besarán sus pies y pasará el resto de sus días rodeado por siervos y consortes.

Ahora despierto, Gilgamesh cuenta su sueño a los demás, evocando su linaje y sus éxitos. Recalca el problema de los festivales y confirma lo que Enlil le ha dicho sobre su descenso al más allá y su reunión con sus seres queridos. Gilgamesh ordena que varios arquitectos diseñen su tumba, con cierta ayuda por parte de Enki, ahora convertido en perro. Numerosos hombres trabajan en la construcción de la tumba, y el mismísimo río Éufrates se desvía de su curso para darle más espacio a la tumba. Se construyen cámaras separadas para la familia de Gilgamesh, sus sacerdotes, sus sirvientes y etcétera. Entonces, el dios rey ofrece tributos a muchos dioses y diosas: Ereshkigal, Namtar, Dimpikug, Bitti, Ningishzida, Dumuzi, Enki, Ninki, Enmul, Ninmul, Endukuga, Nindukuga, Endashurimma, Nindashurimma, Enutila, Enmesharra... Así como a la madre y el padre de Enlik, a Shulpae y Shakken, a todos los Annunaki/Igigi, y a cada uno de los sacerdotes que los ha servido.

Tras el entierro, sus hombres cierran la trampilla desde el exterior. El Éufrates inunda la tumba, regresando a su curso normal. Los hombres y mujeres de Uruk lloran y lamentan la pérdida de su rey, e incluso los cielos derraman una lágrima. Los festivales en honor a Gilgamesh se convierten en algo habitual, y el poema termina con una alabanza a Ereshkigal, del Inframundo. Existe otra versión del poema en la que se termina con una nota más definida, alabando a Gilgamesh por toda la eternidad.

Conclusión

A juzgar por la cantidad de datos que han aparecido tan solo en los últimos cinco años, la epopeya de Gilgamesh, el semidiós sumerio, no se olvidará fácilmente. Las 12 tablillas originales siguen en un museo, y cada cierto tiempo, aparece nueva información que revela nuevas piezas de este antiguo puzle. El interés de los arqueólogos por la vida y la cultura sumeria ha crecido enormemente, y con suerte, pronto contaremos con una nueva versión de la historia, más completa e intricada.

Sin embargo, la importancia cultural de Gilgamesh parece haber superado al propio personaje. En cierto sentido, el héroe sí consigue obtener la inmortalidad. Y no una, sino dos veces. La primera se produjo cuando los antiguos escribas sumerios de la Tercera Dinastía de Ur decidieron copiar y preservar sus hazañas más legendarias y conocidas, con lo que los estudiantes posteriores tuvieron muchas oportunidades para aprender de su historia e incluso experimentar con ella. Los sumerios transmitieron su amor por Gilgamesh a los acadios, y más tarde a los babilonios, sus parientes próximos. A los asirios también les encantó la historia, así como a los hititas y a otros pueblos mesopotámicos. Sîn-lēqi-unninni también contribuyó al legado de Gilgamesh, pues lo inmortalizó en tablillas de arcilla que perdurarían muchos miles de años después de que las encerrara en una biblioteca real. Las tablillas han sobrevivido a decenas de invasiones, catástrofes y otras situaciones complicadas hasta llegar a nuestros días.

El segundo ascenso a la inmortalidad de Gilgamesh vino de la mano de Layard y Rassam, y más tarde, de Smith y George. En apenas siglo y medio, hemos aprendido mucho sobre Gilgamesh, un héroe en parte humano y en parte divino que conoció tanto el triunfo como la tragedia, la victoria y la derrota, y finalmente, al igual que todos los hombres mortales, la muerte. Gilgamesh volvió a ganar prominencia y a formar un nuevo tipo de culto en torno a él, con diversos rituales en territorios distintos. Fue más allá de sus títulos como rey de Uruk o rey de Kish, y en cierto sentido, pasó el resto de sus días como algo más que un juez del Inframundo. Se ha convertido en un elemento fundamental de la herencia cultural del mundo: el primer auténtico héroe de la literatura, el más legendario de los reyes de la antigua Asia Menor. Aquel que vio las profundidades también consiguió superar a todos los reyes y dioses, incluso a su propia ciudad de Uruk. Gilgamesh vuelve hoy a ser inmortal, y a buen seguro lo seguirá siendo durante varios milenios más.

Maza dedicada a Gilgamesh, entre los años 2112 y 2004 a. C.

Tercera Parte: Ur

Una Guía Fascinante sobre Una de las Ciudades-Estado Sumerias Más Importantes de la Antigua Mesopotamia

Introducción

Si visitara Iraq y fuera a la gobernación de Di Car al sur, justo al lado del golfo Pérsico, a unos 16 km / 9.4 millas de la ciudad de Nasiriyah, se encontrará con el sitio llamado Tell al-Muqayyar (montículo de brea). Al principio no parece nada importante, pero luego ve esa estructura en forma de montaña a la distancia. Cuanto más se acerca, ve lo que parece ser una ciudad. Bases rotas de muros, cimientos de casas, pero que parecen ser demasiado grandes para ser de una casa normal, aunque no se puede saber qué es.

El edificio le recuerda a algo. Probablemente una pirámide, pero más maya o inca, con más terrazas, más escalones. No, no es así. Este es diferente. Le suena que podría ser Babilonia, pero no del todo. Los ladrillos son extraños, no del todo rectos, pero no del todo circulares. Puede detectar un hueso extraño aquí o allá, varias señales modernas, en gran parte en árabe, y tal vez, solo tal vez, algunas personas cavando y hablando sobre lo que sacan. Definitivamente está en un sitio antiguo, pero ¿cuál?

Incluso podría ver a algunos sacerdotes allí, en el lugar, hablando y, si tiene la suerte de verlos, haciendo la señal de la cruz o la media luna. Ahora está seguro de que este es un sitio importante, pero no puede ubicarlo. Ve rastros de lo que parece un canal. Luego nota una zona grande que de alguna manera se siente como la muerte, y la reconoce como un cementerio. Sin duda, uno grande. Uno que podría parecer que contiene los restos de personas de alto nivel social. Ahora SABE que este sitio no es ningún lugar antiguo. Y muy pronto, une los puntos, en el momento en que ve una estatua sumeria y una escritura cuneiforme, en el momento en que toma nota de varios escritos diferentes a continuación, algunos en árabe, algunos en griego, otros en hebreo.

Sí. Este lugar, donde está, es la antigua ciudad de Ur.

La ciudad que alberga al poderoso Zigurat. La "Ur de los caldeos" bíblica donde supuestamente nació Abraham. El sitio cerca del cual se encontraron las primeras culturas humanas. El sitio que celebró la dinastía sumeria más gloriosa de la historia antigua. Que Ur estuvo aquí antes que usted. De la misma manera que existía antes de que Sir Leonard Woolley a principios de los años veinte del siglo pasado intentara y lograra abrirlo nuevamente al mundo. La ciudad que estaba destinada a morir y renacer cada milenio más o menos, una ciudad llena de intriga, magnificencia, tragedia y gloria.

Al leer este libro, tendrá una idea de cómo Ur llegó a existir, cómo creció, alcanzó su cenit, cayó, resucitó y finalmente pereció hasta que resurgió hace poco más de un siglo y medio. Aprenderá de su historia, cargada de guerras, comercio, adoración divina, corrupción política y entretenimiento. Sabrá por qué el pueblo de fe de Abraham en particular tiene en alta estima a esta ciudad. Y, con suerte, deseará que la visita a esta espectacular ciudad descrita en esta introducción sea real y que pueda visitarla de inmediato.

Capítulo 1 - Breve Historia De Ur: Fundación de la Ciudad, Ascenso, Caída, Redescubrimiento

Ur es conocida como una de las ciudades posdiluvianas de la antigua Sumeria, es decir, llegó a la fama después del mítico diluvio. El primer asentamiento humano se remonta al 3800 a. C. y formó parte de la llamada cultura Obeid, que se mencionará en el siguiente capítulo. La ciudad en sí fue mencionada históricamente por escrito en el siglo 26 a. C. Según el documento conocido como la Lista del Rey Sumerio, que se escribió mucho más tarde, durante el llamado período Isin-Larsa, cierto Mesanepada o Mesh-Ane-Pada fue el primer gobernante de la Primera Dinastía Ur. Se encontraron inscripciones e insignias de varios reyes no mencionados en la Lista del Rey en el cementerio real de Ur, lo que indica que Mesanepada era un verdadero rey histórico de la ciudad.

Poco se sabe de la ciudad durante el período de las Dinastías Primera y Segunda de Ur, pero aproximadamente alrededor de 2270 a. C. (o incluso un par de décadas después), Sargón el Grande conquistó la mayoría de las ciudades-estado sumerias, estableciendo el dominio acadio sobre ellos. Ur en sí no ofrece muchas pruebas que datan de este período, pero de lo que los arqueólogos pudieron ver en base a los restos encontrados en tumbas que datan de este período de tiempo, Ur también jugó un papel importante en ese entonces, con Sargón y sus sucesores vieron a la ciudad como un importante lugar religioso y cultural de la época.

Después de que los acadios cayeran bajo los nómadas gutianos, Ur recuperó la soberanía de facto, y no fue sino hasta Utu-hengal de Uruk que la ciudad volvería a verse levantada, principalmente porque Utu-hengal nombró a Ur-nammu como gobernador de Ur, lo que resultaría desastroso para él. Ur-nammu, a su vez, se convirtió en un poderoso gobernante, y el control de la mayoría de Sumer recayó nuevamente en Ur. Con este rey comienza la famosa Tercera Dinastía Ur y el próspero Período Ur III, posiblemente el punto más alto de la larga existencia de esta ciudad-estado. Durante el reinado de los cinco reyes de esta dinastía, especialmente Ur-nammu y su hijo Shulgi, Ur se convirtió en una potencia cultural y económica, rivalizando con la de ciudades más antiguas y respetadas, como Kiš o Nippur.

Después que el último gobernante de esta dinastía, Ibi-sin (o Ibi-suen) sufriera una derrota devastadora y humillante bajo los elamitas nómadas, así como otras tribus, Ur comenzó su rápida declinación. Los gobernantes posteriores a las dinastías Isin y Larsa incorporarían la ciudad dentro de sus propios imperios mucho más pequeños, hasta que finalmente su control recaería en Hammurabi de Babilonia. Los babilonios mantuvieron su dominio sobre Ur con dos gobernantes, Hammurabi y Samsu-Iluna. Después de que este último abandonara la ciudad, esta quedó bajo el control de los nómadas kasitas, quienes tomaron el control y gobernaron la ciudad hasta el surgimiento temprano de los asirios en el norte. Seguiría la llamada Dinastía de los reyes de Sealand, pero poco después los asirios recuperaron las tierras. Los llamados reyes caldeos, o neobabilonios, tomaron el control de la ciudad no mucho después, granjeándole a la ciudad su título bíblico "Ur de los caldeos". Los reyes neobabilonios serían los últimos gobernantes conocidos en llevar a cabo importantes reconstrucciones y reparaciones de la ciudad, y las últimas personas conocidas que vivieron allí fueron los primeros persas. Aproximadamente alrededor del año 500 a. C., cuando toda la región mesopotámica estaba dominada por Persia, Ur ya había sido abandonada, en gran parte debido a los cambios en el curso del río y la posterior sequía que siguiera.

Sin embargo, Ur no permanecería abandonada por mucho tiempo. Ya en 1625, el compositor y autor italiano Pietro della Valle visitó el antiguo sitio de Ur. Identificó algunos ladrillos con inscripciones y se los llevó a Italia, por lo que fue la primera vez en la historia registrada en que la Europa posterior a la antigua entrara en contacto con la cultura sumeria de cualquier manera o forma. Las primeras expediciones apropiadas para excavar y explorar sitios mesopotámicos se produjeron a principios del siglo XIX, y Ur fue visitado por varios exploradores importantes como el coronel Cheney, JE Taylor, HR Hall y, más famoso, Sir Leonard Woolley a principios del siglo XX. Fue durante las expediciones de Woolley que se realizaron la mayoría de las excavaciones importantes y cuando se identificaron los sitios más notables. A pesar de sus propios prejuicios debido a sus creencias religiosas muy arraigadas, así como a los notables errores de juicio cuando se trataba de salir y describir los elementos de la ciudad, la contribución de Woolley sigue siendo importante, y hasta ahora ha establecido los estándares más altos posibles en arqueología moderna cuando se trata de sitios antiguos. En cierto sentido, también fue un increíble "promotor". Durante su tiempo en el lugar, describiría con orgullo sus hallazgos a curiosos como si estuviera describiendo la casa de un vecino, y algunos decían que hablaba de los habitantes de las ruinas de larga data como si estuviera contando una historia o una leyenda. Numerosos turistas, incluida la famosa escritora Agatha Christie, acudieron en masa a Iraq para ver el lugar donde supuestamente nació el bíblico Abraham y disfrutar de la antigua gloria de los sumerios muertos hacía mucho tiempo.

Incluso hoy, Ur continúa fascinando tanto a los eruditos bíblicos como a los arqueólogos. Los trabajos académicos, los estudios y los libros siguen apareciendo casi cada año, y los constantes nuevos descubrimientos y mejoras en las técnicas de datación y excavación le dan al público en general una imagen mucho más clara de cómo era la vida en Ur hace más de cinco mil años. Los siguientes capítulos tratarán sobre Ur en profundidad, desde su más temprana era Obeid hasta la caída y el redescubrimiento final de la ciudad.

Capítulo 2 - Ur en Profundidad: los Períodos Ubaid, Uruk y Jemdet Nasr, la Primera y Segunda Dinastía, el Dominio Acadio

Escoger la Cronología Correcta

Antes de echar un vistazo a Ur a lo largo de los años de su existencia, es importante analizar la cronología utilizada en todo el libro. Dos formas ampliamente aceptadas de fechar eventos en la Mesopotamia temprana son la llamada cronología breve y media. Naturalmente, hay otras, como la cronología alta, ultra alta y ultracorta, sin embargo, esas no se aceptan tanto en los círculos académicos.

La cronología media sitúa la fecha del rey babilónico Hammurabi entre 1792-1750 a. C. y el saqueo de Babilonia en el año 1595 a. C. Por otro lado, la cronología corta, ubica esas fechas entre 1728-1686 a. C. para Hammurabi y 1531 a. C. para la desaparición de Babilonia. La "regla de oro" es simplemente agregar 64 años a una fecha de la cronología corta y obtendrá su equivalente en la cronología media. Sin embargo, esto no se aplica a ningún período posterior a la Tercera Dinastía de Babilonia.

En este libro, optamos por la cronología media científicamente más aceptada. Está respaldada por datos dendrocronológicos, o datos basados en la datación de los anillos de los árboles, y actualmente es la cronología más confiable que usan los historiadores para este período.

Periodo El Ubaid

Como se indicó en el capítulo anterior, los arqueólogos especulan que el primer asentamiento permanente en Ur tuvo lugar en algún momento alrededor de 3800 a. C. Esto lo colocaría directamente dentro de la última fase de lo que se llama el período Ubaid.

Antes de continuar, debemos explicar que significa el nombre "Ubaid". Es decir, los pueblos antiguos de Mesopotamia normalmente tomarían sus desechos y los acumularían en una gran pila. Estas pilas son lo que hoy conocemos como "montículos". Uno de estos montículos, Tell al-`Ubaid, que se encuentra al oeste de Ur, se ha convertido en un sitio importante para explorar la antigua vida mesopotámica. Este montículo fue explorado por primera vez por el arqueólogo y egiptólogo británico Dr. Henry Hall en 1919, aunque la mayor parte del trabajo importante sobre el mismo vendría más tarde, bajo la dirección de Sir Charles Leonard Woolley a principios de los años veinte, y terminaría a principios de los años treinta. Desde entonces, este lugar se ha mantenido como un lugar clave de investigación al que siguieron muchas otras excavaciones y trabajos, y aún se hacen hasta el día de hoy.

Extensas dataciones y excavaciones de numerosos objetos tuvieron lugar en Tell al-`Ubaid, y los arqueólogos centraron su atención en las diversas cerámicas que se encontraron en el lugar. Por lo tanto, el Período Ubaid dominante se dividió en cuatro estilos sucesivos de hacer vasijas. Se conocen en gran medida como Ubaid 0, Ubaid 1, Ubaid 2 y Ubaid 3/4. Algunos expertos agregan a esta lista otro período, Ubaid 5, mientras que dividen el cuarto período en Ubaid 3 y Ubaid 4. Este nivel más nuevo probaría ser de transición, ya que toda la cerámica posterior entra en el llamado Período Uruk.

La cerámica Ubaid se distingue por su coloración y diseño. En ese momento, la mayoría de los alfareros fabricaban vasijas a mano. Sin embargo, hay alguna evidencia del uso de una rueda lenta, lo que significa que el lugar, así como Ur, que no está lejos de ser montículo, tenía formas tempranas de fabricación de vasijas de arcilla "industrializadas". Las vasijas anteriores estaban hechas de arcilla verdosa con una decoración agregada en negro o morado. Más tarde, los alfareros optaron por una forma de decoración más simple y audaz. La mayor parte de la cerámica encontrada es abierta, es decir, no tenía tapas por decirlo así. Tanto en Tell al-`Ubaid como en Eridu, los arqueólogos encontraron numerosos cuencos, tazas, frascos de almacenamiento y otros recipientes similares. La datación de toda esta loza de barro fue difícil, e incluso con la datación moderna con carbono 14, el margen de error es tan alto como dos milenios. Tampoco ayuda que algunas de estas vasijas se hayan encontrado bastante lejos de donde se enterraron o dejaron originalmente.

Sin embargo, los hallazgos de Ubaid no se limitan solo a cerámica. Ya en las excavaciones de Woolley, los arqueólogos encontraron herramientas primitivas hechas de arcilla cocida o piedra liviana, como azadas, pedernales aserrados, hoces y hachas de piedra. Si bien no cortarían madera resistente, como lo haría un hacha de metal, estas herramientas de arcilla o piedra eran perfectas para cortar cañas y madera más blanda que crecía en esta región, que era más que probable que se usara tanto para la vivienda como para encender fuego.

Pasamos de las herramientas a ropa y adornos personales. La ropa es notoriamente difícil de conservar durante muchos años, por lo que no se encontraron ejemplos reales de ropa en Ubaid. Sin embargo, hay husos circulare de arcilla, por lo que debe haber habido allí una forma temprana de producción de ropa. Una teoría posible es que tanto el lino como la lana se volvieron importantes para la ropa, pero esa lana se hizo prominente mucho más tarde porque, de acuerdo con los registros y los hallazgos arqueológicos, se pastorearon más ovejas a medida que avanzaban los años en el área. Tampoco hay en el lugar muchos ejemplos de "joyas" lo que sugiere que la gente de Ubaid no estaba especialmente adornada. Se encontraron algunas cuentas y pequeños discos, lo que implica que hubo antiguos pre-sumerios que los usaron, e incluso se ha discutido sobre posibles rituales de tatuajes o escarificación realizados, pero nada de eso es concluyente.

El origen de los primeros habitantes de Tell al-`Ubaid todavía se discute, aunque algunos investigadores sugieren que provenían de lugares neolíticos y de la Edad de Bronce como Gonur Tepe o Annau en el actual Turkmenistán. La mayoría de los científicos están de acuerdo en que esta cultura temprana no era de estratificación social. Las personas que más tarde se llamarían a sí mismas "cabezas negras", es decir, los sumerios que vivían en la zona eran en su mayoría pescadores, cazadores, cultivadores o artesanos. La falta de materiales importados (con algunas excepciones menores) sugiere que la gente de Tell al-`Ubaid era bastante autosuficiente, que no dependían del comercio exterior para sobrevivir. Al excavar tumbas, Woolley y sus sucesores llegaron a la conclusión de que la sociedad en su conjunto no tenía clases, que en su mayoría estaban enterrados modestamente sin mucha pompa. Sin embargo, el descubrimiento de estas tumbas definitivamente confirma un detalle importante. Incluso en esta etapa temprana de Mesopotamia, los habitantes de la parte sur del Valle de los Dos Ríos (o más bien, del área en su conjunto) tenían al menos una idea de cómo sería la vida después de la muerte. En otras palabras, tenían un sistema de creencias, del cual sabemos muy poco en términos de detalles concretos.

Hay muy pocos detalles de los edificios y la arquitectura del período Ubaid temprano. Sin embargo, el último período de Ubaid, en diferentes sitios en el sur de Mesopotamia, arrojó algunos hallazgos interesantes, en gran parte de casas simples, pero grandes, con salas centrales rectangulares o en forma de T. Con las casas del pasillo central cuadrado, también había habitaciones adicionales en el costado, posibles segundos pisos y techos sostenidos por dos filas de pilares cuadrados. Las casas con el vestíbulo central en forma de T tenían dos secciones más, una era una cámara más pequeña en forma de T y otra rectangular. Este tipo de casas eran comunes durante ese período en toda Mesopotamia.

Las casas no fueron los únicos edificios que se encontraron de este período. Eridu, una antigua ciudad subordinada a Ur en puntos clave de su historia, así como Uruk, otra importante ciudad sumeria, muestran vestigios de enormes templos del último período Ubaid. Los excavadores encontraron rastros de estos templos, e incluso con la poca evidencia que tenían disponible, lograron esbozar un plano de estos fascinantes edificios.

Este sería un buen punto para comparar el Período El Ubaid de la Mesopotamia del Norte con su contraparte del Sur, donde solía estar Ur. Los científicos de campo solían discutir qué región estaba más avanzada. Según la evidencia que tenemos, cada región se destacó en diferentes cosas. Las ciudades del norte tenían más madera dura y, por lo tanto, podían construir mejores embarcaciones o viviendas temporales y / o refugios. Además, estaban usando sellos cilíndricos mucho antes que el Sur como un medio para marcar propiedades o para la administración general. Sin embargo, el Sur hacía alfarería más elaborada y eran expertos en la pesca y la fabricación de casas de ladrillos horneados. Como tal, los artículos del período Ubaid nativo del sur, pero encontrados en el norte, podrían haber sido el resultado del comercio entre los dos. Algunos han sugerido la conquista, aunque esto no es tan probable ya que no tenemos ninguna evidencia concreta de un ejército permanente para ninguno de estos primeros asentamientos. Naturalmente, las migraciones comunes o incluso los matrimonios podrían haber contribuido a que los artesanos se mudaran al norte y continuaran con su oficio o que los ciudadanos simplemente llevaran su cerámica con ellos.

Tell al-`Ubaid, Iraq

Los Períodos Uruk y Jemdat Nasr

Juzgar a Ur cuando se trata de estos dos períodos es difícil, ya que no hay mucha evidencia dentro de la ciudad que nos diga nada sobre esa época. Estamos hablando de la era que viene justo después del Período Ubaid, pero que es anterior al que se conoce comúnmente como el Período Dinástico Temprano. Este tiempo se divide en dos períodos, ambos así llamados por los lugares excavados a partir de los cuales se tuvo la evidencia. El primero es el llamado Período de Uruk, que siguió inmediatamente al Período de Ubaid, o más bien sus últimos dos siglos superpuestos parcialmente, comenzando alrededor del 4000 a. C. y terminando alrededor del 3100 a. C. Como tal, la mejor evidencia de esta cultura se puede encontrar en la misma Uruk. Es evidente en todos los aspectos de la vida; por ejemplo, la cerámica ahora se estaba haciendo más rápidamente y en grandes cantidades usando una rueda rápida. Las llamadas vasijas de borde biselado se convirtieron en el sello distintivo del Período Uruk. Pero más que eso, Uruk mostró signos de edificios más elaborados, un puerto, numerosos sellos cilíndricos, materias primas importadas, prototipos tempranos de templos aterrazados que eventualmente conducirían a estructuras más grandes, también aterrazadas, conocidas como zigurats, recipientes de piedra y, lo más importante, la evidencia inicial de la escritura temprana. Esta escritura, principalmente consistente de pictogramas, fue la predecesora del alfabeto cuneiforme, que se convertiría en el estándar de oro de la escritura para muchas civilizaciones mesopotámicas.

Siguió el Período Jemdet Nasr, que duró desde alrededor del 3100 a. C. hasta alrededor del año 2900 a. C. Los escribas estaban muy ocupados tomando notas oficiales sobre los negocios cotidianos, como el comercio y la administración. Otro aspecto importante del Período Jemdet Nasr incluía cerámica pintada. Este tipo de cerámica era mucho más elaborada en términos de diseño y belleza en comparación con sus predecesoras Uruk. Sin embargo, es importante tener en cuenta que este estilo de cerámica solo se encontró en lugares que parecían pertenecer a gente más rica o en templos o en edificios oficiales similares. Esto significaba que la gente común probablemente todavía usaba barro más simple y menos ornamentado.

Lo único que podemos adivinar que sucedió en Ur durante los períodos Uruk y Jemdet Nasr es la importación de materias primas no nativas, como diferentes metales, piedras preciosas, etc. Además, según los entierros que tuvieron lugar en Ur durante ese tiempo, podemos determinar que ya en estos dos períodos predinásticos ponían un énfasis sustancial en las costumbres funerarias. La mayoría de cualquier otra información es especulativa, basándose en la evidencia encontrada en otros lugares cercanos, como Uruk y Jemdet Nasr.

Dinastía de Ur Temprana: La Primera y Segunda Dinastía, y Todas las que están en el Medio

Desde el punto de vista arqueológico, Ur ha estado en un estado de oscuridad histórica y, posiblemente, sin importancia política. Sin embargo, alrededor del año 2700 a. C., aproximadamente un siglo antes de que los arqueólogos especularan sobre el reinado de la Primera Dinastía de Ur; se había convertido en una ciudad-estado de pleno derecho con un papel importante entre otras ciudades-estado más "famosas". Durante sus excavaciones en Jemdet Nasr, Woolley descubrió numerosos sellos cilíndricos de esta época, de los cuales su equipo logró descifrar cuatro como pertenecientes a Ur, Nippur, Larsa y Uruk (se especula que dos sellos adicionales son los de Kesh y Zabala, aunque esto no es cierto). Nippur ya era conocida como el lugar sagrado de la antigua Sumer, a pesar de que no tuvo ninguna supremacía política particular sobre otras ciudades a lo largo de su larga existencia. Como tal, ubicar estos cilindros en la misma área implicaría que las ciudades tenían algún tipo de alianza política entre ellas o, más plausiblemente, que traían pequeñas ofrendas a Nippur durante los principales eventos religiosos.

Un cambio importante en la cultura de Ur, pero también en la Mesopotamia del Sur en general, es el advenimiento de la escritura. Lo que comenzó como pictogramas durante el Período Jemdet Nasr rápidamente dio paso a la escritura cuneiforme temprana, y una gran cantidad de documentos burocráticos de esa época nos dan una idea de hasta qué punto el pueblo de Ur realmente la usó. Sin embargo, las inscripciones también se utilizaron para otros fines. Un gobernante, por ejemplo, querría hacer propaganda de sus éxitos (y raramente uno que fuera mujer) y logros haciendo que su nombre se grabara en un objeto, generalmente un ladrillo o una losa. Y, como suele suceder con la propaganda antigua, estaría llena de elementos míticos y sobrenaturales, así como algunos buenos y antiguos engrandecimientos. Esta práctica no iba a desaparecer durante muchos milenios, pero encontraría sus raíces en el Sur Dinástico Temprano, incluido Ur. Uno de esos documentos que ilustra este "juego con la verdad" por parte de los de sangre real es la Lista del Rey Sumerio, compuesta mucho más tarde, que demostraría ser una herramienta útil para que veamos estos períodos, incluido este. Son numerosos los ejemplos de que la Lista del Rey Sumerio no es un documento particularmente confiable. Hay reyes en esa lista cuyos reinados duran decenas de miles de años, lo cual es simplemente imposible para los seres humanos normales. De hecho, incluso los reinados más "plausibles" de 80 años de algunos reyes son una exageración. Además, se omitían de la lista listas enteras de reyes de ciertas ciudades por razones políticas, como dos dinastías enteras de Lagash, que eran contemporáneas de algunas de las dinastías más famosas que figuraban en la lista. Además de todo eso, la evidencia arqueológica sugiere que hubo reyes en casi todas las ciudades de este período que no estaban en la lista, nuevamente por razones desconocidas, pero probablemente debido a negligencia o malicia política por parte de los comisionaron el comienzo de la lista.

Es esta parte, la parte de ciertos reyes que no están en la lista, a la que recurrimos para mirar a la Dinastía Temprana de Ur. El sitio de excavación del Valle de Diyala sirvió a los arqueólogos para dividir el período en cuatro sub-fases separadas: DT I, DT II, DT IIIa y DT IIIb. Estas dos últimas ocurrieron aproximadamente alrededor del 2600 a. C., cuando Ur estaba comenzando su ascenso al dominio político. Los primeros reyes de Ur que figuran en la Lista del Rey, Mesanepada y su hijo Aanepada, también son los primeros gobernantes de Ur cuyos datos arqueológicos tenemos (en cierta medida) en el llamado Cementerio Real. Sin embargo, otras personas de noble cuna, como Meskalamdug, su posible esposa Ninbanda, su hijo Akalamdug, junto con otros dos sospechosos de ser una reina y su consorte o incluso un rey, Puabi y Abargi, fueron encontrados cerca de los dos gobernantes en la Lista del Rey. Este hallazgo sugiere que estos hombres eran reyes mismos que no estaban en la lista o simplemente nobles que eran superados únicamente por un rey. Por supuesto, que había literalmente miles de otras tumbas, sin embargo, fue difícil fechar esas tumbas en particular con cierta precisión, y mucho más decir con certeza quiénes eran las personas enterradas o incluso a qué casta particular de ciudadanos pertenecían.

Sin embargo, existe alguna evidencia de sacrificios humanos rituales en algunos sitios importantes de entierro. Por ejemplo, se encontró una fila completa de soldados y asistentes en la tumba de Abargi, posiblemente para protegerlo y atenderlo en el más allá. Estos hombres estaban alineados en un pozo rectangular abierto frente a la tumba, con una rampa que los conducía. Curiosamente, muchos de ellos muestran signos de muerte provocada no natural. Lo mismo ocurre con las sacerdotisas enterradas ubicadas en tumbas similares. Incluso había personas que como se demostró habían sido vestidas por otra persona después de muertas, insinuando además que en algún momento se realizó un sacrificio ritual. Algunas de ellas podrían incluso haberse resistido a esta práctica.

Curiosamente, con todas las tumbas excavadas, rara vez se encontró cadáveres de niños dentro de las mismas. Además, no todos los cuerpos estaban enterrados de la misma manera. Algunos fueron colocados en ataúdes de mimbre, otros en ataúdes de arcilla, y algunos envueltos en lo que parecía una estera. Cada cuerpo mostraba evidencia de estar parcialmente quemado, posiblemente como parte de un ritual del entierro, e incluso hubo indicios de que la gente dejaba sus tributos a los muertos en forma de comida o regalos hechos a mano. Hasta el momento, no se han descubierto edificios cerca de estas tumbas, lo cual habría indicado que existió algo similar a una capilla donde el entierro habría pasado por ritos necesarios, aunque la razón de esto puede ser doble. Primero, la erosión podría haber dado cuenta de cualquier estructura fácilmente. En segundo lugar, la mayoría de los gobernantes se propuso construir estructuras religiosas sobre otros lugares sagrados derribados que existían allí antes. De hecho, esto se puede ver en el famoso zigurat de Ur, que cubriremos en algunos capítulos que siguen.

Sargón de Acad. y el dominio acadio de Ur

Si excluimos a Eannatum, quien podría haber gobernado sobre el primer imperio sumerio real, que según él abarcaba toda la región, fue el poderoso Sargón de Acad, quien se convirtió en el primer emperador conocido de la historia en el sentido real de esa palabra. Su reinado sobre las ciudades sumerias duraría desde 2334 a. C. hasta 2284 a. C. Después de haber sido "encontrado en la canasta de juncos en un canal" como Moisés (ambas historias son más leyenda que realidad), este hombre semítico creció para convertirse en un copero de Ur-Zababa, un rey que, según la Lista del Rey, pertenecía a la cuarta dinastía de Kiš. Después de separarse de su señor sumerio, se apoderó de Agadé, o Acad, una ciudad cuya ubicación real todavía está en discusión por los arqueólogos. Muy poco después, comenzaría su conquista de las ciudades entre los dos ríos y en realidad se presumiría el dominio desde el mar Mediterráneo hasta el golfo Pérsico. Este incluía todas las ciudades cercanas al golfo Pérsico en el sur de Mesopotamia, donde estaba Ur.

Lamentablemente, no se sabe mucho de Ur durante este período de su existencia. Sin embargo, lo que se sabe nos dice cuán importante debe haber sido Ur para los nuevos conquistadores semíticos de las tierras sumerias. En algún momento, Sargón logró nombrar a su propia hija Enheduanna como En de la ciudad, un título que significa sumo sacerdote o suma sacerdotisa, dependiendo del género de la persona elegida para el puesto. Era conocida por su abundancia de obras escritas, lo que la convirtió posiblemente en la primera autora nombrada en el mundo. Se encontraron discos de arcilla con su nombre que la representan cumpliendo con los deberes sacerdotales en las ruinas de Giparu, un templo que en ese momento era una potencia económica en sí mismo, destinado a contener bienes materiales ricos de diversos tipos. Enheduanna en realidad permaneció en esta posición, con algunos problemas menores, incluso después de la muerte de Sargón, cuando sus hijos Rimush y Manishtushu, y más tarde su nieto Naram-sin, tomaron el control del imperio. Tener una sacerdotisa semita nativa en un templo sumerio fue un golpe de genio por parte de Sargón, porque significaba que ganaría el favor de los creyentes locales con mayor facilidad y le daría acceso a la riqueza del templo para usar a su disposición.

Los edificios de este período son prácticamente inexistentes, teniendo en cuenta que todos fueron gobernados en gran parte por los gobernantes Ur III posteriores para dar paso a sus propios proyectos de construcción. Lo mismo puede decirse de los hallazgos materiales, la mayoría de los cuales fueron ubicados en cementerios por Woolley durante sus excavaciones a principios de los años veinte del siglo XX. Las pocas tumbas que correspondían al Período Acadio no muestran mucha diferencia en términos de estructura o ritos funerarios, pero hay una diferencia especial. En comparación con sus homólogos de la primera o segunda dinastía Ur, estas tumbas están mucho menos amuebladas y con menos evidencia de ricas ofrendas. Naturalmente, esto también es difícil de determinar, ya que la gran mayoría de las tumbas en general fueron saqueadas desde el principio en la antigua Mesopotamia, pero basándose en las inscripciones y la composición misma de las tumbas, una clara falta de piedras preciosas, materiales ricos, etc. dice mucho sobre el estado económico de Ur en ese momento. Debido a las constantes guerras, el comercio debe haber caído en picada, dejando al pueblo de Ur con menos materias primas para hacer tocados, ropa, joyas, figuritas y cerámica. En realidad, esto afectó incluso a las herramientas enterradas con los cuerpos, ya que las aleaciones utilizadas para fabricarlas no son tan finas como las armas anteriores encontradas en las tumbas de Ur. Otro cambio notable fueron los diferentes estilos de los sellos cilíndricos. Estos nuevos sellos comenzaron a representar escenas históricas y mitológicas, incluidos dioses, semidioses y héroes que luchan contra peligros como los animales salvajes u otros semidioses. Las estatuas y estelas de este período también muestran cuán frecuentes fueron estos motivos en el arte, un cambio notable con respecto a los períodos anteriores.

El Gobierno Gutiano y la Restauración de los Gobernantes Sumerios

Shu-Durul demostraría ser el último emperador acadio antes de que el imperio se derrumbara inevitablemente bajo la invasión de las hordas gutianas de las montañas Zagros en el año 2154 a. C. Los gutianos pronto establecerían su propio dominio sobre Sumer, pero resultó ser inestable, considerando su propia naturaleza. Es decir, se especula que los gutianos no podían mantener el dominio sobre todas las ciudades sumerias, ya que toda su cultura era nómada y no estaban acostumbrados a la forma de vida altamente urbana y burocrática ya bien establecida en casi todos los centros urbanos de Sumer, que incluía todas las ciudades semíticas como Acad. Como tal, cada gobernador en varias ciudades actuaría efectivamente como un gobernante independiente, lo que en realidad dio lugar a gobernantes tan importantes como Gudea de Lagash y uno de sus predecesores, su suegro Ur-Bau. En ese momento, Ur-Bau logró nombrar a su hija como una suma sacerdotisa de Ur, dándole el nombre de Enannepadda, un puesto famoso por la hija de Sargón, Enheduanna, muchos años antes que ella. Gudea no ejerció mucha influencia sobre Ur, pero otro gobernante pronto lo haría, un gobernante acreditado por derrotar a los gutianos y devolver a Sumeria a los sumerios nuevamente, el primer y único gobernante de la Quinta Dinastía de Uruk, Utu-hengal.

Utu-hengal derrotó al último rey gutiano, Tirigan, a quien la Lista del Rey menciona que gobernó solo 40 días. Al hacer esto, Utu-hengal había destituido efectivamente a todos los gutianos de lugares prominentes, aunque en ese momento debió haber sido una tarea fácil debido a su influencia ya menguada sobre las ciudades. Durante su reinado de siete años, Utu-hengal tomaría el control de varias ciudades del sur, incluida Ur; de hecho, se volvió tan influyente en estas ciudades que tuvo el poder de nombrar gobernadores él mismo. Uno de estos gobernadores, Ur-nammu, retuvo dominio sobre Ur, aunque con toda probabilidad no había nacido allí. Esto no importaría mucho, ya que Ur-nammu continuaría tratando de destronar a Utu-hengal para transferir todo el poder de Uruk a Ur, comenzando el período legendario más próspero en la historia de la ciudad. Sin embargo, el legado de Utu-hengal continuaría vivo, ya que una de sus hijas se convertiría en la esposa de Ur-nammu, dando a luz a su hijo y posterior emperador de Ur, Shulgi.

Capítulo 3 - La Tercera Dinastía de Ur

No hay divergencias cuando se trata del punto culminante de la existencia de Ur. De hecho, se puede argumentar que este mismo período podría muy bien ser el punto culminante de la cultura sumeria en general. Una estimación aproximada de cuándo tuvo lugar el dominio de Ur sobre casi todo Sumer lo ubica entre 2112 y 2004 a. C.

La famosa Tercera Dinastía de Ur abarcó cinco gobernantes. Durante los cien años de su reinado colectivo, la ciudad se convirtió en la capital de toda la Mesopotamia sumeria. De hecho, justo debajo de Shulgi, Ur tenía dominio sobre muchas ciudades prominentes, al menos 21 para ser precisos. Uruk, Nippur, Babilonia, Lagash y Shurupak son solo algunos ejemplos de ciudades prominentes bajo el gobierno directo de Shulgi (aunque debe tenerse en cuenta que estas ciudades todavía tenían gobernadores locales y no todas estaban directamente bajo Ur; simplemente podrían haber sido del tipo de estados vasallos). Más tarde, sus sucesores Amar-sin y Shu-sin someterían cinco ciudades más al control de Ur. Al menos 215 gobernadores de estas ciudades prometieron lealtad a los gobernantes, aunque es probable que el número real haya sido mucho mayor, considerando que hay evidencia de que los gobernadores prometían sus servicios a un gobernante cuyo nombre se nos ha perdido.

El comercio aumentó enormemente junto con otras áreas en los cuatro rincones del imperio. Además, fue una época de gran construcción y reconstrucción, donde complejos enteros de templos (con templos individuales), muros y casas oficiales llegarían una tras otra, tanto en Ur como en sus ciudades vecinas subordinadas. Nippur, el lugar más sagrado de Sumer, quedó bajo el control directo de la ciudad, y casi todos los gobernantes se estilizaron sus nombres como "gobernantes de todos los sumerios y acadios, reyes de los cuatro rincones del mundo", incluso si eso suponía el reinado de los "cuatro rincones del mundo" se redujo significativamente con el gobernante final de la dinastía.

La conquista y la construcción no fueron los únicos logros de Ur III. Se excavaron numerosos canales en todo el imperio, proporcionando agua a los templos y a los ciudadanos, así como a las áreas agrícolas que rodean las murallas de la ciudad. La agricultura misma se volvió más centralizada y la economía estaba en auge. La literatura y las artes también estaban en aumento.

Naturalmente, esta dinastía, como todas las demás, se enfrentaría a problemas. La mayoría de estos estaban relacionados con tribus nómadas de afuera, como los amorreos y elamitas que constantemente invadían y saqueaban a los pueblos. Eventualmente, serían estas tribus las que pondrían fin a esta dinastía, pero durante la duración del imperio, cada gobernante logró evitarlas e incluso someter a un número sustancial de ellas. Sin embargo, cuanto más grande se hacía el imperio, más difícil se volvía defenderlo y, en última instancia, fue la combinación de estas invasiones y luchas internas lo que terminaría con la dinastía gobernante más grande que había tenido Ur.

Los cinco gobernantes que formaban la Tercera Dinastía son los siguientes: Ur-nammu, Shulgi, Amar-sin, Shu-sin e Ibbi-sin. Por los mismos nombres de estos gobernantes, es decir, al agregar el "sin" acadio al final de sus nombres (la palabra es un equivalente acadio al nombre del dios de la luna, Nanna), podemos ver que ya no eran sumerios de "pura raza", sino que se mezclaron como resultado de muchos años de gobierno acadio. Esto sería cierto incluso para las dos dinastías siguientes, Isin y Larsa, quienes se autodenominaron herederos del dominio sumerio, aunque nunca controlarían ningún lugar cerca de la misma área que la dinastía que heredaron.

Cada año en que gobernaba un rey de la Tercera Dinastía tenía un nombre específico, basado en cualquiera que fuera el evento principal, o incluso cuál había sido el evento principal uno o dos años antes de ese año. Estos llamados "años nombrados" nos permiten una pequeña mirada sobre el funcionamiento interno de cada gobernante individual de esa dinastía.

Mapa de Ur III en la cima de su poder[2]

[2] Imagen original propiedad de Crates y modificada por Chaim el Bipolar el 1 de enero de 2010. Traída de *https://commons.wikimedia.org* en julio de 2018 con modificaciones menores bajo la siguiente licencia: *Creative Commons Atributo-Compartir Similar a 3.0 Sin portar*. Esta licencia permite a otros volver a mezclar, ajustar y desarrollar su trabajo incluso por razones comerciales, siempre y cuando lo acrediten y otorguen licencias de sus nuevas creaciones bajo los mismos términos.

Ur-nammu

Posiblemente originario de Uruk, Ur-nammu se convirtió en el gobernador de Ur, mientras que Utu-hengal mantuvo el poder sobre Sumeria, derrotando a los gutianos y restaurando completamente los territorios a los sumerios (aunque ciudades como Lagash ya eran independientes de facto durante este período). Después de su corto reinado, Utu-hengal fue reemplazado abruptamente por su sucesor, Ur-Nammu. La opinión popular, incluso en aquel entonces, era que Utu-hengal murió en batalla. Basado en la cronología media mencionada anteriormente, Ur-nammu gobernó Sumeria desde 2112 hasta 2095 a. C., un total de 18 años. Sin embargo, todavía no se definiría a sí mismo como "rey de Sumeria y Acad" hasta aproximadamente el sexto año de su gobierno, cuando hizo su famoso viaje a Nippur. Pero incluso antes de hacerlo, logró algunos importantes éxitos que vale la pena mencionar. Instaló a una de sus hijas como una suma sacerdotisa de la diosa Nanna, la deidad titular de Ur. Esto no era inusual, ya que Sargón lo había hecho antes con su propia hija. Además, Ur-nammu posiblemente atacara Lagash en su seno mismo, evitara a los gutianos y comenzaría grandes construcciones y reconstrucciones, como el "muro de Ur" y numerosos templos, uno en Ur, uno en Eridu y uno en Ku'ar, Kuar/Kumar. Esto sugeriría fuertemente que estas ciudades estaban bajo su dominio directo ya en el quinto año de su reinado.

Es importante tener en cuenta, antes de pasar a los eventos futuros de su reinado, que cada vez que una fuente dice que un gobernante "construyó muros", no necesariamente se refiere a los muros exteriores de la ciudad de los que habla la inscripción. Podrían haber sido simplemente paredes de Témenos (complejo de templos), ya que existe evidencia a partir de ladrillos y piedras que los constructores marcaron como comisionados por los reyes mismos.

Cinco años después, Ur-Nammu ya fue declarado "Rey de las Cuatro Zonas distritos". No obstante, no se quedó de brazos cruzados cuando adquirió su dominio sobre Nippur. De hecho, al año siguiente comenzó descomunales proyectos de reconstrucción, incluido el complejo de templos de Ur llamado Etemenniguru (casa cuya alta terraza inspira terror). Este incluía la construcción del ahora icónico

Zigurat de Ur, que su hijo Shulgi terminaría años después. En un capítulo posterior volveremos a hablar sobre este zigurat.

Al año siguiente Ur-nammu estaría sumamente ocupado en varios proyectos. Además de restablecer el comercio con Magan, también promulgó su código de leyes, como lo habían hecho antes que él gobernantes como Urukagina (o Uruinimgina). Después comenzó a incorporar a su nación numerosos territorios, en gran parte conquistados, pero a veces simplemente a través del comercio o negociaciones. Después de todo, había muchas ciudades-estado que darían la bienvenida a un gobernante que no había sido de origen gutiano además que cada zona que en ese momento estaba bajo Ur-nammu, estaba pasando por un período de reconstrucción y prosperidad.

Obtener a la hija de Ur-nammu como suma sacerdotisa de su templo Inanna demuestra aún más el dominio de Uruk sobre la ciudad, pero también proporciona más evidencia de que podría haber sido nativo de esta ciudad. Esto no sería lo único que haría Ur-nammu por Uruk durante su reinado, aunque es un gesto notable que le daría a Uruk una mayor legitimidad, incluso como ciudad vasalla de Ur.

Ur-nammu fue muy conocido por sus esfuerzos de reconstrucción. Después de haber construido un carruaje ritual para Ninlil o Sud, hizo levantar varios templos, uno para la diosa Ninsuna en Ur, los cimientos de un templo para Ningublaga cuya ubicación aún se desconoce y la gran muralla de Ur. Probablemente fue el gobernante que construyó por primera vez el Giparku, o la residencia de la suma sacerdotisa en Ur, así como la Enunmá, la llamada "Casa de la abundancia", un tesoro y una especie de depósito para el grano. Iturungal y A-Nintu fueron dos canales que también hizo cavar, de este modo irrigando más tierra. Además de eso, también nombró a otra suma sacerdotisa, una para el dios Iskur. Antes de su muerte, Ur-nammu emprendió algunas peligrosas campañas de guerra en la región de Diala, muy probablemente contra los gutianos restantes y la creciente amenaza elamita. El folklore y la tradición sumeria habla de su hijo vengando a su padre que cayera en la batalla contra un rey elamita. Cualquiera sea el caso, el primer gobernante de Ur III pereció, y su hijo subiría al trono.

Figura de fundición de Ur-nammu sosteniendo una canasta,
Museo Metropolitano de Arte [3]

Shulgi

Hijo de Ur-nammu, Shulgi ascendió al trono en 2094 a los 46 años y murió alrededor del año 2047 a. C., teniendo el reinado más largo de los cinco gobernantes. Heredar el imperio de su poderoso y capaz padre no era una hazaña pequeña, y sería una tarea mucho más grandiosa "reemplazarlo", si no superarlo por completo. Sin embargo, Shulgi posiblemente fue aún más exitoso que su padre, ya que terminó el gran zigurat y continuó con la gran tradición de un comercio exitoso y un abundante trabajo agrícola.

Sus primeros años fueron modestos, y se sabía que hizo un trono de lapislázuli para el dios del viento Enlil en su templo en Nippur y pasó a construir un edificio de cocina en el templo de la diosa Ninshubur. Después de un año de actividad que la arqueología aún no ha descubierto, Shulgi dedicó al menos tres años a construir un templo dedicado al dios Ninurta, en el ínterin hizo restaurar la ciudad de Der. Los años siguientes fueron aún más importantes para Shulgi, ya que encargó la construcción de una carretera a Nippur, después de lo cual hizo un notable viaje de Ur a Nippur y viceversa, lo que le valió el título de monarca de todos los sumerios y acadios. Poco después, construyó un gran barco dedicado a la diosa Ninlil, destinado a transportar estatuas de Enlil y Ninlil durante sus festivales de cultos. Sus estatuas no serían las únicas que serían transportadas. De hecho, solo durante el reinado de Shulgi, al menos ocho estatuas volvieron a sus respectivos templos en diferentes ciudades. Shulgi tuvo una participación importante en construir y reconstruir después de su viaje a Nippur. Comenzó con su "Morada de la Montaña", el Ehursag, su palacio real y su lugar de residencia privada en Ur. Algunos científicos especulan, pero sin evidencia concluyente, que esta casa en particular fue encargada por primera vez por Ur-nammu y simplemente terminada por Shulgi. Unos años más tarde, le seguiría una "casa para hielo" o "casa de hielo", un edificio donde se almacenaba hielo. Luego vino la puesta en marcha del lecho de Ninlil. Y luego, muchos años después, Shulgi construyó el muro de Ur y el templo del dios Nergal. Su reinado también incluyó la reconstrucción de ciudades enteras, como Ezen-Kaskal y Puzrish-Dagan. Bajo su reinado floreció la infraestructura, ya que había construido y reconstruido numerosas carreteras en todos sus dominios. Curiosamente, fue probablemente el primer gobernante en ordenar la construcción de una posada.

Al igual que Ur-nammu, su hijo también nombró a varias sacerdotisas. Los arqueólogos lograron descubrir que él personalmente nombró a tres, dos de las cuales residían en Ur. Una de sus hijas, Nialimmidashu, incluso fue elevada al rango de "reina" de una comunidad local llamada Marhasi por su apellido de casada.

Pero el dominio de Shulgi vería muchas más guerras que las que pasó Ur-nammu. Después de nombrar a su hija reina de Marhasi, Shulgi comenzó a reclutar hombres locales como lanceros. La mayoría de los años siguientes tuvieron a Shulgi luchando contra varios oponentes, destruyendo Der (que había sido reconstruida solo dos años antes), Karahar, Simurrum, Harshi y Anshan. Algunas de estas ciudades fueron destruidas más de una vez, lo que indica múltiples campañas y períodos de paz inestables, y fue dos años después de la destrucción de Der que Shulgi se proclamó a sí mismo como un dios. Después de unos años de relativa paz, as guerras continuaron, y pronto Shulgi despediría a Shasru, libraría guerras contra tribus como las Urbillum, Simurrum y Lullubi, luego despediría a Karahar, después destruiría a Kimash y Hurti y sus tierras circundantes. A pesar de no figurar como uno de los años "renombrados", también hubo un período notable en que Shulgi libró una guerra contra la dinastía Shimashki de Elam. Probablemente fue durante estos ataques que Shulgi finalmente perdió la vida, dejando espacio para que su hijo tomara su lugar.

Amar-sin

Erróneamente llamada Bur-Sin originalmente y a veces llamada Amar-Suena, Amar-sin gobernó desde 2046 hasta 2038 a. C., durante un total de nueve años. Durante esos años, Amar-sin logró nombrar numerosas sumo sacerdotisas en todo su territorio, y aumentaría aún más dicho territorio con exitosas campañas militares en el norte. Durante el gobierno de Amar-sin, en total, cinco mujeres fueron nombradas sacerdotisas. Una de ellas fue elevada a esta posición el mismo año en que el rey emitió la creación de un elaborado trono para el dios Enlil.

Sin embargo, nada de esto sucedería antes de la primera campaña militar exitosa de Amar-sin donde eliminó a la tribu Urbillum. Esta no sería su última batalla exitosa, ya que varios años después, libraría la guerra contra las ciudades de Shashrum y Shuruthum, destruyendo la primera al menos dos veces. También siguió el saqueo de Huhnuri, marcando su última gran campaña, aunque también reprimió varios intentos de levantamiento.

En cuanto a la construcción, sabemos que Amar-sin comenzó la construcción de un zigurat en Eridu que permanece sin terminar. Más allá de eso, también construyó el Edublalmah en Ur, una puerta de entrada a la esquina este de la terraza del zigurat de Ur. Una empresa mucho más grande fue la excavación y el mantenimiento del vasto Canal Amar-sin. Conectaba los ríos Éufrates e Iturungal. El canal era uno de los tres principales cursos de agua. Los otros dos eran un canal de Bad-tibira a Nippur y un canal a Iturungal separado.

Lamentablemente, los esfuerzos agrícolas de Amar-sin no tuvieron tanto éxito. Una de las razones por las que el zigurat de Eridu permaneció intacto fue la gran salinidad del área. El suelo salado hacía imposible mantener los cultivos adecuadamente durante todo el año, por lo que Amar-sin optó por dejar a Eridu sin riego y su suelo "yermo".

Y hablando de la muerte, la de Amar-sin es una historia interesante. Aparentemente, según la leyenda sumeria, la muerte de Amar-sin fue profetizada cuando un toro lo destripaba. Sin embargo, murió de una infección en el pie después de que lo mordiera una serpiente. Es interesante notar que Amar-sin fue el primer gobernante en asumir de inmediato el título de "rey de todos los Sumerios y Acadios" y "rey de las cuatro zonas" sin tener que viajar específicamente a Nippur. Esto podría mostrar cuán poderosa e influyente se había convertido en sí misma Ur durante Ur-nammu y Shulgi.

Figura de fundición de Amar-sin sosteniendo una canasta, Louvre[4]

Shu-sin

El hijo de Amar-sin, Shu-sin, también gobernó durante nueve años, desde 2037 hasta el 2029 a. C. Estos nueve años abarcan una división más o menos uniforme entre las campañas militares del monarca y su trabajo de construcción, y sorprendentemente no hay citas con sumas sacerdotisas con quien hablar.

A diferencia de Amar-sin, Shu-sin lideró en gran medida guerras defensivas, aunque no todas fueron de esa naturaleza. Al principio de su reinado, Shu-sin enviaría a Simanum a una importante campaña militar. Continuaría librando una guerra contra varias tierras amorreas, como Tidnum e Imodium. Cerca del final de su reinado, libraría la guerra contra la tierra de Zabshali y la destruiría.

[4] Imagen original propiedad de y tomada por MBZT el 28 de abril de 2013. Recobrada de *https://commons.wikimedia.org* en julio de 2018 con modificaciones menores bajo la siguiente licencia: *Creative Commons Atributo-Compartir Igual a 3.0 No portada.* Esta licencia permite a otros volver a mezclar, ajustar y construir sobre su trabajo incluso por razones comerciales, siempre que lo acrediten y otorguen licencias de sus nuevas creaciones bajo los mismos términos.

Estas constantes batallas contra las tribus amorreas deben haber sido agotadoras para el cuarto gobernante de la dinastía Ur III, por lo que encargó la construcción de un enorme muro alrededor de la ciudad. Sabemos con certeza que este muro tenía un propósito específico de evitar que las tribus amorreas saquearan la ciudad porque específicamente tenía ese nombre: "Mantiene alejado a Tidnum". Sin embargo, también encargó otros proyectos de construcción, incluido un barco para el dios Enki antes de su campaña contra Simanum, una estatua en Nippur probablemente dedicada a Inanna, una estela sagrada para Enlil y Ninlil, así como un "barco Magur" para la misma pareja divina y, durante su último año, un templo en Umma dedicado a su deidad local Sara. Poco después moriría y, según algunas fuentes, estaría enterrado en Uruk en lugar de en Ur, con su hijo Ibbi-sin asistiendo al funeral con su esposa.

Ibbi-sin

El último monarca de la Tercera Dinastía de Ur, Ibbi-sin, gobernó desde el 2028 hasta el 2004 a. C., un total de 24 años. A pesar de ser probablemente más acadio que sumerio, sería el último gobernante "nativo" de Sumeria. Mientras que las siguientes dinastías Isin y Larsa técnicamente continuaron gobernando como "nativas", declarándose a sí mismas "reyes de los cuatro rincones", su territorio y alcance no fueron tan significativos como el de esta última dinastía Ur, y esta región no vería ninguna forma de unificación hasta la conquista de Hammurabi muchos años después.

El reinado de Ibbi-sin probablemente sea el más turbulento de todos los monarcas del gobierno post-gutiano. Las guerras se habían librado mucho antes de que él ascendiera al trono, pero fue durante su reinado que los oponentes de Ur finalmente comenzaron a tomar ventaja sobre Ur. Tanto los elamitas como los amorreos atacaban regularmente a Ur, haciendo que Ibbi-sin comisionara la construcción de dos grandes murallas en Nippur y Ur, aunque probablemente solo fueran refuerzos o reconstrucciones de muros ya existentes en ambas ciudades. No existe evidencia directa de Ibbi-sin, como inscripciones o impresiones de sellos, ya sea construyendo o reconstruyendo cualquiera de los muros, aunque esta falta de datos durante este período en particular no es infrecuente, especialmente si las ciudades que había reconstruido sufrieron una invasión masiva. Ibbi-sin también emprendió campañas militares, atacando y saqueando a Simurrum en los primeros años de su reinado, luego luchando contra el Huhnuri de Anshan, y luego persiguiendo las ciudades de Susa, Adamdun y la región de Awan (aunque ninguna de estas tres últimas campañas reclamadas está avalada por alguna evidencia arqueológica que tengamos). Evidentemente, al menos según Ibbi-sin, los amorreos sucumbieron a él durante el decimoctavo año de su reinado, pero teniendo en cuenta la frecuencia con que ambas tribus lo atacaron en los próximos años, esto probablemente fue solo propaganda de ese momento.

Ibbi-sin emprendió algunas construcciones y reconstrucciones menores, como un depósito para dos diosas, Ninlil e Inanna, aunque la mayoría de sus logros se relacionaban con objetos. Es conocido por haber creado un trono para Nanna en Ur, seguido de una lira o tambor para Inanna. También instaló comúnmente sacerdotisas en varias ciudades, como Eridu, Urum, Ur y Nippur, además de casar a su hija con un gobernador de Zabshali. Sin embargo, estos gastos se detienen aproximadamente hacia la mitad de su reinado, y la otra mitad se consumirían en guerras y problemas monetarios.

Es fascinante saber cuan temprano en el reinado de Ibbi-sin las otras ciudades comenzaron a separarse y actuar de forma independiente. Ešnunna, que era un protectorado de Ur desde al menos Shulgi, dejó de fechar sus años basándose en el reinado de Ibbi-sin durante su segundo año en el poder. Susa fue la siguiente en irse al año siguiente, y luego Lagash, Umma e incluso Nippur, todas se habían ido para el séptimo año del reinado de Ibbi-sin. A juzgar por los frecuentes levantamientos en las ciudades del sur de los amorreos y elamitas, se puede decir con seguridad que declararon su independencia un poco más abiertamente que las ciudades anteriores. Debido a las constantes guerras, la reconstrucción de muros y el reclutamiento, el comercio prácticamente cesó en Ur. Ningún comerciante se atrevía a aventurarse en tierras infestadas de elamitas, e Ibbi-sin siguió aumentando los impuestos sobre sus electores. Al final de su gobierno, Ur era un mero caparazón de lo que había sido.

Sin embargo, las constantes incursiones de los bárbaros en todos lados y la falta de comercio viable no serían los únicos problemas que Ibbi-sin tendría que enfrentar. Cada vez más gobernadores prometían fidelidad a los gobernantes locales separatistas o a las fuerzas invasoras. Según investigaciones, la caída de Ur se puede dividir en no menos de tres fases. La primera fase incluye el surgimiento de un nuevo gobernador llamado Ishbi-erra de Isin. En correspondencia con él, Ibbi-sin mostró una abierta preocupación por la forma en que actuaba el gobernador de Isin. Grandes porciones de lo que importaba Ishbi-erra se guardaban en Isin, enviando al rey lo que quedaba, todo bajo el pretexto de custodiar y defender los bienes de las tribus invasoras. Es más que probable que Ishbi-erra haya conspirado con los elamitas para deshacerse de Ibbi-sin y tomar el control de Sumeria.

Esta forma particular de pensar está respaldada por la llamada segunda fase de la caída de Ur. Tuvo lugar otra correspondencia, esta vez entre Ibbi-sin y su gobernador con sede en Kazallu, Puzur-shulgi, donde el gobernador le ruega al rey que lo ayude contra los avances de Ishbi-erra. En otra correspondencia más, el rey suplica probablemente al mismo gobernador, bajo el nuevo nombre Puzur-numushda, que no se una a Ishbi-erra, sino que se mantenga leal. Dentro de esta fase, podemos ver que existe una anarquía absoluta en el menguante Imperio sumerio, donde los gobernadores locales reclamaban la independencia, prometían lealtad a Ishbi-erra o morían en batallas contra los implacables elamitas, ahora unidos por el resurgimiento de los gutianos. Se puede decir que ahora el alcance territorial de Ur solo llegaba tan lejos como los límites de la ciudad.

La tercera y última fase vio dos eventos que tuvieron lugar. El primero fue el saqueo de Ur por parte de los elamitas y los gutianos, con la captura irreverente de Ibbi-sin. El rey depuesto probablemente fuera llevado a Anshan y ejecutado, mientras que su ciudad fue destruida hasta tal punto que se registró en un poema sumerio ahora famoso "La Lamentación sobre la Ciudad de Ur". Tan grande era la ruina de esta ciudad que el poeta la comparó con los dioses mismos que decidieron abandonar el lugar, considerándola adecuada para terminar cuando lo hicieron. El segundo evento fue el eventual ascenso de Isin como una fuerza moderadamente dominante en la región. Cualquiera sea el caso, la Tercera Dinastía de Ur murió con Ibbi-sin, y Ur nunca recuperó la gloria que tuvo durante su largo y próspero reinado.

Capítulo 4 - Post-Ur III: El Período Isin-Larsa, el Gobierno de Babilonia, el Gobierno de Casita, el Abandono de la Ciudad

Período Isin-Larsa en Ur

Como ya se dijo, los últimos años de Ibbi-sin resultarían ser desastrosos para la ciudad de Ur. Este emperador tuvo que lidiar con al menos cuatro amenazas separadas a la vez. Las dos primeras fueron los constantes avances de las tribus nómadas elamitas y amorreas, a las que más tarde se le unieron los gutianos. Los elamitas en particular eventualmente destronarían a Ibbi-sin y se lo llevarían cautivo. La cuarta amenaza, muy probablemente vinculada a las tres primeras, fue la usurpación de Ishbi-erra, el fundador de la dinastía Isin. Posiblemente un elamita él mismo, Ishbi-erra vivió y actuó en la ciudad menos conocida de Isin y estableció allí sus dominios. Luego agregó algunas otras ciudades a sus dominios por medio de la diplomacia y reclamó la realeza sobre un territorio aproximadamente del tamaño de Sargón, a pesar de que era más que probable que este no fuera el caso. Por supuesto, Ur caería bajo el dominio de Isin poco después de su saqueo, pero no se quedaría allí por mucho tiempo. Poco después de la expansión de Isin, otra ciudad, Larsa, comenzó a aumentar en poder, eclipsando muy pronto a los gobernantes de Isin. Considerando cuán influyentes eran estas dos dinastías y teniendo en cuenta que fueron las únicas dinastías "sumerias" que permanecieron en el poder antes de la conquista de la región por Hammurabi, este período en la historia se llama legítimamente el Período Isin-Larsa.

El adjetivo "sumerio" no está entre comillas por nada; Después de muchos años de dominio acadio, la mayoría de los pueblos adoptaron el acadio como su segundo idioma oficial. Es decir, la mayoría de las leyes, documentos administrativos y anuncios públicos ahora se escribían de manera bilingüe tanto en sumerio como en acadio. Incluso en Utu-hengal, la mayoría de los funcionarios hablaban acadio y el sumerio simplemente estaba allí como la lengua franca de la región, un idioma de las bellas artes, la cultura y la religión, muy parecido a lo que se convertiría el latín para los católicos unos milenios después. Como tal, las dinastías Isin y Larsa son sumerias solo de nombre. Toda el área pronto daría paso a pueblos semíticos con idiomas similares. También, genética y culturalmente hablando, la mayoría de los sumerios "puros" se habrían extinguido en este momento. Con eso en mente, podemos decir con razón que este período particular en la historia fue el último en ver a los sumerios como un grupo étnico distinto antes de que se asimilaran inevitablemente a los pueblos a venir, en gran parte semíticos, que controlarían el área siglos y milenios después.

Tanto los gobernantes de Isin como los de Larsa intentaron reconstruir la ciudad una vez que la amenaza de los elamitas había disminuido. Por ejemplo, Sin-Iddinam había hecho algunas construcciones dentro del lugar conocido como Diqdiqqah durante su reinado sobre Larsa. Dentro de este espacio se encuentra el llamado Tesoro de Sin-Iddinam. Este enorme y espacioso edificio probablemente se usó para almacenar granos y otras riquezas bajo el dominio de Larsa dentro de Ur. Sin embargo, el mismo suburbio, Diqdiqqah, probablemente data del reinado de Ur-nammu, y a juzgar por la albañilería y la poca evidencia que hay, fue reconstruido y reestructurado incluso por los sucesores de Sin-Iddinam.

Y hablando de sus sucesores, Warad-Sin, el penúltimo rey de Larsa, construyó un enorme bastión defensivo, así como una puerta de entrada al palacio zigurat en Ur. Su sucesor, así como el último rey "sumerio" Rim-Sin antes de la conquista de Hammurabi, había restaurado no menos de dos templos, uno dedicado a Enki y el otro probablemente a Ningizzida.

A pesar de la destrucción de Ur y la deposición de su dinastía nominal, los reyes de Isin y Larsa se dieron cuenta de la importancia de la ciudad, en gran parte debido a sus muelles y al acceso a rutas marítimas, lo que a su vez significaba que podía tener un comercio masivo. De hecho, existe evidencia de un leve renacimiento en Ur, evidencia que consiste en gran medida en casas y edificios públicos reforzados y reconstruidos, como tiendas, antiguos equivalentes de tiendas de comida rápida e incluso un burdel. Además, surgió una extraña aparición de capillas vecinales, con áreas para estatuas de presumiblemente dioses o reyes deificados. Algunos de ellos incluyen la Capilla de Ninshubur, la Capilla de Hendursag y la Capilla de Ram. Estas capillas a menudo tenían tumbas familiares directamente debajo que albergaban cadáveres de miembros de la familia que habían fallecido. Una clara señal de la falta de progreso después de la caída de Ur está en estas tumbas: rara vez alguna de ellas tenían muebles y ricas ofrendas, lo que sugiere que la gente no tenía los medios para obtener las materias primas para fabricar bienes funerarios tributarios. Por supuesto, esto contrasta con lo que vendría inmediatamente después, es decir, el comercio en auge que partía de la ciudad tanto bajo Isin como Larsa, incluso más de lo que fue bajo Ur III. Incluso existe la posibilidad de que los comerciantes de otros lugares, en particular una organización política llamada Dilmún cuya ubicación aún elude a los arqueólogos (aunque piensan que podría estar en el moderno Bahréin), encontrarían residencia permanente en Ur. Y teniendo en cuenta la frecuencia con la que Ur y Dilmún hacían negocios, esto no es tan sorprendente.

Además de comerciantes, vivieron en Ur durante el período Isin-Larsa artesanos y empresarios. La evidencia nos habla de terratenientes, financistas, alfareros, panaderos, etc. Según la vivienda que tuviera la mayoría de esta gente, se puede decir que la economía local consistía en actores algo autosuficientes. En otras palabras, los comerciantes podrían hacerse ricos o pobres por su propia cuenta, sin mucha obligación para con el tribunal central o el templo.

La mayoría de estos hallazgos estaban ubicados en el llamado vecindario AH durante las excavaciones de Woolley, y la evidencia nos muestra que este vecindario en particular tenía una vibrante comunidad socialmente mixta que no deseaba demasiadas cosas. El vecindario está ubicado en la parte sureste de Ur, fuera del complejo del templo, cerca de un vecindario diferente que data de más tarde, de la era neobabilónica. Curiosamente, Woolley nombró el sitio AH, abreviatura en inglés de "Abraham's Housing," "Vivienda de Abraham".

Si bien no es tan rico como podría haber sido el vecindario de Ur III, definitivamente muestra algún signo de progreso después del saqueo de los elamitas. Materiales como lapislázuli, cornalina, marfil, estaño y, sobre todo, cobre se importaban habitualmente para viviendas y otros proyectos y luego se comercializaban dentro de la ciudad. Junto con los proyectos de reconstrucción que estaban surgiendo de vez en cuando, este aumento en el comercio señalaría el primer renacimiento adecuado de la ciudad en un intento por restaurarla a su antigua gloria. Un intento que se frustraría con la llegada de los babilonios.

Como se indicó anteriormente, los gobernantes de Isin y Larsa incorporaron Ur a sus propias tierras, aunque lo más probable es que lo hicieran a través de la diplomacia. Cada gobernador de la ciudad era designado por el gobernante central y tenía que pagar un impuesto anual. Aparte de eso, los gobernantes de estas dos dinastías realmente no tuvieron mucho impacto negativo en la ciudad misma. De hecho, hicieron todo lo posible para tratarla con la reverencia que tuvo durante su celebrada era Ur III. Esto sería algo que casi ninguno de los gobernantes posteriores intentaría repetir dentro de la ciudad misma.

Ur Babilónica Temprana

Rim-Sin, el último de los reyes de Larsa cayó en batalla contra Hammurabi en 1763 a. C., según la cronología media. A su vez, Hammurabi se convirtió en el gobernante de casi toda la Mesopotamia del Sur, que incluía Ur. Mientras que la ciudad sufría una devastación severa, Hammurabi todavía gobernaba sobre una ciudad moderadamente habitada donde establecería una estela de la victoria de su éxito en la ciudad y construiría un canal para irrigar Ur unos años más tarde. Incluso hay registros de Hammurabi rezando en el templo a la diosa de la luna Nanna, una práctica que ningún gobernante repetiría después de él. Por otro lado, su hijo llamado Samsu-Iluna, no fue tan complaciente con la ciudad. Durante una rebelión de Rim-Sin II, Samsu-Iluna saqueó toda la ciudad, incendió casas y barrios enteros y mató a casi todos los oponentes. El canal también fue destruido, dejando la ciudad prácticamente muerta durante al menos un siglo después de su ataque.

Babilonia tenía el control sobre la mayoría de las ciudades mesopotámicas, y al igual que casi todos los gobernantes antes que ellos, tenían problemas con las tribus nómadas que descenderían de las regiones montañosas y realizarían incursiones regulares. Samsu-Iluna, en particular, tuvo que lidiar con la amenaza de los cassitas, asaltantes del este. Pero los cassitas no fueron la peor amenaza para Babilonia en las décadas siguientes. De hecho, la amenaza que terminaría con la Primera Dinastía de Babilonia fue una tribu diferente, los hititas. Durante el reinado del último rey de Babilonia en esta dinastía, Šamšu-Ditana, los hititas habían estado atacando regularmente la ciudad. Fue en 1595 a. C. que el rey hitita Mursili asaltó Babilonia, dejándola en ruinas, pero no la conquistó. Este fue el año en que presumiblemente murió Šamšu-Ditana y el año de la máxima humillación para su imperio moribundo: en su incursión, Mursili se llevó las estatuas de Marduk, la deidad patrono de la ciudad titular, junto con la consorte de Šamšu-Ditana, Sarpanitu, a su capital. Esto terminaría definitivamente con cualquier influencia que Babilonia tuviera sobre Mesopotamia, incluida Ur, que estaba lejos de todo esto y probablemente se deterioró durante su siglo de silencio arqueológico.

La Ur Casita

Una tribu probablemente de las montañas Zagros, los casitas se convirtieron en un actor importante en el escenario político mesopotámico aproximadamente en la época del reinado de Hammurabi. Tanto él como su hijo Samsu-Iluna desviaron sus ataques con éxito, al igual que algunos de sus sucesores. Sin embargo, los casitas continuaron fortaleciéndose, eventualmente estableciéndose como los conquistadores de Mesopotamia y defensores contra los hititas. El dominio hitita sobre Babilonia destruyó el poder central de la ciudad, pero algunos gobernadores babilonios se dirigieron hacia el sur, alrededor de Ur, y establecieron su propia dinastía Sealand. Esta no duraría, ya que los casitas se hicieron tan poderosos que eventualmente reclamaron Babilonia y la declararon su capital. Décadas después, construirían una ciudad diferente, Dur-Kurigalsu, y la declararían su nueva capital en lugar de Babilonia, que aún conservaba su importancia para los invasores. Muy pronto, los casitas se involucrarían en campañas militares en el sur contra los reyes de Sealand y eventualmente llegaron a Ur, y la agregaron a su lista de territorios conquistados.

Dur-Kurigalsu recibió su nombre de un destacado rey de los casitas, Kurigalsu I. Este rey en particular es importante para Ur porque fue solo durante su reinado, en algún momento antes de 1439 a. C., cuando la ciudad volvió a renovarse. Desafortunadamente, la evidencia de su trabajo en la ciudad es menor, pero existe como un testimonio de Ur como una ciudad que sobrevive a sus habitantes sumerios originales mucho después de su desaparición.

Kurigalsu trabajó específicamente dentro de los témenos, o el área del templo de la ciudad, aunque no es seguro si realmente hizo algún trabajo en el famoso zigurat. Logró reconstruir un importante templo de la diosa Ningal, la esposa de Nanna, la deidad titular de Ur. Del mismo modo reconstruyó los muros de los témenos, reforzándolos. El hogar de la suma sacerdotisa, el famoso Giparku del período Ur III, también fue reconstruido bajo la comisión de Kurigalsu. Sin embargo, su restauración de Edublalmah, una puerta monumental cuyo propósito era dispensar justicia a los ciudadanos, construida bajo Amar-sin siglos antes, resultó ser una de sus obras más impresionantes. La expandió, reforzó sus paredes, agregó surcos en forma de T en el exterior y, para colmo, agregó una escalera para acceder a ella. Junto a la Edublalmah, Kurigalsu también restauró la tesorería, o la Enunmá, y además restauró un templo que estaba dedicado a Ningizzida. Todos estos proyectos de restauración nos dicen que, en este momento, Ur había sido un importante centro religioso y administrativo a pesar de los siglos de influencia política menguante. Por supuesto, Ur nunca recuperaría su fuerza comercial y administrativa, incluso bajo los meticulosos proyectos de reconstrucción de Kurigalsu.

Otro período de mediocridad siguió después del final del reinado de Kurigalsu. Los kasitas estaban perdiendo lentamente poder frente los asirios, y aunque siguieron teniendo numerosos reyes en sus últimos años, estos reyes no dominaban mucho la tierra. Una posible interpretación es que Ur cayó bajo la dinastía Sealand, una dinastía de gobernantes también conocidos como caldeos. Entre los siglos X y VI a. C., la región misma obtendría el nombre de Caldea, probablemente de donde se originó el nombre "Ur de los caldeos" en la Biblia hebrea. Con todo, bajo el dominio asirio de la región, Ur comenzó a desmoronarse financiera y administrativa nuevamente. Los asirios dominaban los valles del Tigris y el Éufrates, controlando efectivamente todas las rutas de agua. Esto significaba que podían importar más fácilmente materias primas de lugares más alejados del golfo Pérsico. El principal punto de venta de Ur, el hecho de que siempre había sido un puerto ocupado con mucho tráfico comercial se vio disminuido y la ciudad comenzó su larga y ardua declinación una vez más.

Durante Asurbanipal, el gobernante asirio más famoso, el imperio dominaría casi toda la región, con sus centros principales en el norte. Sin embargo, los asirios también tenían la capacidad de instalar gobernadores en las ciudades del sur, que es cuando Ur volvió a ser algo prominente. Un gobernador local, Sinbalasu-iqbi, decidió trabajar en la reconstrucción de toda la ciudad. Lamentablemente, eligió materiales malos y, como tal, sus esfuerzos no dieron muchos resultados. Sin embargo, dejaron marcas bastante notables para la investigación arqueológica. Sabemos que realizó importantes trabajos de restauración en el patio de Edublalmah limpiándolo y agregándole un edificio completamente nuevo. Se jactó de instalar una gran puerta en el santuario, que, por supuesto, ha desaparecido sin dejar ningún rastro real que no sea un marcador de límite de Kasita reutilizado que serviría como pivote.

El Giparku también vio una importante restauración bajo Sinbalasu-iqbi. Numerosas figurillas asirias, utilizadas principalmente para ceremonias de entierro, se encontraron enterradas bajo los escombros del material de construcción que usó para restaurar el hogar de la suma sacerdotisa. Otra obra de Sinbalasu-iqbi incluiría el revestimiento y la restauración del muro de los témenos y la construcción de un templo dedicado a la diosa Ningal, la consorte del dios de la luna Nanna.

La Ur Neobabilónica

En cierto sentido, a finales del siglo VII y principios del siglo VI a. C. fue la época del "Renacimiento" neobabilónico. En 605 a. C., el rey Nabucodonosor II, el segundo gobernante de la dinastía neobabilónica, ascendió al trono y, hasta su muerte en 562, llevó a Babilonia a nuevas alturas que sus sucesores no podrían igualar. Como muchos grandes gobernantes antes que él, fue más que un simple conquistador. Durante su reinado, restauró muchos templos, muros y edificios oficiales en todo su imperio, y resulta que parte de esa restauración tuvo lugar en Ur. Ahora de nombre "oficial" caldeo, Ur era una sombra de su antigua gloria. Los primeros tiempos de Babilonia, Kasita y Asiria, habían desaparecido hace mucho tiempo, y su antigua gloria era solo parte de mitos y leyendas ahora. Esto fue evidente en el mal estado de los témenos y su muro circundante. Nabucodonosor se encargó de reparar el muro lo más rápido posible con algunos cambios notables, como permitirle encerrar un área mucho más grande y darle un espesor total de aproximadamente 11 metros, o un poco más de 36 pies (sin embargo, había una habitación vacía en el medio, lo que significa que el muro mismo estaba dividido por dentro y era, hasta cierto punto, hueco). El rey también se encargó de la repavimentación total y la restauración de la corte de Nanna, que niveló con la terraza superior del zigurat. Incluso algunos entendidos tienen la hipótesis de que Nabucodonosor hizo algunas reparaciones en el zigurat mismo, aunque no se encontró evidencia suficiente para respaldarla.

Sin embargo, no fue Nabucodonosor el que llevó a cabo las mayores reparaciones y restauraciones de Ur. Ese honor pertenece a un gobernante posterior, el sexto y último rey de la dinastía neobabilónica, Nabónido. Durante su reinado, dejó casi todos los asuntos políticos a su hijo, Belsasar, mientras participaba en campañas de guerra o restauraba templos donde oraba habitualmente. Era originario de Jarán, una ciudad donde la creencia en el dios de la luna, Sin (en sumerio, Nanna) era muy fuerte. En ese sentido Jarán era, de hecho, como una "ciudad hermana" de Ur. Precisamente por sus fuertes creencias, Nabónido optó por dejar la capital durante no menos de una década, dejando a su hijo a cargo, para que pudiera restaurar numerosos templos y lidiar con el aspecto religioso de su imperio.

Uno de sus actos más destacados fue elevar el culto de Nanna-Sin a un rango más alto que el de otros dioses. Una vez terminado, se dedicó a restaurar Ur, que personalmente tenía en tan alta estima como a Jarán. El zigurat fue sometido a una revisión importante hasta el punto en que Nabónido eliminaría todo lo hecho por reyes anteriores, incluido Nabucodonosor, para que pudiera construir el zigurat canónico, "adecuado". Mantuvo la base originalmente encargada por Ur-nammu, así como sus escaleras. En este momento todas estas características ya tenían más de mil años. Todo el nivel del suelo, así como el nivel de la escalera, se elevaron aproximadamente un metro y se repararon las escaleras. También hubo una reconstrucción importante de la puerta de entrada del primer piso, que incluía los pilones erigidos antiguamente cuando Ur-nammu estaba construyendo la estructura por primera vez. Durante su reconstrucción, Nabónido estaba buscando inscripciones de Ur III en la mampostería, en parte para citarlas para sus propios cilindros de cimentación en el zigurat y en parte porque había desarrollado el hábito de excavar reliquias del pasado. En cierto sentido, Nabónido se estaba convirtiendo en el primer arqueólogo.

Nabónido agregó dos estructuras más al zigurat. La primera probablemente era un santuario para el dios de la luna. La otra tenía el extraño nombre de "Santuario de barcos", y su propósito aún es desconocido para los estudiosos. Además de estas dos estructuras, Nabónido también reparó el templo dedicado a Ningal, que aparentemente fue construido originalmente por Sinbalasu-iqbi. Nabónido no solo reconstruyó este templo, sino que también lo embelleció aún más sin cambiar mucho el diseño. Alejándose del zigurat, pero aun permaneciendo dentro de los témenos, Nabónido también restauró los tres edificios importantes para el complejo del templo, a saber, el Enunmá, el Edublalmah y el Giparku. Un detalle importante a tener en cuenta aquí es que Nabónido nombró a su hija, Bel-Shalti-Nanna, como suma sacerdotisa de Ur y, aunque tenía el Giparku restaurado para vivir, consiguió construir un templo diferente para vivir según la comisión de su padre. El mismo Giparku fue subdividido en varias salas, probablemente utilizado como escuela de escribas para niños, pero lo que hay debajo de estas dos salas es lo que fascina a los arqueólogos. Escondidos había objetos de varios períodos de la historia de Ur, muy probablemente recolectados por Bel-Shalti-Nanna, convirtiéndola en la segunda protoarqueóloga en la historia conocida, justo después de Nabónido, en la medida en que a ambos les encantaba coleccionar objetos de antiguos gobernantes de Ur. Su propio palacio estaba frente a un templo anónimo del puerto norte, que estaba fuera de los muros de los témenos y probablemente fue construido por Sinbalasu-iqbi y rediseñado por Nabucodonosor, aunque la afirmación anterior no se puede probar con certeza. El templo todavía desconcierta a los arqueólogos porque no sabemos cuál era su propósito, ni por qué fue construido allí. La casa de misma de Bel-Shalti-Nanna que se encontraba frente a este templo se llamaba Egigpar.

No muchas de las casas excavadas pueden contarnos sobre la vida privada en Ur durante el reinado neobabilónico. Una casa en particular que se encontró tenía un exceso de cuarenta habitaciones con al menos dos patios. Podría haber sido un edificio público, como una escuela, ya que para ese momento es demasiado grande como para ser una residencia privada. Otras casas a su alrededor, cuyos restos indican que era una calle entera, eran mucho más modestas en tamaño. Al igual que las casas de este período, no sobrevivieron muchas tumbas, y las que lo hicieron están en malas condiciones y no se pueden hacer examinar adecuadamente.

Cilindro del rey Nabónido encontrado en el templo del dios de la luna en Ur, Museo Británico de Londres [5]

El Fin de Ur - Persas, Sequía, Abandono

Nabónido fue el último monarca de la dinastía neobabilónica. Debido a sus hábitos de no gobernar el imperio directamente, Babilonia se desmoronó rápidamente y dio paso a una potencia extranjera, el emperador persa, Ciro el Grande. Saqueó Babilonia en el año 539 a. C., y es probable que comenzara un trabajo menor en Ur el mismo año, ya que se encontraron tabletas con su nombre en la ciudad. Lamentablemente, murió aproximadamente una década más tarde, por lo que cualquier trabajo que comenzara debe haber sido terminado por su sucesor, Cambises II, que todavía usaba los ladrillos inscritos con el nombre de Ciro. En ese momento Ur ya había disminuido en importancia, aunque durante las siguientes tres décadas de gobierno persa, vería una prosperidad muy menor.

---

[5] Imagen original de propiedad y tomada por Osama Shukir Muhammed Amin FRCP (por sus siglas en inglés; Royal College of Physicians and Surgeons, Colegio Real de Médicos y Cirujanos de Glasgow) el 29 de enero de 2014. Obtenido de *https://commons.wikimedia.org* de julio 2018, con modificaciones menores bajo la siguiente licencia: *Creative Commons Atributo-Compartir Igual 4.0 Internacional*. Esta licencia permite a otros volver a mezclar, ajustar y construir sobre su trabajo incluso por razones comerciales, siempre que lo acrediten y otorguen licencias de sus nuevas creaciones bajo los mismos términos.

El último clavo en el ataúd de la muerte de Ur ocurriría cerca del final del siglo VI a. C. Fue en este punto cuando el Éufrates cambiaría su rumbo más hacia el este. Esto habría dejado efectivamente a la ciudad sin agua y no apta para la vida. Naturalmente, el cambio estaba ocurriendo gradualmente, ya que los arqueólogos descubrieron dos entierros persas en el lecho del gran canal que rodeaba el lado este de Ur. Esto indica que la gente de Ur todavía luchaba por permanecer en la ciudad, a pesar del cambio en el curso del río. Para el año 500 a. C., la ciudad fue abandonada por completo. Y teniendo en cuenta las duras condiciones climáticas que siguieron, nadie visitó el sitio durante siglos y las únicas personas que habrían pasado por el lugar fueron los beduinos nómadas. Sin embargo, estas condiciones lo convirtieron en el terreno perfecto para la preservación, dando a los futuros arqueólogos mucho material para estudiar el antiguo pasado de esta magnífica ciudad.

Capítulo 5 - Hallazgos Importantes en Ur: Arquitectura y Diseño de la Ciudad, Edificios Notables y Objetos Artísticos

Arquitectura de Ur y el Diseño de la Ciudad

Es difícil hablar de arquitectura dentro de Ur durante cualquier período anterior a la invasión acadia. Lo mejor que podemos ver, las casas de los primeros Ubaid Ur eran probablemente casas de barro y caña, similar a cómo los árabes de los pantanos modernos construyen sus chozas en esta área. Las estructuras mejor conservadas de estos primeros períodos son los diversos cementerios y sitios de entierro, más adelante veremos más sobre estos.

En términos de la Tercera Dinastía y en adelante, el plano de Ur era más o menos similar a cualquier ciudad importante en Sumeria. Durante la tercera dinastía, Ur tenía un témenos encerrado por una pared, que albergaba el zigurat, el Giparku, el Edublalmah, el Enunmá, el Ehursag, las tumbas reales y la corte de Nanna. Las adiciones posteriores de los neobabilonios expandirían la pared, dando a los témenos más área. Fuera del muro de los témenos había dos puertos, el norte y el oeste, uno directamente unido al muro exterior. También había dos "suburbios" de casas, uno directamente al suroeste del muro de témenos y el otro más al sureste. El último de los dos incluía casas construidas durante la época neobabilónica. Más al sur estaba el templo Enki, y avanzando hacia el norte, más allá del fuerte casita restante y una hilera de casas en la pared, encontramos el templo del puerto sin nombre y la casa de la hija de la suma sacerdotisa de Nabónido, Bel-Shalti-Nanna. En su apogeo, Ur era posiblemente la ciudad más grande del mundo, ya que tenía aproximadamente 65.000 habitantes.

En este período, la mayoría de las casas estaban hechas de ladrillos de barro planoconvexos y yeso de barro. Para edificios más resistentes, utilizaron betún y cañas. Las paredes estaban formadas por terraplenes inclinados. Estos habrían sido tan altos como ocho metros o 26 pies. Como se indicó en capítulos anteriores, cada casa normalmente tenía una tumba familiar directamente debajo del piso, y en períodos posteriores, incluso había restos de capillas. No sería raro que las culturas invasoras construyeran sobre casas usadas. Además, debido a la presencia de cadáveres de muertos directamente debajo del edificio, que debe haber producido un olor acre, los mismos habitantes eventualmente se mudarían, dejando la casa para que habitara una familia diferente.

Dentro de Ur existieron otros edificios, especialmente escuelas de escribanos, tiendas, hornos, oficinas para varios herreros y artesanos, así como fuertes y torres de vigilancia. Los dos últimos normalmente estarían lejos de las áreas habitables, generalmente como parte del muro exterior.

Edificios Notables y Objetos Artísticos

El Zigurat de Ur

Es imposible hablar de Ur sin mencionar su logro arquitectónico más magnífico. Ubicado al noroeste dentro del complejo del templo, estaba rodeado por el Etemenniguru, el templo de Nanna y su patio, el santuario del Barco y el templo de Ningal. En cuanto al tamaño, tenía 200 por 150 pies o 61 por 46.7 metros, sin embargo, no sabemos la altura debido a que la parte superior, que contenía un santuario, estaba levantada desde hacía mucho tiempo. El zigurat estaba hecho de una sólida argamasa de ladrillo. Su centro se construyó con ladrillo secado al sol, mientras que el ladrillo cocido en horno se usó para su revestimiento unido con betún bastante resistente. Cada muro consistía en terraplenes y huecos poco profundos. Cada muro consistía en contrafuertes y huecos poco profundos. Su base era una amplia terraza a nivel, y los techos de las cámaras del patio del templo rodeaban el gran templo que estaba frente a él. Se llegaba a los niveles superiores del zigurat por una de las tres enormes escaleras que contaban con cien escalones cada una. Uno iba axialmente desde la fachada principal, mientras que las otras dos estaban a su lado en ángulo recto. Terrazas en gradas le daban al zigurat su aspecto característico, y en la parte superior, que ahora es plana, había un santuario donde se podía tener contacto directo con los dioses.

Teniendo en cuenta cuántas veces se ha reconstruido y restaurado, no es sorprendente decir que el zigurat fue el edificio más importante de la ciudad. Era tan grande para su época que finalmente logró su propósito de estar el primer lugar: aparecer como una montaña que llegaba a los cielos a los ojos de cualquier viajero que mirara desde lejos. Por supuesto, muchos zigurats se construyeron a lo largo de los siglos en Mesopotamia, pero ninguno mantuvo el esplendor y la gloria del de Ur.

El Zigurat de Ur, parcialmente reconstruido [6]

El Cementerio Real

Muchos de los que trabajan en arqueología estarían de acuerdo en que descubrir este sitio fue el mayor descubrimiento más grande de Woolley, y teniendo en cuenta todo lo demás que hizo en Ur, esa es una afirmación. Sin embargo, las tumbas reales proporcionaron a los arqueólogos la mejor visión posible de la vida y el estatus del pueblo de Ur, que abarca miles de años.

El sitio del cementerio se encuentra dentro de la actual gobernación de Di Car, cerca del sitio de Ur, en Iraq. Woolley excavó e identificó más de 2.000 tumbas en total, y aún más se descubrieron y se estudiaron más tarde. Curiosamente, no comenzó a excavar en el momento exacto en que los encontró. En cambio, trasladó a todo su equipo a un sitio diferente y luego regresó a las tumbas aproximadamente cuatro años después, después de que su equipo adquiriera significativamente más experiencia en excavaciones.

Dieciséis tumbas en particular llamaron la atención de Woolley, y las declaró "reales" en función del número de ofrendas (y el contenido de estas) que se encontraron en ellas en comparación con otras tumbas no reales. Es más probable que solo unas pocas de estas fueran tumbas reales en la medida en que contienen los restos de reyes y reinas reales. Las otras, mientras llevaban inscripciones como "ensi", "en" o "lugal" (traducidas aproximadamente como "gobernador", "sumo sacerdote/sacerdotisa" y "rey") probablemente era tumbas de príncipes y princesas, sumos sacerdotes o incluso nobles menores. Sin embargo, algunas de estas tumbas en realidad eran de personajes reales, una era el Rey Meskalamdug que no está en la Lista del Rey sumerio. A juzgar por la fecha estimada de su entierro, probablemente era un hijo, o al menos contemporáneo, de Mesanepada, el padre de la Primera Dinastía de Ur. Otro gobernador más famoso que se encontrara enterrado en el Cementerio Real fue la reina Puabi. Sin embargo, es importante tener en cuenta que su título real todavía está en disputa por la arqueología moderna. Podría haber sido una suma sacerdotisa o una consorte importante de un rey. Cualquiera que sea su título, no se puede negar que fue lo suficientemente importante como para tener un funeral más rico y ceremonioso que en ese momento podía tener cualquier rey.

Fue enterrada con no menos de 52 asistentes separados, que incluían hombres y mujeres, entre los que se encontraban guardias, un coro, sirvientes y varios tipos diferentes de animales. La cantidad de objetos hechos de oro, cornalina, lapislázuli, plata y conchas dicen mucho de su opulencia.

Sin embargo, el número de asistentes con los que fue enterrada no es sorprendente, teniendo en cuenta que otros nobles, incluido Meskalamdug, también fueron enterrados con una gran cantidad de cuerpos en sus cercanías, a menudo justo debajo de la tumba del rey o la reina. Al examinar estos cadáveres, entre los que se encontraban hombres y mujeres, aunque sorprendentemente pocos niños, los arqueólogos, incluso durante el tiempo de Woolley, llegaron a la conclusión de que alguna forma de sacrificio humano ritual seguía al entierro de los reyes. Es probable que no todos hayan sido sacrificios voluntarios, ya que algunos cadáveres muestran signos evidentes de lucha antes de perder la vida. Cuando se toman en cuenta otras tumbas en otros sitios, es muy probable que Meskalamdug haya encargado este tipo de funerales o incluso se hayan instalado antes de que asumiera al trono.

Durante la excavación de estas tumbas, surgiría un problema que aparece cada vez que los arqueólogos excavan tumbas, la de los ladrones de tumbas. La mayoría de las tumbas eran saqueadas casi el mismo día en que los cuerpos eran enterrados, por lo que no queda mucha evidencia de objetos valiosos. La tumba de la reina Puabi fue casi la única excepción, considerando cuántos objetos valiosos fueron descubiertos solo de ella. Sin embargo, otras tumbas proporcionaron objetos e inscripciones más mundanos que nos dicen mucho sobre las costumbres y la condición social de los ciudadanos de Ur durante su Primera y Segunda Dinastía.

Una de las tumbas reales en Ur[7]

El "Estándar" de Ur

Hay una razón por la que la palabra "estándar" está entre comillas, principalmente porque esta pieza de esplendor arqueológico no es para nada estándar. Un estandarte es típicamente una pequeña pancarta militar usada por oficiales militares de alto rango cuando entran en batalla. Teniendo en cuenta lo que está representando, no es de extrañar por qué las personas que la encontraron por primera vez la llamaron un estándar. Basado en su pequeño tamaño y coloración, probablemente era parte de un instrumento musical. Fue excavado por el equipo de Woolley de una tumba perteneciente a un hombre desconocido; no se sabe a qué clase pertenecía el hombre, ya que solo se encontró su cráneo. El Estandarte probablemente fue construido durante la Primera Dinastía de Ur, bajo un rey llamado Ur-Pabilsag, que no está en la Lista del Rey, pero de cuyo reinado tenemos algunas pruebas menores. El Estándar en sí estaba al lado del cráneo del hombre desconocido en la esquina de la tumba. Después de ser sacado de la excavación y parcialmente restaurado, ahora está en exhibición en el Museo Británico.

---

[7] Imagen original propiedad y tomada por Kaufingdude el 22 de junio de 2007. Sacado de *https://commons.wikimedia.org* en julio de 2018 con modificaciones menores bajo la siguiente licencia: *Creative Commons Atributo-Compartir Similar a 3.0 No portado.* Esta licencia permite a otros volver a mezclar, ajustar y desarrollar su trabajo incluso por razones comerciales, siempre que lo acrediten y otorguen licencias de sus nuevas creaciones bajo los mismos términos.

El así llamado "Estándar" tiene un tamaño de 47 por 27 centímetros o 18.5 por 10.6 pulgadas. Tiene incrustaciones de conchas de mar y río, que incluyen nácar, así como lapislázuli y piedra caliza roja. Es importante para nosotros debido al mosaico incrustado en él. Dos lados de este Estándar muestran lo que comúnmente se llaman las dos Escenas del Mosaico, uno que representa la Guerra y el otro la Paz.

El lado de la guerra muestra lo que parece una batalla y sus secuelas. El rey se encuentra en el centro de su registro superior y, por supuesto, es más alto que todos los demás. Ante él y su poderoso carro, probablemente arrastrado por burros, están prisioneros de guerra desnudos. Estos prisioneros están gravemente heridos y encadenados, haciendo hincapié en la victoria del lado del monarca. El registro medio tiene ocho soldados que van a la guerra, así como una escena de enemigos capturados. Sabemos que el Estándar era contemporáneo de la Primera Dinastía porque se encontraron cascos similares a los que llevan los soldados en las tumbas del cementerio real. Una vez más, vemos enemigos desnudos durante su derrota, que probablemente fue más una representación simbólica que literal. El registro inferior tiene carros, cuatro en total, con aurigas y guerreros en ellos. Tanto los animales como los carros se ven extremadamente detallados y se muestran en movimiento, representando una escena de batalla que claramente involucraba a estos primeros vehículos. Los enemigos atropellados están bajo las pezuñas de los animales que tiran de los carros, de nuevo es probable que sean burros ya que los caballos aún no se domesticaban en esa región. La cantidad y el número de enemigos derrotados muestran claramente cuán poderoso era en aquel entonces un ataque con carros.

El lado de la Paz es un poco más enigmático, ya que muestra lo que probablemente sea un banquete o una celebración de algún tipo. Nuevamente, vemos al gobernador en el registro de operaciones, esta vez casi completamente a la izquierda, más alto y grande que cualquier otra persona. Lo rodean al menos cuatro sirvientes, dos delante y dos detrás, y delante de él, justo detrás de dos de los sirvientes, hay seis individuos sentados sosteniendo copas, probablemente levantando sus copas en honor del monarca. Un ejecutante de la lira y un posible cantante están en el lado derecho del registro superior. Debajo de esta escena, en el registro del medio, hay personas paseando animales por los alrededores, además de llevar peces. Es muy probable que represente la preparación para el banquete con las personas tomando vacas y carneros para ser sacrificados y preparados para un banquete. El registro inferior muestra hombres de aspecto ligeramente diferente, ya sea tirando de los animales por los anillos de la nariz o cargando productos, probablemente para ser consumidos durante un banquete.

El Estándar fue un hallazgo importante por varias razones. Primero, les dio a los arqueólogos una pequeña ventana a los ritos y rituales de los antiguos sumerios. Además, les proporcionó información probable sobre los estilos de ropa y aseo personal de la época, al menos sobre la ropa cotidiana que usarían las masas. Además, finalmente podríamos conocer el nivel tecnológico de esta cultura, especialmente cuando se trata de vehículos y sus diferentes usos. Además de eso, dio una idea de cómo los sumerios trataban a sus enemigos, sin mencionar cómo eligieron representarlos en el arte cotidiano. Finalmente, aprendimos un poco sobre lo que hacían los sumerios para entretenerse. Esto no solo se relaciona con el banquete en sí mismo. La presencia de un ejecutante de lira y un cantante nos dice que la música jugaba un papel importante en los círculos sociales sumerios, incluso en los más altos de la corte real.

El Estandarte de Ur, Museo Británico de Londres [8]

Los Carneros en el Matorral

Otra obra maestra del arte sumerio, este par de estatuas fue descubierto por Woolley en una sección importante del Cementerio Real de Ur llamado Gran Pozo de la Muerte, donde eran enterrados grandes cantidades de hombres armados. Una de estas estatuas es ligeramente más alta que la otra, pero ambas miden aproximadamente un poco más de 45 cm o 17.7 pulgadas de alto. Su nombre fue dado por el propio Woolley, un cristiano devoto, y es una referencia a un pasaje de la Biblia donde Abraham estaba a punto de sacrificar a Isaac antes de que Dios le impidiera hacerlo. En lugar de sacrificar a Isaac, Abraham elige sacrificar al Señor un carnero, cuyos cuernos estaban atrapados en un matorral.

Ambas estatuas del carnero fueron talladas aproximadamente de la misma manera. El núcleo del cuerpo de una de esas figuras era de madera, con el cuerpo con una forma más áspera y la cabeza y las patas elaboradas con mucho más detalle. Cuando Woolley decidió extraerlo, había mantenido unido el cuerpo con cera que vertió específicamente para ese propósito. De esa manera, todos los elementos permanecerán como estaban y no se desmoronarían, provocándole muy poco daño. Las capas de pan de oro cubrían la cabeza y las patas del carnero que el artesano martilló contra la madera y las unió con betún. Las orejas del carnero están hechas de cobre y se han vuelto verdes a lo largo de milenios. El vellón no es del mismo material en todas partes; el vellón del hombro, junto con los cuernos, está hecho todo de lapislázuli, mientras que el vellón del cuerpo está hecho de conchas y una vez más pegado con betún. Debajo de su vientre plateado estaban los genitales de oro y también eran de oro los adornos del árbol, formando sus hojas y flores. Toda esta figura se encontraba sobre una base rectangular que tenía un mosaico hecho de los mismos materiales que el Estándar de Ur (piedra caliza roja, lapislázuli y conchas). Las cadenas de plata, ahora corroídas, solían unir la figura al arbusto en flor.

Teniendo en cuenta la similitud de ambos carneros, se especula que estaban uno frente al otro apuntalando un objeto más grande, como un tazón o una olla. También se pensó que los carneros se usaron como decoraciones para instrumentos musicales, similares a los cuerpos de los instrumentos encontrados en Ur que tenían motivos animales, como se lee a continuación.

Una de las figurillas de carnero, Museo Británico de Londres [9]

Las Liras de Ur

Técnicamente hablando, los instrumentos abarcados en este texto son tres liras y un arpa; sin embargo, por conveniencia, se les llama colectivamente las Lira de Ur, y por esa misma razón aquí nos referiremos a todas ellas como liras. Woolley las descubrió dentro de una tumba que contenía diez mujeres, con un cadáver apoyando una mano sobre un instrumento, imitando tocarlo. Woolley tuvo la brillante idea de verter yeso en los agujeros que supuso eran instrumentos de perforación, preservando así el núcleo de madera perecedero y extrayendo los instrumentos bastante bien conservados. Naturalmente, había elementos de las liras que estaban hechos de materiales no perecederos como plata y oro.

---

[9] Original image owned and taken by Jack1956 on 3 February 2008. Retrieved from *https://commons.wikimedia.org* on July 2018 with minor modifications under the following license: *Creative Commons Attribution-Share Alike 3.0 Unported.* This license lets others remix, tweak, and build upon your work even for commercial reasons, as long as they credit you and license their new creations under the identical terms.

Las cuatro liras diferían en cierta medida. A la mejor conservada se la llamó Lira Dorada de Ur, o la Lira del Toro. La mayor parte de su cuerpo de madera reconstruido se dañó durante la segunda guerra iraquí debido a una inundación local cerca del museo donde se llevaba a cabo. La razón por la que se llama la Lira Dorada es por la cabeza de toro unida a ella. En gran parte está hecha de oro, con los ojos incrustados en nácar y lapislázuli. El lapislázuli también se usó para la barba, al igual que con otras liras con cabezas de toro. Woolley sospechaba que el cuerpo de la Lira del Toro probablemente incluso tenía patas, pero que perecieron junto al resto del cuerpo de madera original.

La reina Puabi regresa con la segunda lira, llamada acertadamente la Lira de la Reina. Después de todo, se la encontró en su tumba, y mide 110 centímetros o 43 pulgadas de alto. Al igual que la Lira Dorada, la Lira de la Reina tiene una cabeza de toro hecha de oro, con el resto de la cara en lapislázuli y los cuernos como una reconstrucción moderna. El frente de la Lira de la Reina está un poco curvado alrededor de la frente del toro, mientras que la gran lira tiene un frente perfectamente recto.

La siguiente es el Gran Lira que mide 33 cm de alto y 11 cm o 13 y 4.3 pulgadas de ancho. Una vez más tenemos una cabeza de toro y una lira cuyo cuerpo representa el cuerpo de un toro, igual que la lira de la reina. La cabeza, la cara y los cuernos del toro son de oro, mientras que los ojos, la barba que la adorna son de lapislázuli. Esta lira también tiene un panel frontal hecho de los mismos materiales que el Estándar de Ur y las bases de los Carneros en el Matorral. Este panel tiene una representación de un héroe agarrado de los cuernos de un toro y debajo de él hay animales que actúan como humanos. En términos de iconografía, la cabeza de toro con la que está luchando representa a Shamash, o Utu, el dios del sol.

El último de estos extraordinarios instrumentos es la Lira de Plata, también de 110 cm o 43 pulgadas de alto y aproximadamente igual de ancho. Otra lira no tan bien conservada se encontró a su lado en el Gran Foso de la Muerte, y ambas estaban hechas de madera originalmente recubiertas con láminas de plata que, sorprendentemente, no estaban pegadas con betún, sino que estaban fijadas con pequeños clavos, también de plata. Como era de esperar, los ojos del toro estaban hechos de lapislázuli, que también constituía los estrechos bordes de toda la lira. El toro de esta lira no tiene barba, como los otros tres, pero, de nuevo, es posible que no represente un toro sino una vaca.

Encontrar estos instrumentos fue monumental para Woolley y la arqueología en general, así como para la musicología. Nos dio una visión directa de las costumbres y la artesanía de la antigua Sumeria. Teniendo en cuenta su ubicación dentro de las tumbas, más que probablemente estas liras se utilizaban para cantar himnos o conjuros en los funerales y luego se los enterraban con sus ejecutores. No es improbable pensar que las tumbas donde estaban ubicadas, aparte de la reina Puabi, contenían músicos de la corte sacrificados.

La Lira Dorada y la Lira de Plata, Museo Británico de Londres [10]

<hr>

[10] Imagen original propiedad y tomada por Osama Shukir Muhammed Amin FRCP (Glasgow) el 29 de enero de 2014. Traída de *https://commons.wikimedia.org* on July 2018 with minor modifications under the following license: Creative Commons Atributo-Compartir Similar a 4.0 Internacional. Esta licencia permite a otros volver a mezclar, ajustar y desarrollar su trabajo incluso por razones comerciales, siempre que lo acrediten y otorguen licencias de sus nuevas creaciones bajo los mismos términos.

Hallazgos Menores

El título de la sección es un poco engañoso, ya que estos hallazgos no son menores en sí mismos, sino menores en comparación con los descritos anteriormente. Uno de esos hallazgos fue el magnífico tocado dorado de la reina Puabi. Estaba espectacularmente elaborado, con ligeras hojas de oro, cuerdas hechas de lapislázuli y cornalina, así como un gran peine dorado. Además de eso, otras piezas de joyería e incluso kits de maquillaje se ubicaron dentro de su tumba, mostrándonos cuán rica era.

Dentro de las tumbas, se ubicó una gran cantidad de cerámica. Como se indicó en un capítulo anterior, los arqueólogos podrían basar en gran medida el período del sitio en función del estilo de las vasijas. Además, estas podrían contarnos sobre la posición social de la persona enterrada, su papel en la ciudad y para qué se usaba la vasija.

Montones de sellos cilíndricos se extrajeron de las excavaciones en Ur, que posiblemente sean el hallazgo más importante cuando se trata de fechar históricamente a los gobernantes. Estos pequeños sellos se usaban para inscripciones y probablemente más alrededor del cuello como un colgante. No solo los tenían los gobernantes. De hecho, muchos sellos cilíndricos pertenecientes a gobernantes vasallos, sacerdotes tanto altos como bajos, artesanos, artistas, escribas, comerciantes e incluso ciudadanos comunes afloraron a la superficie durante las numerosas excavaciones de las tumbas dentro del Cementerio Real. Esto solo muestra cuán en serio los antiguos sumerios tomaban la escritura como una nueva habilidad. Era más que una simple forma de anotar los detalles comerciales y el grano del templo. Ahora era una forma de legitimarse dentro de la sociedad. Naturalmente, no todos estos cilindros han sido descifrados; ya que muchos están inscritos en una variante más antigua del sumerio que no conocemos tan bien o en el guion pictográfico muy rudimentario que no proporciona muchos detalles sobre el propietario. Este guion a menudo muestra imágenes aproximadas que representan escenas de animales y humanos que realizan diversas actividades.

Naturalmente, había más objetos en estas tumbas. Algunos de ellos incluyen antiguos juegos de mesa, cinceles, sierras y otras herramientas, recipientes y cubiertos hechos de varios metales, aretes y discos hechos de aleación de plata y oro, varias cabezas de animales y pequeñas estatuas de humanos. Las armas y las herramientas agrícolas también ocupaban un espacio significativo dentro de ciertas tumbas, al igual que las armaduras primitivas. Casi todo esto nos da una imagen clara de Ur durante las dos primeras dinastías: era un lugar rico y próspero con vívidos rituales funerarios y una nobleza que no le temía al exceso.

Capítulo 6 - Estructura Social de Ur de Período en Período

Conociendo lo que hemos extraído y aprendido de las excavaciones del Cementerio Real, los registros escritos, los rastros de la arqueología e incluso la literatura popular en y alrededor de la ciudad, podemos reconstruir más o menos cómo era la antigua sociedad de Ur.

Durante su primera era (los períodos Ubaid, Uruk y Jemdet Nasr), era más que probable que Ur fuera una sociedad simple compuesta por pescadores, cazadores, artesanos y granjeros. La religión estaba tomando forma lentamente, por lo que esta sociedad debe haber tenido algún tipo de figuras religiosas oficiales. Si tuviéramos que especular aún más, estos hipotéticos sacerdotes serían los predecesores de los en, o sumos sacerdotes, que más tarde se convertirían en lugal o reyes. Pero eso fue muchos milenios después de la Ubaid Ur. El pueblo de Ubaid Ur practicaba una religión más primitiva que probablemente incluía alguna forma de sacrificio humano. En su lado más ligero, los sumerios de Ubaid Ur fueron artesanos muy exitosos. Al principio producían cerámica a mano, pero pronto, la rueda lenta se hizo prominente y el "negocio" de la cerámica explotaría. También fueron comerciantes primitivos, ya que en sus tumbas se encuentran evidencias de materiales no nativos de esta región. El comercio no fue en modo alguno expansivo, pero lo más probable es que existiera en alguna forma menor. En cuanto a la arquitectura, no podemos estar seguros, pero podemos afirmar que sus casas eran simples y estaban hechas de materiales locales, que incluían arcilla, barro y juncos. Las herramientas para trabajar estos materiales eran simples y casi siempre estaban hechas de piedra o arcilla. Desde entonces, Con el golfo Pérsico y el río Éufrates cerca, viajar regularmente en barco era común.

Sin embargo, esta vida simple pronto daría paso a una cultura más vibrante, más urbana y peligrosa que las primeras dinastías reales. Durante este tiempo, Ur, al igual que otras ciudades, comenzó a formarse en castas. La clase sacerdotal estaba en la cima, y muchas veces un sumo sacerdote se declaraba rey, pero todavía había una asamblea compuesta por dos "casas", la Cámara Alta y la Cámara Baja. La primera estaba compuesta por ancianos, probablemente sacerdotes y nobles, mientras que la segunda estaba constituida por gente común y tal vez nobles de menor categoría. La mayoría de los ciudadanos eran granjeros o artesanos de algún tipo, y la esclavitud era una práctica común. Los gobernantes y los sumos sacerdotes normalmente vivían y trabajaban en templos, que pronto se convertirían en lo que conocemos como zigurats. Se estaban erigiendo muros en la ciudad, en gran medida como un medio para proteger a sus habitantes, y comenzaron a aparecer casas más robustas y más altas. La escritura se convirtió en una gran parte de la cultura en todas partes de Mesopotamia, y Ur no se quedó atrás en este frente cuando los escribas comenzaron a hacerse más prominentes. Pero los escribas no fueron las únicas personas de cuyas hazañas tenemos evidencia arqueológica. Alfareros, herreros, jardineros, constructores, comerciantes, contadores, soldados, todos estos y muchos más, constituían la vida útil de Ur. Otra "línea vital" de la ciudad serían los canales de riego. Poco a poco comenzaron a aparecer, irrigando el área y proporcionando más tierras de cultivo, que en gran medida se trataba de propiedad privada de los mismos agricultores, o más bien de cualquiera que tuviera suficiente riqueza para mantener la propiedad. Incluso los templos tenían sus propias tierras de cultivo, que trabajaban tanto para el enorme personal del templo como para la ayuda contratada de la gente de la ciudad. Como se dijo, la esclavitud también fue vibrante, aunque no tan dura u hostil como se volvería en los siguientes imperios que sacudirían Asia Menor (así como el norte de África y los Balcanes en Europa). Una persona se convertía en esclava a principios de Ur cuando perdía en una guerra contra la ciudad (de aquí proviene la mayoría de los esclavos no sumerios, no nacidos de

Ur), no pagaba los impuestos al templo o era vendida por su propia familia desde pequeño. Curiosamente, cualquiera podía trabajar o pagar por su esclavitud y efectivamente comprar su libertad, y los hijos de los esclavos eran tratados como ciudadanos libres.

Durante este período, la religión en Ur también se volvió más definida. El panteón de los dioses sumerios ya estaba establecido. La gente adoraba a varios dioses, como el dios supremo An o Anu, el dios del viento Enlil, la diosa madre Ninhursag, el dios del sol Utu, la diosa de la fertilidad Inanna, etc. Cada ciudad tenía su propia deidad suprema que gobernaría sobre ella, por lo que no era raro que los templos más grandes de las ciudades se dedicaran a ellos. Era evidente que Ur era el sitio sagrado del dios de la luna que los sumerios llamaban Nanna y los acadios Sin, lo que resultaría en que ambos nombres se fusionaran en algún momento. Y hablando de los acadios, incluso en estos primeros días, Ur tenía una minoría acadia sustancial que era capaz de alcanzar las más altas posiciones de poder, como lo demostraría la reina Puabi, cuyo nombre ("palabra de mi padre" en acadio) y alta posición nos dice que ella era probablemente semita de nacimiento. Con la aparición de reyes y reinas de esta época, las tumbas reales comenzaron a aparecer cada vez más. Esto también condujo a algunas nuevas costumbres funerarias, que incluían sacrificios rituales de numerosos sirvientes y soldados junto con el gobernante, como fue el caso de Puabi y Meskalamdug, por ejemplo.

Con la conquista de Sargón, la sociedad de Ur vería su primer gran cambio. Por primera vez, había un gobernante externo que superaba al gobernador local, y por primera vez fue un rey no sumerio quien estaba dando órdenes. Sin embargo, la composición social de la ciudad era prácticamente igual. Los comerciantes y artesanos continuaron su trabajo como de costumbre, y el templo no perdió su legitimidad, como lo demuestra el hecho de que Sargón nombró a su propia hija para ser la suma sacerdotisa de Ur. Sin embargo, con la caída de los acadios y el posterior gobierno de Gutian, las cosas cambiarían. La ciudadanía de Ur ya no tenía los mismos artículos de lujo que tenía antes de los acadios. Por otro lado, al igual que en todas las demás ciudades sumerias de la época, los sacerdotes y los gobernadores reclamaban lentamente, pero firmemente, la independencia de la ciudad. Todavía eran vasallos para los gutianos, pero era en gran medida nominal y, efectivamente, no era un problema para la ciudad.

El mejor período en la historia de Ur, durante su Tercera Dinastía, llegó después de la caída de los gutianos. Los cinco gobernantes tenían el título de "Rey de las Cuatro Zonas rincones", que fue utilizado solo por conquistadores como Sargón. Un rey de Ur ahora dominaba centros importantes como Uruk y Nippur, convirtiéndolo en la figura más poderosa de la región. Ahora podía nombrar a sus propios gobernadores y sumos sacerdotes tanto en Ur como en otras ciudades, afectando directamente su vidas social. Hasta cierto punto, una persona que vivía en Ur sería tratada con más reverencia que alguien de una ciudad diferente. La gente se hizo más rica y próspera. Las casas de la población local se hicieron más grandes, más resistentes y opulentas. Los artesanos y trabajadores se jactaban de un magnífico comercio, a menudo comerciando con pueblos de regiones tan lejanas como Anatolia, el norte de Mesopotamia y probablemente incluso el valle del Indo. Los canales estaban surgiendo en todas partes, y los agricultores, así como los pescadores, ahora tenían abundante agua, que también estaba disponible para importantes puntos de referencia de la ciudad, como el zigurat mismo. Los granjeros usaban el agua para sus campos, donde cultivaban dátiles, trigo, lentejas, cebollas, garbanzos, ajo, lechuga, puerro o mostaza. Ya habían domesticado ovejas, bueyes, burros y cerdos, pastoreándolos para carne y otros productos como lana, o usándolos para transporte o como bestias de carga. Los cazadores también eran prominentes en Ur, cazando gacelas y aves. Algunos agricultores eran empleados para trabajar en los campos del templo, pero la mayoría eran independientes y eran dueños de sus tierras, ofreciendo productos como tributo a los dioses durante las ceremonias.

Las artes y la literatura florecieron en la Tercer Dinastía de Ur, con verdaderas bibliotecas en los templos y más y más niños aprendiendo a escribir los caracteres cuneiformes en las escuelas de escribas conocidas como Eduba, predominantemente niños varones, aunque había algunos pocos ejemplos de mujeres escribas. Se escribirían poemas de varios géneros, principalmente relacionados con la religión de los sumerios y los muchos mitos que rodeaban a sus dioses, héroes e incluso animales y objetos inanimados. La mayoría de los escribas provenían de familias ricas, e incluso hay ejemplos grabados de niños que se portaban mal y se comportaban como malcriados dentro del Eduba. Los niños que se portaban mal en la escuela eran "azotados" o golpeados con un palo, mientras que los padres simplemente los reprenderían por dar por sentado su privilegio de aprender. También existía alguna evidencia escrita temprana del reclutamiento militar de ciudadanos comunes, lo que significa que la ciudad podía haber tenido un ejército permanente que actuaba en su nombre.

Es interesante notar que varios registros escritos proporcionan inscripciones donde los gobernadores locales juraban lealtad a los nobles de Ur, y no solo a los reyes. De hecho, una persona podía jurar lealtad a un gobernador de Ur, una suma sacerdotisa, una princesa, una reina, un sumo sacerdote o incluso una persona de influencia significativa que no estuviera empleada por el templo. Estos compromisos de lealtad por parte de personas externas son una evidencia innegable del poder de Ur en la región, otra, el comercio en la ciudad. Los mercaderes comerciaban con cualquier área que no estuviera dispuesta a ir a la guerra con Ur, y, además, los comerciantes de otras áreas hicieron de Ur su hogar permanente, lo que significa que la ciudad era, en cierto sentido, multinacional y diversa. Y con una ciudad que en su apogeo tenía al menos 65.000 habitantes, convirtiéndola en la ciudad más grande en ese momento, eso no era tan sorprendente.

Sin embargo, la Tercera Dinastía de Ur tenía problemas. Probablemente, sus ciudadanos estaban dolorosamente acostumbrados a las constantes incursiones de las tribus nómadas, siendo los perpetradores más frecuentes los amorreos y los elamitas. Los muros ofrecían una protección menor, pero los agricultores que trabajaban fuera de los muros del templo aún sufrirían incursiones, tanto que los gobernantes posteriores de la Tercera Dinastía tendrían que diseñar un muro exterior, lo que daría a la ciudad sus fronteras relativas y, sus arqueólogos varios milenios después, lo que da una idea de cuán grande era Ur en sí misma.

Pero las amenazas externas no serían el único problema. Las rebeliones no eran tan frecuentes en Ur, pero la intriga política sí, otra invención moderna en el momento que creció y se expandió con la Tercera Dinastía y fue perfectamente evidente en cómo Ishbi-erra actuó durante el reinado de Ibbi-sin. En sus últimos años, la Tercera Dinastía Ur vería a las ciudades abandonar su gobierno, dejándolas a ella y a sus ciudadanos librados a su destino.

El primer saqueo de Ur fue un evento devastador, tanto que los sumos sacerdotes contemporáneos escribirían un largo poema de lamento llamado Lamento por Ur, en el que los dioses mismos decretan que Ur debe caer y que la están abandonando. La gente probablemente se quedó con sus instrumentos, ya que los elamitas seguían siendo una cultura en gran parte nómada sin interés en tomar el control de las ciudades, pero en Ur cesó toda producción inmediata. No había un gobernante, y es posible que algunas familias prominentes de la ciudad tomaran el control de todo el comercio, o lo que quedaba de él. La situación cambiaría cuando primero Isin y luego Larsa tomaron el control de la ciudad, siendo el primero de muchos reinos extranjeros en reclamar el dominio sobre Ur. La gente todavía vivía bajo la misma estructura social de sacerdotes, granjeros, artesanos, escribas y esclavos, pero la ciudad misma tenía que pagar un impuesto anual a los gobernantes externos. El comercio comenzó a florecer nuevamente, y la gente se mantendría estable y sin obstáculos incluso durante el reinado del primer gobernante babilónico, Hammurabi.

El sucesor de Hammurabi, Samsu-Iluna, saqueó Ur nuevamente durante una rebelión. Hasta la llegada de los casitas, los ciudadanos de Ur no verían ningún progreso. El comercio se estancaría, al igual que todos los demás aspectos de la vida, como el arte, la agricultura y la religión en particular. Antiguos templos, muros y otros edificios se deteriorarían o serían reutilizados para un uso diferente. Dos períodos importantes más verían un surgimiento menor en la historia de Ur, uno bajo los asirios o, más precisamente, los gobernadores locales que fueron leales a la corona asiria, y el otro bajo el rey neobabilónico Nabónido.

Durante este último período del crecimiento de Ur, los sacerdotes de Ur ganarían protagonismo nuevamente. Con importantes reconstrucciones alrededor de los templos y las murallas de la ciudad, así como barrios enteros de casas nuevas en ascenso, como el que se encuentra en el sureste de Ur mencionado en el capítulo anterior, la vida de la ciudad floreció. Los sacerdotes cumplían con sus deberes regularmente, y los agricultores y pescadores hacían su trabajo fuera de los muros de los témenos. Naturalmente, se reanudaría el comercio y la economía local volvió a crecer. Todo esto ayudado por el hecho de que Nabónido provenía de un pueblo que adoraba a la misma deidad que la gente de Ur, que era Nanna-Sin.

No se sabe mucho sobre la composición social de Ur después de Nabónido y durante el dominio persa sobre la ciudad. El comercio se desplazaría lentamente hacia el norte, por lo que es muy probable que Ur viera cada vez menos gente dispuesta a comerciar para ganarse la vida. Todavía había algunos vestigios de la agricultura en la ciudad, pero teniendo en cuenta el cambio climático en el área discutida en un capítulo anterior, el cambio se produjo después de que el Éufrates cambiara su curso. Que no hubiera comercio significaba que no había materia prima para los artesanos y trabajadores manuales, por lo que la producción de sus productos se disminuiría enormemente. Para el año 500, realmente no había ninguna sociedad de la cual hablar en Ur. Queda una pregunta interesante sobre lo que sucedió con todas las personas que vivían en Ur. Si murieron sin ceremonias en el creciente desierto o simplemente se mudaron a ciudades diferentes y aún florecientes es un tema de debate con poca evidencia para apoyar a uno u otro bando.

Capítulo 7 - Eventos Históricos Notables en Ur

Teniendo en cuenta su influencia, no sorprende que Ur haya sido el escenario de varios eventos notables que dieron forma a la historia de Sumeria en su conjunto. La mayoría de estos eventos ocurrieron durante el período Ur III y la mayoría de ellos ya se describieron en capítulos anteriores. Sin embargo, este capítulo los abordará con un poco más de detalle, profundizando en por qué estos eventos en particular fueron dignos de ganarse una nota histórica.

El Ascenso de Ur-nammu al Reinado

Como se señaló, Ur-nammu ya era gobernador de Ur durante el dominio de Utu-hengal sobre el área. Sin embargo, en el 2112 a. C., destronaría a Uruk sin ayuda y colocaría a Ur como el poder supremo sobre la región.

Por supuesto, este evento fue notable por lo que Ur-nammu representaría para el pueblo de Ur. Si bien no era de allí, decidió que no gobernaría la región desde su Uruk natal, que conquistaría y anexaría poco después de su coronación, sino que permanecería en Ur y la declaró centro de su reino. Solo por esto, podría decirse que es el gobernante de Ur III más importante, aunque algunos argumentarían, incluso con razón, que este título debería pertenecer a su hijo, Shulgi.

Este evento también sería el que dispararía el Período Ur III, por lo que es relevante como un importante trampolín hacia el glorioso ascenso de la ciudad en el escenario político.

La Carrera de Ur-nammu a Nippur

Anteriormente en este libro, se refería a esto como el "viaje a Nippur", pero de acuerdo con los escritos sumerios (y probablemente no con exactitud fáctica), este viaje fue, de hecho, una carrera. Si hay que creer esta historia, Ur-nammu, al igual que Shulgi haría después de él, literalmente corrió de Ur a Nippur y viceversa. Lo hizo para mostrar su habilidad y destreza como gobernante y como hombre, y, naturalmente, el destino no debía ser otro que la ciudad más sagrada de Sumeria.

Esta carrera, ficticia como pudo haber sido, es un evento importante por razones puramente políticas. Fue después de esta carrera trascendental que Nippur reconoció la primacía de Ur-nammu, así como de Ur en general. Ur-nammu se aseguró efectivamente el codiciado título de Sargón de Akbar muchos siglos antes, el título de "Rey de las Cuatro Zonas rincones". Naturalmente, Nippur lo aceptaría como legítimo, y Ur-nammu luego haría grandes proyectos de construcción y reconstrucción en esta ciudad sagrada para consolidar aún más su posición.

El pueblo de Ur y de Nippur deben haber recibido a Ur-nammu como su nuevo señor supremo. Años de dominio gutiano dejaron su huella, y cualquier gobernante doméstico con el deseo de mantener el patrimonio cultural sumerio era bienvenido. Sin embargo, había una razón más por la que Ur-nammu sería bienvenido como el señor supremo de Sumeria. Específicamente para los ciudadanos de Ur, reforzaría su rango social frente a otras ciudades. Ur ya no era solo una ciudad portuaria en el sur con un comercio decente. Ahora era una ciudad imperial, que traía consigo un cierto aire de elitismo. Ser más importante que Nippur, y especialmente más que su antiguo amo, Uruk, era muy significativo para los ciudadanos de Ur.

Construcción del Zigurat

Este evento abarca dos grandes gobernantes, Ur-nammu y Shulgi. No hay que pensar mucho para considerarlo un momento histórico en la historia humana temprana en general, pero como un evento para sus contemporáneos, tiene más importancia por varias razones.

La primera razón es que, consolidó el dominio de Ur sobre otras ciudades. Es cierto que otras ciudades tenían palacios y templos similares a un zigurat, pero ninguno era tan costoso, expansivo o enorme como este. Este fue un milagro de la ingeniería antigua, y tenía que ubicarse en la ciudad que gobernaba sobre todas las demás. Aun en la antigua Mesopotamia, el tamaño importaba especialmente si se quería señalar a un su imperio.

La segunda razón por la cual este evento es importante es por lo que inició. Otros zigurats comenzaron a construirse después de este. Muy pronto, otras culturas adoptaron y adaptaron este concepto, y los zigurats se volvieron más grandiosos, más llamativos y monumentales. El zigurat fue, sin ningún retruécano, el primer paso hacia la arquitectura megalítica en Asia Menor.

La tercera razón, posiblemente una que los gobernantes originales no llegaron a entender, fue el hecho de que el zigurat sigue siendo uno de los monumentos más llamativos del mundo antiguo, debido al simple hecho de que es tan grande y resistente. Durante siglos, la gente pasaría por este solitario montículo del desierto y lo consideraría una roca o colina masiva, pero de alguna manera construida por manos humanas. En efecto, el zigurat alcanzó la inmortalidad, extendiendo la historia del Ur imperial mucho más allá de su desaparición y más allá de sus fronteras.

Hay más razones por las que construir el zigurat era importante, pero en gran medida son una variante de las tres mencionadas anteriormente. De cualquier manera, el poderoso Zigurat de Ur gana legítimamente su lugar en la historia.

Código de Leyes de Ur-nammu

Si bien existían códigos de leyes más antiguos, este fue el primer texto legal existente en el mundo. Establecería el estándar para todos los demás códigos de leyes a seguir en la región y fue anterior al Código de Hammurabi por al menos tres siglos.

Naturalmente, este evento es importante para la historia mundial. Sin embargo, el evento no sería menos importante en el momento en que Ur-nammu realmente lo codificó. Al igual que Urukagina siglos antes que él, Ur-nammu lo hizo para ganarse el favor tanto de los dioses como de los hombres de Ur. Ur-nammu esbozó un código de ley que fue una continuación de una larga tradición de gobernantes acreditados que expresaron cómo "trajeron la ley a la tierra", cómo terminaron efectivamente el caos y establecieron la paz, un ejemplo de lo cual sería el código del rey Urukagina en la ciudad de Lagash. En cierto sentido, esto convertiría a los dioses en iguales, ya que usarían su poder para la benevolencia, o para decirlo de otra manera, generarían un orden habitable para todos, usando su habilidad "divina" para discernir lo que es justo de lo que no lo es. Eventos anteriores, como la carrera a Nippur y la construcción del Zigurat, estuvieron allí para elevar a Ur-nammu a un estado semidivino, pero este lo había mantenido allí, proporcionándole mucha más legitimidad.

Código de leyes de Ur-nammu, Museos de Arqueología de Estambul [11]

La Carrera de Shulgi a Nippur

Si bien la ascensión de Shulgi al trono y sus guerras punitivas contra los nómadas que mataron a su padre demostraron su aptitud para gobernar, fue este evento lo que consolidó a Shulgi como el rey de Ur. Al igual que su padre, se jactó de poder correr a Nippur y regresar en un día, que es lo que hizo (de nuevo, al igual que con Ur-nammu, este hecho podría no haber sido real). La diferencia es que la carrera de Shulgi daría como resultado que todos los gobernantes posteriores obtuvieran automáticamente el dominio sobre Nippur, así como el título de " Rey de las Cuatro Zonas".

Este evento también es notable por establecer a Shulgi como más capaz y poderoso que su padre. Su objetivo era superar a Ur-nammu, y esta era definitivamente la mejor manera de comenzar.

Shulgi Termina el Zigurat de Ur

Es cierto que esto es simplemente parte de un evento más grande, la construcción misma del zigurat, pero no obstante fue importante. La razón principal por la que era importante se refiere a la legitimidad y posición de Shulgi en comparación con Ur-nammu. Tener su nombre inscrito en los muros del zigurat lo había consolidado como el sucesor legítimo de su padre. Se convertía en parte de la historia al instante, y le proporcionaría aún más legitimidad cuando finalmente se proclamara a sí mismo dios.

La Conquista de Amar-sin

Este no es realmente un evento único. Durante el gobierno de Amar-sin, Ur libraría guerras con numerosas ciudades del norte, ya sea con tribus nómadas semíticas, así como con tribus no semíticas, o con ciudades establecidas que se negaron a inclinarse ante Ur. Numerosas tribus fueron aplastadas por el ejército de Amar-sin, y él expandió su territorio para incluir las áreas del norte, controlando efectivamente casi todo el comercio realizado a través de los principales ríos.

Las guerras de Amar-sin son importantes porque Ur estaba en su apogeo territorial. Él solo controlaba vastas franjas de Sumeria y, por lo tanto, había justificado literalmente el título de "rey de las cuatro zonas". Estas guerras consolidarían la posición de Ur como una superpotencia militar, haciendo saber a otras ciudades que su mejor opción era ceder ante ella por completo o evitar librar guerras, para que no fueran aplastadas.

Excavación del Canal de Amar-sin

La razón por la cual este fue un evento importante es bastante evidente. Con este canal, Amar-sin conectó importantes vías fluviales y promovió el riego terrestre en todo su imperio. Las vías fluviales se utilizarían para transportar bienes, estatuas de dioses e incluso servirían como "caminos" tanto para los pescadores como para la gente común. En efecto, este canal significaría para Ur y su imperio lo mismo que las carreteras de Shulgi para la ciudad: mejoró enormemente la infraestructura para todos.

Shu-sin Construye el Muro Exterior

Los esfuerzos de Shu-sin para construir un muro eran para evitar que los amorreos tuvieran un significado histórico. Este fue el evento donde el área de Ur finalmente logró fronteras "físicas". Pero lo más importante, este fue el evento que consolidó la idea de cuán poderosa amenaza eran las tribus amorreas que seguían avanzando sobre la poderosa ciudad. Shu-sin ya comandaba campañas militares contra otras tribus del norte, como la campaña contra Simanum, donde se casó con una de sus hijas, pero ninguna de estas campañas lo obligaría a hacer un movimiento defensivo tan monumental como construir un muro como el que detendría los avances de los amorreos.

El Primer Saqueo de Ur

Lo peor que le puede pasar a un gobernante es que un evento que marca el final de su reinado sea más recordado que él mismo. Ibbi-sin lo sufrió siendo el gobernante el mayor responsable de la pérdida total de la gloria de la ciudad. Este evento marcaría la muerte completa de Sumeria y allanaría el camino para el dominio semítico de la región, de una forma u otra, durante muchos milenios por venir. También fue un evento importante porque dio lugar a dos nuevos poderes, aunque menores, en la región, uno menos conocido en Isin y otro un poco más conocido en Larsa. Finalmente, el poder cambió de Ur a dos ciudades diferentes, aunque en realidad, la mayoría de las otras ciudades efectivamente eran independientes.

Sin embargo, el evento más crítico dentro de este período que eclipsaría los mencionados en el párrafo anterior fue la destrucción de la ciudad bajo los elamitas. Este evento produjo un género completamente nuevo de arte sumerio conocido como poesía de lamentación, donde se escribió que los dioses mismos decidieron abandonar la ciudad. Tan poderosa fue la destrucción de Ur y tan humillante la derrota de Ibbi-sin por los elamitas (que también incluyó el surgimiento de su advenedizo exgobernador Ishbi-erra y su eventual reinado) que resonaría durante muchos, muchos años en el futuro. Era la antítesis perfecta del poder que Ur había mantenido durante siglos, literalmente, fue lo que hizo que la ruina total de la ciudad fuera aún más dolorosa.

El Segundo Saqueo de Ur

Samsu-Iluna es responsable del segundo evento más doloroso en la historia previa al abandono de Ur. Sin embargo, Ur no fue la única ciudad que sufrió este destino. Rim-Sin II, un advenedizo, lideró una rebelión contra el emperador babilónico de Larsa. Obligado a retroceder por el ejército de Samsu-Iluna, Rim-Sin se movió más hacia el sur, lo que en efecto hizo que Samsu-Iluna arrasara con todas las ciudades allí, incluso las que personalmente reconstruyera él, como Ur. Arrasó con la mayoría de las áreas residenciales, les prendió fuego, destrozó el canal y saqueó tanto como fue posible, dejando a Ur en ruinas. Fue importante porque dejó a Ur en las garras de la irrelevancia histórica hasta que los casitas tomaron el control, lo que fue un duro golpe considerando que lentamente se estaba recuperando al antiguo gobierno babilónico.

El Renacimiento Menor de Nabónido

Muchos gobernantes hicieron varios trabajos en la ciudad, pero ninguno emprendió tantos proyectos de reconstrucción masiva como Nabónido. La importancia de su actividad en Ur fue enorme. Era más que un simple gobernante fortificando un territorio. Ur estaba volviendo a la fama debido a las creencias religiosas de Nabónido. Era la primera vez en siglos que un gobernante trataría a Ur en igualdad de condiciones con una ciudad importante diferente. Como tal, era un momento en que los ciudadanos podían disfrutar nuevamente del comercio y la prosperidad económica. Literalmente, fue la última vez que hubo una actividad de este tipo en la ciudad, ya que los años siguientes marcarían una declinación tras otra.

Redescubrimiento

A principios del siglo XIX, vemos los primeros esfuerzos del coronel Cheney y J. Baillie Fraser por visitar Ur y planificar posibles excavaciones en el futuro. En otras palabras, 1835 sería el primer año en que se reavivaría un gran interés en Ur. Claro, Pietro della Valle la visitó en 1625 durante un corto tiempo, sin hacer nada más que llevarse algunos recuerdos consigo a Italia, pero fue el siglo XIX el que vio despertar una curiosidad arqueológica por la antigua ciudad. Y muy pronto, la gente volvería a pulular en ella, proveniente de muchas naciones y orígenes. Estaba viva e importante otra vez, pero de una manera completamente diferente. Sin embargo, fue durante las excavaciones de Sir Leonard Woolley a partir de 1922 que Ur realmente "volvió a la vida", iniciando una ola masiva de interés académico, que inevitablemente conduciría a publicaciones que continuamente se harían preguntas sobre Ur, como el libro que tienen en sus manos ahora mismo.

Capítulo 8 - Abraham de Ur: la Importancia de la Figura Bíblica

Salgamos un poco de la ciudad y analicemos la figura más famosa no perteneciente a la realeza que surgió de allí, una figura que influiría en no menos de las tres religiones más importantes del mundo: Abraham.

Hay unas buenas razones por la cual el judaísmo, el cristianismo y el islam se denominan colectivamente religiones abrahámicas. La figura de Abraham desempeña un papel destacado en ellas, así como dos religiones más que surgieron de él, el Babismo y la Fe Bahaí.[12] Como el padre del monoteísmo y uno de los primeros Mensajeros de Dios, Abraham, casi sin ayuda, marcaría el comienzo de una nueva era de creencias en el Viejo Mundo, cuyas tradiciones permanecen hasta el día de hoy en todo el mundo.

Según la tradición, Abraham, o Abram, nació como hijo de Taré, él mismo descendiente de Noé; en la ciudad que la Biblia llamaría "Ur de los caldeos". Los estudiosos no están del todo seguros en que el área fuera en realidad Ur. Algunos han sugerido Urum, una ciudad sumeria diferente; mientras que otros se centran más en la región en sí, que

---

[12] Cabe señalar que la investigación sobre este aspecto de Abraham provino de una fuente que está sesgada en gran medida hacia el estilo de vida Bahaí, debido a que la propia autora es Bahaí. Se recomienda encarecidamente tomar sus palabras con pinzas a la luz de esta información.

simplemente llevaba el nombre de Ur debido a su importancia. Taré tenía una pequeña tienda donde se hacías ídolos, algo en lo que el joven Abraham debió ser igual de eficiente, pero finalmente se negó a hacerlos debido a sus creencias habían cambiado. La tradición también nos habla de cierto Nimrod, que en ese momento era rey y que tuvo un sueño en el que Abraham lo eclipsaría como la nueva estrella en ascenso. Esto finalmente resultó en que Abraham fuera exiliado a Harán, de donde sería exiliado de nuevo a Canaán, la tierra que ahora comprende el Israel moderno.

Sin embargo, no se sabe que hubiera existido un gobernante llamado Nimrod en Sumeria en el momento en que presumiblemente naciera Abraham, cerca del final del tercer milenio antes de Cristo. De hecho, fue el momento en que la Tercera Dinastía de Ur todavía estaba activa y en auge. Se ha establecido un paralelismo entre el Nimrod bíblico y casi todos los gobernantes de la dinastía Ur III, la mayoría creyendo que fue Ur-nammu (quien encargó la construcción del gran zigurat, se cree popularmente que inspiró la historia bíblica de la Torre de Babel) o Amar-sin. Es tentador pensar que Abraham, si realmente hubiera existido en ese momento, fuera de origen Ur, este pensamiento lo promovería aún más el mismo Abraham, habiendo extendido la familia hasta Harán, otro lugar donde se adoraba al dios de la luna Nanna. En este aspecto religioso, estas "ciudades hermanas" probablemente habrían tenido familias que iban de una a otra, especialmente en el apogeo del poder de Ur.

Sin embargo, la evidencia histórica no menciona a ninguna persona en Ur que en ese momento predicara puntos de vista monoteístas, o al menos no se ha descubierto ninguna evidencia hasta el momento. Además, está registrado que Nimrod adoraba el fuego, aún más, todos los gobernantes de Ur, incluso miles de años después de que los sumerios se hubieran ido, adoraban al dios de la luna. Además, el linaje de Nimrod que se da en la Biblia hebrea, no corresponde a ninguno de los reyes sumerios de Ur según la evidencia.

Sin embargo, las historias bíblicas, al menos cuando se trata de eventos de la vida real, deben tomarse como alegorías o de naturaleza medio-mítica. Abraham, al igual que los reyes más antiguos de Sumeria, tuvo una vida anormalmente larga, al menos según el calendario lunar. Pero incluso con el calendario solar normal, habría tenido que ser un ser humano excepcional como para engendrar en sus últimos años no menos de ocho hijos de tres esposas diferentes.

Sin embargo, dejando de lado las discrepancias, la figura de Abraham fue de gran influencia en las religiones abrahámicas. Se lo representa como uno de los fundadores del judaísmo, el primer verdadero hebreo y el padre de su pueblo. En el cristianismo, aunque no es tan prominente, Abraham todavía ocupa un lugar importante como hombre de fe pura y no de devoción ciega. Los musulmanes también consideran a Abraham, o Ibrahim, como su padre espiritual, un concepto que el babismo continuaría. Por otro lado, los Bahaí ven a Abraham como uno de los muchos Mensajeros de Dios, al igual que El Báb, Mahoma, Jesús y Moisés que vinieron después. Abraham es visto como una de las personas que tienen el derecho divino de predicar la palabra de Dios sin ser una representación de Dios mismo. Las cinco religiones afirman que sus hombres santos son descendientes directos de Abraham, ya sea por su primer hijo Ismael, su segundo hijo Isaac o sus otros seis hijos. En cierto sentido, Abraham es ese vínculo que hace que todas estas religiones estén entrelazadas y relacionadas entre sí.

Pero Abraham también fue importante para los primeros arqueólogos. Woolley, un cristiano devoto, estaba absolutamente seguro de haber encontrado la ciudad de Ur tal como se describe en la Biblia. En 2011, los arqueólogos desenterraron una estructura que denominaron "la casa de Abraham" en honor a él, pero que probablemente fuera solo una especie de edificio administrativo. En realidad, la importancia de Abraham para la arqueología está directamente relacionada con el descubrimiento de Ur. La ciudad probablemente habría permanecido enterrada y sin excavar si Woolley, junto con otros excavadores en gran parte cristianos o musulmanes, no hubieran sido tan religiosos y, por extensión, tan respetuosos con el bíblico Abraham como lo fueron. Gracias a su fe es que los arqueólogos de hoy pueden ver esta Ur, pudo no haber sido "de los caldeos", pero ciertamente perteneció a la antigüedad sumeria.

Conclusión

La vida comenzó en Ur hace casi 6000 años. Pasó de ser una cultura modesta a una de reyes y sacerdotes, y durante su tiempo, pasó de ser la capital de un imperio gigante y altamente desarrollado a una cáscara de su antiguo esplendor. Antes de que los últimos nativos se fueran, Ur tuvo interminables altibajos, flujos y reflujos, y luego, en un punto, simplemente se detuvo.

Pero la curiosidad de la mente humana prevaleció y Ur resurgió de la manera más magnífica. Tanto las personas de mentalidad religiosa como científica ansiaban penetrar sus numerosos secretos. Estos últimos querían saber todo lo que pudieran sobre el hombre primitivo: cómo se comportaba, qué construyó, cómo vivió, cómo murió, cómo trató a sus semejantes, cómo trató a su Dios o dioses, cómo formó una familia, cómo se ganaba la vida e incluso cómo se divertía. El primer grupo no se preocupaba demasiado por las "personajes importantes" de Sumeria, sino más bien para un individuo que influyó en su propia fe, uno que resultara provenir de esta ciudad "de los caldeos". Y muy pronto, incluso las personas comunes y corrientes querían un pedazo de esta fascinante ciudad.

Y así de fascinante fue. No muchas ciudades en el mundo pueden presumir de la primera posada, el primer "corredor de larga distancia", el primer código apropiado de las leyes, el mejor comercio, las mejores artesanías y el edificio religioso más alto y enorme que sus vecinos inmediatos conocieron y muchos intentaron imitar. Tampoco pueden presumir muchas ciudades de que, por sí solas, comenzaran un verdadero renacimiento del mundo antiguo, ni pueden lamentarse por su pérdida de la misma manera que lo hizo Ur. No muchas ciudades podrían reclamar su importancia bíblica, que corre paralela a su significado arqueológico y científico. Ur no es más que una de las pocas que puede.

Incluso hoy, Ur inspira a personas con diversos intereses. Los lingüistas se acercan para ver cómo evolucionó el lenguaje escrito a lo largo de los siglos, considerando cuán prominente era el cuneiforme temprano. Los legisladores estudian sus leyes, y los políticos miran su historial legal para ver qué funcionó y qué no. Los arquitectos estudian el pequeño Zigurat y otros templos asociados para ver cuáles eran las soluciones simples que los antiguos sumerios aplicaron a problemas complicados. Los expertos en herramientas observan las sierras, los puñales y los artefactos asociados para observar los cambios y detectar cuando las herramientas cambiaron de "útiles" a "buenas". Los artistas observan la cerámica, las estatuas, las estelas, los instrumentos y otras obras de arte para ver de dónde viene todo otro arte, cómo se desarrolló con el tiempo y hacia dónde iba. Los escritores profundizan en los muchos cuentos y poemas que la ciudad tiene para ofrecer, inspeccionándolos y buscando esa obra de literatura "original" que impulsaría toda otra literatura. Y, por supuesto, los turistas buscan aprender un poco de historia, tener una visita agradable y, en última instancia, tener una historia fascinante para contar a su progenie. Porque, en última instancia, eso es lo que hace que Ur sea tan prominente ahora como lo fue antes: el hecho de que su historia sea inmortal y que seguirá viviendo durante al menos 6000 años más.

Cuarta Parte: Historia de Asiria

Una guía fascinante de los asirios y su poderoso imperio en la antigua Mesopotamia

Introducción

Situado en el actual Irak, la antigua Mesopotamia, la tierra entre los grandes ríos Tigris y Éufrates, fue donde todo comenzó. Es la parte del mundo donde hace unos 6.000 años la gente finalmente se despidió de sus vidas de cazadores y recolectores, y comenzó a cultivar e iniciar la construcción de civilizaciones. Es de estas civilizaciones de donde obtenemos algunas de las más famosas contribuciones a la historia y cultura mundial, desde la *Epopeya de Gilgamesh* hasta el famoso código de leyes de Hammurabi, que dio origen al popular dicho "ojo por ojo".

La historia de Mesopotamia está llena de fronteras en constante cambio, civilizaciones en ascenso y descenso y, por supuesto, guerra y conquista. Los primeros imperios del mundo surgirían aquí y pasarían miles de años intercambiando territorios, intercambiando alianzas y luchando por la supremacía. Era un juego de riesgo en la vida real que jugaban algunos de los líderes más venerados y temidos del mundo.

Pero de todas las civilizaciones famosas que han surgido de Mesopotamia, una lista que incluye a los acadios, los sumerios y los babilonios, son los asirios los que merecen la fama y la gloria. El imperio que construyeron en el curso de unos 1.200 años sobrevivió a constantes ataques, unas cuantas derrotas, y la famosa Edad Oscura conocida como la Edad de Bronce se derrumbó para convertirse en uno de los mayores y más expansivos imperios que el mundo haya visto jamás.

Después de establecerse a lo largo de las orillas del río Éufrates en Assur, en torno al 2500 a. C., el Imperio asirio, a finales de la mitad del siglo VII, controlaría más territorio del que cualquier otro imperio mesopotámico podría reclamar. Los carros asirios rodaban a lo largo del río Nilo en Egipto, mientras que los reyes de Arabia, Palestina, Siria, Anatolia y Fenicia eran casi todos vasallos de los poderosos reyes-dioses asirios.

Su despiadada forma de guerra de asedio y su brutal castigo a cualquiera que se atreviera a interponerse en su camino les valió una reputación en toda Mesopotamia como una fuerza que no debía ser subestimada. Pero durante esta época de dominio militar, los asirios también contribuyeron al avance de la civilización humana. Hicieron copias de algunos de los textos antiguos más famosos del mundo mientras creaban muchas obras nuevas propias. Científicos y matemáticos acudieron en masa a las bibliotecas de Nínive para estudiar y compartir el conocimiento del mundo antiguo, y los artistas ayudaron a retratar a las generaciones futuras la gloria de los reyes y dioses asirios.

Pero el dominio asirio de Mesopotamia no duraría para siempre. Tal vez condenada por sus propias ambiciones, Asiria eventualmente creció demasiado como para manejarse. Sus enojados y poderosos vecinos se unieron y se aprovecharon de Asiria cuando le dieron la espalda, y a finales del siglo VII, las tres principales ciudades asirias, Calaj, Assur y Nínive, habían sido saqueadas, y un nuevo poder, el Imperio neo-babilónico, iba a gobernar Mesopotamia durante los siglos siguientes.

Sin embargo, aunque el período de dominación asiria terminaría aparentemente poco después de haber comenzado, la historia de cómo estos pueblos semitas comenzaron de la nada y crecieron hasta convertirse en uno de los imperios más poderosos del mundo es emocionante, aterradora y única. Y con nuevas pruebas que se descubren constantemente, es una historia con muchos secretos por revelar.

Capítulo 1 - Los asirios llegan a Mesopotamia: El comienzo del período asirio

La mayoría de los historiadores dividen la larga historia de los asirios en cuatro períodos: 1) el período temprano asirio (c. 2600-c.2025 a. C.), 2) el Imperio antiguo asirio (c. 2025-1378 a. C.), 3) el Imperio asirio medio (1392-934 a. C.), y 4) el Imperio neoasirio (c. 911-609 a. C.).

Como era de esperar, no se sabe mucho sobre el período temprano asirio. Existe poca evidencia arqueológica que pueda pintar un cuadro exacto de cómo podría haber sido la vida, pero se puede tener una idea general basada en los escritos y la evidencia dejada por las civilizaciones cercanas, específicamente los acadianos.

El término asirio se deriva del nombre de la capital asiria, Asur, que muy probablemente se llama así por el dios Assur, que los asirios creían que era el rey de todos los dioses mesopotámicos. Los historiadores creen que la gente vivía en el sitio de Assur ya en el 2400 a. C., pero fue usado principalmente como puesto de avanzada por los reyes sumerios y acadios. Assur se convertiría en una ciudad-estado autónoma a finales del tercer milenio a. C. (c. 2100 a. C.).

Durante el tiempo transcurrido entre la fundación de Assur y el surgimiento del Imperio antiguo asirio, Assur fue en gran medida un estado vasallo del Imperio acadio, mucho más grande, que dominó la Mesopotamia en el tercer milenio controlando la mayor parte del territorio que rodeaba los ríos Tigris y Éufrates. La figura 1 muestra la extensión del territorio controlado por los acadios durante el punto álgido de su influencia.

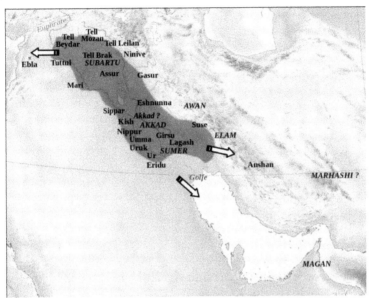

Algunos afirman que el Imperio acadio fue el primero del mundo, aunque es difícil verificar esta afirmación, ya que la comprensión de lo que define un imperio difiere, y es posible que las anteriores civilizaciones sumerias puedan reclamar este título. No obstante, el período acadio es significativo en el sentido de que fue la primera vez que un organismo político pudo unir a las poblaciones de habla sumeria y acadia bajo un mismo gobierno.

La lengua asiria es una lengua semítica, que describe el grupo de lenguas afro-asiáticas que surgieron en el Medio Oriente. Los idiomas semíticos más hablados todavía hoy en día son el árabe, el amhárico (hablado principalmente en Etiopía), el tigrinya (hablado principalmente en Eritrea y Etiopía) y el hebreo. Después del Imperio acadio, el idioma acadio -el primer idioma semítico que cobró importancia en la región- sustituyó al sumerio como idioma de Mesopotamia. En los milenios posteriores a la caída de los acadios, las lenguas semíticas llegarían a dominar Mesopotamia, algo que resultaría bastante útil para Asiria cuando comenzara a desplegar su poder imperial.

Durante los tiempos acadios y sumerios, Asiria se denominaba en los mapas como Subartu, y aunque se desconoce la ubicación exacta de Subartu, se cree que estuvo en las regiones septentrionales de Mesopotamia, cerca del nacimiento del río Tigris. Los acadios utilizaban tradicionalmente esta región como fuente de esclavos, y en general se consideraba el puesto avanzado más lejano del Imperio acadio.

La Lista del Rey asirio documenta los diferentes reyes asirios a partir de la aparición inicial de los asirios alrededor de Assur. La lista fue escrita en una piedra de terracota en escritura cuneiforme -la escritura creada en Mesopotamia que se acredita como uno de los orígenes de la escritura moderna- y se divide típicamente en tres grupos.

El primer grupo, "Los reyes que vivían en tiendas de campaña", se refiere a los líderes de las tribus seminómadas que se establecieron por primera vez en el área que rodea a Assur. El rey más notable de este grupo es Ushpia, pues se dice que fue el rey que construyó el Templo de Assur, momento que a menudo se considera como la fundación de la ciudad de Assur y el nacimiento de la civilización asiria.

Siguiendo a este grupo están "Los Reyes Cuyos Padres son Conocidos", que enumera 11 reyes que gobernaron desde c. 2030 a. C. hasta c. 2000 a. C. Un aspecto interesante de esta parte de la lista es que fue escrita en orden inverso, y a veces se interpreta como una lista de los antepasados de Shamshi-Adad. Esto ha llevado a algunos estudiosos a concluir que la lista fue creada de hecho como un intento de legitimar el reclamo de Shamshi-Adad al trono asirio, pero esta no es una interpretación ampliamente aceptada. El tercer grupo de la lista es el de los reyes cuyos nombres se conocen, pero cuyo linaje ancestral no se puede determinar.

La mayoría de los reyes de esta lista, sin embargo, no eran soberanos independientes, sino vasallos de otros líderes, sobre todo los del Imperio acadio. A veces esto era indeseable, específicamente cuando los líderes acadios necesitaban esclavos y se dirigían al territorio asirio para conseguirlos. Pero en otros momentos, fue extremadamente beneficioso. Por ejemplo, una de las fuentes de poder asirio eran sus puestos de comercio, también conocidos como karem. Establecieron varios de ellos en Anatolia (la parte oriental de la Turquía moderna), y con frecuencia recurrían al apoyo de sus gobernantes acadios para ayudarles a hacer frente a los asaltantes u otras fuerzas hostiles que se encontraban cerca de sus puestos comerciales. Sin embargo, los períodos de debilidad acadiana solían estar marcados por las rebeliones asirias, ya que los reyes asirios trataban de ejercer más poder sobre el territorio que llamaban su hogar. Pero, cuando esto ocurría, normalmente recibía una dura respuesta de los gobernantes acadios. Las personas eran asesinadas o llevadas a la esclavitud como castigo por la insurrección.

El período temprano asirio no es más que una sombra de lo que la civilización asiria se convertiría en los próximos milenios, pero es significativo en el sentido de que sentó las bases de lo que se convertiría en una de las civilizaciones más poderosas y formidables del mundo antiguo. Los primeros asirios se organizaron en una monarquía con Asiria como capital, y su comercio con Anatolia al oeste les ayudó a crecer tanto en tamaño como en influencia. Mientras que militarmente eran todavía débiles en comparación con sus vecinos, esto pronto cambiaría, y la influencia asiria crecería en la región, dando lugar a lo que se conoce como el Imperio antiguo asirio.

Capítulo 2 - El nacimiento de una civilización: Del Imperio Antiguo Asirio al Imperio Asirio Medio

El siguiente período de la historia asiria da nacimiento al Imperio asirio original. Aunque sería mucho más pequeño que cualquiera de los imperios que vendrían después, resultaría ser una parte crucial del desarrollo de la historia asiria. Durante este tiempo, se establecieron las fronteras iniciales de Asiria, y el país comenzó a cultivar su tradición militar, fabricando armas, desarrollando tecnología de asedio como catapultas, planificando campañas, y participando en otras actividades que eventualmente resultarían en que los militares se convirtieran en el mayor activo de Asiria. El Imperio antiguo asirio dio paso al Imperio asirio medio después de que el Reino de Mitanni tomara el control de gran parte de Mesopotamia. Sin embargo, esta derrota no sería más que un punto en el radar en la ascensión de Asiria al imperio más poderoso de la antigua Mesopotamia.

El Imperio Antiguo Asirio

Es importante considerar siempre la historia de Asiria en su contexto. El Imperio asirio surgió de los poderosos reinos que se elevaron a la prominencia después del declive del poder sumerio y babilónico en la región. Como lugar de nacimiento de la civilización humana, la antigua Mesopotamia se define por la guerra constante, las esferas de influencia siempre cambiantes y las alianzas en continua transición entre los diferentes gobernantes y poblaciones. También se define por su demografía, específicamente el papel de los muchos y diferentes grupos étnicos que emigrarían a Mesopotamia, se asentarían y extenderían su influencia sobre los territorios y reinos circundantes.

El Imperio asirio se refiere al territorio que estaba bajo el control del rey que residía en la ciudad de Assur (a veces pronunciado Ashur) y que logró asegurar un reclamo legítimo al trono. Aunque hay referencias a una ciudad de Assur desde el tercer milenio a. C., la mayoría de los historiadores consideran que la construcción del Templo de Ashur en el año 1900 a. C. fue la fecha de fundación de la ciudad de Assur y de la civilización asiria.

Como muchas otras ciudades-estado de Mesopotamia, Asiria se independizó tras la caída de Ur y del Imperio sumerio alrededor del año 2000 a. C. Y debido a su ubicación en el noroeste de Mesopotamia, fue capaz de resistir la influencia de otros reyes más poderosos que surgieron en el sur de Mesopotamia. Sin embargo, aún más significativas para el surgimiento de Assur fueron las relaciones comerciales que logró construir con Anatolia, la región situada en la porción oriental de la actual Turquía.

Al establecer puestos comerciales, conocidos como karem, en toda Anatolia, en gran parte cerca de la ciudad de Kanesh, los mercaderes de Assur pudieron acumular considerables riquezas para su reino. Estas relaciones comerciales también tuvieron otra consecuencia importante, ya que ayudaron a Asiria a desarrollar una fuerte tradición de trabajo del hierro, algo que les ayudaría a desarrollar un ejército muy superior al de cualquiera de los otros reinos mesopotámicos. Y debido a su experiencia con el hierro, estaban mucho más preparados para resistir el colapso de la Edad de Bronce, el período de tiempo justo antes del comienzo del primer milenio a. C., que causó que muchas de las poblaciones de Mesopotamia disminuyeran e incluso desaparecieran.

A pesar de lo ventajoso de este acuerdo para el reino de Assur y lo influyente que fue en ayudar a los asirios a alcanzar el dominio político y militar en Mesopotamia, pasaría bastante tiempo entre la caída de Ur y el surgimiento de los asirios como el hegemón de la región.

La migración masiva de poblaciones indoeuropeas como los hititas, amorreos, huracanes, hatianos y muchos otros, alteraría drásticamente el paisaje político del Creciente Fértil que se inicia alrededor del año 2000 a. C. Antes de que Asiria llegara al poder, tendría que establecer su dominio contra estos grupos.Pero esto resultaría difícil al principio, ya que Babilonia, una ciudad del suroeste de Mesopotamia, se estaba expandiendo rápidamente tanto en influencia cultural como territorial, culminando en lo que se conoce como el "Viejo Imperio babilónico", que estaba gobernado por el ahora famoso Hammurabi y su infame código legal.

Con el surgimiento de Babilonia, Asiria se convirtió en una potencia secundaria en la región, pero aun así logró mantener cierto nivel de independencia, ayudada por las conquistas militares del primer rey del Imperio antiguo asirio, Shamshi-Adad I (1813-1791 a. C.). Su principal objetivo era tratar de tomar el control de la ciudad de Mari, un reino que era una parada importante en la ruta comercial entre Mesopotamia y Anatolia. Sus exitosas conquistas ayudaron a Asiria a establecer fronteras más firmes de lo que habían sido capaces de hacer anteriormente. Shamshi-Adad I también tuvo éxito en expulsar a los hititas, un poder creciente en Anatolia, de las tierras asirias.

Babilonia cayó en el momento de la muerte de Hammurabi en 1750 a. C., y Mesopotamia fue empujada a un período de inestabilidad. Los reyes asirios intentaron afirmar el control sobre la región que rodeaba a Assur, con la esperanza de restaurar el orden en un territorio que había quedado en ruinas tras la caída de la poderosa Babilonia de Hammurabi. Pero no tuvieron éxito.

No fue hasta casi 25 años más tarde, alrededor de 1726 a. C., cuando el rey asirio Adasí llegó al poder y fue una vez más capaz de asegurar el control de las fronteras asirias. Incluso pudo poner bajo su control algunos antiguos territorios babilónicos, pero esto duraría poco, ya que los casitas, un grupo relativamente desconocido originario de las Montañas Zagros y que no hablaba una lengua semítica, tomaron el control de Babilonia y pudieron mantenerla durante la mayor parte de los cuatro siglos siguientes. Sin embargo, después de asegurar Assur y los territorios que la rodeaban, el rey Adasi hizo pocos intentos de expandir la influencia asiria en la región durante los siguientes siglos.

Los siguientes siglos, que representan el fin del Imperio antiguo asirio, no vieron mucho en términos de expansión imperial. No se sabe mucho sobre los reyes que vinieron después de Adasi. A su sucesor, Bel-Bani (c. 1700-1691 a. C.) se le atribuyen más victorias sobre los babilonios y los amorreos (otro grupo cuya influencia se estaba expandiendo al oeste de Asiria), y se dice que estas victorias ayudaron a Asiria a mantener unas fronteras fuertes a lo largo de este período de tiempo.

Después de Bel-Bani surgió Libaya, que se dice que gobernó sobre una Asiria relativamente pacífica y estable, una que fue dejada en gran parte por sus vecinos constantemente en guerra. No está claro si esto se debe a algo que Libaya hizo como gobernante, o si su tiempo como rey coincidió con un período de relativa inactividad de los reinos de Mesopotamia. A la mayoría de los reyes que gobernaron durante los siguientes siglos se les atribuyen victorias militares menores y también la mejora de las ciudades bajo control asirio, sobre todo Assur y Nínive.

Sin embargo, una de las razones por las que la expansión asiria se estancó durante este período se debió al sorprendente, efímero y decisivo dominio de uno de sus vecinos, los Mitanni, que llegaron a dominar hacia el año 1500 a. C. y lograron asegurar una gran sección del territorio mesopotámico en un período de tiempo relativamente corto. Existe poca información sobre cómo los Mitanni fueron capaces de obtener tanto control tan rápidamente. Parece como si hubieran aparecido de la nada, pero esto es probablemente debido a la falta de recursos con respecto a este reino. Sin embargo, jugaron un papel importante en la conformación de la región en este punto particular de la historia.

En este momento particular, la dinastía Casita estaba ganando influencia en Babilonia y una vez más expandiendo la influencia babilónica en la región. Con el reino de Mitanni creciendo su poder hacia el oeste, Asiria se había encajado entre dos poderes más fuertes, resultando en que Assur y otros territorios asirios cayeron brevemente bajo el control de Mitanni. La figura 2 representa un esbozo de cómo habría sido la región en este período de tiempo:

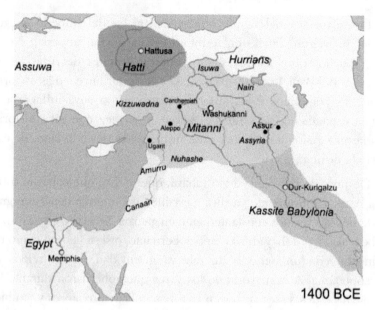

1400 BCE

No es sorprendente que, considerando la extrema inestabilidad de la época, la fortaleza de Mitanni no duró mucho tiempo. Los hititas del oeste lanzaron una invasión bajo el Rey Suppiluliuma I y lograron hacer retroceder a los mitanianos, reemplazando a los líderes de Mitanni por hititas. Al mismo tiempo, los reyes asirios pudieron ganar influencia en la corte de Mitanni (que ahora estaba mayormente controlada por los hititas), y esto abrió la puerta para que los asirios volvieran a expandir su influencia en el territorio que rodeaba a Assur.

La figura 3 demuestra cómo el paisaje político de la región cambió en solo 50 años. Asiria tiene ahora un territorio claramente definido al que llamar suyo, y el reino hitita se ha expandido enormemente, dejando a los Mitanni prácticamente fuera del panorama.

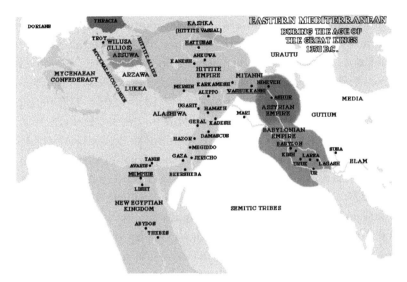

Los historiadores generalmente usan este momento para marcar el cierre del Imperio antiguo asirio. Aunque la influencia asiria durante este período palidece en comparación con lo que sería durante los futuros imperios, su importancia no puede ser descontada.

Es durante este tiempo que Asiria comenzó a establecerse como una potencia en la región. La caída del Mitanni abrió la puerta para que los asirios tomaran el control del territorio que este efímero reino había controlado, y gracias a un tratado acordado con los reyes casitas de Babilonia, no había ninguna amenaza abrumadora en el sur. Las victorias militares obtenidas durante este período de expansión fueron los cimientos de una tradición de guerra que más tarde provocaría temor en los corazones de otras civilizaciones mesopotámicas, creando la oportunidad de que los asirios se convirtieran en el pueblo más poderoso de la región.

Imperio Asirio Medio

El período de expansión que se produjo después de la caída del Imperio antiguo asirio prepararía a Asiria para un éxito a largo plazo. El colapso de la Edad de Bronce que ocurrió hacia el final del 2do milenio a. C. causó que la mayoría de las civilizaciones mesopotámicas casi desaparecieran. Sin embargo, debido a la fuerza del Imperio asirio en el momento del colapso, sobrevivirían, y esto les permitió emerger como el verdadero hegemón de la región. Sin embargo, antes de que esto pudiera suceder, el Imperio asirio pasaría por un período de expansión dramática y cerca del colapso.

Alrededor del año 1350 a. C., después de que los asirios lograron asegurar el control del territorio que una vez fue controlado por los mitanianos y luego por los hititas, los hititas se defendieron, manteniendo a los asirios a raya e impidiendo que se expandieran más. Finalmente, el rey asirio Ashur-uballit I (c.1353-1318 a. C.) fue capaz de derrotar a las restantes fuerzas de Mitanni que estaban controladas por los hititas. Dos reyes más -cuyos nombres se desconocen- vendrían después de Ashur-uballit I, pero no conseguirían extender el alcance del territorio asirio. No sería hasta el ascenso del Rey Adad-nirari I (c. 1307-1275 a. C.) que Asiria comenzaría a expandirse drásticamente. Se las arregló para expulsar a los hititas de sus bastiones, tomando el control de algunas de sus principales ciudades mientras tanto. Esto marca la primera expansión genuina de Asiria más allá del territorio que rodea a Assur, dándoles el control de una porción significativa de tierra que se extendía hacia el oeste de Anatolia.

Adad-nirari I comenzó una política de deportación que se convertiría en estándar para la mayoría de los gobernantes asirios. A medida que las tierras eran conquistadas, sistemáticamente reubicaba grandes sectores de la población. Esta decisión demostró ser un medio eficaz para construir un imperio, ya que dio a los líderes la oportunidad de distribuir estratégicamente la población.

Sin embargo, es importante señalar que el tipo de deportación que tuvo lugar durante los tiempos de los asirios no es el mismo tipo de deportación que pensamos hoy en día. En los tiempos modernos, este término evoca imágenes de personas que son expulsadas de sus hogares y, en algunos casos, son llevadas en grandes manadas de un lugar a otro -el Camino Americano de las Lágrimas, en el que innumerables indígenas americanos fueron enviados desde sus tierras en el sur americano a reservas estériles en el oeste, es un ejemplo clásico- pero no es una descripción justa de las prácticas de deportación llevadas a cabo por los líderes asirios.

De hecho, la deportación asiria fue mucho más calculada. Hay pruebas que sugieren que los líderes asirios planificaron cuidadosamente a quién enviarían a dónde, prestando especial atención a las necesidades del país. Escribas y eruditos fueron enviados a centros urbanos donde podían continuar sus estudios, y otros artesanos cualificados fueron enviados donde podrían usar sus habilidades de la manera más efectiva. No todos fueron elegidos para ser deportados, y las familias rara vez fueron separadas. Aquellos que se quedaron en sus casas y que no se resistieron fueron, en general, absorbidos por la cultura asiria y con el tiempo serían tratados como parientes.

Obviamente, se esperaba lealtad al rey o emperador asirio y la deslealtad se castigaba, generalmente con la deportación, la ejecución o la esclavitud. Debido a la crueldad asociada a estas prácticas, y también a la naturaleza en gran escala y contundente de las políticas de deportación asiria, algunos estudiosos modernos han comparado el imperialismo asirio con el de los nazis en el siglo XX. Sin embargo, la mayoría de los estudiosos estarían de acuerdo en que esta no es una comparación justa y en realidad pinta un cuadro inexacto de cómo los reyes asirios realizaban sus operaciones.

Sin embargo, también sería incorrecto presentar esta práctica como una prueba de la arrolladora benevolencia asiria. Los que se resistieron al dominio asirio, o que lucharon contra la deportación, fueron ejecutados o forzados a la esclavitud. Esta práctica estaba en línea con las costumbres de la época. Cuando un nuevo rey tomaba el control de un territorio, exigía a los que vivían allí que declararan la lealtad y los que no lo hacían eran castigados para desalentar futuras insurrecciones.

Esta política de deportación introducida y llevada a cabo por el rey Adad-nirari I fue una de las principales razones por las que pudo conquistar con éxito casi todo el reino circundante de Mitanni. Su hijo, Salmanasar I, continuaría los pasos de su padre, pero fue el hijo de Salmanasar I, Tukulti-Ninurta I (c. 1244-1208 a. C.), quien llegaría más lejos de lo que ningún otro rey asirio había llegado hasta entonces. Fue un exitoso rey militar, pero como estaba interesado en preservar y promover una cultura asiria común, su reinado sentaría las bases de lo que con el tiempo se convertiría en uno de los imperios, si no el más fuerte, de la antigua Mesopotamia.

Específicamente, Tukulti-Ninurta I asumió la responsabilidad de escribir algunas de sus más significativas conquistas, sentando las bases para una historia asiria común, algo de vital importancia para la construcción del imperio. También amplió el sistema de deportación, siendo mucho más metódico en qué persona o comunidad eligió para reubicarse, su objetivo era tratar de maximizar la capacidad de sus conquistas para ayudar a crecer la cultura asiria y la influencia.

Sin embargo, para tan influyente como Tukulti-Ninurta I fue en el desarrollo de la cultura asiria, fue - como es el caso de la mayoría de los reyes asirios - su éxito militar que definió su tiempo como gobernante. Derrotó a los hititas en la Batalla de Nihriya alrededor del año 1245 a. C., lo que puso fin al dominio hitita en la región, abriendo la puerta para que los asirios tomaran el control de gran parte de Anatolia, la región donde una vez habían comerciado, pero de la que habían sido excluidos debido a la creciente influencia hitita.

Además, Tukulti-Ninurta I fue capaz de subyugar al rey casita de Babilonia, poniendo la ciudad y el territorio que influenció bajo el control de los asirios. Cuando los babilonios intentaron retomar su tierra e incluso empezaron a asaltar el territorio controlado por los asirios, Tukulti-Ninurta I respondió saqueando la ciudad de Babilonia. Destruyó muchos edificios, incluyendo templos sagrados, y esclavizó a partes significativas de la población de la ciudad.

Estas campañas significaron que en el momento de la muerte de Tukulti-Ninurta I, el Imperio asirio se extendió a través de la mayor parte de Mesopotamia, empezando por el oeste hasta Carchemish y extendiéndose hasta Babilonia. La figura 4 da una visión de la extensión estimada del Imperio asirio en este momento. Babilonia no está incluida en este mapa en gran parte porque es poco probable que Tukulti-Ninurta I hubiera sido capaz de mantener el control sobre la ciudad durante mucho tiempo, algo que resultará ser una tendencia a lo largo de la historia asiria.

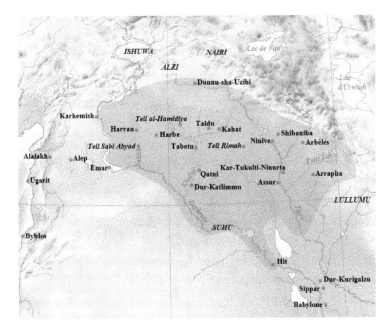

El colapso de la Edad de Bronce y el fin del Imperio asirio medio

Después de la muerte de Tukulti-Ninurta I, el Imperio asirio se estancó, cayendo víctima de lo que los historiadores llaman el colapso de la Edad de Bronce. Esto describe el período de tiempo durante el final del 2do milenio a. C., donde varias grandes civilizaciones colapsaron y eventualmente desaparecieron, siendo absorbidas por reinos más grandes y poderosos. Los efectos del colapso de la Edad de Bronce se sintieron en las civilizaciones que se extendieron desde Grecia hasta los bordes occidentales de lo que hoy es China.

Hay una amplia gama de teorías sobre lo que causó el colapso de la Edad de Bronce. Una de ellas es que los cambios en las condiciones climáticas afectaron dramáticamente la capacidad de estas civilizaciones para producir alimentos, lo que habría obstaculizado gravemente su supervivencia, por no hablar de su expansión. Algunas de las pruebas utilizadas para apoyar esta teoría en realidad provienen de los tiempos modernos. Por ejemplo, una sequía que afectó a Grecia en la década de 1970 fue el resultado de un cambio climático que produjo condiciones secas fuera de temporada en gran parte de las tierras donde existió el colapso de la Edad de Bronce. También hay una teoría de que la erupción del volcán Hekla 3 (H-3) en Islandia en el año 1000 a. C., impactó en la región. Los registros de los tiempos del rey egipcio Ramsés III indican que los egipcios culparon a esta explosión por las hambrunas que estaban experimentando, y algunos climatólogos creen que la erupción del H-3 puede haber creado importantes desafíos climáticos en todo el hemisferio norte que habrían afectado dramáticamente a las civilizaciones humanas de todo el mundo.

Sin embargo, otra teoría que ha cobrado mucha fuerza entre los historiadores es que muchas de las civilizaciones que existieron en esta parte del mundo alrededor del 1200 a. C. todavía dependían en gran medida del bronce para la producción de armas y otras herramientas. Sin embargo, el desarrollo del trabajo del hierro en la actual Rumania y Bulgaria inició un cambio en la forma en que la gente hacía armas y conducía la guerra. Dado que los suministros de bronce más abundantes en la zona provenían de Afganistán, era un reto asegurar este recurso, y alrededor del momento del colapso, el coste relativo de la fabricación de armas estaba aumentando drásticamente.

Esto, combinado con la adopción del hierro por parte de varias tribus guerreras, como los *Sealanders*, que ocuparon el territorio que rodea el mar Negro, dejó a muchas civilizaciones bastante vulnerables a los ataques. Por ello, estas tribus que utilizaban armas nuevas y mejores hechas de hierro pudieron derrotar a ejércitos que de otro modo no tendrían problemas para enfrentarse a ellos, lo que contribuyó a la decadencia generalizada de muchas civilizaciones en Mesopotamia y Asia oriental.

Es difícil probar que alguna de estas teorías sea la causa directa del colapso. Y también es infinitamente más probable que fuera una combinación de todos estos factores diferentes lo que llevó a la eventual desaparición de tantas civilizaciones antiguas. Pero no importa cómo, la realidad es que solo los reinos de Elam -que existe en lo que hoy es Irán, al este del golfo Pérsico- y Asiria fueron capaces de salir del otro lado del colapso de la Edad de Bronce. Y para los asirios, este fue su momento brillante, ya que entraban en el último milenio antes de Cristo listos para asumir el control de la mayor franja de territorio que habían controlado anteriormente.

Pero otra razón por la que Asiria pudo emerger como una fuerza tan poderosa después del colapso es que nunca desapareció. Hay un período relativamente oscuro en la historia asiria desde la muerte de Tukulti-Ninurta I en torno al año 1208 a. C., hasta la ascensión de Tiglath Pileser I en torno al año 1115 a. C., y se cree que durante este período el Imperio asirio se redujo considerablemente, perdiendo el control sobre muchos de los territorios que Tukulti-Ninurta I y sus predecesores habían logrado conquistar. Pero debido a que toda la región se encontraba en estado de crisis, ningún otro reino pudo establecer ninguna forma de control o dominio sobre la gente en Mesopotamia y alrededores.

Mucho cambiaría, sin embargo, en 1115 a. C. cuando Tiglath Pileser I tomó el trono asirio. Utilizando el ejército, Tiglath Pileser I fue capaz de revitalizar la economía, añadiendo recursos al imperio y reubicando las poblaciones de manera estratégica, una práctica que los reyes asirios habían estado utilizando durante algún tiempo. También comenzó a construir ciudades y carreteras. Pero quizás su mayor logro cultural fue la colección de tablillas y guiones cuneiformes. Esta práctica ayudó a expandir significativamente la tradición literaria de Asiria, algo que continuaría hasta el final del período asirio con la famosa biblioteca del Rey Asurbanipal en Nínive.

Las campañas militares de Tiglath Pileser I también ayudaron a extender el alcance del Imperio asirio más allá de lo que cualquier rey había logrado en el pasado. Por primera vez, los reyes asirios pudieron reclamar el dominio de la región conocida como Eber-Nari (el territorio que se extiende a través de la actual Siria, Israel y el Líbano), lo que significa que Asiria tuvo acceso directo al mar Mediterráneo por primera vez en su historia.

Sin embargo, como ya debe quedar bastante claro, un tema común en la historia asiria, y en la de Mesopotamia en su conjunto, es la inestabilidad. El control que el Imperio asirio tenía sobre Mesopotamia en este momento sería efímero. Tiglath Pileser I murió, y le sucedió su hijo, Asharid-apal-Ekur, que esencialmente extendió las políticas de su padre, pero que también solo gobernó durante dos años. El hermano de Asharid-apal-Ekur, Ashur-bel-Kala, tomó el relevo a la muerte de su hermano, y aunque su reinado comenzó sin problemas, pronto se vio sumido en el caos cuando un usurpador desafió al trono. Al final no tuvo éxito, pero la guerra civil que resultó de esta acción lanzó el imperio al caos y lo abrió a los adversarios, que rápidamente se movieron para apoderarse del territorio que Tiglath Pileser I había logrado conquistar.

La primera zona en ir fue Eber-Nari, que los arameos incautaron, eliminando el acceso de Asiria a las valiosas ciudades portuarias del Mediterráneo. Además, Mari y Babilonia volvían a subir al poder, desafiando el control asirio tanto en el norte como en el sur. Durante este período de agitación, fue todo lo que los reyes asirios, incluidos Tiglat Pileser II y Salmanasar II, pudieron hacer para mantener los territorios centrales del Imperio asirio, perdiendo la mayor parte del territorio que habían ganado durante los dos siglos y medio anteriores.

Este período marca el final de lo que se conoce como el Imperio asirio medio. Comienza alrededor del momento en que los asirios cayeron bajo el control del efímero, pero sorprendentemente expansivo Imperio de Mitanni, siendo testigos de la mayor expansión imperial hasta la fecha, y luego termina con los reyes asirios aferrándose con fuerza a los territorios que rodean a Asiria cuando los enemigos de todos los lados comenzaron a fortalecerse y a avanzar en Asiria. Sin embargo, a diferencia del Imperio antiguo asirio, que desapareció por completo, el Imperio asirio medio permanecería en gran parte intacto, preparando el terreno para el mayor período de la historia asiria en términos de territorio controlado y dominio militar. Es un período conocido como el Imperio neoasirio, o en algunos casos, el Imperio asirio tardío.

Sin embargo, antes de ir demasiado lejos en esta era de Asiria, es importante recapitular algunos de los temas comunes del primer milenio de la historia asiria. A estas alturas, debería quedar claro que el dominio militar es el secreto del poder en Mesopotamia. Como centro de la migración masiva tanto del Este como del Oeste, y también como una de las partes habitadas más antiguas del planeta, grandes y poderosas ciudades aparecieron relativamente cerca unas de otras. La lucha por los recursos y la gloria era sangrienta y constante.

Además, la rebelión era frecuente, lo que significaba que los líderes a menudo tenían que hacer la guerra para reconquistar los territorios tomados por los predecesores. Sin embargo, a pesar de toda esta guerra, se produjeron importantes avances culturales y científicos, en concreto el uso cada vez más extendido de la escritura, así como la difusión del trabajo del hierro. Todo esto prepararía el escenario para el Imperio neoasirio. La historia les había enseñado que, para mantener el control de una gran extensión de territorio, se necesitaría una fuerza militar brutal y calculada, y a medida que el calendario pasaba del año 1000 a. C. al 999 a. C., los reyes asirios tuvieron finalmente la determinación y la tecnología para convertirse en uno de los imperios más poderosos e influyentes que jamás hayan existido en el mundo antiguo.

Capítulo 3 - El comienzo del Imperio Neoasirio

El período de tiempo desde c. 911 a. C., hasta c. 607 a. C., se conoce como el Imperio neoasirio, y marca el período más glorioso del Imperio asirio. Es durante este tiempo que el Imperio asirio crecería para controlar lo que entonces se consideraba las "Cuatro Esquinas del Mundo". Muchos pueden reconocer esta frase de la Biblia, y se utilizó para describir los territorios bordeados por algunos de los mayores ríos del antiguo Cercano Oriente, comenzando por el Gihón en Etiopía, pasando por el Tigris en Asiria, hasta el Éufrates en Armenia y terminando con el Pisón en Havila o Elam. Iba a ser el mayor imperio de la antigua Mesopotamia, y también pasaría a ser uno de los más brutales, con comparaciones que a menudo se hacen entre los famosos reyes de Asiria y algunos de los otros líderes más conocidos pero despiadados del mundo, como Gengis Khan. Jerjes y Adolf Hitler.

Sin embargo, muchos historiadores se opondrán a comparar estos antiguos gobernantes con los de Adolf Hitler y los nazis. Nadie en la historia ha igualado la brutalidad llevada a cabo por Hitler en Europa y en la población judía del mundo, y estos antiguos gobernantes, incluidos los de Asiria, utilizaban las tácticas típicas de una época en la que la guerra, la esclavitud y la deportación eran los modos normales de establecer y mantener el poder. ¿Eran brutales comparados con los estándares modernos? Sí. Pero no eran más brutales que los romanos, que trazaban caminos con cruces donde los que se negaban a someterse eran crucificados.

El punto aquí es señalar el significado del contexto. Para Asiria, la expansión que tuvo lugar en esta última parte de su historia fue motivada, como se podría esperar, por el deseo financiero. El reinado de Tiglath Pileser I enseñó a los reyes asirios que la guerra, a través de la recompensa que trajo, era altamente rentable. Y como los reyes asirios eran como la mayoría de los otros reyes de la época, se veían a sí mismos como extensiones de los dioses. La construcción de grandes palacios y rodearse de una enorme riqueza era un medio eficaz de comunicar esto a sus súbditos. Esta expansión de la riqueza, además de la victoria militar, fue la fuente de poder para los reyes asirios, y cuando se combinó con la codicia y la ambición de los seres humanos, creó la receta perfecta para un poderoso imperio.

Sin embargo, es importante no descartar la expansión imperial asiria durante este período de tiempo como el mero deseo de los reyes de enriquecerse. También había razones estratégicas. El comercio era de suma importancia para los asirios, y a principios del siglo X a. C., esto estaba en peligro. Las tribus, principalmente diferentes grupos de arameos, bloquearon o amenazaron las rutas comerciales a través de las montañas de Zagros, estancando el comercio con Anatolia, y al sur, los arameos amenazaban con cerrar el comercio con las ciudades cercanas al golfo Pérsico.

A finales del siglo X a. C., Asiria controlaba un territorio que no se extendía más de 1.600 km de ancho y 800 km de ancho. Sin embargo, las ciudades asirias eran fuertes y estaban estrechamente conectadas. Y en comparación con los otros actores principales de la región, era la mejor posicionada para poder expandirse significativamente. Egipto era esencialmente impotente, controlado en gran parte por los reyes libios, y otros reinos, como los medos y los persas en Irán, estaban todavía demasiado lejos para ser una gran amenaza, y en Armenia, Urartu, un reino que se elevaría al poder en el curso de este milenio, no era todavía poderoso. Así que, aunque el territorio asirio a finales del siglo X era pequeño, el escenario estaba preparado. Y a medida que reyes poderosos y astutos llegaban al trono en relativa sucesión, la influencia de Asiria en la región se expandió rápidamente.

La expansión comenzó justo más allá del territorio asirio y se extendió lentamente. Sin embargo, a medida que Asiria se expandía, entraba en contacto con enemigos cada vez más poderosos, lo que hacía cada vez más difícil para los reyes asirios mantener el control sobre su territorio. Los territorios conquistados fueron perdidos por revueltas, y la agitación interna frenó la marcha asiria a través de las llanuras de la Mesopotamia.

Sin embargo, en el transcurso de los siguientes 350 años, Asiria se convertiría en la superpotencia en Mesopotamia y en el extranjero. Pero para asegurar esta posición, Asiria y su pueblo estarían en un estado de guerra perenne, una constante en cualquier historia de conquista imperial, pasada o presente.

Un Despertar del Imperio: El resurgimiento de los asirios

La ascensión del Rey Adad-nirari II generalmente marca el comienzo del Imperio neoasirio. Fue en esta época que Asiria "despertó" y comenzó a expandirse más allá del territorio que rodeaba a Asiria. La mayoría de las campañas de Adad-nirari II consistieron en retomar territorios que se habían perdido después de Tiglat Pileser I, sobre todo el Eber-Nari, el territorio que abarca Israel, Siria y el Líbano. Entonces pudo asegurar estas fronteras enviando gobernadores asirios para supervisar estos territorios con tropas asirias y también ejecutó a los resistentes o los deportó al corazón del imperio donde podían ser controlados más fácilmente.

Otras campañas ayudaron a asegurar territorios en el Kurdistán (norte de Irak y sudeste de Turquía). Sin embargo, uno de los logros más importantes de Adad-nirari II no fue en realidad una conquista militar sino más bien un tratado. Tras derrotar dos veces al rey babilónico Shamash-mudammiq, el rey asirio pudo tomar el control de grandes franjas del territorio babilónico del norte. Cuando un nuevo rey babilónico tomó el trono, Adad-nirari II tuvo menos éxito en sus conquistas, pero fue capaz de organizar un tratado que aseguró la paz entre los dos reinos durante los siguientes 80 años. Esto es significativo porque implicaba que los reyes asirios no tenían que preocuparse por sus poderosos vecinos del sur, liberándolos para centrarse en campañas por todo el Levante y Canaán.

En el 890 a. C., Tukulti-Ninurta II tomó el trono, pero solo gobernaría durante seis años. Durante este tiempo, no pudo expandir significativamente las fronteras del imperio, pero logró expandir las posesiones reales en Assur, reconstruyendo las murallas de la ciudad. Las pocas campañas que llevó a cabo lograron ganarse el apoyo de los arameos al sur y al oeste de Asiria, reforzando aún más el control asirio sobre Mesopotamia. En el año 893 a. C., Tukulti-Ninurta II murió, y entregó el reino -que se estaba volviendo rápidamente un poderoso imperio- a su hijo, Asurnasirpal II, que sería el primero de una larga lista de reyes asirios que ahora se consideran entre los líderes más poderosos y despiadados de la historia.

Al tomar el trono, Asurnasirpal II inmediatamente se dispuso a lo que se convertiría en una serie de campañas militares. Comenzó aventurándose en las montañas al norte de Asiria, despejando la región de tribus y afirmando su dominio. Inmediatamente después dirigió su atención hacia el oeste, fijando su mirada, como tantos otros grandes gobernantes asirios, en el Mediterráneo y las riquezas que prometía, asegurando mientras tanto más territorio a través de Siria y el Líbano. Después de sus éxitos allí, se volvió hacia Asiria, estableciendo el dominio asirio en el territorio que rodea al río Éufrates.

Si se compara con los reyes que vendrían después de Asurnasirpal II, la cantidad de territorio que añadió al imperio fue relativamente pequeña. Sin embargo, no se puede pasar por alto su contribución a la consolidación de las ganancias anteriores y al establecimiento de un mayor dominio. Las recompensas y tributos que adquirió como resultado de sus conquistas aumentaron considerablemente las riquezas del imperio y ayudaron a remodelar la situación geopolítica de la región, concretamente la ascensión de los asirios como una de las potencias dominantes en Mesopotamia. Pero quizás el acontecimiento más significativo que surgió del reinado de Asurnasirpal II fue que los reyes asirios tenían ahora la reputación de liderar campañas militares brutales y despiadadas, y la idea de un ejército asirio fortalecido y movilizado habría infundido temor en los corazones de todos los reyes de la zona, sin importar el tamaño o la fuerza de su reino.

Sin embargo, por muy importante que fuera la política exterior de Asurnasirpal II, también contribuyó al crecimiento interno, en gran medida mediante la construcción. Su proyecto de construcción más importante fue su palacio. La mayoría de los monarcas mesopotámicos tenían una sed insaciable de construir, ya que veían en ello una forma de establecer su condición de semidioses y su legitimidad para gobernar. Parte de los deberes reales de un rey asirio era asegurarse de que los templos y otros edificios religiosos de las dos principales ciudades asirias, Assur y Nínive, se mantuvieran y ampliaran adecuadamente. Y aunque Asurnasirpal II no pasó por alto esta responsabilidad, decidió construir su palacio en Calaj, la ciudad que la Biblia llama Nimrud, como su capital.

Algunos historiadores se preguntan si se eligió esto porque estaba mejor defendido; Assur estuvo peligrosamente expuesto a los ataques del oeste, y es razonable preguntarse si Asurnasirpal II eligió a Calaj porque no poseía estas mismas vulnerabilidades. Pero no importa la razón, el palacio de Asurnasirpal II está considerado como uno de los más formidables de los palacios construidos por los reyes asirios.

Asurnasirpal II fue sucedido por Salmanasar III en el 858 a. C., y su reinado estaría casi totalmente definido por la guerra. En resumen, se encontró fuera luchando y conquistando durante 31 de los 34 años que pasó como rey, un número notable incluso para los estándares asirios.

Durante este tiempo, los soldados asirios se las arreglaron para ir más lejos de lo que cualquier asirio había logrado antes. Se introdujeron y recibieron tributos de reyes y príncipes en Armenia, Cilicia, Palestina, y hasta algunos de los reinos tradicionalmente leales al trono babilónico, llegando casi a las costas del golfo Pérsico. En el proceso de hacer esto, logró sofocar las rebeliones y fortificar aún más los territorios conquistados por su padre.

Sin embargo, el reinado de Salmanasar III sería un punto de inflexión en la historia asiria, en gran parte debido a la dificultad de intentar conquistar enemigos cada vez más poderosos. Muchos reyes asirios antes de Salmanasar III intentaron conquistar toda Siria y su capital, Damasco. Pero casi siempre no tuvieron éxito, y Salmanasar III caería en un destino similar. Lanzó varias campañas en Siria contra varias ciudades diferentes, pero finalmente se vio obligado a aceptar la derrota.

En el sur, sin embargo, Salmanasar III tendría mucho más éxito, ya que fue capaz de poner la ciudad de Babilonia bajo control asirio. Durante la parte inicial de su gobierno, dejó este reino, una vez poderoso, solo al sur, debido al tratado firmado a principios de ese siglo, para que Babilonia pudiera tener la oportunidad de hacer frente a sus propias amenazas a la seguridad. Sin embargo, cuando estalló la rebelión y los reyes babilonios pidieron el apoyo de Salmanasar III y los asirios, lo tomó como una oportunidad para extender el reino asirio más al sur.

Pero, aunque Salmanasar III fue capaz de expandir el alcance del poder asirio, algunos historiadores sugieren que no llegó tan lejos como podría haberlo hecho. Al dedicar tanto tiempo y energía en el intento de conquistar Siria, se cree que perdió la oportunidad de extender más el reino hacia el sur. De hecho, al final del reinado de Salmanasar III en el 824 a. C., la mayoría sigue considerando que Asiria no es mucho más que un gran reino mesopotámico del norte.

La figura 5 da una idea de la extensión de Asiria en el momento en que Salmanasar III murió y entregó el reino a su hijo, aunque no es del todo exacto, ya que muestra a Damasco bajo control asirio. Esto no ocurrió hasta que Adad-nirari III tomó el trono y se hizo lo suficientemente mayor para llevar a cabo sus deberes como rey. Este mapa también muestra cómo se veía el Imperio asirio en la cima de su dominio. Y mientras que en el año 824 era con diferencia el reino más poderoso de Mesopotamia, las luchas internas impedirían que se expandiera mucho más durante otros 25 años.

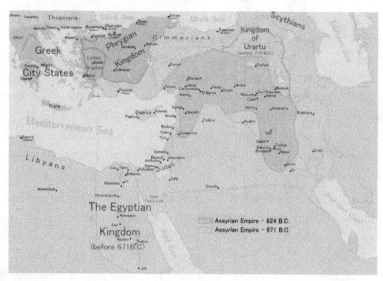

Rebelión y estancamiento imperial

Poco antes de la muerte de Salmanasar III, uno de sus hijos, Ashur-danin-aplu, con el apoyo de unas 27 ciudades, se rebeló contra el rey. Sin embargo, en ese momento, Salmanasar III era demasiado viejo para enfrentarse a la rebelión por sí solo, así que nombró a su príncipe heredero, Shamshi-Adad, para que se ocupara de la insurrección. Esta lucha interna por el control del Imperio asirio comenzó una guerra civil que continuaría después de la muerte de Salmanasar III en 824, que llevó a la ascensión oficial de Shamshi-Adad, que sería conocido como Shamshi-Adad V.

Aunque la rebelión detuvo la expansión imperial de Asiria, no fue una crisis tradicional ya que no alteró dramáticamente las estructuras de poder del reino. Nadie buscaba derrocar al rey. En su lugar, el propósito de la rebelión fue arrojar luz sobre algunas de las prácticas corruptas de los gobernadores provinciales que habían ido demasiado lejos e intentaban asumir demasiado poder. Los insurgentes querían un rey que fuera capaz de poner orden en una situación que se estaba volviendo cada vez más incontrolable.

Sin embargo, aunque nadie buscó la destitución del rey, Shamshi-Adad tardó cinco años en sofocar las rebeliones que habían estallado en las ciudades de todo el reino. Pero parte de la razón por la que esto llevó tanto tiempo fue que los príncipes y reyes, especialmente los de las regiones montañosas cercanas a Armenia, se aprovecharon de la debilidad asiria para retener el tributo y renunciar a la "protección" asiria, lo que significaba que Shamshi-Adad tenía que hacer campaña para reafirmar una vez más el control sobre el territorio recientemente conquistado por sus predecesores.

Esto resultó ser un reto, ya que Urartu, un reino de Armenia, estaba ganando lentamente más y más poder. En retrospectiva, esto es un hecho presagiador, ya que Urartu demostraría ser uno de los principales enemigos de Asiria durante su período de dominio imperial.

El reinado de Shamshi-Adad no duró mucho tiempo, y fue casi totalmente definido por la rebelión en el 827 a. C., y la posterior guerra necesaria para poner fin a la misma. Cuando murió en el 810 a. C., no había logrado añadir ningún nuevo territorio al imperio. Pero su gobierno no fue en vano, ya que restauró el orden y puso a su hijo a continuar la conquista militar de Mesopotamia y más allá.

Cuando Shamshi-Adad murió en 810, su hijo, Adad-nirari III, era demasiado joven para tomar el poder. Su madre, Sammuramat, también conocida como Semíramis, asumió el cargo de regente. Por razones desconocidas para los historiadores, Semíramis se ha convertido en el centro de muchas leyendas. Diferentes tradiciones, que van desde la mitología griega a la tradición iraní, hablan de una reina diosa asiria que realizó grandes, si no mágicas, hazañas. Se desconoce de dónde provienen estas leyendas, aunque algunas teorías sugieren que ella pudo haber llevado a las tropas asirias a la victoria contra los medos y que esto insertó su nombre en el folclore, que luego fue distorsionado y difundido a lo largo del tiempo. Pero es difícil, si no imposible, validar estas afirmaciones.

Parte de la razón por la que es tan sorprendente que Semíramis sea una figura tan legendaria es que su época como reina fue relativamente tranquila. Durante este tiempo, no hubo ganancias significativas para el imperio, y no hubo excesivas amenazas a la estabilidad. Parece como si todo el reino hubiera esperado a que Adad-nirari III alcanzara la mayoría de edad y comenzara su reinado.

Su primer año como rey fue cuatro años después de la muerte de su padre, 806 a. C., y poco después de convertirse en rey lanzó una serie de campañas militares que, aunque prometedoras, no ofrecerían mucho en términos de construcción y expansión del imperio.

Adad-nirari III empezó por terminar el trabajo que su abuelo no había podido completar; invadió Siria e impuso tributos a los neo-hititas, fenicios, filisteos, israelitas y edomitas. Triunfó en la invasión y la conquista, lo que significa que exigió con éxito el pago de tributos a su gobernante, la ciudad de Damasco, y los territorios que controlaba. Adad-nirari III también entró en los territorios controlados por los medos al noreste y los persas al este. La leyenda asiria indica que estos líderes cayeron de rodillas para someterse a los asirios, pero esta versión de los hechos ha sido reprochada desde hace mucho tiempo. De hecho, las campañas militares de Adad-nirari III pueden describirse mejor como incursiones inusualmente exitosas, no como una conquista genuina, y el reinado de Adad-nirari III señala el comienzo de un período de declive imperial.

Los cuatro hijos de Adad-nirari III se convertirían en reyes, empezando por Salmanasar IV, que se convirtió en rey en el 782 a. C. y gobernó durante nueve años hasta el 773 a. C. Durante la época de Salmanasar IV y sus tres hermanos, el desarrollo más importante de la historia asiria tuvo lugar fuera de Asiria. El reino de Urartu se había hecho bastante poderoso y había establecido fortalezas tanto en Siria como en Irán. Varias expediciones de los reyes asirios que gobernaron durante la mayor parte del siglo VIII a. C. fueron frenadas por las fuerzas urartianas, y esto impidió que Asiria añadiera un territorio significativo a su imperio.

Este período de la historia asiria se conoce como el Intervalo, ya que marca una ruptura en la acción después de los influyentes reinados de Asurnasirpal II y Salmanaser III. Sin embargo, el Intervalo no es mucho más que un punto en el radar, y este período de estancamiento imperial terminaría con la llegada al trono de Tiglat Pileser III en el 744 a. C., lanzando la última y más gloriosa etapa del Imperio asirio.

Capítulo 4 - Expansión Imperial y la Edad de Oro del Imperio Neoasirio

Los siguientes cuatro reyes que tomaran el trono asirio presidirían el período más significativo de la historia imperial asiria, pero también lo llevarían al borde del colapso. Los dos primeros reyes, Tiglath Pileser III y Sargón II, lograrían importantes victorias militares, expandiendo el territorio controlado por los asirios hasta su punto más grande jamás antes alcanzado. Darían paso a Senaquerib y Asarhaddón, que consolidarían y aprovecharían estas victorias -en gran medida gracias a la conquista de Egipto- y contribuirían significativamente al desarrollo cultural asirio. Al final del gobierno de Asarhaddón, el Imperio asirio fue más grande que en cualquier otro momento de su historia. Y aunque este momento podría considerarse el punto máximo del Imperio asirio, también fue el principio del fin.

La gran mayoría de la expansión de Asiria tuvo lugar al norte, noroeste y oeste de Assur y, debido a la falta de una verdadera superpotencia en estas regiones, los asirios fueron libres durante este período para librar guerras que frecuentemente resultaron en una victoria, y esto les permitió expandir su influencia sobre un inmenso pedazo de tierra que se extendía desde Egipto hasta el golfo Pérsico.

Sin embargo, esto no quiere decir que su expansión haya sido fácil, y no pretende restarle importancia a la destreza militar de los líderes durante el tiempo de expansión y consolidación. Pero vale la pena mencionarlo, ya que es improbable que Asiria hubiera podido expandirse hasta el punto en que lo hizo si se hubiera visto obligada a centrarse en sus fronteras meridionales.

Babilonia, que se encuentra en el lado sur del Creciente Fértil, había sido una potencia desde que Hammurabi tomó el trono de Babilonia a finales del 2do milenio a. C., y su posición de dominio no vacilaría significativamente durante el tiempo en que Asiria se estaba formando en un país distinguible y en una formidable potencia regional.

Como tal, la historia del Imperio neoasirio está estrechamente ligada a cómo los reyes asirios trataron la problemática de Babilonia. Como ambiciosos conquistadores, casi todos los reyes asirios querían reclamar algún grado de control sobre Babilonia y las muchas ciudades que le rendían tributo, pero la mayoría temía la acción militar directa contra sus vecinos del sur. La implicación asiria en los asuntos babilónicos solía tener lugar como resultado de una rebelión o como resultado de reyes babilonios demasiado ambiciosos. Estos ambiciosos reyes pensaron que podían coger a Asiria por sorpresa mientras su atención se dirigía a otros lugares del Cercano Oriente y posteriormente desafiar la autoridad asiria en la región, o incluso invadir y conquistar áreas mucho más cercanas al centro imperial asirio.

Sin embargo, el destino del Imperio asirio tardío está ligado a la forma en que trató con sus vecinos del sur. La ascensión de Tiglath Pileser III marca el comienzo de un siglo de participación asiria en los asuntos babilónicos, que iría desde un sistema de gobierno indirecto hasta un saqueo total de la ciudad. Estas decisiones de los ambiciosos reyes asirios acabaron siendo una insensatez, ya que la inestabilidad que acompañó a la resistencia babilónica al dominio asirio fue el núcleo del declive imperial.

La relación entre Babilonia y Asiria se describe en detalle en el capítulo 5, relatando la historia desde la ascensión de Tiglath Pileser III hasta la caída de Asiria en el asedio de Harrán en 627. El capítulo siguiente trata de la expansión del ejército asirio hacia el oeste, el norte y el noroeste, a medida que los reyes asirios, principalmente Tiglat Pileser III y Sargón II, comenzaron a ejercer un control genuino sobre las regiones de Palestina, Anatolia, Urartu, Fenicia y, finalmente, Egipto.

Aunque varios otros reyes seguirían a estos dos infames monarcas, sus ganancias imperiales -aparte de la breve subyugación del reino de Egipto- eran mucho más modestas, y las luchas internas acabarían por sacudir el imperio en su núcleo y ponerlo de rodillas.

Tiglath Pileser III: Llevando el Imperio a la frontera egipcia

La historia de la ascensión al trono de Tiglath Pileser III en el 744 a. C., está envuelta en misterio. Parece que hubo una revolución, que resultó en que Tiglath Pileser III fuera nombrado rey, pero se sabe muy poco acerca de su parentesco y de la reclamación que pudo haber tenido al trono.

Las dos teorías principales son que esta ausencia de información es simplemente un error de registro y que de hecho hay un linaje directo con los antiguos reyes asirios, ya que Tiglath Pileser III afirmó ser uno de los hijos de Adad-nirari, que solo podría haber sido Adad-nirari III. La otra conjetura es que la discrepancia que rodea a Tiglath Pileser III es el resultado de una deliberada mala interpretación diseñada para oscurecer la verdad sobre cómo se convirtió en rey.

Sin embargo, ninguna de las dos teorías ha podido ser probada, ya que no existe ninguna fuente fiable que apoye una teoría sobre la otra. Pero no importa cómo llegó al trono, no hay duda de que Tiglat Pileser III fue uno de los más grandes reyes de Asiria. Su tiempo como gobernante comenzó un período sin precedentes de expansión imperial que vería al Imperio asirio extenderse tan al oeste como Egipto y tan al este como Babilonia.

Sin embargo, cuando Tiglat Pileser III se convirtió en rey, la mayor amenaza para el dominio asirio era el reino de Urartu, que se encontraba al norte de Asiria en la región montañosa que ahora es Armenia. Los textos de la época de la ascensión de Tiglat Pileser III sugieren que pensó en este territorio como asirio durante mucho tiempo, lo que significa que habría sentido la responsabilidad de defenderlo y mantenerlo bajo control asirio. Pero como los reyes asirios se habían preocupado más por la expansión hacia el oeste, el control político asirio en el territorio al norte de Asiria se había debilitado, y muchas ciudades y reinos cambiaron ya sea declarando la lealtad al reino de Urartu o manteniendo su propia independencia.

Durante los primeros diez años del reinado de Tiglat Pileser III, se preocupó en gran medida por recuperar algunos de los territorios que habían caído fuera del control asirio durante el período de Intervalo. Emprendió campañas que terminaron con él asegurando el tributo de ciudades de toda la Alta Mesopotamia, como Karkemish, Milid, Gurgum, Tabal, Kaska y Que. También realizó incursiones por toda Babilonia y deportó a grandes grupos de arameos a las recién adquiridas provincias sirias.

En el año 735, Tiglath Pileser III creía que había hecho lo suficiente en términos de rodear el reino de Urartu para garantizar una invasión a gran escala. El ataque consistió en un asalto directo a la capital del reino de Urartu, Tushpa, que se encuentra directamente al norte de Assur, en las montañas de Zagros (véase la figura 5).

El éxito de esta campaña habla de dos acontecimientos significativos en el Imperio asirio. El primero es que demostró la destreza de Tiglath Pileser III como comandante militar. Fue capaz de retomar el territorio perdido durante el Intervalo y derrocar lo que se había convertido en el reino más poderoso de la alta Mesopotamia en un período de solo diez años, lo que habla de la cuidadosa planificación, perspicacia estratégica y agudeza política del rey asirio. Fue capaz de formar alianzas, someter reinos y preparar su ejército para una ambiciosa invasión que salió sorprendentemente bien.

Lo segundo es que estableció lo que vendría a ser la marca registrada de las tácticas militares asirias: el asedio. Esto es cuando un ejército se establece en las afueras de una ciudad, deteniendo todo movimiento dentro y fuera de ella, efectivamente matando de hambre a la población y reduciendo su voluntad de sobrevivir tanto que no tienen otra opción que someterse. El trato de los asirios a los reyes y otros nobles que se resistieron a la invasión y que finalmente perdieron su ciudad por el asedio fue particularmente duro y es parte de lo que dio a los reyes asirios la reputación de ser tan crueles. No sería raro que el ejército asirio matara al rey de la ciudad conquistada, le despellejara la piel y lo pusiera en exhibición para señalar a la población local lo que pasaría si se resistían al dominio asirio.

Aunque esto puede parecer duro en comparación con los estándares modernos, el terror era una forma regular de coerción en la antigüedad. Las instituciones políticas relativamente ineficaces significaban que los líderes tenían que recurrir al miedo como medio para controlar a las poblaciones. Sin embargo, si estas acciones estaban justificadas o no, no es realmente el tema que nos ocupa. Lo importante es recordar que las tácticas asirias tuvieron éxito en infundir miedo en los corazones de sus oponentes, y esto pareció ser particularmente exitoso durante los reinados de los reyes, comenzando con Tiglat Pileser III y continuando hasta el final del Imperio neoasirio.

Con el norte y el oeste ahora firmemente bajo su control, Tiglath Pileser III era libre de perseguir una ambición que muchos reyes asirios antes que él habían deseado, pero no habían logrado adquirir: El sur de Siria y Egipto.

En ese momento, después de escuchar las numerosas victorias de Tiglat Pileser III y sus ejércitos, muchas de las principales ciudades sirias, incluida Damasco, se habían sometido voluntariamente a tributo, lo que significaba que Tiglat Pileser III no necesitaba ocuparse de la conquista de esos territorios y podía en cambio continuar hacia el sur. En el año 734 a. C., marchó a Gaza, saqueándola tras la conquista, y comenzó a fijar su mirada más al sur y al oeste, hacia Egipto, pero se vio obligado a reducir la velocidad y, en cambio, a ocuparse de las rebeliones que estaban estallando en toda Siria.

Siguieron varios años de guerra, incluyendo múltiples intentos fallidos de saquear Damasco. Sin embargo, en el 732 a. C., el asedio de Damasco por parte del ejército asirio finalmente tuvo éxito, y la ciudad se convirtió en una provincia del Imperio asirio. A finales del año 732 a. C., Tiglat Pileser III pudo volver a sus ambiciones de conquistar Egipto y tuvo un éxito moderado, estableciendo fortalezas a lo largo de la frontera egipcia; al hacerlo, recibió el tributo de varias tribus y reinos árabes de la península del Sinaí.

Estas campañas dieron como resultado la anexión de grandes franjas de territorio que se extendían hasta lo que ya era el antiguo reino de Urartu en el norte y Fenicia y la península del Sinaí en el oeste. Se hicieron breves expediciones para expandir el Imperio asirio hacia el este, lo que dio lugar a enfrentamientos con diferentes fuerzas asociadas con el Imperio medo. Tiglath Pileser III logró un éxito leve, pero la expansión del territorio no fue nada comparado con lo que pudo hacer en el oeste.

Y fue en esta época que Tiglath Pileser III comenzó a involucrarse más con Babilonia, que se encuentra al sur de Asiria. Babilonia es una ciudad en el sur de Mesopotamia que había sido una fuerza considerable en la zona desde la época de Hammurabi, controlando no solo el territorio que rodeaba la ciudad, sino también las tierras que se extendían a través del sur de Mesopotamia, llegando hasta el golfo Pérsico. El término "Babilonia" se refiere típicamente a todo el estado, es decir, a la propia ciudad de Babilonia y a la red de otras ciudades y territorios que habían declarado su lealtad al rey babilonio y/o le estaban rindiendo tributo. Las campañas asirias en Babilonia y las relaciones con sus reyes se describen en la siguiente sección, en gran medida porque el destino de Asiria casi siempre estuvo ligado a la forma en que manejaba a su poderoso vecino del sur. Los intentos de someter a los reyes babilonios al dominio asirio serían una de las razones principales de la eventual caída del Imperio asirio.

El reinado de Tiglath Pileser III marca un momento significativo en la historia asiria. Representa el final del período de Intervalo en el que el control asirio en la región casi había desaparecido, pero lo más importante es que añadió enormes fragmentos de territorio al Imperio asirio.

Los reyes que vendrían después de Tiglath Pileser III fueron en gran medida capaces de mantener el control sobre estos territorios y expandirse sobre ellos. Pero, a diferencia de Tiglath Pileser III, los futuros reyes, beneficiándose de la conquista y consolidación de los anteriores reyes asirios, se liberaron de la necesidad de pasar todo su reinado haciendo campaña y conquistando tierras previamente perdidas o en abierta rebelión al dominio asirio. Como resultado, pudieron invertir significativamente en el desarrollo cultural del imperio, algo que ayudaría a afianzar a los asirios en los registros de la historia del mundo.

El Reino de Sargón II: El Imperio se expande aún más

Después de que Tiglat Pileser III muriera en el 726 a. C., su hijo, Salmanasar V, llegó al trono asirio. Sin embargo, su reinado fue corto, y no se sabe mucho sobre sus logros. Mucho de lo que se sabe de los reyes asirios proviene de los detallados relatos escritos por el rey y su ejército de escribas durante y después de las campañas militares. Como el reinado de Salmanasar V fue tan corto, no tuvo tiempo de realizar el tipo de campañas que merecen ser documentadas históricamente.

El único logro conocido de importancia atribuido a Salmanasar V es la conquista de Samaria, una provincia del norte de Israel. Sin embargo, quizás lo más importante es que el Imperio asirio no sufrió grandes reveses durante este tiempo, lo que permitió al siguiente rey, Sargón II, expandir el imperio aún más y llevarlo a nuevos niveles de gloria y fama.

Al igual que Tiglath Pileser III, la ascensión al trono de Sargón II en el 721 a. C. es un tema de debate. No hay mención de su padre en ninguna de las inscripciones reales dejadas, y el nombre Sargón se traduce del asirio a "rey legítimo", lo que lleva a muchos a creer que puede haber sido un usurpador que eligió un nombre real para ocultar su sospechosa forma de llegar al poder.

La confusión que resultó de que Sargón II se convirtiera en el rey asirio dio a las provincias sirias la oportunidad de rebelarse, pero fueron detenidas una vez más. Después de una breve campaña en Babilonia, Sargón II regresó al oeste para volver a poner a estos insurgentes bajo el control asirio, y ya al año siguiente (720 a. C.), había logrado derribar la rebelión ganando una batalla decisiva en Qarqar, en Siria.

Después de Qarqar, Sargón II continuó hacia el sur para retomar Gaza y seguir avanzando hacia la frontera con Egipto. Se libró una batalla entre los egipcios y los asirios de Sargón II en Rafah, que Sargón II ganó, poniendo una pequeña sección del territorio egipcio bajo control asirio.

Sargón II continuó adentrándose en territorio egipcio, y temeroso de su poderoso ejército, el faraón egipcio de entonces, Osorkon IV, envió regalos y estableció relaciones pacíficas con el rey asirio. Los dos reinos entrarían entonces en un período de libre comercio del que ambas partes se beneficiarían. Durante este tiempo, Sargón II también pudo tomar el control de un importante territorio que había pertenecido a los árabes y, en un esfuerzo por consolidar su poder, deportó a muchos árabes a otras partes del imperio, concretamente a Samaria.

Durante el resto del reinado de Sargón II, lograría dos grandes victorias: la derrota de los Urartu al norte de Asiria y el sometimiento de Babilonia. Al hacer esto y al establecer relaciones pacíficas con dos poderosos vecinos -Egipto al suroeste y Frigia en Anatolia- Sargón II fue capaz de consolidar los logros alcanzados por Tiglat Pileser III mientras se expandía considerablemente sobre las posesiones imperiales en casi todas las direcciones.

En este punto de la historia, el Imperio asirio era más grande que nunca antes, y las exitosas campañas militares de Tiglath Pileser III y Sargón II habían ganado a los asirios la reputación del antiguo Cercano Oriente. Nadie estaba dispuesto a intentar derrocar a los asirios por su propia cuenta. Los enemigos se apoyaban en los vasallos más débiles en los territorios intermedios para soportar el peso de la agresión asiria, o tenían que unirse para conseguir una oportunidad de detener a los asirios.

En ocasiones, esto tuvo éxito, siendo un buen ejemplo cuando Babilonia y Elam trabajaron juntas para expulsar a los asirios del sur de Mesopotamia, pero otras veces no fue así, resultando en un duro castigo para aquellos que se atrevieron a actuar contra los reyes asirios.

Además de sus logros militares, Sargón II hizo importantes aportaciones al desarrollo cultural del imperio, en gran parte mediante la fundación de una ciudad completamente nueva, Dur-Sharrukin. La ciudad fue nombrada esencialmente en honor al propio Sargón, y fue el hogar de uno de los mayores templos jamás construidos por un rey asirio. A otros reyes asirios se les atribuye el mérito de haber mejorado enormemente las ciudades asirias existentes, como Assur, Nínive y Calaj, pero solo a Sargón II se le puede atribuir el mérito de haber fundado una ciudad completamente nueva dedicada a la celebración de su poder y gloria, algo que habría ayudado a demostrar su condición de semidiós a sus súbditos.

Parte del encanto de Sargón II era que lucharía sus propias batallas. Dejó a su hijo y al príncipe heredero Senaquerib en Assur para que gobernara los asuntos internos mientras él llevaba a cabo extensas campañas militares en el extranjero. Sin embargo, esto demostraría ser su perdición, ya que murió en la batalla del año 705, terminando abruptamente su campaña y su reinado. Sin embargo, Sargón II, junto con Tiglath Pileser III, puede afirmar haber hecho las expansiones más significativas del Imperio asirio hasta este momento de la historia. La figura 6 representa la extensión del Imperio asirio después del reinado de Sargón II.

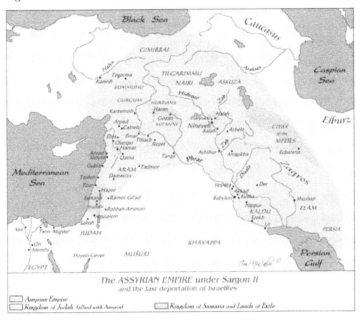

Los dos reyes que le seguirían, Senaquerib y Asarhaddón, pasarían la mayor parte de sus reinados construyendo el imperio desde dentro, dedicando importantes recursos al desarrollo cultural, aunque algunas grandes campañas militares ayudarían a ampliar el alcance del imperio.

Senaquerib: El saqueo de Babilonia, la consolidación en Occidente y el avance de Nínive

Los detalles de la época de Senaquerib indican que estaba profundamente preocupado por la muerte de su padre en combate. Esto fue extremadamente raro, y la mayoría de la gente, particularmente Senaquerib, lo vio como un mal presagio, y especuló que su tiempo como rey estaría maldito o condenado. Esto puede explicar por qué, después de ascender al trono en el 705 a. C., estaba menos inclinado que su padre a lanzar extensas campañas militares, eligiendo en su lugar centrarse en los asuntos internos.

Sin embargo, esto no significa que Senaquerib no haya activado la máquina militar asiria. Las dos campañas más importantes realizadas durante su gobierno fueron en el oeste, en Palestina, y en el sur, en Babilonia. Pero ninguna de las dos campañas produciría mucho en términos de expansión territorial, sirviendo en cambio para sofocar las rebeliones y consolidar el poder.

De las dos campañas, sin embargo, la de Babilonia sería la que tendría los efectos más significativos a largo plazo para el imperio. Babilonia y Asiria siempre habían mantenido relaciones relativamente pacíficas. Aunque Asiria siempre estaría buscando oportunidades para ejercer influencia en los asuntos babilónicos, una cultura compartida, específicamente una religión compartida, unía a las dos civilizaciones y fomentaba una relación saludable.

Pero esto cambió cuando el rey babilónico, Merodac-baladán, que durante mucho tiempo tuvo el apoyo del pueblo babilónico en sus campañas antiasirias, lanzó una rebelión en el año 700. Aunque Senaquerib manejó esto pacíficamente, su decisión de ser indulgente al final resultó contraproducente ya que otra rebelión estalló en el año 689 bajo el liderazgo del rey babilónico Mushezib-Marduk.

Esta vez, enfadado porque los babilonios no se habían sometido tras la primera rebelión, Senaquerib decidió saquear Babilonia, algo que pocos reyes asirios, si es que alguno, se había atrevido a hacer. Aunque fue una táctica exitosa para volver a poner al pueblo babilónico bajo control asirio, esto avivó las hostilidades en Babilonia hacia los asirios, que se intensificarían y eventualmente provocarían las alianzas militares que derribarían a Asiria. Sin embargo, Senaquerib no tenía forma de saber el efecto de sus acciones, y en ese momento, la adición de Babilonia al Imperio asirio fue vista como una gran victoria.

Sin embargo, quizás el más significativo de todos los logros de Senaquerib no tuvo nada que ver con la conquista o la campaña. Durante su tiempo como rey, Senaquerib se embarcó en varios proyectos de construcción monumental, sobre todo la expansión de su palacio en Nínive. En el momento de su finalización, el palacio contaba con un gran parque y un sistema de irrigación artificial.

A lo largo de su reinado, Senaquerib se basaría en este gran logro y
también se expandiría en otros aspectos de la ciudad, aumentando sus
defensas, construyendo templos y convirtiendo a Nínive en la principal
metrópoli del imperio. La construcción parece haber sido una gran
pasión para Senaquerib, ya que comenzó a construir en el palacio en
torno al 703 a. C., casi inmediatamente después de asumir el trono, y
era conocido por haber supervisado personalmente la ejecución de
muchos de los grandes proyectos de construcción que encargó.

Comparado con su padre, Sargón II, y Tiglath Pileser III,
Senaquerib hizo poco en cuanto a la expansión del imperio, pero su
contribución a su crecimiento no puede ser subestimada. Su gran
campaña militar en Palestina fortificó con éxito las fronteras del
imperio, y algunas de sus campañas más pequeñas en Anatolia
lograron el mismo efecto. Sin embargo, su reinado terminaría
abruptamente cuando fue asesinado alrededor del 681 a. C. Su hijo,
Asarhaddón, tomaría el trono y se embarcaría en el último gran
capítulo de la expansión asiria, incluyendo quizás su mayor logro, la
invasión de Egipto.

Asarhaddón: Preparando el escenario para la conquista de Egipto

Egipto había sido durante mucho tiempo el deseo de la ambición
imperial asiria, y cuando Asarhaddón tomó el trono en el 681 a. C., el
escenario estaba bien preparado para que él lograra este objetivo.
Como uno de los reinos más poderosos de la antigüedad, la conquista
de Egipto estaba segura de traer gran gloria para el rey que lograra
conseguirlo. Sin embargo, para tener éxito con una invasión a Egipto,
era esencial tener el control completo de Siria y Palestina, ya que estos
territorios servirían como base para el ataque. Además, los asirios
necesitarían la ayuda de los ejércitos árabes en la península del Sinaí
para poder hacer cualquier avance significativo en territorio egipcio.

Asarhaddón era el rey asirio mejor equipado para hacer esta
invasión. Las conquistas de Tiglat Pileser III y Sargón II habían
expandido el control asirio a lo profundo de Siria, Fenicia y Palestina, y
el predecesor de Asarhaddón, Senaquerib, había logrado fortificar
estos territorios.

Sin embargo, ninguno de estos tres reyes fue capaz de moverse más allá de la frontera egipcia. Tiglat Pileser III y Sargón II habían hecho tratados con los egipcios, que condujeron a un período de paz y libre comercio, pero en el momento de Asarhaddón, estos se estaban desmoronando. Las rebeliones que periódicamente estallaban en Palestina y Fenicia eran típicamente apoyadas por los egipcios, deteriorando las relaciones entre Egipto y Asiria, dos de las grandes potencias de la región, y dando a los asirios una motivación aún mayor para lanzar una invasión a gran escala sobre Egipto.

Asarhaddón aprovechó este momento para invadir de una vez por todas el reino de Egipto, una campaña que tuvo un éxito variable. Fue, a diferencia de cualquier otro rey antes que él, capaz de cruzar a territorio egipcio y ganar varias batallas decisivas dentro del territorio de Egipto. Existen diversos registros de que los ejércitos asirios entraron en contacto con los egipcios, pero estas campañas son las más notables, ya que dieron lugar a acuerdos tributarios que pusieron más territorio egipcio bajo control asirio del que nunca antes existió. En lugar de asegurar los territorios fronterizos y organizar tratados de paz, Asarhaddón pudo reclamar el control firme de las ciudades que antes estaban bajo dominio egipcio. Como tal, la mayoría de los historiadores consideran esta época, aproximadamente 671 a. C., como el punto de la historia en el que Asiria conquistó Egipto. En la figura 7 se muestra cómo se había expandido el imperio en el transcurso de unos 100 años desde la ascensión de Tiglat Pileser III. Asarhaddón puso algunos territorios egipcios bajo el dominio asirio, pero sería su sucesor, Asurbanipal, el que ampliaría aún más el control asirio sobre el territorio egipcio, lo que se representa en el mapa en verde claro.

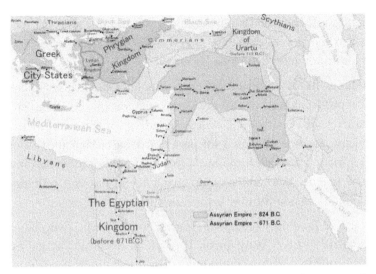

Asarhaddón probablemente hubiera preferido continuar más hacia el oeste, pero se le detuvo y se le obligó a dirigir su atención a las amenazas en otras partes del imperio, específicamente en Babilonia, que una vez más estaba obrando para frustrar el dominio asirio y reuniendo aliados para apoyarlos en el proceso, dejando a los egipcios una vez más en libertad de retomar el territorio perdido y comenzar a operar hacia el este, en dirección a Palestina.

Las campañas de Asarhaddón en las fronteras norte y nordeste del Imperio Asirio resultaron ser un presagio de los problemas que sus sucesores serían incapaces de resolver, concretamente el creciente poder del Imperio medo (que existía al este de Assur en el actual Irán). Las campañas dirigidas en esta parte del imperio fueron en gran medida defensivas, ya que los medos comenzaron a afirmar su poder y a hacer incursiones en el territorio asirio. Aunque las pérdidas de Asarhaddón fueron modestas y Asiria seguía manteniendo el control de la vasta región que se extendía desde Anatolia en el oeste hasta el Cáucaso y las montañas de Zagros en el norte y el noroeste, poco a poco se estaba preparando el terreno para una invasión de Asiria que los futuros reyes no podrían detener.

El resto del reinado de Asarhaddón se define en gran medida por sus tratos con Babilonia. Una invasión elamita en territorio babilónico alteró un período de tiempo definido por una paz relativa, aunque fue tratada por los ejércitos asirios con relativa rapidez. Además, Asarhaddón tuvo que asumir las consecuencias de la decisión de

Senaquerib de saquear Babilonia, lo que supuso que gran parte de su tiempo como rey se dedicó a la reconstrucción de templos y otros edificios importantes dentro de la ciudad.

Algunos historiadores atribuyen esta política de apaciguamiento al partido pro-babilónico dentro de Asiria, mientras que otros dan crédito al carácter de Asarhaddón como estadista; sabía muy bien que necesitaría asegurar su flanco sur para poder hacer cualquier otra cosa en el imperio. Pero sin importar la razón, la política fue relativamente exitosa, ya que Asarhaddón pudo mantener la paz con y dentro de Babilonia. Pero una vez más, estos éxitos serían efímeros.

Hacia el final de su reinado, Asarhaddón se esforzó en planear la sucesión de su hijo, Asurbanipal. Parte de la razón por la que estaba tan preocupado con esta ceremonia es que estaba muy afectado por la forma en que había tomado el trono, considerando la muerte de su padre como un mal augurio. A lo largo de su reinado, Asarhaddón estuvo obsesionado con lo divino, potencialmente una consecuencia de su desafortunado ascenso al poder. Se sirvió de un rey sustituto, que era un antiguo ritual diseñado para ayudarle a evitar el mal destino, y se sabía que buscaba compulsivamente informes de pronóstico de todos los clérigos y oráculos posibles antes de embarcarse en una campaña. Hay razones para creer que estas decisiones en realidad frenaron su progreso, en particular el uso de un rey sustituto, que habría limitado su control sobre su propio reino, pero sin importar las consecuencias de su devoción, el fervor religioso de Asarhaddón era excepcionalmente fuerte incluso para los estándares antiguos.

A pesar de todos estos esfuerzos por evitar los malos augurios, Asarhaddón no pudo defenderse de la muerte que llegó en 668, solo tres años después de su conquista de Egipto y solo 13 después de haber tomado el trono. Le entregaría a su hijo un imperio que prosperaba en casi todos los aspectos. Su territorio se extendía desde Egipto hasta Babilonia y hasta las montañas de Zagros, sus ejércitos eran temidos en toda la región, y los grandes proyectos de construcción combinados con los avances en la escritura y la teología hicieron de Asiria la capital cultural de Mesopotamia y del extranjero.

Pero todo esto estaba a punto de desaparecer, en parte por las decisiones que tomó Asarhaddón sobre la sucesión del trono, pero en mayor medida porque las mareas de la historia empezaban a buscar el equilibrio, lo que llevó a una erosión del dominio asirio y a la afirmación de otros poderes, lo que en última instancia puso fin al imperio asirio.

Asurbanipal y el principio del fin

Al igual que sus predecesores, cuando Asurbanipal tomó el trono en 668 a. C., heredó un imperio en pleno apogeo de dominio. Todos los reyes anteriores a él habían logrado asegurar el territorio previamente conquistado y expandirse a nuevas tierras, trayendo gloria y riquezas a los líderes y ciudadanos de Asiria. Asarhaddón había finalmente puesto partes de Egipto bajo control asirio, y Asurbanipal se las arreglaría para expandirse sobre él.

Las victorias en la península Arábiga, Fenicia y Palestina a lo largo de los reinados de Asarhaddón y Senaquerib habían colocado estos territorios firmemente bajo el control asirio, e hicieron reinos más al norte, hacia Anatolia, atemorizados, dando lugar a ofertas voluntarias de amistad y tributo. Debido a que estos territorios estaban tan bien fortificados, Asurbanipal pudo centrar su atención en extender el control asirio más allá de Egipto.

Las campañas lideradas por Asurbanipal ciertamente se consideran unas de las más impresionantes en la historia asiria. Después de varios intentos, algunos de los cuales fueron inicialmente exitosos, pero luego se revirtieron debido a la rebelión, Asurbanipal logró entrar y conquistar las principales ciudades egipcias de Tebas y Menfis. Estas victorias habrían traído gran gloria a los reyes asirios, ya que esto significaba que el control asirio se extendía ahora más allá de lo que nunca antes había ocurrido.

Sin embargo, la decisión de entrar tan lejos en Egipto puede ser ciertamente criticada cuando se examina desde un punto de vista histórico. Asiria ya controlaba grandes extensiones de tierra en toda Mesopotamia, Anatolia, Palestina, Siria, Arabia y Egipto, lo que ponía considerable énfasis en su capacidad para gestionar y mantener su propio territorio. Una mayor expansión solo exacerbó estos problemas, dejando a Asiria más débil de lo que uno podría haber pensado dado su considerable poderío militar en comparación con sus vecinos.

Si bien la invasión de Egipto en primer lugar no fue una decisión basada en el sentido común, Asurbanipal al menos tuvo la sensatez de detenerse después de su conquista de Menfis y Tebas, dirigiendo su atención a otras partes del imperio, específicamente a Arabia, que había sido el lugar de repetidas rebeliones desde que la zona había caído bajo control asirio. Utilizando Damasco como base, Asurbanipal realizaría incursiones por toda la parte norte de la península Arábiga, destruyendo las tribus nómadas e intimidando a los vasallos rebeldes.

El resto del reinado de Asurbanipal estuvo dominado por el trato con los cada vez más hostiles vecinos de Asiria al norte, este y sur, específicamente los reinos de Urartu, Medes, Elam y Babilonia. Como se podría esperar, Elam y Babilonia fueron aliados durante la mayor parte de la ascensión imperial de Asiria, haciendo difícil que Asiria mantuviera un control significativo sobre su vecino del sur.

Elam, el reino que ocupaba gran parte del actual norte de Irán, nunca fue realmente una amenaza directa para Babilonia, ni tampoco Asiria llegó tan lejos en el este. Pero tenían un deseo razonable de contener el poder de Asiria y lo hicieron con el apoyo de los reyes babilonios rebeldes. Hubo, sin embargo, breves períodos a lo largo de esta etapa final del Imperio neoasirio donde Elam y Asiria mantuvieron relaciones pacíficas, incluso cooperativas. Pero esto no duraría mucho, ya que Elam sería en última instancia una de las potencias que ayudaría a la derrota de los asirios.

A pesar de los éxitos de Asurbanipal en la conquista de territorio en todo Egipto y en el fortalecimiento del control asirio en la mayor parte de Arabia, también supervisaría la desestabilización del imperio que resultó de su hermano, Shamash-shum-ukin, que había sido nombrado para gobernar Babilonia como parte del plan de sucesión de Asarhaddón y que decidió organizar y dirigir una rebelión contra su hermano en el año 652 a. C.

La guerra civil envolvería al Imperio asirio durante los próximos cinco años, dando paso a un período de la historia asiria conocido como La Gran Rebelión. Asurbanipal lograría finalmente suprimir la rebelión iniciada por su hermano y colocar a un líder más leal en el trono de Babilonia, pero este momento de la historia marcó el principio del fin del Imperio asirio.

Asurbanipal continuaría gobernando sobre Asiria hasta su muerte en 627, pero después del fin de la guerra civil iniciada por la rebelión de su hermano, poco haría para expandir el imperio, ya que las hostilidades de los Imperios elamita y medo se intensificaron. Aunque no supervisaría ninguna pérdida importante durante este tiempo, su incapacidad para destruir eficazmente a sus enemigos demostró que el poder asirio se estaba debilitando finalmente, abriendo la puerta para que sus poderosos vecinos entraran en escena y eliminaran por fin este poderoso, pero aterrador reino de su posición de dominio.

Capítulo 5 - La Caída del Imperio

Como suele ocurrir en la historia imperial, la expansión del Imperio asirio coincide en realidad con su caída. A partir del ascenso al trono de Tiglat Pileser III en el año 747 a. C., el Imperio asirio comenzó a expandirse de forma espectacular, en gran medida mediante la conquista de territorios que los reyes asirios habían intentado controlar durante mucho tiempo pero que no habían logrado conquistar, principalmente Fenicia, Palestina, Siria, Arabia y Egipto.

A pesar de los éxitos de estas campañas, finalmente distrajeron a Asiria de la mayor amenaza a su dominio en Mesopotamia: el reino de Babilonia. Dado que Babilonia y Asiria compartían muchas similitudes culturales -principalmente la adoración de los mismos dioses- y que ambos reinos eran excepcionalmente poderosos, existía un entendimiento entre los dos reinos de que ninguno de ellos debía tratar de inmiscuirse demasiado en los asuntos del otro. Sin embargo, a medida que Asiria comenzó a cobrar importancia durante los siglos VII y VIII a. C., la perspectiva de controlar a su vecino del sur y gobernar toda Mesopotamia se convirtió en una oportunidad demasiado grande como para dejarla pasar, lo que llevó a un prolongado período de intervención asiria en Babilonia que contribuiría significativamente a la caída del imperio.

La historia que se cuenta aquí comienza con el ascenso de Tiglat Pileser III y detalla las relaciones que cada rey asirio subsiguiente tuvo con su vecino del sur, ya que tratar de describir estos eventos junto con una explicación de otras campañas asirias en el norte y el oeste no haría justicia a la importancia de los asuntos asirio-babilónicos. Los períodos en los que los reyes asirios desviaron su atención de Babilonia se alinean muy bien con las expansiones de territorio que existían en otras partes del imperio.

Perdiendo el control: Asiria lucha por mantener el poder sobre Babilonia

Como una poderosa civilización mesopotámica, el dominio asirio estaba bajo la constante amenaza de las muchas y diferentes potencias que también existían en el suroeste de Asia, específicamente los imperios de Elam, Arabia, Egipto, Urartu, Medo y Babilonia. Desde alrededor del 750-650 a. C., Asiria se involucró fuertemente en los asuntos babilónicos en un intento de expandir su influencia en la región. Este movimiento acabaría teniendo consecuencias significativas para todas las civilizaciones del Creciente Fértil y sus alrededores. Llevaría a un período de dominio restaurado para Babilonia, y también fue uno de los factores más importantes que impulsaron el declive del poder y la influencia de los asirios en la zona.

El año 748, o 747 según la fuente, inicia la participación asiria en los asuntos de Babilonia, y sirve como un punto de partida útil para entender cómo estas interacciones afectaron la disminución general de la hegemonía asiria. Fue en este año que el rey asirio Tiglat Pileser III ascendió al trono. Tras décadas de hambruna y de lucha militar contra grupos tribales como los caldeos y los arameos (las dos tribus dominantes de la antigua Mesopotamia), Tiglath Pileser III comenzó su reinado desplazándose rápida y enérgicamente a las tierras que limitan con los bordes meridional y oriental de los territorios asirios. Parte de la estrategia para hacer esto fue respaldar el trono de Babilonia desde lejos. Un fuerte rey babilónico era lo mejor para Asiria, ya que ayudaba a asegurar la región y proporcionar un amortiguador entre Asiria y otros estados poderosos como Elam y Medo. Como resultado, los reyes asirios a menudo ejercían el control sobre los territorios babilónicos en nombre de los reyes babilonios. Sin embargo, no es sorprendente que esta frágil alianza se rompiera a menudo, llevando al conflicto entre Babilonia y Asiria.

Sin embargo, para el año 745, Tiglath Pileser III había atraído su atención a otro lugar, y esto hizo que dejara a los babilonios a valerse por sí mismos. Una seria de revueltas políticas en Babilonia llevó a la ascensión de un caldeo, Mukin-zeri, al trono babilónico. Después de haber pasado los últimos años trabajando para controlar la influencia caldea en Babilonia, Tiglath Pileser III no se tomó bien esta noticia. Se trasladó rápidamente a Babilonia y trabajó para confinar la influencia de Mukin-zeri, sometiendo a muchas otras ciudades caldeas a tributo, eliminando eficazmente la fuente de poder de Mukin-zeri. Después de hacer esto, Tiglat Pileser III asumió el trono de Babilonia.

El control asirio directo del reino de Babilonia se convirtió en la norma para el siguiente siglo, con la mayoría de los sucesores de Tiglat Pileser III asumiendo posiciones similares de influencia en los asuntos babilónicos. Tiglat Pileser III murió en 727 y fue sucedido por su hijo, Salmanasar V, pero este reinado fue de corta duración (solo 5 años) y poco documentado. El único evento significativo registrado es una deportación a gran escala de caldeos de los territorios que rodearon a Babilonia. Sin embargo, los reyes asirios nunca fueron capaces de poner los reinos de Babilonia completamente bajo su control. En cambio, los líderes babilonios, generalmente caldeos, fueron capaces de tomar el poder cuando sintieron debilidad en el gobierno asirio, o cuando otros asuntos distrajeron a los reyes asirios de prestar suficiente atención a su flanco sur.

Como resultado, durante las próximas décadas, los asirios y caldeos lucharían por el control del trono babilónico, y esta lucha tendría un efecto significativo en el bienestar de las experiencias diarias de los ciudadanos babilonios y en la capacidad del Imperio asirio para permanecer intacto. Los períodos de estabilidad y prosperidad económica estaban salpicados de guerras y conflictos que casi detendrían la vida babilónica.

Durante un tiempo, los intentos de los gobernantes babilónicos de afirmar su independencia fueron apoyados por los reyes de Elam -la civilización que se extendía al este de Babilonia en el actual Irak-. El rey babilónico Merodac-baladán (un caldeo), que asumió el trono de Babilonia en 721, pudo asegurar una alianza con Elam que lograría resistir a los asirios. Y el momento de esta colaboración se alineó con la decisión de Sargón II (que asumió el trono asirio después de la muerte de Salmanasar V en 722) de desviar su atención del flanco sur de Babilonia y Asiria.

La combinación de la intervención pasiva asiria y una alianza con Elam permitió a Merodac-baladán reinar con relativa libertad durante los diez años siguientes. En un intento de ataque a la antigua ciudad de Der, que, aunque controlada por Asiria en ese momento, había sido históricamente parte del reino babilónico. Asiria tomó las armas para defender la ciudad, pero la batalla terminó en un punto muerto, con los elamitas ganando algo de territorio, pero con los asirios reteniendo el control de la ciudad. Sin embargo, después de esta batalla, el ejército asirio se retiró al norte, dejando la región en paz durante diez años.

Merodac-baladán usó este tiempo de paz para devolver la prosperidad a Babilonia. La actividad científica y cultural se disparó, y hubo una expansión económica que incrementó el número de transacciones, es decir, las actividades económicas registradas de la época, como los contratos firmados, los tributos pagados, etc., hasta el número más alto en cinco siglos. También hubo avances significativos en la astronomía y la escritura.

Sin embargo, esto cambiaría en el año 710 cuando Sargón II volvió a prestar atención al sur y comenzó a retomar parte del territorio que los reyes babilonios habían logrado asegurar en la década anterior. Esto culminó con la derrota de Sargón II sobre Merodac-baladán en 709. En ese momento, Sargón II asumió el control del trono babilónico y comenzó a trabajar para consolidar su conquista. Lo hizo centralizando los gobiernos provinciales y tribales, poniéndolos bajo el control de dos gobernadores, y también mediante la deportación generalizada de arameos y caldeos. Además, trató de transformar las ciudades tribales inyectándoles poblaciones e instituciones asirias.

Esta decisión marcaría un importante punto de inflexión en el último Imperio asirio. A lo largo de los próximos treinta años, los reyes asirios participarían en una serie de costosas e interminables campañas militares destinadas a asegurar el control de los territorios babilónicos. Si bien estos esfuerzos tuvieron éxito en el sentido de que alejaron las lealtades elamitas de los reyes caldeos y las dirigieron hacia los asirios, y que los reyes asirios pudieron afirmar su dominio sobre los territorios babilónicos, en última instancia contribuyeron a la caída del imperio, especialmente después de lo que se conoce como la Gran Rebelión.

Los orígenes de la Gran Rebelión se remontan a la muerte de Sargón II en la batalla de 705. Fue reemplazado por su hijo, Senaquerib, quien supervisaría un período de estabilidad de corta duración. En el año 703 comenzó una rebelión liderada por los gobernadores provinciales y Merodac-baladán, que se había escondido desde su derrota ante Sargón II siete años antes; logró reunir apoyo en los asentamientos tribales y en las ciudades de Babilonia para su regreso al trono. Tras varios años de conflicto, en los que las lealtades y alianzas cambiaron con frecuencia, Merodac-baladán fue finalmente derrotado para siempre en el año 700. Senaquerib partió entonces de Babilonia, dejando atrás a su hijo, Assur-nadin-shumi, como administrador y monarca de Babilonia, para gobernar durante un período de relativa estabilidad.

Sin embargo, eso terminaría en 694 cuando Senaquerib decidió montar una campaña contra un grupo de Elamitas que habían dado refugio a grupos de caldeos rebeldes. Esta decisión puso en marcha otro período de inestabilidad política. La derrota en el noroeste de Babilonia dejó a otro rey caldeo, Mushezib-Marduk, en la cima del trono babilónico, pero después de que el rey elamita sufriera un ataque y el apoyo de los árabes en el oeste disminuyera, Mushezib-Marduk no tenía medios para asegurar su propia proclamación de poder. Babilonia finalmente volvió a caer bajo control asirio en el invierno de 689.

Después de esta revuelta, Senaquerib fue mucho menos misericordioso que los reyes asirios del pasado. Comenzó a desmantelar la ciudad, arrasando edificios, e instruyendo a sus tropas para destruir templos y saquear todo lo que pudieran. También se preocupó de remover la tierra de los alrededores del Éufrates, enviándola por el río al golfo Pérsico, para eliminar la capacidad agrícola babilónica. Durante este período, la actividad económica en toda Babilonia se hundió considerablemente, empujando a la región al peor período de desesperación económica que había experimentado en las seis décadas anteriores.

Esto era significativo, ya que desde hacía mucho tiempo se entendía que los asirios darían un tratamiento especial a los babilonios. Senaquerib se retractó de esto, y fue algo que los babilonios nunca perdonarían. Es probable que por esta razón los babilonios se involucraran tanto en las campañas militares dirigidas por los egipcios y los medos, que finalmente pondrían fin al período asirio de la historia del Cercano Oriente.

Las cosas volverían a cambiar dramáticamente en el 681. Senaquerib fue asesinado, y Asarhaddón tomó su lugar. Inmediatamente dio un giro de 180 grados en su política hacia Babilonia, restaurando la ciudad como el centro cultural y político de la zona. También restauró las antiguas exenciones de impuestos a ciertas partes de la población y dio paso a políticas que restaurarían la prosperidad económica de la región.

Parece que los babilonios y sus aliados respondieron favorablemente a este cambio de política, ya que el reinado de Asarhaddón experimentó pocos trastornos importantes. Hubo por supuesto pequeños disturbios tribales, pero Asarhaddón pudo gobernar Babilonia de forma relativamente pacífica durante todo su tiempo como rey asirio. Pero hacia el final de su tiempo como gobernante, cuando llegó el momento de nombrar un sucesor, la elección de Asarhaddón tendría profundos efectos en el estado de Babilonia y también en la estabilidad del Imperio asirio.

Hacia el final de su reinado, Asarhaddón nombró a su hijo, Asurbanipal, como heredero al trono asirio, pero le dio a uno de sus hijos menores, Shamash-shum-ukin, el reino de Babilonia, imaginando un escenario en el que sus dos hijos gobernaran como soberanos independientes pero unidos.

Sin embargo, esto no llegaría a ser. No está claro cuán específico fue el mandato de Asarhaddón de dividir el poder, pero al final, Asurbanipal no solo llegó a gobernar Asiria y su imperio, sino que también mantuvo un estrecho control sobre Babilonia, convirtiendo a Shamash-shum-ukin en un monarca dependiente. Parece que esta decisión fue inicialmente algo a lo que Shamash-shum-ukin accedió, pero la interferencia repetida de Asurbanipal en el gobierno de Babilonia agrió la relación y finalmente llevó a los dos hermanos a un conflicto directo.

La lucha estalló en algún momento del 652 a. C., y duraría los siguientes siete años. Se considera que hay dos escenarios, el Norte, dirigido por Asurbanipal, y el Sur, dirigido por su hermano Shamash-shum-ukin. Mientras que muchas de las principales ciudades como Uruk, Kullab, Ur, Kissik y Eridu declararon su lealtad a Asurbanipal, solo Uruk fue reforzada con tropas asirias, lo que la convierte en la única ciudad de este grupo que se vio seriamente amenazada durante la guerra. Sin embargo, Shamash-shum-ukin pudo conseguir el apoyo de los elamitas del este y de los árabes del oeste (un tema recurrente en la lucha asiria por mantener el control sobre Babilonia), lo que contribuyó a prolongar la guerra durante mucho más tiempo de lo que se esperaba, teniendo en cuenta el relativo dominio de Asurbanipal.

Dos consecuencias importantes vinieron del conflicto fraternal conocido como La Gran Rebelión. En primer lugar, Elam fue esencialmente eliminada como un actor influyente en la región. Después de suprimir la rebelión en Babilonia, Asurbanipal se movió por el oeste de Elam, devastando la llanura como lo hizo. La gente fue reubicada, las ciudades fueron destruidas, los animales (que habían sido la principal fuente de riqueza de Elam) fueron despachados, y la sal y las plantas espinosas fueron sembradas en los campos, devolviendo la tierra a un estado primitivo. En segundo lugar, Asiria nunca más se embarcó en una gran campaña militar. La supresión y el castigo de las poblaciones rebeldes a través de la llanura elamita, el desierto de Arabia y Babilonia ejercieron una enorme presión sobre los recursos asirios. Y al eliminar a Elam, Asiria destruyó efectivamente un elemento amortiguador que los había protegido de grupos tribales más fuertes que amenazaban con avanzar hacia el norte del actual Irán.

Lo importante de este período de la historia asiria es lo dependiente que era el aparato político del imperio de su líder, el emperador. Ningún sistema de poder político puede depender demasiado de una sola persona, pero como se ha visto con los cambios radicales en la política que se produjo cuando los nuevos gobernantes tomaron el trono, esto fue sin duda el caso en los últimos tiempos asirios. Esto arroja algo de luz sobre una verdad crucial sobre el imperio en este momento: su control del poder se estaba debilitando.

Además, parte de la razón por la que Asiria pudo establecerse como la potencia dominante en la región fue por su superioridad militar. Sin embargo, esto se desmoronó lentamente en el lapso de 100 años desde mediados del siglo VIII hasta mediados del VII a. C. Repetidas campañas a raíz de las rebeliones en Babilonia, así como el fortalecimiento de las alianzas entre los vecinos de Asiria, significó que el control asirio sobre el Creciente Fértil fue disminuyendo lentamente. La incapacidad de los gobernantes asirios después de Tiglat Pileser III para mantener un firme control sobre Babilonia y sus territorios circundantes representó un debilitamiento de esta hegemonía militar. Y aunque el Imperio asirio permanecería intacto unos 20 años después del final de la Gran Rebelión, Asiria no lanzaría otra campaña militar significativa, y sus días como la potencia más dominante de Mesopotamia estaban esencialmente acabados.

El Reino de Kandalanu y el asedio de Harrán

Después de tener éxito en la supresión de la rebelión de Shamash-shum-ukin, Asurbanipal nombró a Kandalanu al trono de Babilonia. No existe mucha evidencia sobre el origen de Kandalanu o su tiempo como rey, lo que lleva a muchos a sugerir que tal vez Kandalanu era meramente un nombre de trono para Asurbanipal, lo que significa que eran la misma persona. Pero no hay pruebas definitivas que lo demuestren.

Tanto si se cree como si no, es cierto que los 20 años en los que Kandalanu gobernó Babilonia después de la Gran Rebelión fueron prósperos. Es probable que se le diera el control del reino gradualmente, con Asurbanipal supervisando el funcionamiento de Babilonia desde lejos. Los primeros cinco años estuvieron marcados por una lenta actividad económica, pero los siguientes quince vieron a la región volver a los niveles de prosperidad que había disfrutado durante los tiempos de Asarhaddón.

Kandalanu y Asurbanipal murieron en el año 627 (otra razón por la que algunos creen que pueden haber sido la misma persona), y esto creó otro período de inestabilidad. Nabopolasar asumió el trono de Babilonia, pero fue rápidamente derrotado por las fuerzas asirias. Sin embargo, después de la muerte de Asurbanipal, Asiria se quedó con dos líderes: Sin-shumu-lishir y Sin-sharra-ishkun. Esto sugiere que la estructura de poder en Asiria se había debilitado significativamente. De hecho, en los textos babilónicos, el 626 a. C. se considera el primer año en el que las tierras asirias no tuvieron reyes.

Sin embargo, un ejército asirio se dirigió a Babilonia para sitiar y restaurar el orden. Pero a diferencia de los asedios anteriores, que dejaron a Babilonia en ruinas, el ejército babilónico fue capaz de reunir y saquear el ejército asirio. Esto dio legitimidad al reclamo de Nabopolasar al trono, y también marcó el comienzo de una nueva era en Babilonia que la vio como el centro de influencia en el Creciente Fértil.

Poco después de que Nabopolasar expulsara a los asirios de Babilonia, Ciáxares, el rey de Medo, una región situada al noreste de Asiria, lanzó un ataque a los territorios asirios. Las fuerzas de los medos capturaron a Tarbisu y luego derrotaron de forma decisiva a los asirios en la batalla de Assur. Luego unieron fuerzas con el ejército babilónico y lanzaron un ataque al centro del control político y económico asirio, Nínive.

Fue durante esta batalla, en el 612 a. C., donde el rey asirio Sin-sharra-ishkun murió y fue reemplazado por Ashur-uballit II. Ashur-uballit II reunió entonces sus fuerzas y se dirigió a Harrán, que se encuentra al oeste de Nínive. Sin embargo, los medos y los babilonios sitiaron la ciudad en una batalla conocida como el Asedio de Harrán, que terminó con la caída de Harrán en 609. Una fuerza formada por egipcios y asirios intentó recuperar la ciudad, pero fracasó, y esto puso fin al Imperio asirio tal como lo conocemos.

Entendiendo el colapso asirio

Para los observadores de la historia, puede ser difícil entender cómo el Imperio asirio, que creció tan sustancialmente en tamaño a lo largo de los siglos VII y VIII, fue capaz de ser derribado en un período de tiempo tan corto. Pasó de controlar toda la región de Mesopotamia, con fortalezas al norte, sur y oeste, a ser esencialmente un vasallo del Imperio babilónico en menos de medio siglo. Y con este ascenso de los babilonios, Asiria casi desapareció de los registros de la historia.

Esto puede parecer extraño a los estudiosos de la historia antigua, pero la historia del colapso asirio es una historia familiar. El reino de Asiria, la región que rodea a Assur, Nínive, Calaj, y sus alrededores, era en realidad bastante pequeño y generalmente pobre en recursos. Sin embargo, gracias al uso de un armamento superior, a tácticas militares eficaces como la guerra de asedio y a las políticas de deportación estratégica, Asiria pudo ampliar considerablemente su influencia en toda la región. Y, el principal propósito de la búsqueda de poder de Asiria fue asegurar el acceso a los recursos que necesitaba para mantener a su población.

Esto creó una situación paradójica en la que Asiria necesitaba expandirse para sobrevivir, pero fue esta expansión la que finalmente contribuyó a su desaparición. Los recursos adquiridos a través de los tributos recaudados de los territorios conquistados eran necesarios para la supervivencia del reino asirio, pero el mantenimiento de este sistema de tributos y control también puso una enorme presión sobre estos recursos, en particular la mano de obra.

Es por esta razón que el poder asirio en la región puede ser documentado a través de tan tremendos flujos y reflujos. Comenzando con el Imperio antiguo asirio, que surgió hacia el 2000 a. C., los reyes asirios estuvieron constantemente conquistando territorio y luego reconquistando el territorio tomado por los anteriores reyes que perdieron. Esto ocurrió porque los reyes asirios nunca pudieron dejar atrás fuerzas suficientes para sofocar las rebeliones o establecer un control firme sobre las regiones recién conquistadas bajo la amenaza de las potencias cercanas.

Como resultado, el Imperio asirio se volvió demasiado dependiente de su emperador. Las rebeliones estallarían en una región del imperio, y debido a que las fuerzas locales no eran suficientes para detener estas insurrecciones, el territorio se perdería hasta que el emperador y su ejército pudiera hacer su camino de regreso para reafirmar el dominio asirio. Hacer esto significaba una vez más dejar el territorio recién conquistado sin defender, lo que significaba que solo sería cuestión de tiempo antes de que estas poblaciones conquistadas se rebelaran o fueran conquistadas por alguien más.

Esta tendencia existió a lo largo de la historia asiria. Y la única razón por la que el Imperio neoasirio fue capaz de expandirse hasta el punto de que lo hizo fue porque este período vio el más fuerte militar asirio. Infundió miedo en los corazones de los reyes de toda Mesopotamia, en Anatolia, y en toda Armenia y otros territorios del norte. Como resultado, muchos de estos reyes, deseando evitar problemas a su pueblo, se sometieron voluntariamente al gobierno asirio, dando a los reyes asirios una base desde la cual podían expandir el imperio aún más.

Sin embargo, a medida que Asiria fue peleando con reinos más grandes y poderosos, como Egipto, Elam y Babilonia, se hizo más difícil para ellos asegurar todas las fronteras del imperio. El ascenso de Babilonia bajo Nabopolasar presentó una oportunidad para que los egipcios y los medos retomaran las tierras previamente perdidas a los asirios y eventualmente se trasladaran a las ciudades en el centro del poder asirio.

Es fácil mirar atrás a la caída de Asiria y preguntarse por qué no decidieron simplemente dejar de expandirse y en su lugar consolidar su poder en casa. Pero aquellos de nosotros que estudiamos la historia estamos armados tanto con la retrospectiva como con las formas modernas de pensar. Para los líderes de la antigüedad, la conquista lo era todo. Asegurar nuevas tierras traía riquezas y gloria al monarca y a sus súbditos, y era un medio para complacer a los dioses, que eran en última instancia los que determinaban el destino.

La historia del Imperio asirio es larga, abarca miles de años e innumerables reyes, algunos de los cuales, como Tiglat Pileser III y Sargón II, han pasado a la historia junto con Alejandro Magno, Julio César y Gengis Kan como algunos de los más grandes conquistadores de todos los tiempos. Sin embargo, así como estos poderosos gobernantes acabaron cayendo, también lo hicieron los asirios, pero no sin antes dejar su huella como una de las civilizaciones más exitosas en la historia del mundo antiguo.

Capítulo 6 - Gobierno Asirio

Si bien el Imperio asirio se expandió en gran medida como resultado de la conquista militar, para que se le considerara realmente un imperio tenía que ejercer cierto grado de control político sobre los territorios y pueblos sobre los que reclamaba el dominio. La estructura de poder en Asiria cambió drásticamente a medida que el imperio se fue desplazando desde el Imperio asirio medio hacia su cúspide durante el Imperio neoasirio, principalmente mediante la adición de tratados diplomáticos que ayudaron a dar a los reyes asirios el control sobre ciertos territorios, o que al menos les dieron una influencia considerable.

En general, sin embargo, es útil entender que el gobierno del reino asirio está dividido en dos partes: Asiria propiamente dicha y la Gran Asiria. Ninguno de estos nombres se usaba en la antigüedad, aunque los territorios alejados del centro imperial se llamaban a menudo "La Tierra". Sin embargo, a efectos de estudio histórico, puede considerarse que Asiria propiamente dicha era el núcleo del imperio, y consistía en las tierras que rodeaban las grandes metrópolis de Assur, Nínive y Calaj, así como los territorios de partes de la Mesopotamia media y de la Siria oriental.

Estas tierras eran gobernadas a través de un sistema de administradores regionales que estaban todos directamente subordinados al rey. Es útil pensar en el sistema burocrático asirio como una pirámide, con el rey en la parte superior, sus principales asesores directamente debajo de él, y luego una amplia gama de otros gobernadores regionales debajo de ellos. Sin embargo, esta estructura piramidal no debe ser tomada de forma rígida, ya que a menudo no funcionaba exactamente de esta manera. El rey solía dar órdenes a los gobernadores que estaban a varios niveles alejados de la cima, y los puestos se concedían más por necesidad que de acuerdo con cualquier tipo de estrategia de planificación estatal, es decir, a medida que los territorios pasaban a estar bajo el control del rey asirio, este concedía la autoridad a un gobernante regional según le parecía.

Una cosa a tener en cuenta es que pocos funcionarios asirios, si es que hay alguno, sabían leer y escribir. El aparato estatal se mantenía en gran parte a través de un ejército de escribas que escribían órdenes del rey y las enviaban a todos los rincones del imperio. Se puede decir con seguridad que sin esta red de escribanos habría sido difícil, si no imposible, que el rey mantuviera algún grado de control sobre su imperio, lo que ayuda a explicar por qué los escribanos tenían un estatus tan alto en toda la sociedad asiria.

En general, el control de la burocracia en Asiria propiamente dicha era más estricto que en la Gran Asiria, pero esto no significaba que los gobernadores y administradores siempre obedecieran órdenes. Fuertemente influenciados por el pueblo que gobernaban, eran frecuentemente la fuente de rebeliones u otras insurrecciones, con las que los reyes asirios pasaban mucho tiempo tratando, normalmente enviando ejércitos o trayendo su propio ejército, para restaurar por la fuerza el orden y el gobierno asirio. Como los reyes asirios también eran líderes militares, dirigían su propio ejército, que normalmente se consideraba el más poderoso de todos los ejércitos asirios. De hecho, como se ve en la historia de la expansión imperial asiria, el rey y su ejército eran en gran medida responsables de los éxitos militares del imperio. Otros líderes eran menos aptos, o se les dio fuerzas más pequeñas para comandar, haciéndolas menos efectivas. Como tal, ser miembro del ejército del rey se consideraba un gran honor para los soldados asirios.

La ley en Asiria dependía completamente del rey. Asuntos como disputas de contratos o decisiones sobre crímenes se dejaban a los administradores locales que actuaban en nombre del rey. En los casos en que no se podía llegar a un acuerdo, los implicados en la disputa podían tener que viajar a una capital de provincia cercana para buscar el juicio de un funcionario de mayor rango.

La mayor parte de los conflictos que surgieron se referían a deudas que habían quedado impagadas, que a menudo eran resueltas por el deudor vendido como esclavo al servicio del que había concedido la deuda. Se esperaba que este individuo sirviera durante un tiempo determinado por el tribunal que sería suficiente para pagar la deuda.

Sin embargo, como se desprende de la historia imperial del Imperio asirio, la principal fuente de gobierno era la fuerza y el terror. Se esperaba que los gobernantes que quedaban en control de una ciudad o región permanecieran leales al rey, y el castigo por la deslealtad era la muerte. Los que apoyaban a un oficial rebelde eran deportados, ejecutados o vendidos como esclavos.

El tratamiento de los gobernantes desleales también fue bastante duro. Estas personas a menudo eran despellejadas y desolladas, o decapitadas, y puestas en exhibición para que todos los de la zona las vieran y así desanimar una mayor rebelión. La lógica detrás de este tipo de comportamiento era, por supuesto, decir, "permanece leal al rey y todo estará bien". Y dado que la mayoría de la gente era analfabeta y completamente dependiente de los reyes y otros nobles para el derecho a trabajar la tierra y ganarse la vida, este no era un estatuto demasiado difícil de imponer a la gente.

Más allá, en los territorios conocidos como Gran Asiria, los reyes asirios se basaban en tratados para hacer cumplir su mandato, utilizando los poderes locales y regionales para ayudarles a ejercer su influencia. En general, había dos tipos diferentes de tratados: los tratados de cooperación y los tratados de vasallaje.

Los tratados de cooperación solían formarse con reinos demasiado poderosos para ser conquistados. Estos podían incluir la instalación de un rey asirio a cambio de apoyo militar asirio, o podía dejar al rey local en el poder y en su lugar establecer un acuerdo comercial pacífico. A menudo el acuerdo implicaría la formación de una alianza contra otra potencia cercana.

Por ejemplo, hacia el final del Imperio asirio, alrededor del 650 a. C., los asirios pudieron reclutar el apoyo de los árabes y los palestinos para lanzar una invasión a Egipto. Pero estas alianzas pronto se desmoronaron, con los egipcios reclutando las mismas ciudades para unirse a ellos y a Babilonia en la superación de los asirios para siempre. Estos reinos atrapados entre estas dos grandes potencias fueron fácilmente influenciados para apoyar a la que era más poderosa, ya que esto les presentó una buena oportunidad para recuperar su propia independencia.

Otros buenos ejemplos de este tipo de acuerdos fueron los realizados con los reyes de Babilonia, a los que tradicionalmente se les concedían importantes libertades para gobernar a su antojo, en parte porque los reyes asirios sabían que nunca podrían dominar totalmente a los reyes babilonios. Esta fue una suposición que resultó ser cierta, ya que la ruptura de estos tratados y el intento de conquista de Babilonia fue una de las principales razones por las que el Imperio asirio sucumbió.

Los demás tratados utilizados para controlar la Gran Asiria eran tratados de vasallaje. Estos se usaban con reinos que Asiria podía intimidar fácilmente, y normalmente giraban en torno al pago de tributos. Estos tratados se celebraron a menudo con los reinos más débiles de Fenicia, Anatolia y los territorios al norte de Asiria, y resultaron ser bastante eficaces para enriquecer el imperio y ampliar su influencia.

En general, el sistema de gobierno asirio fue tan efectivo como se esperaría que fuera un gobierno imperial en la antigüedad. Una red suelta pero efectiva de administradores regionales ayudaba a gobernar los territorios más cercanos al centro del imperio mientras que los tratados de cooperación y vasallaje ayudaban a someter los territorios más alejados. Sin embargo, detrás de ambos sistemas estaba la amenaza de una guerra constante y el terror que hizo famosos a los ejércitos y reyes asirios tanto en la antigüedad como en los tiempos modernos.

Capítulo 7 - El ejército asirio

Se ha hablado mucho del terrible poderío militar del Imperio asirio, y con razón. El Imperio asirio hizo grandes progresos en términos de organización de su ejército y su uso eficaz, tanto que los dos grandes imperios que siguieron a Asiria, Babilonia y Persia, tenían ejércitos que estaban básicamente modelados según el de los asirios.

Se cree que para cuando Sargón II llegó al poder, el tamaño total del ejército asirio a disposición de los reyes de Asiria era una fuerza de aproximadamente varios cientos de miles de tropas. Sin embargo, todas estas tropas rara vez, si es que alguna vez, fueron llamadas a la acción al mismo tiempo. De hecho, el ejército regular permanente habría sido bastante pequeño, y su tamaño habría crecido dependiendo de las necesidades de una campaña. Debido a esto, puede decirse que en la época del Imperio neoasirio, había tres clases distintas dentro del ejército: soldados profesionales, hombres que cumplían su *ilku* (que significa "deber"), y soldados especiales llamados a campañas específicas.

Antes de entrar en las diferencias entre los tres grupos, es importante entender la estructura de todo el ejército. A la cabeza estaba, por supuesto, el rey. Era responsable de todas las campañas, y en teoría las dirigía él mismo, con algunas excepciones. En los primeros días del poder asirio, que se remonta al Imperio asirio medio, las campañas no eran mucho más que incursiones vagamente organizadas en ciudades y pueblos. Sin embargo, con el surgimiento del Imperio neoasirio, los ataques fueron coordinados, bien planeados y una parte integral de una política general de expansión.

Directamente debajo del rey estaba el mariscal de campo, que puede ser considerado más como un gran general. Él habría sido el responsable de trabajar con los gobernadores regionales para recaudar tropas. Los gobernadores provinciales eran responsables de los militares de su provincia, y delegaban en los capitanes, que se encargaban de territorios tan pequeños como unos pocos pueblos. Como era de esperar, el rango militar y el poder político estaban directamente conectados.

Los soldados profesionales fueron reclutados de la población después de haber sido identificados por un líder como excepcionales. Estos individuos llevaban sus vidas como soldados a tiempo completo, normalmente estacionados en campos militares lejanos. Los campos militares eran típicamente los restos de ciudades conquistadas que habían sido readaptadas para mantener a los mejores soldados de Asiria más cerca de los teatros de guerra. Los elegidos para ser soldados profesionales eran enviados a estos campos para su entrenamiento, y aunque su posición era alta en la sociedad, ya que ser uno de los soldados profesionales del rey era un gran honor, su estilo de vida era duro. Se definía por la guerra constante, y rara vez volvían a casa, incluso en años sin una campaña.

En general, el tamaño del ejército asirio regular era relativamente pequeño. Para engrosar sus filas en apoyo de una campaña, los reyes asirios afirmaban el ilku. A cambio de la protección ofrecida por el rey, se esperaba que todos los terratenientes prestaran servicio militar cuando se les requiriera. Si el rey necesitaba tropas, trabajaría con sus generales para encontrarlas, es decir, el mariscal de campo diría a los gobernadores provinciales cuántas tropas se esperaban de él, y sus capitanes encontrarían entonces a los hombres más aptos para servir. Cuando eran elegidos para servir en una campaña, los hombres eran enviados a la capital donde se celebraba una gran ceremonia. Las campañas solían comenzar en la primavera, después del invierno y las lluvias, y se iniciaban con una inspección de las tropas. Sacerdotes y otros adivinos los acompañaban, dando bendiciones y pronósticos a medida que avanzaban. Cuando volvían victoriosos de una campaña, el rey desfilaba en su carroza ceremonial. En los casos en los que los intentos de tributo habían fallado, o donde había estallado una rebelión, los reyes y príncipes conquistados se veían obligados a caminar detrás de la carroza encadenados.

A las tropas que habían sido reclutadas en la propia Asiria se les daba posiciones más altas, generalmente en la caballería o en los carros de guerra, en gran parte porque se creía que eran más leales. Otros, como los reclutados en territorios conquistados, o en tierras donde se dudaba de su lealtad, eran sometidos a la infantería. Las armas más comunes de la infantería eran hachas de guerra, lanzas, arcos, espadas, dagas, mazas y hondas. Los jinetes de carros y de caballería solían ir equipados con una lanza o un arco, y los caballeros cabalgaban acompañados por alguien que sostenía su escudo mientras ellos disparaban flechas. La armadura se distribuía según el estatus, los asirios de mayor rango recibían armaduras de escamas y los de menor rango recibían cuero.

En términos de tácticas, los asirios se basaban en tres grandes, y llegarían a ser lo que hacía a su ejército tan prolífico: batallas campales, guerra de asedio y guerra psicológica. Los asirios no utilizaron tácticas de guerrilla, sino que optaron por enfrentarse a su enemigo en campos de batalla abiertos. Sin embargo, se les conocía por utilizar varias tácticas ingeniosas pero nuevas para la época, como la construcción de diques en los ríos para inundar el campamento enemigo, el ataque a medianoche y su posicionamiento entre el enemigo y su suministro de agua.

Sin embargo, la característica que definía al ejército asirio era la guerra de asedio. Estaban lejos de sus inventores, pero fueron capaces de perfeccionarla esencialmente dadas las capacidades tecnológicas de la época. Los cerebros detrás de los asedios asirios eran los ingenieros que viajaban con el ejército. Diseñaron y construyeron lo que eran esencialmente antiguos tanques - dispositivos de bombardeo sobre ruedas - que tenían espacio donde los arqueros podían esconderse y disparar a los arqueros defensores. Usarían escaleras para escalar las murallas de la ciudad, pero también construirían rampas de tierra que estos "tanques" podrían escalar y usar para bombardear la ciudad desde arriba. Además, encenderían fuegos y cavarían agujeros alrededor de las murallas de la ciudad para tratar de encontrar maneras de entrar.

Cuando esto no funcionaba, el ejército asirio se ponía a trabajar destruyendo el territorio que rodeaba una ciudad. Bloquearían todos los caminos que entran en la ciudad, y también destruirían las tierras de cultivo y cualquier otro pueblo que se encontrase fuera de los muros de la ciudad. Sin embargo, este tipo de guerra era costosa y lenta, por lo que los asirios frecuentemente buscaban formas más expeditas de conquistar una ciudad, una de las cuales sería aterrorizar a su gente.

Después de la primera ronda de destrucción, el líder, a veces el rey, pero tal vez un capitán que hablaba en nombre del rey, se ponía de pie frente a la ciudad y argumentaba al pueblo por qué debían desobedecer a sus líderes y abrir las murallas de la ciudad. Si esto no funcionaba, los asirios encontraban pueblos y ciudades cercanas, las saqueaban y volvían con los cadáveres. Estos fueron horriblemente mutilados y generalmente desollados, para luego ser puestos en exhibición a la vista de todos.

El propósito de esto era mostrar a los súbditos de la ciudad lo que sucedería eventualmente si continuaban resistiendo. Esto a menudo resultaría eficaz para tratar con la ciudad en cuestión, pero también hizo mucho más fácil para los asirios la conquista de otros territorios. Las historias de su brutalidad se extenderían, y esto haría que muchos lugares simplemente abrieran sus puertas antes de que el ejército asirio sintiera la necesidad de involucrarse en esta crueldad. Esta política de terror practicada por el ejército asirio fue una gran razón por la que fueron capaces de conquistar constantemente tanta tierra durante un período tan largo de tiempo.

Estas tácticas, que demostraron ser tan efectivas a lo largo del tiempo, cambiarían la dirección de las antiguas tradiciones militares. Los tipos de asedio y la guerra psicológica llevada a cabo por los asirios se verían de nuevo en Babilonia, Persia e incluso Roma. Según los estándares modernos, eran brutales, por decir lo menos. Pero incluso para los contemporáneos de los asirios, las tácticas habrían parecido crueles, lo que nos da una idea de lo impactantes que eran estos métodos. Sin embargo, tuvieron mucho éxito, y ayudaron a Asiria a construir un ejército que sería el principal impulsor de la expansión imperial neoasiria.

Capítulo 8 - La vida en el Imperio Asirio

Si bien la historia asiria se entiende en gran medida a través de las conquistas militares e imperiales de sus muchos reyes, no todos los que vivieron bajo los asirios se preocuparon por la conquista imperial. De hecho, es probable que solo un pequeño porcentaje de las personas que se considerarían asirios eran de hecho soldados de lo que se convertiría en algunos de los mayores ejércitos de la historia del mundo antiguo.

Las clases bajas asirias

No es de extrañar que en la parte del mundo conocida como la "cuna de la civilización", lugar que se acredita como uno de los primeros lugares donde la gente practicó estilos de vida sedentarios basados en la agricultura, la gran mayoría de los asirios, y los que caerían bajo el dominio asirio, eran agricultores.

En términos generales, como fue el caso en la mayor parte del mundo antiguo, los pueblos de Mesopotamia y más allá practicaban una forma de feudalismo. Los terratenientes concedían a la gente la oportunidad de trabajar sus tierras, que podían utilizar para su propio sustento, y a cambio, los arrendatarios debían producir una cierta recompensa para el terrateniente. En algunos casos, hay pruebas de que la tierra se dividía entre propietarios y arrendatarios, y cada parte recibía la mitad de lo que producía la tierra.

Parte de la razón por la que la guerra y la conquista era tan importante en estos tiempos era para ayudar a la gente a mantener el control de su tierra. Se pagaban impuestos a los gobernadores locales, y a cambio, estos gobernadores, que estaban bajo diversos grados de control a otros señores, ofrecían protección a los agricultores. Si las tribus invasoras llegaban a las tierras de un granjero, este se dirigía a su señor para que le ayudara. Las numerosas insurrecciones que se produjeron durante este período respondían generalmente a la incapacidad de los dirigentes para defender a la gente de las amenazas constantes que planteaban las personas que emigraban a través de las tierras.

Como se ha dicho antes, una de las caídas del Imperio asirio fue su incapacidad para asegurar adecuadamente los territorios conquistados. Considere la situación de un antiguo agricultor mesopotámico: un rey asirio marcha por su territorio exigiéndole que le declare lealtad en forma de impuestos y tributos o que sufra las consecuencias. Usted, como agricultor indefenso, no tiene otra opción que someterse. Sin embargo, en un año, el ejército asirio se ha ido, y hay gente que se abre camino en su territorio. Apela a sus vasallos asirios, pero ellos están muy lejos participando en guerras de conquista en territorios de los que usted no sabe nada. Si otro rey poderoso viniera a ofrecerle protección a cambio de lealtad, ¿qué haría? Lo más probable es que abandonase a los asirios en favor de este nuevo rey, hasta que se marchase, y se encontrase de nuevo ante el peligro de las tribus invasoras.

Uno puede imaginar que la vida de un ciudadano típico del Imperio asirio no se veía afectada por el individuo que gobernaba... Su única preocupación real era la protección, lo que significa que podían ser fácilmente influenciados para dar su apoyo a cualquier rey que estaba dispuesto y capaz de ofrecer esta seguridad. Sin embargo, esto cambiaría a medida que un reino se hiciera más poderoso. Por ejemplo, al final del Colapso de la Edad de Bronce (c.1000 a. C.), los asirios eran el reino más poderoso de la región, y a medida que su ejército crecía en tamaño y fuerza, aumentaban los riesgos de unirse a una rebelión a favor de otro poder, ya que los asirios no se tomaban las insurrecciones a la ligera. Siempre existía la posibilidad de que el ejército volviera a reclamar su territorio perdido, castigando a cualquiera que se atreviera a desafiar su dominio ofreciendo apoyo a otro rey.

Esta represalia probablemente no sería inmediata, ya que el ejército asirio rara vez dejó atrás grandes fuerzas para defender el territorio conquistado, eligiendo en su lugar llevar el mayor volumen de sus fuerzas hacia adelante en busca de nuevas conquistas. Pero casi todos los reyes asirios comenzarían su gobierno trabajando para reconquistar el territorio perdido y consolidarlo en el imperio, lo que significa que casi siempre llegaría el día del juicio final. Pero ante las crecientes amenazas de las tribus nómadas cercanas, u otras inestabilidades, la lealtad a reyes lejanos, ya fueran asirios o de otro tipo, no estaba del todo justificada. En este sentido, podemos entender que la vida de los ciudadanos asirios de cada día sería de una tremenda inestabilidad definida por el miedo y el servicio.

Sin embargo, la vida continuó. Las principales ocupaciones, además de los agricultores, eran lo que se podía esperar de la antigua civilización. La mayoría de las personas eran pastores de animales, panaderos, cerveceros, carniceros, pescadores, fabricantes de ladrillos, trabajadores de la construcción, alfareros, joyeros, prostitutas, etc. No había un sistema de dinero en la antigua Asiria, por lo que los negocios se realizaban en gran medida a través de un sistema de trueque, con cualquier cosa desde la harina hasta el oro como moneda.

Estas personas de clase baja habrían sido relegadas a un estilo de vida mayormente de subsistencia. Sin embargo, había oportunidad para que la gente subiera en la escala social, sobre todo llevando a cabo un negocio inteligente. Un ejemplo famoso viene de la ciudad de Kish, que llegó a ser gobernada por una reina llamada Kubaba, que en un tiempo fue tabernera. Historias como estas, sin embargo, son raras, y aunque posible, la movilidad social no era realmente la norma.

En general, se permitía y se esperaba que las mujeres realizaran tareas similares a las de los hombres, pero sin duda se las consideraba ciudadanos de menor relevancia. Las mujeres no podían llevar a cabo negocios sin el consentimiento de sus maridos, y se esperaba que se sometieran a la voluntad de su marido. Por ejemplo, las mujeres fueron las primeras en asumir ocupaciones como cerveceras, taberneras, médicos y dentistas, pero una vez que estas posiciones se volvían lucrativas, eran asumidas por los hombres.

Una cosa interesante de notar en lo que se refiere a las mujeres en la sociedad es la forma en que se organizó el matrimonio. La poligamia, en términos generales, no era practicada por los plebeyos. De hecho, algunas de las fuentes más significativas sobre la vida de un plebeyo en el Imperio asirio son los contratos de matrimonio. Se esperaba que la familia de una mujer pagara una dote al casarse, pero si el hombre era declarado culpable de adulterio, esta dote le sería devuelta en su totalidad.

Esta es una regla que se remonta al código de Hammurabi y parece haber sido ampliamente practicada en gran parte del Imperio asirio. Sin embargo, uno debe ser un poco cauteloso acerca de la extrapolación de normas culturales como estas a través de todo el imperio. El poder cambió de manos con frecuencia, y es difícil saber exactamente qué costumbres eran realmente practicadas por grandes porciones de la población.

Como era de esperar, la principal preocupación del ciudadano asirio medio era la comida. Por suerte para ellos, vivían en el Creciente Fértil, una parte del mundo conocida por su rico suelo y clima favorable. No estaba exenta de desafíos y seguía siendo susceptible a las conmociones, como se vio en el colapso de la Edad de Bronce, pero en general los ciudadanos de la antigua Mesopotamia eran capaces de disfrutar de una dieta sana y variada incluso para los estándares modernos.

El alimento básico de la dieta mesopotámica era la cebada, el grano más disponible en la región. El principal producto que la gente hacía era el pan, pero ponían la cebada a trabajar de otras maneras. Por ejemplo, debido a esta abundancia de cebada, se cree que la cerveza se inventó en Mesopotamia, y las tabernas eran instituciones regulares en la mayoría de las ciudades y pueblos.

Además de la cebada, se disponía fácilmente de una amplia variedad de frutas y verduras, como manzanas, higos, cerezas, albaricoques, peras, zanahorias, pepinos, frijoles, guisantes y nabos.

La carne también era una parte regular de la dieta mesopotámica; sin embargo, la mayoría de la gente solo comía el pescado que podía capturar de los ríos o el pequeño ganado que podía mantener en sus corrales, como cerdos, cabras y ovejas. La carne de vacuno no se consumía regularmente, si es que se consumía, en gran parte porque la cría y el mantenimiento de las vacas resultaba demasiado costoso y también porque algunas normas culturales tenían en alta estima a las vacas y prohibían su sacrificio.

En general, la vida de los plebeyos en la antigua Asiria era dura y llena de inestabilidad. Los miembros de la clase baja podían permitirse pocos lujos, y por lo general era un reto importante satisfacer las demandas de producción y los tributos impuestos por los terratenientes y los monarcas. La mayoría de la gente era analfabeta, y la escritura era una habilidad reservada a los escribas y otros miembros de las clases altas.

Sin embargo, la gente común no eran los miembros más bajos del orden social. La esclavitud fue prominente en la antigua Mesopotamia como ha sido el caso en las civilizaciones alrededor del mundo desde los primeros tiempos. Uno podía convertirse en esclavo de diferentes maneras. La razón más común por la que alguien se convirtió en esclavo es que había sido capturado durante la guerra. Como se mencionó anteriormente, parte del poder de los reyes asirios provenía de sus políticas de deportación, y un gran componente de estas expulsiones masivas de personas era proporcionar a las ciudades la mano de obra esclava necesaria para los proyectos de construcción masiva que generalmente se llevan a cabo en las grandes metrópolis de Assur, Nínive o Calaj.

También se podía optar por entrar en la esclavitud como medio para pagar una deuda, o la familia podía venderlo como una forma de pagar su deuda. Cuando esto sucedía, generalmente resultaba en que la persona tenía que mudarse lejos de su hogar. Además, uno podría ser vendido como esclavo como castigo por un crimen. Una de las consecuencias de la esclavitud en la antigua Mesopotamia, y en casi todas las demás partes del mundo donde su práctica estaba extendida, era que mantenía los salarios bajos para los trabajadores libres. Debido a que la guerra y la deportación eran casi constantes, había un suministro casi ilimitado de mano de obra esclava, lo que significaba que había poco o ningún incentivo para que la gente ofreciera salarios más altos a sus trabajadores.

En general, la esclavitud no era tan dura o brutal como lo serían versiones posteriores de la misma, como la esclavitud impuesta por los españoles a las poblaciones indígenas de América Central y del Sur o la esclavitud del Imperio británico y del Sur de América, pero el esclavo seguía siendo considerado el miembro más bajo de la sociedad. Sin embargo, con el tiempo, mediante un trabajo diligente, un esclavo podía ganarse su camino hacia la libertad, algo que era especialmente común para aquellos que aceptaban entrar en la esclavitud como medio de pagar una deuda; cuando la deuda se pagaba, el esclavo era liberado.

Tanto los esclavos como los plebeyos vivían vidas difíciles que estaban a merced de los caprichos de quienes cedían más poder e influencia en la sociedad, y se les privaba de casi todos los lujos que comúnmente disfrutaban las personas de los niveles superiores de la sociedad mesopotámica.

Las clases altas de la antigua Asiria

El miembro más alto de la sociedad asiria era obviamente el rey. Uno siempre debe recordar que lo que ahora se considera el Imperio asirio era muy diferente de los tipos de estados que tenemos hoy en día. Mientras que los reyes que gobernaban desde Assur, Nínive y Calaj controlaban grandes extensiones de territorio, e intentaban mantener el control estableciendo gobernadores o firmando tratados, su control sobre el poder siempre fue flojo. Como prueba de ello, solo hay que mirar el drama de la expansión imperial asiria, que se definió por repetidas conquistas militares destinadas a reconquistar territorios rebeldes y a expandir potencialmente la influencia asiria en nuevas tierras. Como tal, lo que consideramos como un imperio, aunque poderoso para su tiempo, era en realidad más una combinación de ciudades conquistadas y ciudades-estado que fueron reunidas bajo un sistema de tributo común. Este sistema de tributos era grande, complejo e imperfecto. Casi todas las ciudades tenían su propio rey, y este rey le daría su lealtad a otro rey, que haría lo mismo a cambio. De esta manera, algunos reyes, utilizando su ejército y terror, eran capaces de amasar grandes esferas de influencia que iban y venían dependiendo de su efectividad como líderes. Los reyes asirios se convirtieron en maestros de esto, poniéndose esencialmente en la cima de la cadena alimenticia monárquica de la región. Solo informaban a los dioses, mientras que todos los demás reyes de la región informaban a los asirios, al menos cuando el ejército asirio podía obligarlos a hacerlo.

Así, mientras que los privilegios otorgados a un rey variarían de forma diferente según su posición dentro de este sistema de tributos, había similitudes en la forma de vida de los reyes. La primera característica de un rey es que se consideraba que tenía una estrecha relación con los dioses. De hecho, cuanto más poderoso era el rey, más divino se le consideraba. Ampliar su reino y proveer a su pueblo era una prueba de que los dioses lo favorecían a él y al pueblo que gobernaba. El éxito en el campo de batalla se atribuía a la relación del rey con los dioses, lo que significaba que la legitimidad del gobierno de un rey dependía en gran medida de la cantidad de territorio que pudiera asegurar. Como se puede imaginar, esto daba un gran incentivo a cada rey para hacer la guerra en los territorios que rodeaban su imperio, por lo que la gran mayoría de la historia asiria antigua, y de todos los reinos de la Mesopotamia, se define en gran medida por la guerra.

Uno de los principales deberes de un rey, además de proporcionar protección a sus súbditos, era construir templos y otras mejoras de la ciudad que trajeran orgullo y gloria al pueblo. Una vez más, un tema común para casi todos los gobernantes mesopotámicos, no solo los asirios, era la construcción. Como no había dinero, la riqueza necesaria para construir estos proyectos se adquiría conquistando tierras y adquiriendo los recursos que existían en ellas. Así que, para probar aún más la profundidad de la relación entre un rey y un dios, era importante que se embarcaran en grandes proyectos de construcción junto con sus casi interminables campañas militares. Es por esta razón que algunos de los sitios arqueológicos más magníficos del mundo se pueden encontrar en todo el Medio Oriente. Los descubrimientos arqueológicos de los siglos XIX y XX descubrieron estos antiguos tesoros, pero muchos se han perdido debido al conflicto casi constante que existe hoy en día en la región.

El proyecto de construcción más común llevado a cabo por un rey sería, naturalmente, un palacio. El objetivo era siempre construir el palacio más grande y lujoso posible, usando lo más posible del tiempo que pasaron conquistando para mostrar su riqueza. El oro, la plata y otros metales preciosos eran evidentemente muy buscados. Sin embargo, quizás un poco irónico, la mayoría de los reyes asirios no estarían para disfrutar de los frutos de su trabajo. Se esperaba que los líderes del trono asirio acompañaran a sus ejércitos en las campañas militares. No era frecuente que volvieran a su capital, que alternaba entre Assur, Nínive y Calaj dependiendo del rey, dejando normalmente al príncipe heredero la supervisión de los proyectos de construcción y la gestión de los asuntos domésticos. Otros reyes menos importantes probablemente pasarían más tiempo en casa, pero esto habría sido un signo de su debilidad, dando a los reyes que estaban por encima de ellos más poder y prestigio.

La pirámide de la sociedad asiria puede describirse de la siguiente manera. Los reyes de Assur (o Nínive o Calaj, dependiendo de la ciudad que el rey eligió para usar como su fortaleza) estaban en la cima. Justo debajo de ellos se encontraban los reyes de otras ciudades que habían sido conquistadas y puestas bajo el control de los reyes asirios. Localmente, todavía eran considerados supremamente importantes, pero como eran vasallos de los reyes asirios, había límites a su poder. Podemos pensar que estos individuos son similares a la nobleza de la Europa feudal. Poseían un poder significativo, pero no estaban en la cima de la jerarquía.

Bajo los diferentes niveles de reyes vinieron los sacerdotes, lo cual es comprensible considerando la importancia de los dioses para el pueblo asirio. El trabajo principal de la clase de clérigos era interpretar los signos y presagios. Antes de que los reyes se dirigieran a la guerra, se esperaba que primero preguntaran a los sacerdotes si era un buen momento para ir a la guerra. Los sacerdotes analizaban entonces los diferentes presagios, desde el tiempo hasta las estrellas del cielo, y decidían si dar o no su bendición. Obviamente, había cierta parcialidad, ya que los reyes que tenían más éxito se consideraban a favor de los dioses, y esto significaba que era más probable que recibieran una bendición para la guerra.

Fuera de esto, las principales tareas de los sacerdotes incluían el cuidado del templo y sus operaciones. También oficiaban las ceremonias, incluyendo los ritos de sacrificio. Además, los sacerdotes de la antigua Mesopotamia fueron los primeros curanderos de la región, sirviendo como médicos y dentistas antes de que estos se convirtieran en profesiones por sí mismos.

Por debajo de la clase sacerdotal estaban los comerciantes y los hombres de negocios. El comercio era una parte integral de casi todas las antiguas civilizaciones del Cercano Oriente. Su estrecha proximidad entre sí facilitó que las diferentes culturas participaran en acuerdos económicos beneficiosos para ambas partes. Una de las fuentes originales de poder asirio fueron las rutas comerciales que establecieron con ciudades de Anatolia (la actual Turquía oriental), y una de las principales razones por las que Asiria comenzó a afirmarse en esta región fue para proteger esas mismas rutas comerciales que eran tan importantes para su bienestar y éxito.

Dentro de la clase mercantil había normalmente dos grupos: los que tenían su propio negocio y los que no. Para los que no tenían su propio negocio, la vida era relativamente difícil. La mayor parte de su tiempo lo pasaban viajando de una ciudad a otra intercambiando mercancías. Los viajes a casa eran breves y no daban lugar a mucho ocio. Sin embargo, los comerciantes que tenían el éxito suficiente para iniciar su propio negocio vivían una vida de ocio y lujo. Podían enviar a sus empleados a hacer el trabajo duro de viajar y comerciar, lo que significaba que podían quedarse y atender sus casas o intentar involucrarse en la política local. Los comerciantes que ganaban considerable riqueza e influencia en una región a veces hacían un juego de rebelión, aunque esto no siempre funcionaba, ya que nombrarse a sí mismo rey venía después de haber establecido una estrecha relación con los dioses, es decir, con otros reyes.

Otros miembros de la clase alta eran los escribas y los tutores privados. La alfabetización se consideraba un privilegio que solo se extendía a los miembros más ricos e influyentes de la sociedad. A las mujeres típicamente no se les permitía aprender a leer o escribir. Y debido a que no había escuelas públicas, la adquisición de una educación estaba reservada solo para los individuos más privilegiados. La mayoría de las personas educadas se convertían en maestros, y sus servicios eran típicamente muy solicitados. Para las familias con una riqueza considerable, era común contratar a un tutor privado que enseñara a los niños sobre matemáticas, ciencias y escritura. Los tutores privados podían tener muchos estudiantes diferentes, y algunos de ellos se convertían en empleados a tiempo completo de una familia, lo que normalmente les permitía vivir vidas casi tan lujosas como las familias para las que trabajaban.

Debido a que la escritura no estaba muy extendida, la vida cotidiana de los antiguos asirios solo puede ser reconstruida a través de los diversos artefactos encontrados en los sitios arqueológicos y algunos contratos restantes que fueron escritos en piedras. Sin embargo, esto todavía es suficiente para obtener una sólida comprensión de lo que la vida pudo haber sido durante la época de los asirios, y no es demasiado diferente de lo que uno podría esperar. Las distintas clases sociales significaban que la sociedad asiria estaba muy dividida. La mayor parte del poder y el lujo fue para los de las clases altas, como reyes, sacerdotes y comerciantes emprendedores, mientras que las clases bajas se dejaron a las órdenes de sus terratenientes y los reyes que los gobernaban.

Sin embargo, vale la pena mencionar que la "sociedad asiria" estaba lejos de ser estática. Los asirios aparecieron por primera vez en la escena de Mesopotamia en el 2do milenio a. C., y existieron hasta aproximadamente el siglo 7mo a. C., hasta que su estructura imperial se derrumbó y fueron asimilados a otras culturas de la época. Durante este período, los asirios hicieron una serie de avances en áreas clave como las artes, las matemáticas, la ciencia y la literatura, y estos son logros que no se pueden pasar por alto. Aunque la mayoría recordará a Asiria por sus grandes ejércitos y su tremenda expansión militar, sus contribuciones a la civilización humana van mucho más allá de la guerra y la conquista.

Capítulo 9 - Cultura asiria:
Arte, Matemáticas y Ciencia

Las tradiciones militares de los asirios están bien documentadas, pero solo discutir este aspecto de su sociedad sería una gran injusticia para uno de los imperios más influyentes que han existido en el mundo antiguo. Aunque algunos de los avances vistos en la era asiria podrían no ser considerados como significativos en comparación con lo que vendría después, no se pueden pasar por alto sus contribuciones a la cultura mundial. El arte único combinado con los avances en la escritura, las matemáticas y la ciencia ayudaron al avance de la civilización a puntos que nunca antes había alcanzado. Sin embargo, casi todos estos avances se hicieron con una fuerte influencia religiosa, un tema que debe ser discutido cuando se observan las influencias culturales del Imperio asirio.

Arte asirio

Se puede decir con seguridad que los asirios no son conocidos por su arte, especialmente cuando se les compara con algunas de las otras civilizaciones de la región, en particular los egipcios. Sin embargo, esto no significa que la sociedad asiria careciera de influencia artística. Por un lado, se cree que los asirios eran muy musicales. Los instrumentos musicales, principalmente tambores, flautas y otros instrumentos de viento, han sido descubiertos en muchos sitios arqueológicos diferentes, y se cree que se utilizaban como fuente de recreación y ceremonias religiosas.

Los asirios aparentemente no estaban muy preocupados con la creación de esculturas, algo que era mucho más frecuente en otras civilizaciones antiguas, como los sumerios y los egipcios. Una de las pocas esculturas dignas de mención, la de Asurbanipal, que se puede encontrar en el Museo Británico, se considera en general de baja calidad y representa una tradición escultórica poco desarrollada en Asiria. Además, el uso de esculturas como adornos de palacios y otros edificios era poco frecuente en Asiria. Solo los palacios y templos de Anatolia tienen estas características y se cree que fue obra de los hititas.

Sin embargo, donde los asirios sobresalieron fue en los relieves. Las excavaciones de varios sitios, incluyendo Nínive y Assur, descubrieron innumerables relieves que son considerados no solo como bellas obras de arte, sino que también sugieren que los asirios habían descubierto un nuevo uso para el arte-propaganda.

Las razones por las que los historiadores creen esto es porque los asirios son una de las primeras civilizaciones mesopotámicas en pintar relieves no de los dioses sino de los reyes. La mayoría de las pinturas cuentan historias de las muchas grandes batallas militares logradas por los reyes asirios, y se cree que se utilizaron como un medio para fortalecer la relación percibida entre los reyes y los dioses, que habría servido como un medio para establecer la legitimidad.

Esto no es para sugerir que los asirios inventaron la propaganda, pero había una fuerte tradición en la sociedad asiria de glorificar las conquistas y los logros de los reyes, y parece que esto se abrió camino en las artes, representando un cambio de enfoque en comparación con otras civilizaciones que existían al mismo tiempo. Las figuras 7 y 8 son ejemplos de algunos de los relieves más elaborados creados por los artistas asirios:

Además de los relieves, los asirios parecían haber sido excepcionales trabajadores del metal. Dejaron atrás impresionantes piezas de bronce, oro y plata, vasijas y adornos. Esto no debería sorprender, considerando que la excepcional metalurgia asiria, particularmente el hierro, fue una de las razones por las que los asirios pudieron emerger como vencedores del colapso de la Edad de Bronce. Además, se cree que las esclavas, por encargo real, tejían alfombras y túnicas y las bordaban con sedas y otras telas finas adquiridas mediante el comercio con tierras lejanas.

Aunque los asirios produjeron pocas, si es que produjeron alguna, obra de arte que alcanzara fama internacional, parecían tener una cultura artística excepcional que estaba interesada en glorificar los logros territoriales de los líderes asirios. Y a medida que el imperio se expandió tanto en influencia como en tamaño, el número y la complejidad de las obras de arte también se expandió, lo que sugiere que Asiria, durante su época de dominio imperial, fue de hecho un centro de desarrollo cultural sofisticado.

La escritura en la antigua Asiria

Para una civilización tan excesivamente obsesionada con la guerra, es sorprendente cuánta atención se prestó a la creación y preservación de los textos escritos. A lo largo de las grandes ciudades de Asiria, principalmente Nínive, Assur y Calaj, se encontraron bibliotecas reales masivas, pero hay evidencia que sugiere que las bibliotecas existían en todo el imperio, principalmente en los templos. Pero también se cree que muchos ciudadanos privados, principalmente los ricos, también tenían sus propias bibliotecas.

Había tres tipos principales de textos que se encontraban en las grandes bibliotecas de Asiria: inscripciones reales, mitos y literatura, y textos científicos. Parece que había un gran interés en preservar las tradiciones literarias de Babilonia, Acadia y Sumeria, ya que el rey asirio ordenaba la transcripción de innumerables textos babilónicos.

Las inscripciones reales siguen siendo hasta el día de hoy la fuente más significativa para entender los eventos que tuvieron lugar dentro del Imperio asirio. Era común que los reyes asirios tuvieran todo un ejército de escribas a su disposición, algunos de los cuales se encargaban de copiar los textos más antiguos y otros tenían el deber de escribir las decisiones, acciones y victorias de los reyes asirios. Siempre buscando la gloria, muchas de estas inscripciones reales contienen relatos exagerados de triunfos, dejando a los eruditos de la antigua Asiria con la gran tarea de intentar verificar estos relatos.

Los asirios escribieron en lo que se conoce como escritura cuneiforme, un estilo de escritura que fue significativo en el sentido de que abandonó el uso de pictogramas y en su lugar utilizó símbolos que seguían una fórmula de un símbolo, un sonido, un significado. Este estilo de escritura fue probablemente desarrollado primero por los acadios, pero como hablantes de una lengua semítica, fue continuado y avanzado por los asirios. En general, la cultura asiria puso un gran énfasis en la escritura, muy probablemente como un medio para tratar de preservar su gloria, añadiendo otra capa a una cultura que más a menudo se asocia con la tradición militar.

Logros científicos en la antigua Asiria

El estudio científico se concentró relativamente en la antigua Asiria. Algunos historiadores creen que las grandes bibliotecas estaban destinadas a servir como una forma de atraer a las más grandes mentes mesopotámicas hacia Asiria y establecer su residencia, y esto solo fue posible porque el número de personas lo suficientemente educadas para llevar una vida de estudios eran los escribas, de los cuales había relativamente pocos.

Debido a que los escribas necesitaban ser capaces de entender múltiples idiomas, como el sumerio, el babilonio y el acadio (el sumerio no era un idioma semítico como los otros mencionados aquí y, por lo tanto, era infinitamente más difícil de entender para los asirios), para poder llevar a cabo la gran cantidad de transcripciones encargadas por los muchos reyes asirios, los escribas tenían acceso a una gran cantidad de textos que habían sido producidos por varias culturas diferentes. Una de las formas en que contribuyeron al desarrollo científico fue la creación de grandes listas.

Estas listas eran generalmente documentaciones de plantas, animales, ciudades, reyes, etc. Además, los escribas dedicaban mucho tiempo a recopilar la información reunida por aquellos que se habían aventurado en el extranjero por motivos militares, utilizando esta información para elaborar mapas rudimentarios del mundo; por supuesto, estos mapas solo incluían lo que hoy llamamos el Cercano Oriente, pero para los asirios, este habría sido el mundo entero.

Las matemáticas también eran una actividad común para muchos escribas asirios, aunque parece que la práctica solo se llevaba a cabo como un medio de ejercicio intelectual, lo que significa que no había aplicaciones prácticas de las matemáticas en la construcción y la agrimensura. Por ejemplo, los escribanos escribían comúnmente problemas matemáticos, lo que hoy en día llamamos problemas de palabras, que requerían una comprensión de la multiplicación y la división. También parece que los matemáticos asirios habrían utilizado el álgebra como medio para describir las cantidades de las cosas, usando letras y otros símbolos como medio para representar variables.

Sin embargo, mucho más impresionantes que sus logros matemáticos fueron algunos de sus avances científicos. Por ejemplo, los asirios fueron capaces de concebir un entendimiento bastante avanzado del ciclo lunar, y lo usaron para crear un calendario lunar que resultó ser bastante útil y preciso. También tenían una fuerte tradición astronómica, creyendo, como la mayoría de las civilizaciones antiguas, que lo que veían en los cielos reflejaba los eventos que vendrían en la Tierra.

El calendario desarrollado por los babilonios y ampliado por los asirios ayudó a desarrollar el calendario que la mayoría del mundo utiliza hoy en día. Rastrearon la luna empezando con la primera luna nueva después del equinoccio, y esto les ayudó a dividir el año en doce meses de 29 o 30 días. Cada día comenzaba al atardecer y se dividía en doce "horas dobles" que se dividían en 60 "minutos dobles". Esta es la base del reloj de 24 horas que usamos hoy en día.

Sin embargo, este sistema, como era de esperar, no era fiable. Las condiciones climáticas en Irak significan muchos días nublados, lo que habría impedido a los asirios ser capaces de rastrear con precisión los movimientos del cielo. Además, al utilizar la luna en lugar del sol para rastrear los años, cada año era unos 11 días más corto de lo que debería haber sido, que se sumarían y se convertirían en una temporada completa después de nueve años.

Es fácil mirar hacia atrás y descartar estos logros; muchas de las cosas que los asirios consideraban verdaderas fueron finalmente mejoradas a medida que la tecnología y la comprensión aumentaban. Sin embargo, considerando que esta civilización existió más de 2 milenios en el pasado, sus logros científicos aún merecen ser honrados.

Sin embargo, por muy significativos que fueran algunos de los logros culturales asirios, hay que recordar que sus logros más importantes se produjeron en el campo de batalla. La educación y la alfabetización se limitaron a un pequeño grupo de personas, limitando efectivamente las capacidades del Imperio asirio para desarrollar su cultura mucho más allá de lo que lo hizo. La perfección de la guerra de asedio y el uso de armas de hierro probablemente siempre se recordará como la mayor contribución de los asirios a la cultura mundial, pero nunca hay que olvidar que el arte, la escritura y la ciencia fueron partes integrantes de esta antigua civilización.

Capítulo 10 - Religión asiria

Los monarcas asirios se consideraban estrechamente relacionados con los dioses, y esta creencia en el derecho divino a gobernar significaba que la religión era un aspecto importante del Imperio asirio a lo largo de su existencia. En general, los asirios practicaban el politeísmo, creyendo en muchos dioses diferentes que reinaban sobre diferentes aspectos de la vida. Aunque los asirios compartían creencias religiosas con los babilonios, no tenían tantos dioses. La razón principal es que los dioses suelen estar asociados a las ciudades, y Babilonia tenía muchas más ciudades que su vecina del norte.

El principal dios de la religión asiria era Assur. Es el rey de todos los dioses y el creador del pueblo asirio. Por eso el nombre de Assur fue elegido como la primera y principal ciudad de Asiria, y en esta ciudad se construyeron muchos templos diferentes en su honor. Según el pueblo asirio, toda la nación asiria le pertenecía, y sus reyes eran meros representantes de Assur. Su principal objetivo era cumplir sus órdenes y complacerlo, y los reyes asirios atribuyeron todo, como los recursos disponibles para ellos, sus victorias militares, y su propia inteligencia personal, a Assur. Muchos reyes asirios tomaron un nombre que comenzó con Assur como una forma de demostrar esta profunda conexión que sentían con el principal dios asirio.

Sin embargo, cabe señalar que la religión en Asiria, como ocurre en muchas civilizaciones antiguas, puede describirse mejor como un culto. Hay pocas pruebas que sugieran que los plebeyos pasaban mucho tiempo adorando a los dioses, aunque los reconocieran como los creadores y controladores del destino. Con el tiempo, las ciudades llegarían a favorecer a un dios sobre el otro, y muchos templos se erigirían en honor a ese dios con un templo principal que se usaría como centro de culto en esa ciudad. El sacrificio era una parte importante de la adoración, así como la oración a los ídolos.

Junto a Assur en importancia estaba Ninurta, que era el dios de la guerra y la caza, dos de las principales actividades emprendidas por los asirios. Otra deidad importante era Ishtar, la diosa de la batalla y el amor, y se la consideraba la diosa de dos grandes ciudades asirias: Nínive y Arba'il. Cada una de estas deidades diferentes tenía una personalidad única que se discutió en la literatura asiria y se retrató a través del arte asirio. Pero Assur, por otro lado, siempre fue retratado como un rey y fue representado como un líder solemne, austero y estoico que estaba más preocupado por representar una apariencia regia.

La burocracia del templo reflejaba cómo la religión se utilizaba para ayudar a mantener el control sobre ciertas ciudades. Como el rey de Assur, o Asiria en su conjunto, era el más cercano a los dioses, él era el que decidía qué ciudades estaban o no en buena posición con Assur. Los sacerdotes que dirigían el templo principal de una ciudad eran nombrados por el rey, y si una ciudad se rebelaba o no cumplía con sus obligaciones de impuestos o tributos, entonces el rey los castigaba reteniendo los recursos necesarios para mantener el templo, lo que lo hacía caer en el deterioro, algo que habría sido una gran vergüenza para los antiguos asirios.

Pero esta relación no era del todo unilateral, ya que los sacerdotes tenían un impacto significativo sobre las acciones de un rey. El trabajo del sacerdote era decirle al rey cuándo podía o no podía ir a la guerra y qué debía hacer para asegurar el éxito en su próxima campaña. En este sentido, la política y la religión se conectaron estrechamente, con ambos lados usando al otro como un medio para avanzar en su poder e influencia dentro del estado asirio. Por supuesto, en caso de discrepancia, el rey, que tenía la relación más estrecha con los dioses, siempre tendría la última palabra.

Es evidente que la religión desempeñó un papel importante en el control social de los súbditos asirios, pero se trata de un fenómeno que existió principalmente en las ciudades más cercanas a Assur y en las demás grandes metrópolis asirias. Los reyes asirios eran, en general, tolerantes con otras religiones que encontraban. A las ciudades y territorios conquistados casi nunca se les pedía convertir la religión o rendir homenaje a los dioses asirios. Pero los monumentos religiosos de una ciudad a menudo eran robados y tomados como rehenes para coaccionarlos a someterse. Sin embargo, si una ciudad prometía lealtad a un rey asirio, entonces estos monumentos serían devueltos. Si surgía una rebelión, entonces podían ser destruidos, lo que habría sido un evento casi catastrófico para los pueblos de la antigua Mesopotamia, algo que habrían querido evitar a toda costa.

Desafortunadamente, queda poca evidencia que detalle la naturaleza exacta de los ritos y ceremonias religiosas. O bien nunca se registraron, o bien nunca se han encontrado tales registros. Una de las pocas ceremonias que conocemos es *Akitu*, que puede entenderse mejor como una celebración del año nuevo. Casi todas las ciudades tenían su propio templo de *Akitu*, que normalmente estaba situado fuera de los muros de la ciudad. Su celebración incluía elaboradas procesiones y un gran banquete. Era durante esta ceremonia que el rey recibía el derecho de gobernar por un año más.

Otro aspecto de la religión asiria que vale la pena mencionar es el arte del pronóstico. La mayoría de los asirios creían que alguien que estaba en buena posición con los dioses, principalmente los sacerdotes, podía predecir el futuro, en gran medida a través de la interpretación de diferentes signos y símbolos, como las constelaciones o los patrones del clima. El puesto de "adivino" era uno de los más altos en la corte asiria, ya que era el trabajo de esta persona predecir lo que sucedería en las próximas campañas militares.

El sacrificio de corderos era una de las principales formas en que los adivinos trataban de predecir los resultados de las campañas. Los reyes hacían que los escribas escribieran una "petición de oráculo" en una tablilla, que luego se presentaba a los dioses. Los corderos serían asesinados y los adivinos examinarían algunos de los órganos y entrañas en busca de pistas sobre el resultado de la petición real. Se llevaba un registro del examen y se enviaba al rey, quien tenía que tomar una decisión basada en lo que se había determinado en la ceremonia. No era inusual que un rey ignorara los resultados de estas predicciones, pero se consideraba un muy mal augurio hacerlo.

En general, la religión asiria no estaba particularmente avanzada. Era esencialmente un culto que era utilizado por los reyes para legitimar su gobierno y para ayudarles a determinar el mejor curso de acción en la guerra. Sin embargo, a pesar de su forma rudimentaria, los dioses asirios desempeñaron un papel importante en el desarrollo de la sociedad asiria y el avance de su imperio.

Conclusión

Tal vez la mejor manera de pensar en el Imperio asirio es un globo que se infla y desinfla lentamente desde el centro del imperio, Assur. Con el tiempo, crecería, se encogería, crecería de nuevo, y luego se encogería nuevamente, antes de que finalmente creciera tanto que lo único que quedara por hacer fuera el estallido. Pero mientras la estructura de poder se había ido, la influencia asiria continuaría existiendo mucho después de la caída del imperio.

Considerando el nivel de dominio que los asirios alcanzaron en Mesopotamia en el curso de 1.500 años, es bastante sorprendente que caigan tan rápidamente. En solo 50 años después de alcanzar su cúspide, Nínive y Assur fueron saqueadas, y Asiria ya no existía.

Sin embargo, cuando miramos la historia de este antiguo imperio, su desaparición no parece tan repentina. Si bien es cierto que los asirios tenían el imperio más poderoso a mediados del siglo VII a. C., su control del poder era muy débil, y sus recursos se agotaban. Sus vecinos crecían en poder y empezaban a trabajar juntos para socavar el control asirio. Y cuando los asirios se volvieron demasiado ambiciosos y empezaron a entrometerse en los asuntos babilónicos, el escenario fue preparado para su final.

Sin embargo, la historia de los asirios sigue siendo fascinante. A lo largo de la historia, ninguna otra civilización en Mesopotamia podría reclamar tanto territorio como los reyes asirios en el siglo VII. Los reyes asirios han pasado a la historia como algunos de los líderes militares más capaces de la historia, y los desarrollos culturales que salieron de este período contribuyeron en gran medida al desarrollo de la civilización humana.

Si bien es cierto que los asirios fueron crueles y despiadados con los que se interpusieron en su camino, existieron en una época en que este tipo de comportamiento era necesario para la supervivencia. Si no hubieran estado a la altura de las circunstancias y conquistado los reinos cercanos a ellos, alguien más los habría hecho, como hicieron finalmente los babilonios. Era un mundo feroz, lleno de guerra e inestabilidad. Pero a través de tácticas militares superiores y la determinación de siempre, los asirios fueron capaces de construir un imperio que pasará a la historia como uno de los más impresionantes y expansivos en la trayectoria del mundo antiguo.

Quinta Parte: Babilonia

Una guía fascinante del reino de la antigua Mesopotamia, desde el Imperio acadio hasta la batalla de Opis contra Persia, sin olvidar la mitología y el legado de Babilonia

Introducción

Cuando alguien escucha la palabra *Babilonia*, ¿qué se imagina? Si ese individuo es un fanático del lenguaje, se puede imaginar un paraíso lleno de lujos y de las más finas exquisiteces. Si le gusta la ciencia ficción, se puede imaginar innumerables películas y programas de televisión que juegan con esta palabra y se basan en sus connotaciones culturales para transmitir una imagen compleja, como lo hace la desafortunada serie Babylon 5. Por otro lado, alguien que se crió rodeado de las religiones abrahámicas —judaísmo, cristianismo o islam— se podría imaginar una ciudad depravada que sirviera de lección a los fieles para evitar las tentaciones del mundo físico. Después de todo, la ramera de Babilonia sigue siendo una figura omnipresente en la cultura popular y en el discurso teológico y espiritual.

¿Pero qué era Babilonia?

La respuesta corta es la siguiente: incluso en la historia, esto depende del contexto. La respuesta larga es más complicada. Cuando alguien dice *Babilonia*, se podría estar refiriendo a una gran ciudad, un imperio o a todo un grupo de personas que caracterizaron a la región más amplia de Mesopotamia y a miles de años de historia y desarrollo humano. Para los fines de este libro, se utiliza la tercera definición.

Los babilonios nunca fueron un pueblo estático con un solo trasfondo, sino que desarrollaron su civilización a lo largo de los siglos con la incorporación de más y más pueblos en una gran cultura. Un lector inteligente se dará cuenta de que su historia es compleja y muy detallada. Al final de este libro, los lectores estarán hartos de ver las palabras *Babilonia, babilónico, babilonio* y *civilización*, pero lograrán comprender mejor por qué a esta cultura se la considera como una de las más significativas e influyentes de todos los tiempos.

La influencia babilónica sobre las posteriores culturas e incluso la sociedad moderna no tiene límites. Como una de las principales civilizaciones de Mesopotamia, la civilización babilónica aportó los fundamentos a las matemáticas, la agricultura, la arquitectura, la metalurgia y otros campos influyentes y necesarios para desarrollar otras grandes civilizaciones como la griega, la romana e incluso naciones contemporáneas como China o los Estados Unidos. Sin ellas, el mundo neotérico no hubiese existido.

Con todo esto en mente, es importante situar a los babilonios en el contexto adecuado; esto significa que hay que hacer un breve repaso de lo que fue Mesopotamia y por qué tantas civilizaciones se identifican como babilónicas o están relacionadas con esta cultura. Dado que existieron hace tanto tiempo, las fechas a las que se hace referencia terminarán con *a. C.*, que significa antes de Cristo, antes de la era común o el comienzo del calendario gregoriano contemporáneo. Así que, cuando aparece una fecha como la de 1850 a. C., se debe añadir el año actual más el número 1850 para saber cuánto tiempo hace que ocurrió algo. Por ejemplo: 2021 más 1850 significa que el evento ocurrió hace 3.871 años. La historia de Babilonia comienza en lo que los estudiosos modernos definen como Mesopotamia, el territorio entre los ríos Éufrates y Tigris en el Oriente Próximo.

Capítulo 1. La tierra de los babilonios

La tierra alrededor del río Éufrates, así como las regiones situadas fuera de la propia Mesopotamia y en la Mesopotamia originaria dieron forma al desarrollo de la civilización babilónica. La antigua Babilonia se encontraba en el sur de Mesopotamia, en el Oriente Próximo antiguo. Para un lector contemporáneo, esta sería aproximadamente la ubicación de las naciones modernas como Irak, Irán, Israel, Jordania, Turquía, Siria, Egipto, Palestina y Arabia Saudí. Aunque la ciudad de Babilonia en sí misma se mantuvo durante siglos, la verdadera civilización y el reino de los babilonios sufrió muchos cambios de nombre a medida que diferentes culturas entraban en la región y se fusionaban con las ya existentes. Por ejemplo, en el tercer milenio a. C. la Mesopotamia central se conocía como Akkad, mientras que la región meridional era Sumeria.

Mesopotamia fue el origen de la civilización de los pueblos contemporáneos. Junto con Egipto, con el que estaba conectada por los enormes ríos Tigris y Éufrates, Mesopotamia constituyó la base de la civilización a través del nacimiento de la agricultura, la escritura, las matemáticas, la arquitectura y otros elementos fundamentales de la cultura y la sociedad. Una de las principales razones del éxito de la región fue la presencia de diversos pueblos y de fértiles tierras de cultivo que proporcionaban el sustento suficiente para que la gente se dedicara a otros asuntos además de la búsqueda de alimentos.

Mesopotamia abarca la región geográfica entre el Tigris y el Éufrates, que recibía la humedad que necesitaba de las aguas de los ríos y disponía de fértiles tierras de cultivo.

El río Tigris

Acadia o Mesopotamia superior y central

Esta sección de Mesopotamia era una vasta llanura que medía aproximadamente 400 kilómetros de longitud. El suelo habría sido razonablemente fértil, pero no abundante. La llanura solo experimenta una alteración importante, que es una gama de piedra caliza que se ramifica en la cercana cordillera de Zagros. Numerosos asentamientos existieron en esta zona durante la época de los babilonios, incluidas las grandes ciudades y grandes extensiones de tierras de cultivo utilizadas para producir productos agrícolas básicos como la cebada. Los arqueólogos todavía encuentran muchas ruinas y restos de viejos pueblos y casas en la zona.

Al norte de la llanura y más allá de la piedra caliza se encuentra otra sección del país bien regada, con más colinas de piedra caliza. En esta zona había más tierras de cultivo y las canteras permitían excavar y tallar la piedra caliza para su uso en la construcción. En la punta de esta región estaba el final de la extensión del territorio babilónico. Aquí, los ríos Tigris y Éufrates se elevaban en las crestas de la cordillera de Zagros, que separaba a los babilonios y sus predecesores de sus vecinos. En esta zona habría estado la gran ciudad de Aššur o Ashur, así como la futura capital Nínive, aún más al norte.

Sumeria o Baja Mesopotamia

El área inferior de Mesopotamia contenía llanuras aluviales preparadas para una agricultura abundante. Esta zona se llamaba Caldea y estaba fertilizada por los ricos depósitos que dejaban el Tigris y el Éufrates. En varias secciones de este libro se hará referencia a los caldeos, que con frecuencia se consideran parte del Imperio babilónico, ya que eran solo uno de los muchos grupos étnicos más pequeños que formaban una Mesopotamia más amplia y el propio imperio. Al este se encuentra la cordillera de Elam, mientras que al oeste se encuentran las orillas del Éufrates, que separaban Mesopotamia de un grupo de pueblos nómadas conocidos como *suti*. Los suti no procedían de los mismos antecedentes generales que los caldeos (que eran babilonios) y eran uno de los muchos pueblos de habla semítica que poblaban la zona. A lo largo del sur del territorio mesopotámico había marismas donde muchos caldeos vivían junto a otros grupos étnicos como los arameos.[13]

Varias ciudades sembraban el paisaje. Al oeste del territorio estaba la famosa Ur, la primera capital de Mesopotamia y tal vez la ciudad más antigua que se conoce. Babilonia descansaba al oeste y poseía numerosos suburbios a ambos lados del Éufrates. También en esta zona había considerables depósitos de arenisca roja y acantilados de los que los babilonios tomaban piedra, así como un mar de agua dulce llamado Najaf.

---

[13] Bill T. Arnold, *Who Were the Babylonians*, (Atlanta: The Society of Biblical Literature, 2004) *(en inglés)*.

Las ruinas de Babilonia: fotografía tomada en el año 1932

En la orilla oriental del Éufrates y al sur de Babilonia se encontraban las importantes ciudades de Kish y Nippur, que desempeñarían un importante papel en el desarrollo de una civilización cohesionada. Al este estaba el canal de Lagash que permitía el acceso a través del río Tigris. Este canal prepararía el escenario para la conquista y la expansión babilónica a costa de sus vecinos.

Fue en esta misma área donde los sumerios y acadios, los ancestros de los babilonios, también se desarrollaron. Al estudiar a los babilonios, es imposible ignorar a los otros dos. Esto se debe al hecho de que estas culturas y grupos étnicos que contribuyeron significativamente a la ciencia, la religión y la estructura social de los babilonios. Cuando se formó el Imperio babilónico, los sumerios y los acadios no desaparecieron, sino que fueron absorbidos por la nueva civilización y se convirtieron en miembros del amplio concepto babilónico. Lo mismo sucedería con los caldeos y otros grupos más pequeños. La absorción o asimilación ocurrió cuando los antepasados babilónicos, los amorreos, llegaron a la región y comenzaron a celebrar matrimonios mixtos y a asimilarse por su cuenta.

¿Cuándo vivieron los babilonios?

Los babilonios son una de las más antiguas civilizaciones organizadas conocidas, que data desde el siglo XIX a. C.[14] La civilización duraría hasta las conquistas islámicas en el 700 d. C., lo que significa que parte de los babilonios existió durante unos 2.500 años. Los babilonios surgieron a finales de la Edad de Bronce mesopotámica (3500 a. C.-1500 a. C.). Esto significa que los babilonios poseían la tecnología necesaria para fabricar armas y herramientas de bronce, un metal blando que era más fuerte que los modelos originales hechos de piedra. Luego pasaron a la Edad de Hierro, donde el bronce fue reemplazado por el hierro que era aún más duro.

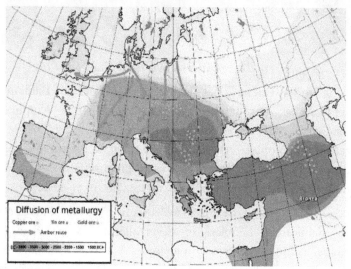

La difusión de la metalurgia

La imagen de arriba muestra cómo la región en la que vivían los babilonios fue una de las primeras áreas en desarrollar la metalurgia y el armamento de bronce. Por esta razón, Mesopotamia es frecuentemente llamada la cuna de la civilización. El acceso y el conocimiento de la metalurgia del bronce significaba que los babilonios eran capaces de dominar otras áreas que aún no habían adquirido tal tecnología. En esencia, les dio una ventaja que permitió que la civilización prosperara. Fue en este entorno que los babilonios comenzaron su viaje que pasaría a los libros de historia.

---

[14] Paul Kriwaczek, *Babilonia: Mesopotamia y el nacimiento de la civilización*, (ARIEL: 2010).

Capítulo 2. La vida, la cultura y los roles de género a lo largo de los años

Dado que los babilonios se desarrollaron a lo largo de dos milenios y medio, su cultura cambió mucho. Sin embargo, las civilizaciones antiguas tampoco experimentaban cambios tan rápidos como muchas sociedades modernas hoy en día y los historiadores y arqueólogos son incapaces de hacer un seguimiento de los desarrollos más diminutos como las comidas o los trajes favoritos de cada siglo. A gran escala, los historiadores saben que Babilonia se caracterizó por la misma monarquía militarista de las otras civilizaciones, lo que significa que normalmente había un rey guerrero apoyado por algunos nobles ricos que ocupaban cargos como generales, sacerdotes y administradores. La economía se impulsaba principalmente a través del comercio, pero la mayoría de los individuos habrían trabajado como agricultores tratando de cultivar suficientes alimentos para ellos y sus familias. En este capítulo se ofrece un amplio panorama del concepto que tenía un babilonio medio —es decir, aquellos granjeros y algunos comerciantes— de la vida cotidiana, incluidos los roles de género, los posibles empleos y el tipo de alimentos que se podían consumir.

El papel de los hombres y las mujeres

Los hombres dominaban la esfera pública del mundo babilónico. Eran los principales poseedores de la propiedad, los jefes de los hogares y las familias, y se esperaba que todos trabajaran fuera del hogar. Ellos eran hombres libres que trabajaban en el ejército o en el gobierno, y constituían la mayoría de la fuerza de trabajo. Algunos ejemplos de trabajo que un hombre típico podía hacer era plantar y cosechar cultivos, construir edificios y puentes, grabar registros administrativos, luchar como un soldado o elaborar cerveza. Debido a que controlaban la esfera pública, los hombres eran vistos como ciudadanos «estándar». Sus opiniones importaban más que las de las mujeres y los niños, y tenían el control final sobre sus esposas e hijos. Aunque las mujeres podían ser influyentes, el mundo babilónico estaba dominado por los hombres.

Casi todo lo que se hacía en el hogar se consideraba trabajo de mujeres, así como la recolección y el refinamiento de materiales. Algunos estudiosos resumen mejor la separación de los géneros al describir el papel del hombre como proveedor de materias primas como el grano y la lana, mientras que el papel de la mujer consistía en tomar estos bienes y crear un producto acabado como el pan o la tela para la ropa. Como la mujer mantenía el hogar, también necesitaba salir todos los días y sacar agua de un río, canal o arroyo cercano. Una de sus principales tareas era también la recolección de leña, que podía obtenerse recogiendo palos caídos o cortando ramas de los árboles cercanos.

Los textos sumerios y babilónicos del tercer y segundo milenio antes de Cristo indican que las mujeres también trabajaban fuera del hogar, normalmente como sirvientas o trabajadoras domésticas para los comerciantes y las familias más ricas. Los babilonios parecían pagar a los trabajadores con plata o cebada, que se administraba en función de la edad y el sexo de la persona. Por ejemplo, un hombre que trabajaba durante un mes podía recibir 190 tazas de cebada, mientras que una mujer recibía 139[15]. Aunque definitivamente había una buena cantidad de misoginia involucrada, ya que a las mujeres no se las valoraba tanto como a los hombres; la razón principal por la que los babilonios

---

[15] Marten Stol, *Women in the Ancient Near East,* (Boston: De Gruyter, 2016), pg. 342 *(en inglés).*

pagaban más a los hombres era porque requerían más comida. Aunque las mujeres también realizaban un trabajo agotador, podían arreglárselas con menos alimentos y nutrición que un hombre de tamaño equivalente.

Curiosamente, si hubiera problemas agrícolas graves, como malas cosechas, los patrones pagarían a los trabajadores con menos cebada, pero compensarían la diferencia con dátiles. Por ejemplo, una mujer podría recibir solo 84,5 tazas de cebada, pero también recibiría 13 dátiles. Aun así, incluso cuando los patrones pagaban en plata, las mujeres recibían solo un tercio del salario de los hombres y a veces incluso solo un cuarto. Algunos historiadores especulan que parte de la diferencia ocurría porque los hombres, al ser naturalmente más fuertes, podían hacer trabajos más duros, pero todos están de acuerdo en que el desprestigio de la mujer en Babilonia jugaba un papel importante.

Entonces, ¿cuál era el tipo de trabajo que hacían los hombres y las mujeres? Los hombres podían desarrollar habilidades especializadas para convertirse en comerciantes y artesanos, pero la mayoría eran agricultores pobres que pasaban sus días trabajando en los campos, cavando surcos, plantando cosechas y luego recolectándolas al final de la temporada. Algunos hombres más ricos podían convertirse en rudimentarios herreros que fabricaban herramientas y armas mientras que otros compraban y vendían mercancías. Muchos hombres dedicaban su vida al ejército y se convertían en soldados, aunque los más pobres no estaban bien equipados y a menudo morían en la batalla. Si un hombre se educaba, podía convertirse en un administrador que llevaba registros y trabajaba con el rey y la nobleza, pero él mismo tenía que ser noble. Finalmente, muchos hombres trabajaban como jornaleros y obreros de la construcción pobres, a los que se les contrataba mensualmente.

En cuanto a las mujeres, muchos de sus deberes implicaban tomar materiales y convertirlos en algo útil. Además de tejer, moler el trigo y hornear, las mujeres también cavaban zanjas para los canales, ponían los cimientos de los edificios, construían esclusas, hacían los surcos en los campos para los cultivos, recogían las cosechas, prensaban aceite y llevaban materiales como ladrillos a las obras de construcción. Los registros indican que a una mujer libre se le podría obligar a convertirse en trabajadora esclava durante un período de tiempo por el que a su marido se le pagaría con una pequeña parcela de tierra. La esposa no tenía voz ni voto en su empleo. Además, las mujeres tenían responsabilidades primarias en lo que respecta a la crianza y la educación de los hijos. Era común que una madre trabajara durante el día y llevara a sus hijos con ella, donde luego se convertirían en niños trabajadores con unos salarios miserables.

Matrimonio, sexualidad, familia y divorcio

Para la mayoría de los babilonios, el matrimonio era el evento más importante en la vida de un individuo. Muchos rituales, leyes y prácticas culturales rodeaban el compromiso, la boda y luego el pacto matrimonial entre un hombre y una mujer. Para los hombres, la edad media del matrimonio se situaba entre los 18 y los 20 años. Para las mujeres, una joven podría esperar casarse poco después de tener su primer período, generalmente entre los 13 y los 14 años. Esta edad de matrimonio para las mujeres creaba algunos problemas, ya que las tasas de mortalidad materna durante y después del parto eran extremadamente altas. Aunque las muchachas habían tenido sus períodos, con frecuencia sus cuerpos no estaban plenamente desarrollados y, por lo tanto, sufrían mucho al tratar de tener hijos.

El matrimonio era una de las instituciones más esenciales para los babilonios y numerosos textos antiguos elogian el matrimonio desde hace más de 3.000 años. Los textos religiosos decretaban que era el destino final de hombres y mujeres formar parejas felices que produjeran niños sanos. Una vida sexual satisfactoria se consideraba central para esta institución, y las fuentes religiosas y culturales animaban a los maridos y esposas a encontrar la alegría en los brazos del otro. Los primeros proverbios babilónicos (oficialmente sumerios) explicaban estas ideas, así como la representación de demonios femeninos que no podían experimentar el placer del matrimonio y los niños. Uno de los proverbios era así:

Que Inanna deje a una esposa con caderas calientes acostarse contigo. Que te presente hijos con brazos anchos. Que ella busque un lugar de felicidad para ti.[16]

---

[16] Proverbios sumerios 1.147.

Una «esposa con caderas calientes» se refiere a una mujer que está sexualmente excitada. Los babilonios creían que una mujer excitada que tenía un orgasmo era más fértil y, por lo tanto, tenía más probabilidades de tener hijos sanos, especialmente hijos varones. Algo que le puede sorprender al lector moderno es la franqueza de los babilonios con respecto a la sexualidad. Se esperaba que las mujeres fueran vírgenes al casarse y los hombres no, pero se esperaba que ambos individuos casados disfrutaran el uno del otro y tuvieran relaciones sexuales con frecuencia. De hecho, el sexo era visto como la actividad más común de un individuo feliz y saludable. Además, los demonios de la religión babilónica eran tan malvados porque nunca llegaron a experimentar la vida como una mujer satisfecha. La siguiente descripción muestra lo importante que era el matrimonio y el sexo en la vida de una mujer babilonia:

La doncella es como una mujer que nunca tuvo relaciones sexuales.

La doncella es como una mujer que nunca fue desflorada.

La doncella nunca experimentó el sexo en la vida de su marido.

La doncella nunca se quitó la ropa en el regazo de su marido.

Ningún hombre apuesto aflojó nunca el cinturón de la doncella.

La doncella no tiene leche en sus pechos; solo sale un líquido amargo.

La doncella nunca llegó al clímax sexual, ni satisfizo sus deseos en el regazo de un hombre.[17]

De la misma manera, la vida de un hombre sin matrimonio se veía como vacía y estéril. Sin embargo, esto no significa que se fomentara el amor romántico. El matrimonio para los babilonios, como para muchas civilizaciones antiguas, era transaccional. Para que un compromiso tuviera lugar, un hombre tenía que llegar a un acuerdo con su futuro suegro sobre el precio del matrimonio. Él concedía regalos a su prometida y pagaba una cantidad fija a su padre antes de que el matrimonio pudiera tener lugar.

---

[17] Stol, *Women in the Ancient Near East,* pg. 61 *(en inglés).*

Si el futuro esposo y la esposa eran ambos individuos libres y no esclavos, entonces la boda consistía en que la mujer se entregaba a la casa de su futuro esposo. Él pondría un velo sobre su cabeza y le cubriría la cara, declarando que ella era su esposa. Después de esto, vertía perfume sobre su cabeza y luego le entregaba regalos. Una vez casada, la pareja tenía que decidir el futuro de su vida. A veces la nueva esposa volvía a vivir con su padre. Si este era el caso, el esposo le daba un pago conocido como *dumaki*, que se destinaba al mantenimiento de la casa. Si la pareja elegía vivir juntos, la esposa traía un *sherigtu* con ella, o el equivalente a una dote.

Este *sherigtu* era enteramente propiedad de la esposa y no se podía reclamar por los hermanos de su esposo si este moría. De la misma manera, ella se quedaba con cualquier regalo de matrimonio que le diera su marido, como joyas. Sin embargo, si la esposa moría sin tener hijos, entonces el precio que su marido había pagado por ella se le debía devolver. Si el marido elegía divorciarse de su esposa, entonces le tenía que dar al ex suegro una compensación, normalmente una cantidad de dinero.

Los hombres babilonios típicamente solo tomaban una esposa si ella vivía y daba hijos, especialmente herederos masculinos. Sin embargo, era perfectamente legal que los hombres entraran en más de un matrimonio o tuvieran relaciones con una concubina para tratar de tener más hijos. Aunque estaba permitido, culturalmente no se aceptaba si el marido no era noble o tenía una esposa que producía hijos y sobrevivía. Si un hombre tomaba una concubina, ella entraba en la casa, pero solo podía llevar un velo, símbolo de una mujer casada, fuera cuando caminaba con la esposa. Su posición en la casa siempre era inferior a la de la esposa legal y la concubina se elegía normalmente de entre las esclavas.

Una vez que los niños nacían dentro de un matrimonio, el marido se convertía en el padre y la cabeza de la familia. Retenía el poder de la vida y la muerte sobre su esposa y su descendencia. Algunos de sus poderes incluían dejar a los hijos con los acreedores como garantía del pago de una deuda, enviarlos a trabajar y elegir a quién dejar el dinero y la propiedad también, aunque el hijo mayor también conservaba algunos derechos. Si el padre moría, sus hijos podían reclamar su propiedad y echar a su madre del hogar, pero para ello tenían que luchar con sus tíos.

Finalmente, existía la posibilidad de divorcio. Sorprendentemente, los códigos de la ley babilónica permitían a las mujeres iniciar el divorcio. En particular, las leyes aparecieron en códigos dictados por el famoso Hammurabi. Si una mujer podía aportar pruebas de abuso o negligencia grave por parte de su marido, entonces era libre de dejar su casa y volver a la de sus padres. Mientras tanto, un hombre podía iniciar un divorcio por dos razones principales: su esposa resultaba ser estéril o se le acusaba de adulterio. Nadie sospechaba que un hombre también pudiera ser estéril.

Sin embargo, el divorcio estaba muy estigmatizado y el marido siempre tenía que devolver la dote que recibía por el matrimonio. Para evitar el aislamiento social, la mayoría de las parejas infelices permanecían juntas. Los maridos solían añadir una concubina a la familia o iniciaban aventuras, mientras que las mujeres llevaban a cabo sus propias actividades ilícitas en secreto. El adulterio era una ofensa punible para las mujeres y sus amantes. La ley babilónica dictaba que un marido cornudo podía hacer que su esposa infiel y su amante o amantes fueran arrojados al río y se ahogaran. Si deseaba perdonar a su esposa, también tenía que perdonar a su amante. El castigo por adulterio era todo o nada. Los hombres casados no eran castigados por tener aventuras, a menos que se les pillara con una mujer casada que no fuera su esposa.[18]

Esta es una visión general de la estructura general del matrimonio y del divorcio babilonio a lo largo de tres milenios. Naturalmente, los hombres y mujeres sumerios, acadios y luego los babilonios oficiales tendrían diferentes niveles de poder y normas sociales ligeramente cambiadas dependiendo de qué cultura tenía más influencia y poder en un momento dado. El cambio más importante que se puede ver a lo largo de los milenios fue la disminución del papel de la mujer. Mientras que los sumerios les daban a las mujeres un poder sin precedentes en el mundo antiguo para dejar un matrimonio y un hogar infelices, e incluso describían a las mujeres como poseedoras de un increíble poder sobre sus maridos, esto cambió rápidamente bajo los acadios y los babilonios.

---

[18] Ibid.

Alimentos

Los historiadores y arqueólogos modernos saben mucho sobre la cocina babilónica porque los chefs conservaban sus recetas en tabletas de arcilla que se descubrieron muchos milenios después. En estas tabletas, se puede ver que uno de los alimentos más comunes que comían los babilonios era el guiso. Se podía hacer un guiso con todas las sobras y trozos encontrados por las esposas y los esclavos en sus casas para luego preservarlo durante días al dejarlo al calor. Algunos de los ingredientes comunes del guiso incluían carne, vegetales resistentes y hierbas encontradas en la zona.

La carne procedía de cualquier animal pastoreado por los lugareños. La carne más común era la de cordero (carne de oveja), cerdo, aves de corral, pescado y algo de carne de vaca. Sin embargo, la mayoría de la gente no comía carne a menudo, ya que era difícil y costoso criar un animal para sacrificarlo solo por la carne. Un plebeyo era afortunado si consumía algo de carne una vez a la semana. La cebolla era la verdura más común, mientras que el ajo se usaba como condimento.[19]

El pan hecho de cebada era el principal alimento básico de la dieta babilónica. La cebada se podía cultivar en una variedad de entornos que se encontraban en todo el territorio babilónico y proporcionaba una nutrición eficiente. Los hombres eran frecuentemente los recolectores de la cebada y llevaban el grano a las mujeres, que se pasaban horas moliéndolo con un mortero y un mazo. Después, tomaban la harina para hacer una masa que se podía cocinar en panes planos que se comía para la cena. El pan de cebada iba acompañado de frutas locales como higos, ciruelas, melones y dátiles.

La bebida preferida era la cerveza hecha con exceso de cebada en lugar de vino. Esta cerveza no era la misma que la cerveza moderna. En su lugar, tenía un menor contenido de alcohol para hacerla más apetecible y bebible durante el día. La razón principal por la que los babilonios bebían cerveza era para evitar enfermarse por beber agua del río, especialmente porque el río se usaba para bañarse, lavar la ropa

---

[19] «Publicaciones», Colección Babilónica de la Universidad de Yale, Universidad de Yale, última modificación 2018, https://babylonian-collection.yale.edu/publications *(en inglés)*.

y a menudo para la llamada de la naturaleza. Tanto hombres como mujeres estaban involucrados en la fabricación de la cerveza de cebada.

En 2018, un equipo de colaboradores de la Universidad de Yale y la Universidad de Harvard reunió información de las tablillas de arcilla existentes e intentó seguir varias de las antiguas recetas babilónicas. Dos prominentes estudiosas ayudaron a dirigir el equipo, Agnete Lassen y Chelsea Alene Graham. Lassen era la conservadora asociada de la Colección Babilónica de Yale, mientras que Graham era la especialista en imágenes digitales del Instituto de Preservación del Patrimonio Cultural.[20] Su objetivo era desarrollar tres guisos separados. Recrear las comidas era difícil, ya que las tablillas estaban mal conservadas, algunos ingredientes no estaban disponibles y no había mediciones. Los platos, sin embargo, quedaron deliciosos.

Idioma

Los babilonios usaban un lenguaje conocido como acadio, que tomaron de sus predecesores los acadios. Ya nadie habla esta lengua que era una antigua lengua semítica escrita en una escritura cuneiforme. El sistema cuneiforme fue uno de los primeros sistemas de escritura desarrollados por los sumerios. Presentaba muchos símbolos en forma de cuña que representaban diferentes sílabas habladas. Los símbolos se hacían presionando una lengüeta en arcilla húmeda, que luego se podía borrar. A veces, los escribas cocinaban las tablillas para preservar la escritura. El calor de los hornos endurecía la arcilla y formaban tablillas duras que luego se podían pasar a otros eruditos o miembros educados de la sociedad, generalmente la nobleza o los comerciantes ricos.

---

[20] Bess Connolly Martell, «¿Qué comían los antiguos babilonios? Un equipo de Yale-Harvard probó sus recetas», YaleNews, última modificación 2018, https://news.yale.edu/2018/06/14/what-did-ancient-babylonians-eat-yale-harvard-team-tested-their-recipes *(en inglés).*

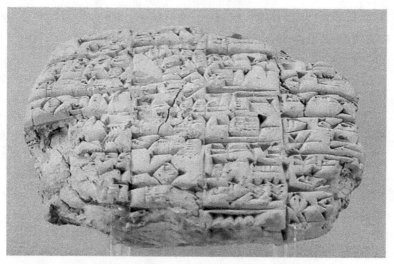

Una carta cuneiforme, alrededor del año 2400 a. C.

Edificios y arquitectura

A pesar de que su civilización es muy antigua, los babilonios son conocidos por su arte y creatividad en general en lo que se refiere a la construcción y la arquitectura. Por ejemplo, en lugar de los tradicionales ladrillos cuadrados o rectangulares, los babilonios fabricaban ladrillos con bordes redondeados. Estos ladrillos no eran los más estables, pero sí estéticamente agradables y contribuían al aspecto único de estructuras como el zigurat, un tipo de templo. Según un historiador más antiguo llamado Archibald Sayce, los materiales de construcción más comunes para las casas y los templos seguían siendo la piedra y el ladrillo. En una de sus monografías, describe la arquitectura babilónica de la siguiente manera:

La piedra escaseaba, pero ya estaba cortada en bloques y placas. El ladrillo era el material de construcción más común, y con él se construían ciudades, fortalezas, templos y casas. Las ciudades estaban provistas de torres y se levantaban sobre una plataforma artificial; la casa también tenía un aspecto de una torre. Estaba provista de una puerta que giraba sobre una bisagra y se podía abrir con una especie de llave; la puerta de la ciudad era de mayor tamaño y parece ser que era doble [...] Se temía a los demonios que tenían alas de pájaro, y las piedras de los cimientos —o más bien los ladrillos— de una casa se consagraban con ciertos objetos que se depositaban bajo ellas.[21]

Sus descripciones coinciden con las interpretaciones modernas. La mayoría de los edificios babilonios se construyeron sobre plataformas ligeramente elevadas para mantener el polvo y la suciedad fuera de la casa y evitar las inundaciones durante la temporada de lluvias. Los ladrillos de barro fueron el material de construcción más común porque eran simples, baratos y abundantes. La piedra se reservaba para los ricos o para los edificios influyentes como los templos centrales de las ciudades, incluidos los famosos zigurats. La mayoría de los edificios no usaban mortero, el material que mantiene los ladrillos unidos. En su lugar, los babilonios dependían del peso de los ladrillos y de la habilidad de su arquitectura para mantener las estructuras estables. En los casos de templos y palacios, se usaban enormes contrafuertes.

Otros rasgos arquitectónicos notables fueron los desagües utilizados para mantener el agua y la humedad lejos de las bases de los edificios. Estos desagües podían ser tan simples como zanjas de tierra o tan elaborados como grandes semituberías de plomo. Muchos ladrillos se podían enchapar con el paso del tiempo, con grabados o finas capas de oro para la decoración. Los frescos y las decoraciones de las paredes aparecieron adicionalmente a medida que el arte se desarrollaba. Las paredes casi nunca eran lisas y frecuentemente se pintaban con colores brillantes e intensos mediante el uso de tintes vegetales. Algunos colores comunes parecen ser el amarillo y el azul básicos que se pueden obtener de las flores y bayas silvestres.

Los babilonios también fueron una de las primeras civilizaciones mesopotámicas en alejarse del bajorrelieve tradicional. Un bajorrelieve era una escultura tallada en una enorme sección de piedra. No era un grabado, sino más bien una imagen elaborada a la que se le daba una forma tridimensional y desarrollo al cortar alrededor de la imagen deseada. En lugar de estos bajorrelieves, los babilonios empezaron a crear estatuas completamente tridimensionales que se mantenían por sí solas. Esto se debió a que la piedra se consideraba un recurso precioso y finito, y era importante no desperdiciar ningún material al cortar solo

---

[21] Rev. A.H. Sayce, profesor de asiriología de Oxford, "The Archaeology of the Cuneiform Inscriptions", *Society for Promoting Christian Knowledge*, 1908, pgs. 98–100 *(en inglés)*.

parte de una imagen y dejar tanta piedra para formar un telón de fondo.

Un bajorrelieve asirio del año 716-713 a. C.

Ropa

Es difícil saber qué llevaban puesto los babilonios, ya que no muchas escenas han sobrevivido a las arenas del tiempo. Los arqueólogos e historiadores pueden afirmar que la mayoría de las prendas de vestir de los babilonios parecían tomadas en su totalidad de los sumerios. Esto significaba que tanto los hombres como las mujeres solían llevar trajes hechos de tela cosida que formaban faldas y mantones de longitud media a larga. Estas faldas normalmente llegaban hasta las rodillas del hombre y hasta los tobillos de la mujer y tenían algún tipo de fleco alrededor del pliegue que era liso o elaborado, dependiendo de la riqueza o el estatus de la persona. La falda se mantenía en su lugar gracias a un grueso cinturón tejido que se ataba en la espalda para mantener las líneas delanteras de la prenda ordenadas y limpias. Como la mayoría de los individuos eran trabajadores pobres, la ropa solía ser de color blanco o marrón sucio de lana sin teñir.[22]

---

[22] Mary G. Houston, *Ancient Egyptian, Mesopotamian & Persian Costume,* (Londres: A. & C. Black, 1954) *(en inglés).*

Los chales eran largos trozos de tela que se podían envolver alrededor de los hombros de una persona para cubrir los senos y partes de los hombros. Las mujeres, aunque de manera modesta, parecían poder mostrar el área alrededor de la clavícula de una manera similar a las camisetas de cuello en V contemporáneas. A medida que pasaba el tiempo, las mujeres comenzaron a reemplazar la más tradicional combinación de falda y chal con largos vestidos de lana que llegaban hasta los pies y se podían ceñir alrededor de la cintura con cinturones. Muchas continuaron usando chales encima por modestia y como adorno adicional.

Casi todas las mujeres tenían la costumbre de cubrirse la cabeza con un velo por modestia. Las únicas que no lo hacían eran las esclavas que no eran vistas como merecedoras del estatus que implica la presencia de un velo. Los hombres no tenían la misma obligación, pero frecuentemente usaban algún tipo de cubierta como protección contra el sol mientras trabajaban en el campo o comerciaban. Su característica más distintiva era la presencia de largas barbas cuidadosamente rizadas que indicaban que un hombre era un adulto. La mayoría de los individuos llevaban una especie de sandalia para protegerse del suelo, mientras que los soldados y la nobleza podían permitirse botas de cuero de alta calidad.

Tanto los hombres como las mujeres llevaban joyas, que eran muy apreciadas. El rey típicamente usaba una elaborada redecilla tejida con hilos de oro, mientras que los nobles más ricos podían permitirse usar cintas de oro para su cabello. Las joyas más apreciadas eran los pendientes de oro, que podían tener forma de cruces, nueces o simples anillos. La gente también usaba pulseras, collares y bandas que presentaban símbolos religiosos, flores e incluso animales tales como pájaros. No todo el mundo podía permitirse joyas, pero incluso los plebeyos usaban simples piezas tejidas como adornos y símbolos de estatus.

Capítulo 3. Donde la superstición se encuentra con la ciencia

Muchos miembros del público moderno frecuentemente se burlan de la idea de que las civilizaciones antiguas sean tecnológicamente avanzadas, pero tales individuos a menudo olvidan que los seres humanos tuvieron que empezar desde cero. En pocas palabras, alguien no puede ir a la universidad sin haber pasado primero por la escuela primaria. Esta analogía no pretende en absoluto abaratar los avances de los babilonios. Se necesita una mente aguda para ser capaz de dibujar los cielos y determinar cómo medir adecuadamente el área de una forma geométrica. ¿Podría alguno de los lectores de este libro hacerlo si no le hubieran enseñado las fórmulas en la escuela? De los diversos campos académicos, las áreas donde los babilonios destacaron fueron las matemáticas y la astronomía o la astrología, que se construyeron una a partir de la otra. Sin embargo, también fracasaron en algunos importantes. Por ejemplo, los babilonios no tenían un buen concepto de anatomía, fisiología, virología o medicina básica. En su lugar, muchos de sus métodos se basaban en supersticiones para encontrar una cura y la muerte era muy común incluso entre individuos que acudían a un médico.

Medicina

La medicina babilonia incluía más superstición que ciencia. Los médicos dejaron registros de las curas más comunes y populares en tablillas de arcilla, pero muchos de los ingredientes utilizados habrían tenido poco o ningún efecto sobre las enfermedades o dolencias que se suponía que debían tratar. Algunos remedios podían hacer que un individuo se enfermara mucho más de lo previsto. La anatomía tampoco se entendía del todo bien. Aunque los médicos y profesionales llamados videntes disecaban a los humanos y animales muertos para examinar sus órganos, no sabían para qué servía cada uno de ellos. Por ejemplo, el hígado se consideraba el órgano más importante y la fuente de la sangre del cuerpo. Las canciones incluso ponían al hígado en el lugar que ahora le pertenece al corazón.

Un médico babilonio inventaría tratamientos para una amplia gama de problemas como enfermedades respiratorias, infecciones, enfermedades mentales que causan tristeza o alucinaciones, mala circulación, problemas para concebir un hijo o epilepsia. Sin embargo, sus diagnósticos no tenían casi nada que ver con el cuerpo. Si había un problema físico con un individuo, los médicos pensaban que había una causa sobrenatural, generalmente una desaprobación de un dios o el trabajo de espíritus malignos. Con esto en mente, los médicos frecuentemente creaban tratamientos también basados en la superstición.

Un ejemplo famoso es el avistamiento de cerdos. Si en el camino para tratar a un paciente, un médico veía un cerdo blanco, entonces esto significaba que el paciente se iba a recuperar. Si veía un cerdo negro, el paciente iba a morir. Otros colores tenían también diferentes significados. El médico también podía fijarse en el color de la orina de un paciente para comprobar si había problemas. Si la orina salía negra, el individuo se iba a morir, como en los tiempos modernos, por lo que los babilonios estaban en lo cierto aquí. Una orina clara era normalmente un signo de recuperación, mientras que una orina roja o sanguinolenta significaba que la enfermedad era grave, pero la recuperación era posible. Esto suena como una comprensión rudimentaria de algunos problemas comunes relacionados con la vejiga y los riñones, que eran propensos a infecciones debido a la falta de higiene y salubridad.

Los médicos fabricaban sus propios medicamentos y también realizaban cirugías. No había anestesia, así que todo aquel que requiriera una intervención sufría mucho dolor antes, durante y después. Una práctica común era darle alcohol al paciente para mantenerlo adormecido y distraído. La medicina podía ser una pomada, una poción, un aceite de frotar, una envoltura recubierta e incluso enemas. Estos remedios incluían una combinación de ingredientes poco comunes y mundanos. Algunas recetas tomadas de las tablillas incluyen:

Calentar en cerveza premium *nlnu*, planta de montaña, *hasu*, *nuhurtu*, enebro, *kukru*, *sumlalu*, *ballukku*, esquejes de aromáticas, terrón de campo, plantas —filtrar y enfriarlas, añadir aceite a la mezcla— verterlo en su ano y se recuperará.[23]

Esta cura en particular era para el exceso de gases e hinchazón de abdomen. Otras medicinas podrían haber sido para algo llamado *enfermedad del sol*, que era muy probablemente una quemadura de sol. Su enfermedad renal se caracterizaba por una orina descolorida y la necesidad frecuente de orinar, así que en realidad estaban bastante cerca de la verdad.

El sistema de salud babilonio se codificó y se hizo oficial durante la época de Hammurabi. Las leyes se hicieron oficiales al inscribirse en el Código de Hammurabi, que se elaboró alrededor de 1750 a. C. y se esculpió en un trozo de diorita negra de 2,5 metros de alto. Algunas de las leyes incluían:

Si el médico ha tratado a un hombre por una herida grave con lanceta de bronce y ha causado la muerte del hombre, o ha abierto un absceso del ojo de un hombre y ha causado la pérdida del ojo del hombre, se le cortarán las manos.

Si un médico ha tratado la grave herida de un esclavo de un pobre hombre con una lanceta de bronce y ha causado su muerte, le dará un esclavo por esclavo.

Si ha abierto su absceso con una lanceta de bronce y le ha hecho perder el ojo, pagará dinero, la mitad de su precio.

---

[23] Tablilla médica.

Si un médico ha curado el miembro fracturado de un caballero o ha curado el intestino enfermo, el paciente le dará cinco chelines de plata al médico.[24]

La parte superior del Código de Hammurabi

Ser médico era una profesión peligrosa. Si algo salía mal —y en vista de las curas, esto habría sucedido a menudo— al médico se le podía mutilar o matar como castigo. No existía tal cosa como retirar una licencia.

Un individuo enfermo también podía ponerse en contacto con un exorcista. Como se pensaba que las quejas físicas eran causadas por una fuerza sobrenatural, no era raro que alguien buscara ayuda espiritual. El trabajo del exorcista era alejar cualquier espíritu malo que pudiera estar atormentando a un individuo y causando dolencias. Esto

---

[24] Tablilla médica.

podía hacerse mediante la quema de incienso o plantas, cantos, oraciones o más remedios físicos. La mayoría de las veces se contactaba con el exorcista para tratar un problema de salud mental, como alucinaciones o ansiedad crónica.

Matemáticas

Los babilonios comprendían la aritmética y el álgebra básicas, e incluso desarrollaron tablas y tablillas diseñadas para proporcionar respuestas sin que el usuario tuviera que hacer ninguna operación matemática compleja. Eran similares a las tablas de multiplicar y dividir que se les dan a los estudiantes en las escuelas de todo el mundo hoy en día, pero más sofisticadas y capaces de resolver ecuaciones cada vez más complejas. También comprendían la geometría. Mucho de lo que los historiadores saben proviene de varias tablillas de arcilla cocida que muestran algunas de las fórmulas matemáticas que los babilonios usaban para construir y medir el mundo que les rodeaba. Uno de los mayores descubrimientos fue que los babilonios entendían las reglas básicas necesarias para medir el área y el volumen de las múltiples formas. Por ejemplo, eran capaces de calcular la circunferencia de un círculo midiendo el diámetro y luego multiplicándolo por tres. También podían calcular el área cuadrando la circunferencia y luego dividiéndola por doce. En esencia, estas fórmulas se veían así:

- 3(diámetro del círculo) = circunferencia del círculo

- (Circunferencia del círculo x circunferencia del círculo)/12 = área del círculo

¿Por qué es esto tan significativo? Los babilonios habían descubierto el concepto de pi o π y se aproximaron al número usando la idea más fácil de multiplicar por 3. El número 3 está tan cerca del pi que los historiadores creen que su uso no fue una coincidencia. Incluso hay evidencia de que los babilonios eran conscientes de que 3 era tan solo una aproximación: una antigua tablilla babilonia encontrada cerca de Susa en realidad menciona pi como 3.125 en lugar de 3, pero indica que es más práctico para los trabajadores simplificar la ecuación para facilitar los cálculos. Para aquellos que no están familiarizados con las matemáticas, 3,125 es solo un 0,5% más bajo que el valor del pi real. Sin el pi, numerosas facetas de la arquitectura serían imposibles.

Además del círculo, los babilonios también sabían cómo calcular el volumen de los cilindros y formas similares, e inscribieron las fórmulas correctas en sus tablillas. Sorprendentemente, no sabían cómo determinar correctamente el volumen de una pirámide cuadrada a pesar de construir estructuras complejas como el zigurat. Lo más impresionante fue el trabajo de los babilonios en el campo de la astronomía. Como se mencionó con anterioridad, la civilización contaba con numerosos astrónomos entusiastas que mantenían registros detallados de los cielos. En sus tablillas se registraba el movimiento regular de los planetas, las direcciones y los ángulos en los que las estrellas se elevaban y se ponían en el cielo, cuándo ocurrían los eclipses solares y lunares en el calendario, y cómo la posición de los cuerpos celestes indicaba que el mundo era esférico. Los babilonios incluso utilizaron sistemas complejos como el análisis de Fourier para crear vastas tablas de posiciones astronómicas y el análisis moderno de Fourier no se redescubriría hasta la década de 1950.

La importancia de las matemáticas

Muchos entienden que las matemáticas son los bloques de construcción del mundo. Sin esta disciplina, los humanos no entenderíamos cómo nos desplazamos a través del espacio físico, cómo calculamos la distancia, cómo construimos estructuras sólidas o cómo medimos los sólidos y líquidos que se comercializan, venden y consumen a diario. O, al menos, no podríamos hacerlo con precisión.

Los descubrimientos matemáticos babilonios son algunos de los más tempranos en existencia, anteriores incluso a los griegos, a los que la mayor parte del mundo occidental copiaba cuando hacía «nuevos» descubrimientos científicos desde el período medieval en adelante. De hecho, los griegos terminaron copiando el trabajo de los babilonios durante el período helenístico, que se produjo más de 1.000 años después de que los babilonios hicieran sus descubrimientos iniciales. Por lo que los arqueólogos e historiadores pueden estimar, el conocimiento matemático de los babilonios se transfirió a la civilización griega tras las conquistas de Alejandro Magno en Mesopotamia y la región circundante alrededor del año 330 a. C.

Alejandro Magno, aunque conocido por sus triunfos y proezas militares, destacó además la importancia de compartir los conocimientos y las prácticas culturales. Por ello, sus propios soldados se volvieron contra él después de ver su asimilación a la cultura persa como una traición a su herencia macedonia. Durante su conquista, Alejandro ordenó a Calístenes de Olynthus, su cronista oficial, que reuniera profesionales para traducir todo el conjunto de tablas y registros astronómicos babilonios.

Los griegos tomaron estos registros y realizaron algunos descubrimientos sorprendentes con ellos que dieron forma al mundo moderno, incluidos los nuevos métodos de cálculo del calendario y las posiciones de planetas conocidos como Venus y Júpiter. También facilitó la introducción de conceptos matemáticos complejos en la cultura helenística. Algunos ejemplos de implementaciones matemáticas significativas incluían que los griegos aprendieran a dividir un círculo en 360 grados y 60 minutos de arco.

La astrología babilonia representa la unión entre la astronomía y la religión. En su visión del mundo, se trataba tanto de una ciencia como de los cálculos que indicaban dónde se encontraban los planetas y las constelaciones en el cielo. Los astrólogos babilonios, también llamados caldeos, crearon los cimientos del zodíaco moderno e influyeron mucho en sus homólogos helenísticos. Si consideramos la fidelidad con la que trazaron el mapa de las estrellas y la importancia de las deidades en la vida cotidiana, no es sorprendente que los babilonios creyeran que los dioses envían mensajes a los humanos a través de las señales en el cielo.

Enuma Anu Enlil, astronomía y astrología

Enuma Anu Enlil es una serie de tablillas de arcilla escritas por los astrólogos babilonios en una escritura cuneiforme. Revela entre 6.500 y 7.000 presagios que los astrólogos creían que afectarían al rey o al imperio de una forma u otra si aparecían. Algunos de ellos se basaban en sucesos reales, pero la mayoría no. Muchas traducciones se encuentran actualmente en los Archivos Estatales de Asiria, que es un proyecto intelectual con sede en Helsinki, Finlandia. La totalidad de Enuma Anu Enlil aún no ha sido traducida y existen numerosas lagunas en el texto de las secciones donde el cuneiforme se desgastó o desapareció por erosión. Aun así, es de aquí de donde los historiadores obtienen la mayor parte de su información sobre la importancia de la astrología y la adivinación.

Presagios

Un presagio era un mensaje profético que los astrólogos necesitaban encontrar e interpretar para pasar la información a los sacerdotes y al rey. Los babilonios desarrollaron listas detalladas de los presagios o símbolos comunes y sus significados, que fueron inscritos en tablas de arcilla tradicionales y luego horneados para su uso repetido. Un presagio podía dividirse en dos partes: la prótasis y la apódosis. Cualquiera que esté familiarizado con el arte de la escritura reconocerá estas dos palabras, que están basadas en el griego. La prótasis era la observación inicial y la correspondiente hipótesis sobre el significado de un símbolo. La apódosis era el resultado real del presagio observado. En las tablillas, los astrólogos mantenían largas listas de los presagios vistos y lo que ocurría como resultado. De esta manera, se trataba de una forma de ciencia sofisticada, incluso si se construía sobre unas suposiciones erróneas.

Otra similitud entre la astrología babilonia y la ciencia era la presencia de teorías e hipótesis. Los astrólogos ya mostraban rasgos de un método científico cuando registraban un presagio y descubrían un evento correspondiente. Era, a su manera rudimentaria, una simple causa y efecto. Pero los babilonios fueron más allá. Mediante el uso de elementos de historias religiosas, incluyeron en sus tablillas posibles presagios o augurios y sus resultados. Crearon hipótesis y teorías. Sin embargo, no tenían forma de ponerlas a prueba y muchos de los presagios que imaginaban habrían sido absolutamente imposibles si consideramos lo que los humanos saben ahora sobre las leyes de la naturaleza. Pero los astrólogos aplicaban principios científicos fundamentales para entender el mundo que les rodeaba y es por eso que la astrología babilonia podría considerarse una forma de ciencia, si no para un público moderno, entonces sí para los propios babilonios.

Para entender los presagios, hay que entender la visión del mundo de los babilonios. Aunque trataremos la religión en profundidad más adelante, es importante saber que los babilonios vivían en una sociedad profundamente religiosa donde las deidades no eran figuras estáticas. En su lugar, participaban activamente en la vida diaria. La voluntad y el favor de la divinidad traía como resultado beneficios tangibles y físicos en la tierra. Aún más fascinante era el concepto de que la tierra y los cielos estaban conectados en una esfera. Piense en una pelota. Para los babilonios, la tierra sería la mitad inferior y el cielo la superior.

Alrededor del borde había conexiones entre los dos. No los atmosféricos conocidos en la sociedad contemporánea, sino puntos de contacto físicos reales. Esto se debe a que, en la religión babilonia, la diosa Tiamat se había partido en dos y se utilizó para formar los cielos y la tierra.

Con todo esto en mente, los presagios se consideraban como si fueran mensajes escritos por dioses en la mitad superior del mundo y, por lo tanto, la tarea de los humanos de abajo era discernir el significado. Incluso una vez que se encontraba este significado, el futuro no estaba determinado. Este concepto era común entre las antiguas civilizaciones del Oriente Próximo y el norte de África. Incluso si los babilonios encontraban un presagio, no significaba que el evento ocurriría. En realidad, era un juicio de los dioses que, en su sabiduría, habían visto lo que podía suceder y elegían pasar la información a los babilonios. Los dioses daban, en palabras del historiador francés Jean Bottéro, «un veredicto contra los interesados sobre la base de los elementos del presagio, de la misma manera que cada sentencia de un tribunal establecía el futuro del culpable basándose en el expediente sometido a su juicio».[25]

Así que, una vez que los astrólogos babilonios descubrían un presagio y lo interpretaban, informaban de los resultados al rey y a los sacerdotes. Era entonces la tarea de estos oficiales encontrar maneras de prevenir o favorecer el resultado. Esto se hacía mediante la realización de rituales y sacrificios a las deidades en cuestión. Por ejemplo, si los astrólogos hallaban una señal que indicara que el rey se iba a morir pronto, él y los sumos sacerdotes intentaban evitar que la muerte ocurriera al sacrificar animales costosos como toros y bueyes, al ungir las estatuas de la deidad principal y del dios del inframundo, y al realizar tantos rituales como fuera posible. Esto se podía considerar como una apelación a la alta corte divina. Entonces, los dioses emitían su juicio. Si estaban satisfechos, el rey vivía. Si no, se moría.

---

[25] Jean Bottéro, *Mesopotamia: Writing, Reasoning and the Gods*, (Chicago: University of Chicago Press, 1992) pg. 142 *(en inglés)*.

Las constelaciones, el zodíaco y los planetas

Los babilonios poseían un complejo sistema para entender los movimientos de los planetas y las estrellas. Similar a un zodíaco moderno, creían que las posiciones de ciertos cuerpos celestes influían en el mundo y especialmente en un individuo. Dependiendo de la composición del cielo al nacer, una persona tendría diferentes rasgos de personalidad, características y suerte en la vida.

El cielo babilonio se dividía en tres subsecciones principales llamadas así por el trío de deidades principales: Anu, el dios del cielo y la deidad principal; Enlil, el dios del clima; y Ea, el dios del agua. No tenían planetas asociados a ellos, pero otras deidades sí los tenían. No se pensaba que los planetas fueran dioses, sino más bien representaciones o símbolos de su poder. Las posiciones planetarias se asociaban con días, meses y años específicos que se decía que eran favorables para cada deidad.[26]

Los «planetas» más importantes para los babilonios eran la luna y el sol. En el caso del sol, se hacía un especial hincapié en su tamaño y su posición en los diferentes días del calendario, los principales datos que los astrólogos examinaban para determinar los presagios y los peligros. La luna, por su parte, se dividía en cuatro cuadrantes. Cada cuadrante estaba asociado a una sección separada del Imperio babilónico: el norte representaba a Subartu, el sur a Akkad, el este a Elam y el oeste a Amurru. La plenitud de la luna era significativa. Los astrólogos además ponían mucho peso en los solsticios y eclipses, así como en las diferentes fases de la luna. El tamaño y el brillo del sol y la luna también se consideraban y se registraban en tablillas de arcilla.

---

[26] Ibid.

Las deidades y sus planetas

Planeta	Deidad	Dominio de la deidad
Sol	Shamash	Justicia, verdad y orden
Luna	Sin	Ganado y fertilidad
Mercurio	Nabu	Sabiduría y escritura
Venus	Ishtar	Amor, sexualidad y guerra
Marte	Nergal	Muerte, inframundo, peste y plaga
Saturno	Ninurta	Curación y agricultura
Júpiter	Marduk	La ciudad de Babilonia

Cualquiera que esté familiarizado con el zodíaco moderno y la mitología griega y romana verá similitudes entre las deidades babilonias y las griegas, con respecto a sus planetas y sus dominios. Estos dominios también influyen mucho en la forma en que los astrólogos modernos y la gente interesada en la astrología en general interpretan la presencia y los movimientos de los diferentes planetas. Por ejemplo, Venus, que es el planeta de Ishtar, evoca a Venus que representa a Afrodita para los griegos y que es un símbolo común de amor, deseo y sexualidad. Del mismo modo, Júpiter es Marduk, que sustituye a Anu como el dios de Babilonia principal una vez que Hammurabi alcanza el poder. En griego, Júpiter era Zeus, también la deidad principal.

Júpiter visto por la sonda espacial Cassini

El zodíaco

La mayor parte de la información que los historiadores y arqueólogos tienen sobre la astrología babilonia proviene de un documento llamado *MUL.APIN* o *el Arado.* Las fechas indican que la tablilla se creó alrededor del año 1000 a. C. Contiene aproximadamente 71 estrellas y constelaciones que los babilonios observaban con cierta regularidad. Los babilonios sí que registraron diecisiete o dieciocho constelaciones específicas, pero no les asignaron los mismos significados que tienen en la actualidad. El movimiento planetario en y alrededor de las constelaciones tenía significados específicos que variaban según la posición. Lo interesante es que los babilonios identificaron la mayoría de las principales constelaciones asociadas con el zodíaco moderno y les dieron nombres similares. Aquí se incluyen algunos ejemplos:

- Aries: LU.HUN.GA: «El labrador»
- Tauro: GU.AN.NA: «El toro celestial» o «El toro sagrado»
- Géminis: MASH.TA.BA: «Los gemelos»
- Cáncer: AL.LUL: «Cangrejo de río»

- Leo: UR.GU.LA: «León»
- Virgo: AB.SIN: «El surco de la semilla» o «Hija del pecado»
- Libra: ZI.BA.AN.NA o GISH.ERIN: «El destino celestial» o «La balanza»
- Escorpio: GIR.TAB: «El escorpión»
- Sagitario: PA.BIL.SAG: «El defensor»
- Capricornio: SUHUR.MASH: «El pez cabra»
- Acuario: GU.LA: «El señor de las aguas»
- Piscis: SIM.MAH: «Peces» o «Las colas»

Un grabado en madera del siglo XV de los signos del zodíaco

Esta imagen, tomada de una xilografía europea del siglo XV, muestra cómo las interpretaciones babilónicas de las diferentes constelaciones, así como sus primeros trabajos sobre el zodíaco, influyeron en los griegos, los romanos y la cultura europea. Este es un hecho poco conocido para mucha gente, pero el zodíaco también fue un símbolo popular en el arte cristiano, con la imagen de Jesús que a menudo aparecía rodeado por los signos del zodíaco. El alcance de la influencia de los babilonios fue muy grande.

La adivinación

La práctica de la adivinación era similar a la astrología. Mientras que la astrología se centraba únicamente en la identificación de portentos en los cielos, la adivinación se centraba en encontrar signos y presagios terrestres en medios físicos a los que los humanos normales podían acceder. Los adivinos eran los practicantes de esta técnica y se apoyaban en muchas listas de presagios similares a las de los astrólogos. Algunos de los médiums que observaban eran los pájaros en el cielo, el crecimiento de las plantas, los defectos de nacimiento de los humanos y animales, y el movimiento del humo y el agua cuando se les hacía preguntas. Combinada con la astrología, la cultura babilónica establecía que era posible averiguar qué eventos futuros pertenecían a un individuo. Por ejemplo, los babilonios pensaban que podían saber si alguien viviría, moriría, se enfermaría, tendría un embarazo saludable o se casaría bien.

Al igual que la astrología, la adivinación incluía presagios, algunos frecuentes y otros nunca vistos. Sus listas incluían algunos presagios inusuales con significados listados: presagios que nunca han aparecido en la historia de la humanidad. Por ejemplo, tomemos una vaca. Es común que una vaca dé a luz a un solo ternero, mientras que es raro que nazcan dos. El nacimiento de dos terneros era una señal o un presagio, pero los babilonios no se detenían ahí. Hicieron una lista de los posibles resultados de los nacimientos de tres, cuatro, cinco e incluso ocho terneros de una sola vaca.

Otra práctica era la hepatoscopia. Los babilonios son conocidos por su hepatoscopia, que es el examen del hígado de un animal para determinar el futuro. Creían firmemente que el hígado era el órgano más central y significativo tanto del hombre como de los animales. Según su lógica, el hígado era la fuente de la sangre en el cuerpo y por lo tanto proporcionaba la fuente de vida. Un sacerdote, conocido como bārû, se entrenó en la práctica de la hepatoscopia y en la interpretación de los signos descubiertos en el hígado. Múltiples profesionales desarrollaron un compendio completo llamado *Bārûtu*. Los babilonios hicieron modelos de arcilla del hígado para ayudar a entrenar mejor a bārûs y explicar cómo se veían los signos. Los arqueólogos encontraron varios de estos modelos que datan del siglo XIX o XVIII a. C.

El estudio del hígado también podía hacerse para predecir el clima; por ejemplo, si había condiciones favorables para obtener cosechas buenas. La hepatoscopia era parte de la práctica más amplia de estudiar las entrañas de los animales en general para los portentos, lo que se llama extispicio. Debido a que los babilonios tenían otro sistema claro para determinar y predecir el futuro, la adivinación también se considera una ciencia primitiva para esta civilización, aunque se basaba más en la religión y la magia que en los hechos reales comunes en el estudio contemporáneo. Al igual que la astrología, los adivinos volvían a basar los resultados de sus presagios en un estudio cuidadoso y luego formulaban sus propias predicciones e hipótesis para lograr otros resultados. Un individuo también puede ver similitudes entre las prácticas de la astrología y la adivinación y cómo los babilonios estudiaban la medicina, visto anteriormente.

Capítulo 4. Babilonia antes de los babilonios

Los babilonios se entienden frecuentemente como otro imperio en la larga historia de Mesopotamia que se desarrolló a partir de los mismos pueblos que formaron civilizaciones anteriores. Se les considera ampliamente mesopotámicos en cuanto a su cultura, vestimenta, idioma y religión. Por esta razón, es importante entender quién y qué precedió al Imperio babilónico oficial, ya que la civilización se basó en gran medida en sus predecesores como los sumerios y los acadios.

Los orígenes de Babilonia

Las raíces de los babilonios se remontan a aproximadamente el año 3500 a. C., cuando comenzó a surgir una civilización sumeria bien desarrollada. Los sumerios eran una de las civilizaciones humanas más antiguas de las que se tiene constancia. Les siguió un nuevo grupo de individuos que hablaban una forma primitiva de acadio alrededor del año 3000 a. C. En algún momento, estos dos pueblos se dedicaron a un comercio y una interacción social tan intensos que la mayoría de la región se hizo bilingüe, lo que permitió compartir y tomar prestada una cultura intensa e íntima. Incluso los idiomas se mezclaron entre sí cuando la gente comenzó a emplear modismos, frases, palabras e incluso partes enteras de la gramática para transmitir sus ideas.

Con el tiempo, el acadio se hizo más popular que el sumerio original. Algunos estudiosos sugieren que esto sucedió porque el número de hablantes que tenían el acadio como su lengua materna comenzó lentamente a superar a los que hablaban el sumerio original, mientras que otros creen que se debe a que el acadio se convirtió en la lengua de los negocios y la religión. Sea como sea, Mesopotamia vio el declive de importantes ciudades y ciudades-estado como las famosas Ur, Uruk, Eridu y Lagash gracias al surgimiento del nuevo Imperio acadio (2334-2154 a. C.), que reemplazó al Imperio sumerio.

Sin embargo, esto no significa que los sumerios desaparecieran. Esa gente seguía estando presente y en realidad se convirtió en parte del imperio acadio. Lo único que cambió fue que la lengua y la cultura acadias comenzaron a ser más prominentes y extendidas, de manera similar a como el antiguo Imperio romano se convirtió en cristiano, mientras que la gente que constituía Sumeria y Mesopotamia permaneció allí. Incluso el principal centro religioso de los sumerios originales seguía siendo el mismo; ahora se le llamaba acadio. Esta sería la ciudad de Nippur, donde los residentes adoraban al dios Enlil. Esto no cambió hasta que Hammurabi emergió como el poderoso líder de los babilonios alrededor del siglo XVIII a. C.

Los sumerios

Los sumerios son la civilización mesopotámica más antigua conocida y considerada la primera. Se establecieron en la región entre el año 5000 y 4500 a. C. La mayoría de los historiadores creen que fueron un pueblo de Asia occidental que se trasladó más al oeste para tener un mayor acceso a los recursos y a las tierras cultivables que se desarrollaron a partir de los depósitos de los ríos Tigris y Éufrates. Cuando llegaron a Mesopotamia, se dividieron en ciudades-estado militaristas que comerciaban y luchaban entre sí por el territorio. Las ciudades estaban separadas por canales, afloramientos rocosos y terrenos elevados que servían de protección contra los ataques. Cada ciudad poseía un templo dedicado a un dios o diosa patrón. El gobierno consistía en una serie de poderosos nobles terratenientes dirigidos por un gobernador religioso, llamado *ensi,* o un rey, llamado *lugal.*[27]

---

[27] Harriett Crawford, *Sumer and the Sumerians,* (Nueva York: Cambridge University Press, 2004) *(en inglés).*

La historia escrita de los sumerios se remonta al siglo XXVII a. C., aunque la mayoría de los registros son posteriores, del siglo XXIII a. C. Esto se debe a que alrededor de esa época, los sumerios desarrollaron un nuevo sistema de escritura basado en sílabas. Contrariamente a la creencia popular, esta antigua civilización demostró algunas cualidades inusuales, como la relativa igualdad de género y ciudades que carecían de murallas y ejércitos permanentes. Durante su temprana existencia, los sumerios experimentaron períodos de mucha paz, y la realeza y otras figuras legislativas prominentes contaban con asesores masculinos y femeninos. En los templos, el género del sumo sacerdote se alternaba según la forma del dios. De esta manera, una sacerdotisa estaba a cargo del templo de un dios y un sacerdote, del de una diosa.

Esta forma de vida cambió durante un periodo de tiempo llamado el período Dinástico Arcaico, que comenzó alrededor del 2900 a. C. y duró hasta cerca del 2500 a. C. En este período, la mayoría de las ciudades desprotegidas desaparecieron y la sociedad cambió al sistema de gobierno mencionado anteriormente, donde los nobles y un alto sacerdote o rey controlaban a los humanos y los recursos. Las mujeres perdieron lentamente su lugar en la sociedad y se vieron confinadas cada vez más a un papel doméstico, ya que la agricultura y la guerra las despojaron de sus derechos. Un gran recurso para los historiadores acerca de este período de tiempo, y una de las piezas más antiguas de la literatura humana, es la *Epopeya de Gilgamesh.* [28]

El poema *Epopeya de Gilgamesh* se escribió durante el Imperio acadio, pero el hombre era uno de los reyes de Uruk y el héroe mesopotámico más famoso. Gobernó en algún momento entre el año 2800 y el 2500 a. C. y finalmente sería divinizado o convertido en un dios. Su epopeya proporciona información valiosa sobre los valores y estilos de vida sumerios, así como la influencia de la religión y los dioses en la sociedad y la cultura.

Hubo varias razones por las que los sumerios se desvanecieron lentamente. Una fue el movimiento natural de más grupos étnicos y tribus que hablaban diferentes idiomas en la región. Otra fue el aumento de la salinidad del suelo o la presencia de cantidades

---

[28] Stephen Mitchell, *Gilgamesh: A New English Version,* (Nueva York: Free Press, 2004). *(en inglés)*

crecientes de sal. Esta sal dificultó el crecimiento de su cultivo básico, el trigo. Incluso cuando los agricultores se cambiaron a la cebada, que debería haber sido capaz de tolerar la salinidad, ya era demasiado tarde. Los sumerios tuvieron que mudarse de sus tierras natales, lo que alteró el equilibrio de poder y permitió a los acadios obtener una ventaja regional.

Los acadios

Originalmente, los acadios eran tan solo un grupo más que vivía en Mesopotamia. Después de que los sumerios sufrieron y abandonaron sus hogares, los acadios lograron ganar importantes espacios territoriales y culturales. Poco a poco, construyeron un imperio que unió a los dos pueblos y colocó a la cultura acadia en un lugar prominente.[29]

La ciudad central del Imperio acadio era Acadia, que los historiadores aún se esfuerzan por localizar con precisión. Su primer gobernante poderoso fue un hombre llamado Sargón. Se desconocen sus antecedentes personales, ya que él mismo hizo numerosas afirmaciones, como que tenía una madre difícil y un padre ausente. Una vez que aspiró a ser rey, cambió su historia para que su madre fuera una importante sacerdotisa. Esto significaba que él era un noble y eso le daba legitimidad para gobernar. Empezó su vida como copero de otro rey y se abrió camino para ser un jardinero que limpiaba canales de irrigación. Aquí, formó su primera coalición de soldados de los otros trabajadores.

Sargón echó al rey original e inmediatamente comenzó a expandir el territorio acadio por medio de la conquista. Unificó toda Mesopotamia y luego atravesó el río Éufrates en un área conocida como el Levante. Aquí, luchó y dominó a un antiguo pueblo conocido como *hattiano*. Reemplazó a todo gobernante que se le opusiera con nobles acadios y supuestamente gobernó durante 56 años antes de morir de viejo. Expandió el comercio de forma considerable para incluir materiales como la plata y el lapislázuli, y los llevó al norte, a Asiria, que se convertiría en el granero de los acadios.

---

[29] Benjamin R. Foster, *The Age of Agade: Inventing Empire in Ancient Mesopotamia*, (Nueva York: Routledge Publishing, 2016) *(en inglés)*.

Tras la muerte de Sargón, el Imperio acadio seguía siendo fuerte y poderoso. La civilización y la economía se planificaron cuidadosamente para maximizar la eficiencia de los recursos y la población. Los alimentos básicos como el trigo, la cebada y el aceite se guardaban en enormes graneros y se repartían entre los ciudadanos. Los impuestos se podían pagar en dinero, alimentos o servicio público, de esta manera, los acadios mantenían sus muros y canales fuertes por medio del trabajo. La lengua acadia se hizo omnipresente en todo el Oriente Medio y se extendió a los territorios cercanos. Se han encontrado tablillas escritas en esta lengua hasta en Egipto.[30]

Sin embargo, en el siglo XXII a. C., el Imperio acadio sufrió y se derrumbó después de haber durado tan solo 180 años. Los historiadores proponen una diversa gama de razones por las que esto pudo suceder, ya que no hay suficiente evidencia arqueológica que indique una causa precisa. La primera idea es que hubo una sequía masiva que diezmó la agricultura del imperio, lo que hizo que su forma de vida fuera insostenible. La segunda es que el imperio simplemente se extendió demasiado lejos y se encontró incapaz de mantener el control sobre las ciudades-estado que luchaban por la independencia. La tercera es que las hordas nómadas descendieron a Mesopotamia y el ejército acadio no era lo suficientemente fuerte para detenerlas. Esta última teoría parece la menos probable, ya que los acadios mantenían un control estricto sobre su territorio inmediato y existen menos evidencias para la hipótesis de los nómadas.

Los descendientes y sucesores de los acadios tenían sus propias ideas. Según una tablilla conservada, la caída del imperio se debió a las acciones sacrílegas del rey Naram-Sin, que escuchó dos oráculos falsos y saqueó un templo protegido por el dios principal Enlil. Como castigo, ocho de los dioses se reunieron y emitieron un juicio sobre el imperio. El texto dice:

Por primera vez desde que se construyeron y fundaron las ciudades,

Las grandes extensiones agrícolas no produjeron ningún grano,

Las extensiones inundadas no produjeron peces,

Los huertos irrigados no producían ni jarabe ni vino,

---

[30] Ibid.

Las nubes acumuladas no producían lluvia, el masgurum no crecía.

En ese momento, un siclo equivalía a solo medio cuarto de galón de aceite,

El valor de un siclo era solo medio cuarto de galón de grano...

¡Se vendían a esos precios en los mercados de todas las ciudades!

El que dormía en el tejado, moría en el tejado,

El que dormía en la casa, no tenía entierro,

La gente temblaba de hambre.[31]

A medida que la estrella acadia declinaba, la estrella babilonia se elevaba y fundaba uno de los imperios más duraderos de la historia.

[31] «The Electronic Text Corpus of Sumerian Literature», The University of Oxford, última modificación 2004, http://etcsl.orinst.ox.ac.uk/cgi-bin/etcsl.cgi?text=t.2.1.5# *(en inglés)*.

Capítulo 5. La dinastía amorrea o los primeros babilonios

Hay pocas pruebas arqueológicas que indiquen cuándo se desarrolló la primera dinastía babilonia, ya que la región posee un alto nivel freático que llevó a la destrucción de antiguos materiales de arcilla. La evidencia que sobrevive hasta hoy tiende a ser documentación real, algo de literatura, así como listas de años y sus correspondientes nombres. Por estas razones, no se sabe mucho sobre la cultura y la sociedad de los primeros babilonios, aunque los historiadores pueden rastrear con claridad los acontecimientos políticos y culturales importantes.

Los orígenes de la dinastía amorrea

La primera dinastía babilonia fue la dinastía amorrea, que duró desde 1894 hasta 1595 a. C. Los amorreos eran un pueblo seminómada que vivía en Mesopotamia y adoptó la lengua acadia mientras el antiguo Imperio acadio aún estaba en el poder. Una vez que la sequía a gran escala azotó la región en el siglo XXII a. C., los amorreos se trasladaron en masa de sus tierras al oeste del Éufrates y cruzaron a un territorio más acadio, donde su estilo de vida se adaptaba mejor a la agricultura minimalista que se podía practicar en esa región. Entonces, los acadios y los asirios —que todavía existían en el norte de Mesopotamia— se concentraron en mantener el territorio cerca de su hogar y abandonaron la parte baja de Mesopotamia. Ante este vacío de poder llegaron los amorreos, que formaron varias ciudades-estado y pequeños reinos.[32]

Uno de estos reinos era el pequeño Kazallu, que incluía la ciudad de Babilonia. Alrededor del año 1894 a. C., Kazallu comenzó a ganar recursos y poder militar. A partir de allí, conquistó gradualmente los otros reinos amorreos y los unió para formar la primera iteración del Imperio babilónico, conocida como la primera dinastía de Babilonia. Esta dinastía comenzó cuando un cacique llamado Sumu-Abum tomó la tierra que contenía la Babilonia de Kazallu e intentó transformarla en un estado menor. Desafortunadamente para él, hubo un diluvio de estados menores atiborrados dentro del territorio amorreo y nunca recibió reconocimiento o el título de rey de Babilonia. Al parecer, esta pequeña ciudad simplemente no era digna de tener un rey propio mientras competía con las demás de la zona.

Sumu-Abum fue reemplazado por numerosos sucesores que, además, no pudieron adquirir la legitimidad de una monarquía, aunque ninguno de ellos lo intentó. Estos tres hombres eran Sumu-la-El, Sabium, y Apil-Sin. El siguiente en gobernar, Sin-Muballit, sería el primer gobernante amorreo en reclamar el título de rey de Babilonia, pero parece que su realeza solo estaba en papel o arcilla. El título oficial aparece solo una vez en las tablillas existentes, lo que indica que no se usaba con frecuencia. No está claro si la ciudad de Babilonia seguía siendo insignificante debido a la falta de ambición o de habilidad de los primeros gobernantes babilonios, o simplemente porque quedó opacada por las demás. Después de todo, Babilonia existía en la misma región que los reinos mucho más antiguos, grandes y poderosos como Asiria, Elam y Larsa.

Hammurabi

Pronto, sin embargo, Babilonia se haría grande con el reinado de su sexto gobernante, el legendario y excepcional Hammurabi. Hammurabi, también conocido como *Hammurapi* en algunos textos antiguos, vivió desde el año 1810 hasta el 1750 a. C. y reinó desde el año 1792 hasta el 1750 a. C. Llegó al poder a la tierna edad de 18 años

---

[32] Kemal Yirdirim, *The Ancient Amorites (Amurru) of Mesopotamia*, (LAP Lambert Academic Publishing, 2017) *(en inglés)*.

tras la abdicación de su padre, que estaba enfermo y temía que se acercara su muerte. A Hammurabi se le recuerda a la vez como un conquistador dinámico y eficiente, y también como el creador de uno de los códigos de leyes más veteranos y detallados del mundo antiguo, que se inscribió en una enorme estela negra. Durante su reinado, experimentó un inmenso éxito y conquistó muchos de los otros reinos de Mesopotamia y sus alrededores, incluidos los resistentes Elam, Larsa, Mari y Eshnunna.[33]

Al llegar al trono, las primeras acciones de Hammurabi fueron mejorar la estructura de Babilonia, reformar el ejército y establecer una burocracia con políticas claras de impuestos para reforzar el gasto militar y real. El gobierno dependía menos del poder de los nobles adicionales y se centralizó más, con un sistema de escribas y administradores que podían llevar a cabo los asuntos oficiales con mínimas interrupciones. Hammurabi y sus generales disciplinaron al ejército y se aseguraron de que estuviera equipado con el mejor equipo disponible, lo que significó mejores armas de bronce, armaduras y botas de cuero, escudos, cascos y carros.

Hammurabi obtuvo cierta ayuda en este sentido. Antes de dejar el trono, Sin-Muballit, el padre de Hammurabi, había comenzado un sistema de expansión en los reinos vecinos e intentaba imponer la hegemonía babilónica en todo el sur de Mesopotamia. Sus sueños se vieron frustrados, sin embargo, por la presencia de reinos dominantes en el norte. Hammurabi, por lo tanto, llegó al poder en una situación geopolítica precaria y compleja. Elam, al este, intentaba con frecuencia exigir tributo a los reinos menores del sur de Mesopotamia, como Babilonia, y los asirios, al norte, controlaban la mayor extensión de territorio y tenían una cultura bien desarrollada y expansiva. Uno de los golpes de suerte de Hammurabi sería la muerte repentina del rey asirio, que dejó el territorio en fragmentos mal protegidos.[34]

Pero durante las primeras décadas de su reinado, Hammurabi tuvo poco que ver con los asuntos de otros estados. En su lugar, se centró en la construcción de su propio reino. No fue hasta que Elam lanzó

---

[33] Marc Van De Mieroop, *King Hammurabi of Babylon: A Biography,* (Malden: Blackwell Publishing, 2005).

[34] Ibid.

una invasión al sur de Mesopotamia y destruyó el reino de Eshnunna que Babilonia respondió a los estímulos externos. Después de tomar Eshnunna, el rey de Elam deseaba consolidar su poder. Para ello, intentó iniciar una guerra entre Babilonia y Larsa. Al descubrir la duplicidad, Hammurabi llegó a un acuerdo con el gobernante de Larsa, se dio la vuelta y aplastó a los elamitas. Los babilonios contribuyeron con la mayoría del poderío militar.

Hammurabi comenzó a continuación una prolongada guerra contra el Imperio Asirio al norte, donde se concentraban la mayoría de sus tropas. Intentó controlar Mesopotamia y obtener alguna forma de dominio en la región, especialmente porque Asiria gobernaba sobre los hurritas y los hattitas, el noreste del Levante y el centro de Mesopotamia. La toma del territorio contribuyó a los recursos de Babilonia, así como al acceso a las tierras agrícolas cultivables y a las nuevas rutas comerciales. Hammurabi luchó durante décadas con dos reyes separados: Shamshi-Adad I e Ishme-Dagan, llamado así en honor a una deidad influyente.[35] Con el tiempo, Babilonia se impuso y el nuevo rey de Asiria, Mut-Askur, se vio obligado a pagar tributo a Babilonia al ceder las colonias de Asiria cerca de Anatolia. El siguiente mapa muestra la ubicación de Asiria con respecto a Babilonia, que ocupaba partes de los territorios acadios y sumerios.

[35] Ibid.

Mientras afirmaba su dominio sobre los asirios, Hammurabi completó su famoso código de leyes, que se basaba en gran medida en fuentes anteriores creadas en Sumeria, Acadia y la propia Asiria. Su creación comenzó poco después de la expulsión de los elamitas y tardó varios años en completarse. El Código de Hammurabi contiene aproximadamente 282 leyes que dictan los castigos y medidas adecuadas para una variedad de crímenes, incluidos el asesinato, el robo, el adulterio y las prácticas médicas inadecuadas. Los castigos eran severos y draconianos, a menudo implicaban la mutilación o la muerte del culpable. Acusar a alguien de un delito del que era inocente provocaba la muerte del acusador. Algunas leyes destacables incluyen:

2. Si alguien hace una acusación contra un hombre y el acusado va al río y se sumerge en él: si se hunde en el río, su acusador tomará posesión de su casa. Pero si el río prueba que el acusado no es culpable y sale ileso, entonces el que había presentado la acusación será condenado a muerte, mientras que el que saltó al río tomará posesión de la casa de su acusador.

25. Si se produce un incendio en una casa y alguien que viene a apagarlo echa un vistazo a la propiedad del dueño de la casa y se apodera de la propiedad del amo de la casa, se le arrojará a ese mismo fuego.

130. Si un hombre viola a la esposa (prometida o niña-esposa) de otro hombre —que nunca ha conocido a un hombre y que aún vive en la casa de su padre— y se acuesta con ella y se sorprende, este hombre será condenado a muerte, pero la esposa es inocente.

141. Si la esposa de un hombre, que vive en su casa, desea abandonarla, se hunde en deudas, trata de arruinar su casa, descuida a su marido y se le condena por vía judicial: si su marido le ofrece la libertad, ella puede seguir su camino y él no le da nada como regalo de liberación. Si su marido no desea liberarla y toma otra esposa, ella permanecerá como sirvienta en la casa de su marido.

195. Si un hijo golpea a su padre, se le cortarán las manos.

196. Si un hombre le saca el ojo a otro hombre, el suyo también se le sacará.[36]

Cambios culturales y decadencia

El ascenso de los babilonios dio lugar a importantes cambios culturales. Uno de los más significativos fue la transición de las grandes ciudades. Antes de Hammurabi, la ciudad mesopotámica más importante era Nippur, donde el dios patrón era Enlil, la deidad principal del panteón. Con Hammurabi, el foco se trasladó a la ciudad de Babilonia y la nueva deidad principal era Marduk, que se originó en el sur de Mesopotamia. La única excepción a esta regla se daba en ciertas partes de la antigua Asiria, donde Asur e Ishtar seguían siendo más influyentes. Además, la alfabetización mejoró entre las clases altas y el número de escribas aumentó. El tamaño y la población de Babilonia y el sur de Mesopotamia en general aumentó, y se crearon numerosos palacios, templos y bajorrelieves para mostrar la nueva prominencia de la zona.

Tras la muerte de Hammurabi, la situación se deterioró con rapidez. El problema con el sur de Mesopotamia era que no existían fronteras geográficas que ofrecieran una protección significativa contra los invasores. Hammurabi fue reemplazado por un líder relativamente ineficaz, Samsu-iluna, que perdió el extremo de la Mesopotamia meridional a manos de un rey de habla acadia. Este territorio tardó 272

---

[36] «The Code of Hammurabi», The Avalon Project, Escuela de Derecho de Yale, modificado por última vez en 2017, https://avalon.law.yale.edu/ancient/hamframe.asp *(en inglés)*.

años en volver a unirse al resto de Babilonia y se convirtió en la Dinastía del País del Mar. Posteriormente, los asirios del norte presionaron a los babilonios y reclamaron el territorio después de seis años de guerra. Aunque varios gobernantes lucharon por recuperar la Dinastía del País del Mar y secciones de Asiria, fracasaron. En lugar de eso, otros dos reyes se centraron en proyectos de construcción.

El último gobernante amorreo de Babilonia fue Samsu-Ditana, que luchó contra los casitas.[37] Los casitas eran un grupo inusual que hablaba un idioma aislado y provenía del noroeste de Irán contemporáneo. Se despojaron del poder babilonio y les siguieron los hititas alrededor del año 1595 a. C. Los hititas saquearon Babilonia y dejaron la región con una ciudad destruida, lista para que los casitas la tomaran. Los historiadores no están seguros del año exacto del saqueo de Babilonia, pero dan tres posibles fechas: 1499 a. C., 1531 a. C. y 1595 a. C.

---

[37] Yildirim, *The Ancient Amorites (en inglés).*

Capítulo 6. La primera caída de Babilonia y el ascenso de los casitas

Gandash de Mari fundó la dinastía de los casitas en Mesopotamia y posiblemente lideró la invasión de Babilonia, aunque las fuentes no están claras. Al igual que los amorreos, los casitas no eran nativos de Mesopotamia y en su lugar migraron desde la cordillera de Zagros en el noroeste de Irán. No queda ninguna evidencia genética para que los científicos puedan averiguar la afiliación étnica exacta de los casitas, pero no pertenecían al mismo grupo lingüístico general de los babilonios ni a ninguna otra civilización de Mesopotamia o del cercano Levante. Es totalmente posible que los casitas fueran un pueblo aislado, aunque algunos sospechan que en realidad eran indoeuropeos y que hablaban un dialecto que se había transformado debido a un contacto limitado con otras lenguas.[38]

Los casitas tuvieron la dinastía más larga que jamás había existido en Babilonia. Cambiaron el nombre de la ciudad a Karduniaš e hicieron varios cambios en el papel general de la monarquía. Anteriormente, el rey era visto como una figura divina y podía ser

---

[38] L.W. King, *Chronicles concerning early Babylonian kings: including records of the early history of the Kassites and the country of the sea,* (London: Luzac and co., 2014) *(en inglés).*

deificado. Ninguno de los gobernantes casitas incluyó nunca atributos divinos en sus descripciones personales y se separaron de la idea general de que ser rey era un oficio sagrado. Ninguno de ellos añadió nunca la palabra *dios* a sus nombres tampoco, lo cual había sido una práctica muy común en toda Mesopotamia. Sin embargo, a pesar de estos cambios, Babilonia seguía siendo una de las ciudades más sagradas de la región y los sacerdotes de la religión mesopotámica conservaban su poder. El panteón se mantuvo relativamente sin cambios.

De hecho, los casitas cambiaron poco. Sus únicas contribuciones importantes fueron la incorporación de la lengua casita, aunque muchos cambiaron al acadio; la retención de una estructura tribal en lugar de pequeñas unidades familiares; y la adición artística de piedras especiales talladas llamadas kudurrus, que se utilizaban como marcadores de límites en todo el imperio.

Los casitas demostraron ser monarcas débiles. Aunque se las arreglaron para entrar en el territorio babilónico, no llegaron más lejos durante más de un siglo. En su lugar, los reyes se enfocaron en mantener relaciones pacíficas con sus vecinos. Después de Gandash de Mari vino Agum II, que ascendió al trono en el año 1595 a. C. Su territorio se extendió hacia el sur desde el punto medio del río Éufrates hasta el Irán actual, y Agum II se dio cuenta de que sería difícil gestionar una superficie de tierra tan grande si iba a la guerra con sus vecinos. En cambio, mantuvo relaciones pacíficas con las potencias más cercanas, incluido el rey de Asiria al norte. Los únicos con los que luchó fueron los hititas, que seguían queriendo reclamar parte del territorio babilónico después de saquear la ciudad. Durante su reinado, proclamó que Marduk, la deidad patrona de Babilonia, era igual al dios Shuqamuna de los casitas.[39]

Los sucesores de Agum II también se mantuvieron al margen y se centraron en convertir a Babilonia en un estado territorial cohesivo en lugar de un conjunto de ciudades poderosas. Aunque frecuentemente eclipsada por sus grandes vecinos como Elam y Asiria, Babilonia estableció importantes rutas comerciales y llevó a cabo una exitosa diplomacia a través de tratados matrimoniales con Asiria. Los

---

[39] Ibid.

comerciantes y mercaderes extranjeros acudían en masa a Babilonia para intercambiar bienes y los casitas empezaron a enviar a sus propios comerciantes y mercaderes hasta Egipto para adquirir lujos como el oro nubio. Después de construir el estado en un imperio estable, los casitas comenzaron a avanzar hacia el sur para tomar la punta de Mesopotamia reclamada por la dinastía del País del Mar. Tuvieron éxito y la volvieron a unir al imperio.

Para mantener el control sobre su territorio, los casitas dividieron el imperio en provincias más pequeñas supervisadas por un influyente gobernador leal a la corona. También establecieron dos ciudades reales, manteniendo a Babilonia como una y designando a Dur-Kurigalzu como la otra. Los centros provinciales se convirtieron en importantes centros de comercio y fuentes de cultura, aunque los propios casitas no lograron difundir la alfabetización y la literatura durante su reinado. Los templos y edificios importantes fueron derribados o meticulosamente renovados y reconstruidos para cimentar aún más el significado de las ciudades.

Todo parecía ir bien para los casitas hasta que las relaciones con Asiria se deterioraron. A mediados del siglo XV a. C., Kurigalzu I y Ashur-bel-nisheshu firmaron un tratado para favorecer la paz y el comercio, pero los siguientes siglos se pasaron luchando por el dominio en Mesopotamia. Los problemas se intensificaron cuando Ashur-uballit I subió al trono asirio en 1365 a. C. y solicitó ayuda a los hititas y egipcios para convertirse en la mayor potencia de la región. Ashur-uballit I saqueó Babilonia después de que el esposo de su hija, el rey de los casitas, apareciera asesinado. Para vengar a su yerno, depuso al nuevo monarca y eligió un nuevo gobernante de la línea de los casitas.

Otros ataques vinieron de los siguientes gobernantes de Asiria por varias razones. Algunos, como Enlil-nirari (1330-1319 a. C.) trataron de expandirse en el territorio babilonio y lograron la asimilación de partes del territorio al imperio asirio. Otros deseaban la conquista total, y Tukulti-Ninurta I (1244-1208 a. C.) incluso lo logró y gobernó toda Babilonia durante ocho años desde la propia ciudad. Sería el primer rey de Babilonia en ser étnicamente mesopotámico, ya que los amorreos y los casitas eran todos forasteros.

Finalmente, un gobernador asirio se hizo cargo del trono de la monarquía y los generales del rey pudieron regresar a la sección principal de Asiria en lugar de quedarse y gobernar. Una serie de gobernadores gobernaron en Babilonia en su lugar hasta que Adad-shuma-usur (1216-1189 a. C.) decidió a finales de su reinado separarse de Asiria y una vez más intentar formar un imperio babilónico independiente. Se enfrentó al rey, Enlil-kudurri-usur, hasta su muerte y una guerra civil siguió después. Lentamente, Babilonia dejó de lado los obstáculos de Asiria y los casitas volvieron a formar un imperio semi-independiente.[40]

Meli-Shipak II continuó y mantuvo un reinado pacífico al no perder ningún territorio y no sufrir el colapso de la Edad de Bronce tardía que diezmó las potencias del Levante, el reino de Canaán y el Imperio egipcio al oeste. Los dos reyes siguientes no tuvieron tanta suerte y experimentaron una guerra prolongada con los asirios, que reanudaron sus políticas expansionistas e intentaron tomar el norte de Babilonia entre los años 1171 y 1155 a. C. Luego Elam atacó y tomó la mayor parte de Babilonia oriental y la incorporó a su reino. En 1155 a. C., la dinastía casita cayó una vez que los asirios y los elamitas consiguieron destrozar Babilonia, saquear la ciudad y asesinar al último rey casita.

Dinastía IV de Babilonia

Los siguientes gobernantes de Babilonia fueron los elamitas. No mantuvieron el territorio por mucho tiempo, ya que sus tendencias expansionistas los llevaron a enfrentarse con los igualmente voraces asirios, que deseaban reclamar toda la Mesopotamia para ellos. Elam y Asiria entraron en una guerra brutal que resultó en una derrota de los elamitas, una victoria asiria y en la creación de una nueva dinastía mesopotámica en Babilonia. El primer gobernante fue Marduk-kabit-ahheshu, que gobernó entre 1155 y 139 a. C. Fue el segundo mesopotámico nativo en ocupar el trono y estableció la Dinastía IV de Babilonia, que perduró 125 años. Aunque provenía de Asiria, Marduk-kabit-ahheshu finalmente se enfrentó a la monarquía asiria por el territorio fronterizo. Aunque capturó la ciudad sureña de Ekallatum, la perdió y fue derrotado por el Rey Ashur-Dan I.

---

[40] Ibid.

Los dos siguientes reyes también intentaron conquistar secciones de Asiria, pero fracasaron y se vieron obligados a firmar tratados desfavorables que le costaron a Babilonia tierras y recursos. Entonces llegó otro monarca próspero, uno que es bien conocido por los lectores contemporáneos: Nabucodonosor I (1124-1103 a. C.).

Nabucodonosor I fue el gobernante más exitoso de la Dinastía IV. A diferencia de sus predecesores, poseía conocimientos avanzados de estrategia militar y conquista y tuvo éxito en la derrota de los elamitas y su expulsión de Babilonia. Llegó a seguir a los soldados hasta el mismo Elam, tomó la capital de Susa y devolvió a Babilonia varios artefactos sagrados, robados durante las conquistas anteriores. Elam se desintegró después del asesinato de su rey, lo que eliminó por completo el estado como amenaza durante la vida de Nabucodonosor I.

Posteriormente, Nabucodonosor I intentó expandirse al territorio asirio, es decir, a las regiones de Aram y Anatolia. Sin embargo, no tuvo éxito y optó por dedicar su tiempo al fortalecimiento y embellecimiento de Babilonia en su vejez. Mientras hacía esto, reforzó las defensas del imperio, especialmente contra los asirios y arameos, que eran otro grupo que poco a poco se alzaba sobre los cadáveres de sus vecinos. Después de su muerte, sus dos hijos arruinaron sus logros. El primero perdió pequeñas secciones del territorio babilonio a manos de Asiria, pero el segundo realmente fracasó al declarar una guerra abierta y perder de manera catastrófica ante el rey de la época, Tiglat-Pileser I (1115-1076 a. C.).[41]

Tiglath-Pileser I anexó grandes extensiones de tierra, expandiendo su propio imperio mientras debilitaba significativamente a los babilonios. Entonces, la hambruna golpeó. La población de Babilonia moría de hambre y los militares se debilitaban por la falta de alimentos y recursos. Como buitres que se alimentan de un animal moribundo, los pueblos del Levante se abalanzaron sobre Babilonia e intentaron despojar el territorio de cualquier resto de objetos y recursos valiosos. Los reyes no pudieron detener el ataque de los arameos semitas y los suteanos del Levante. Al mismo tiempo, las relaciones con Asiria se agriaron hasta el punto de que Asiria invadió, depuso al rey y convirtió a Babilonia en un vasallo. No fue hasta que el Imperio Asirio Medio

---

[41] A. Kirk Grayson, *Assyrian Rulers of the Early First Millennium BCE (1114-859 BC)*, (Toronto: University of Toronto Press, 1991) *(en inglés)*.

cayó en una costosa guerra civil que los babilonios pudieron escapar del vasallaje y recuperar la independencia una vez más.

En realidad, no se les dejó solos. Desde el oeste vinieron nuevos grupos de pueblos de habla semítica que buscaban emigrar del Levante tras los estragos y el caos causado por el colapso de la Edad de Bronce o el colapso de la civilización debido a una combinación de factores ambientales y militares. Estos pueblos tendían a ser arameos y sutecos, que se apoderaban de enormes secciones de los campos de Babilonia y se negaban a marcharse.

Un siglo de caos, 1026-911 a. C.

Los merodeadores arameos lograron deponer a la dinastía babilonia gobernante alrededor del 1026 a. C., lo que hundió a la capital en el caos. La anarquía gobernó durante veinte años, durante los cuales no hubo ningún monarca en el trono. Con el tiempo, una nueva dinastía se desarrolló en el sur de Mesopotamia, alrededor de la ubicación de la antigua Dinastía del País del Mar, que había sido incorporada a Babilonia una vez más por los casitas. Esta nueva dinastía, conocida como Dinastía V, solo duró de 1025 a 1004 a. C., pero logró eliminar parte del caos del imperio. Babilonia aún terminó perdiendo el territorio norteño a los asirios, incluida la ciudad de Atila.

Varias dinastías más cortas siguieron, una gobernada por los casitas y otra por los amorreos que quedaban. Cayeron rápidamente, y los arameos una vez más asaltaron el campo y provocaron la anarquía en las ciudades. De nuevo, dos dinastías cortas aparecieron y llevaron a Babilonia a la Dinastía IX con el rey Ninurta-kudurri-usur II. Aunque débil y golpeada por hordas de arameos y suteanos, Babilonia una vez más tuvo a alguien sentado firmemente en el trono. Aún más territorio terminó en manos de los asirios y los elamitas.

Capítulo 7. La dominación y el gobierno asirio, 911-619 a. C.

Babilonia sufrió durante el resto del siglo X a. C., ya que el caos era el nombre del juego. El gobierno no pudo reorganizarse y los recursos se volvieron escasos. Las migraciones posteriores de los nómadas hicieron difícil que la población se conservara. Algunos de los recién llegados fueron los caldeos, que entraron en el sureste y establecieron asentamientos permanentes. Este grupo fue otra cultura de habla semítica que se sumó y contribuyó en gran medida a la sociedad babilonia en general. Hacia el 850 a. C., los caldeos establecieron su propia tierra en el territorio babilonio y comenzaron a transmitir su cultura hacia el norte a través de la migración natural, el comercio y la interacción humana.

Además de los grupos migratorios itinerantes, Babilonia se enfrentó a luchas adicionales a través de la formación del Imperio neoasirio en el año 911 a. C. El Imperio neoasirio no solo fue el mayor imperio mesopotámico hasta la fecha, sino también el más grande en la historia del mundo. Conquistó gran parte del mundo conocido en Mesopotamia, el Levante y otras secciones del noreste de África y el oeste de Asia. Entre sus territorios se encontraban la propia Babilonia, Persia, Israel, Judá, secciones de Egipto y los florecientes estados de Arabia. Este mapa muestra su extensión:

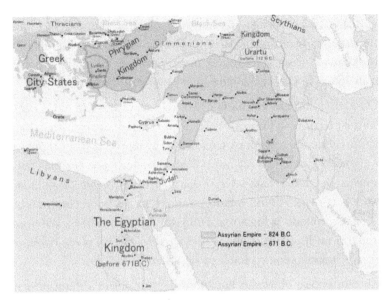

El Imperio neoasirio

El fundador del imperio fue un hombre llamado Adad-nirari II. Entró en Babilonia, conquistó grandes secciones de ella y finalmente consiguió que toda la región estuviera bajo su control. Empezó por atacar y derrotar a uno de los líderes de Babilonia, Shamash-mudammiq e invadió tierras al norte del río Diyala y varias ciudades importantes en el centro de Mesopotamia. Continuó su avance cuando un nuevo líder tomó el control, esta vez Nabu-shuma-ukin I. Los sucesores de Shamash-mudammiq, Tukulti-Ninurta II y Ashurnasirpal II, consolidaron su dominio sobre Babilonia y la obligaron oficialmente a convertirse en vasallo del mucho mayor Imperio neoasirio. Esto significaba que ahora tenía que pagar tributo y esencialmente renunciar a recursos militares o económicos tal y como exigían los asirios.

Después de Ashurnasirpal II, el siguiente líder asirio, Shalmaneser III, logró saquear la ciudad de Babilonia, matar al rey babilonio y tomar el control de las tribus migratorias invasoras que dominaban el sur de Babilonia, entre ellas los caldeos. Los gobernantes de Babilonia permanecieron como vasallos hasta el 780 a. C. Entonces, el extranjero Marduk-apla-usur se aprovechó de una guerra civil que tuvo lugar en Asiria y ascendió al trono de Babilonia. Era caldeo y rápidamente provocó la ira de los gobernantes asirios, que no estaban contentos con su usurpación. El rey asirio descendió en el mapa, retomó el norte de

Babilonia e hizo firmar a Marduk-apla-usur un nuevo tratado fronterizo que le otorgaba más territorio a Asiria. Sin embargo, a Marduk-apla-usur se le permitió permanecer en el trono y gobernó hasta el 769 a. C. Otro caldeo tomó el trono y después otro.[42]

Otro babilonio no retomaría el trono hasta el año 748 a. C., cuando Nabonasar derrocó a los caldeos, estabilizó Babilonia bajo su gobierno y mantuvo buenas relaciones con Asiria. Mantuvo la paz durante tres años hasta que un nuevo rey asirio llegó al poder y una vez más intentó conquistar Babilonia. Este líder, Tiglat Pileser III, saqueó Babilonia de nuevo y la convirtió en un estado vasallo. Esta situación continuó hasta el 729 a. C., cuando la línea real asiria decidió incorporar a Babilonia a su imperio en lugar de confiar en el vasallaje de los reyes babilonios, que eran claramente poco fiables y malos en su trabajo.

En esta época, el acadio babilonio dejó de ser el idioma principal, ya que los asirios comenzaron a incorporar su propio idioma. Este era el arameo oriental, que poseía un par de diferencias lingüísticas. La cultura asiria además se abrió camino a través de Mesopotamia, desplazando muchas prácticas originales. Estos cambios continuaron incluso cuando se empezaban a formar revueltas en la antigua Babilonia.

Un cacique caldeo del sur de Babilonia llamado Marduk-apla-iddina II fomentó el descontento, la revuelta y obtuvo un inmenso apoyo no solo de otros caldeos, sino también de los elamitas del este. Este nuevo individuo hambriento de poder logró ganar el trono en Babilonia y gobernó entre el 721 y el 710 a. C. La razón principal de su éxito fue que el rey asirio, Sargón II, estaba ocupado intentando acabar con dos grupos conocidos como los cimerios y los escitas, que habían atacado a vasallos asirios fuera de Mesopotamia. Cuando el rey no está, es hora de que los usurpadores jueguen, después de todo.

Desafortunadamente para este usurpador, el rey regresó. Sargón II derrotó a Marduk-apla-iddina II y lo echó del palacio. Marduk-apla-iddina II huyó a Elam, donde vivió con algunos de sus antiguos aliados y protectores. Sargón II se convirtió en el nuevo rey de Babilonia.[43]

---

[42] Trevor Bryce, *Babylonia: A Very Short Introduction* (Oxford: Oxford University Press, 2016) *(en inglés)*.

[43] Ibid.

Sargón II siguió siendo un gobernante exitoso y eficiente hasta que murió en la batalla alrededor del 705 a. C. Sus soldados no pudieron recuperar su cuerpo, y la autoridad y el trono pasaron a su hijo, Senaquerib. Tras unos años de gobierno directo, Senaquerib decidió pasar el trono de Babilonia a su propio hijo para poder centrarse más en la conquista y el resto del Imperio neoasirio. Las luchas y la guerra pronto llegaron a Babilonia de nuevo cuando los elamitas trataron de tomar el territorio una vez más. Un elamita, Nergal-ushezib, mató al príncipe asirio en Babilonia y ganó poder, lo que llevó a Senaquerib a regresar, derrotar a Elam y saquear la ciudad de Babilonia una vez más, destruyendo la ciudad de manera total. La población estaba sin duda encantada con el saqueo una vez más, pero no quedan fuentes que den una perspectiva del pueblo sobre la constante agitación política y la guerra.

Esto pudo haber sido el final, pero en la verdadera forma histórica, no lo fue. Los otros hijos de Senaquerib eligieron asesinar a su padre mientras rezaba en un templo en Nínive en el 681 a. C., dejando un vacío de poder. El nuevo rey asirio colocó un líder títere en el trono de Babilonia cuando quien debía regresar era Marduk-apla-iddina II. Depuso al rey títere y tomó el poder una vez más, solo para ser derrotado por Esarhaddon. Marduk-apla-iddina II una vez más huyó a Elam con el rabo entre las piernas, donde finalmente murió en el exilio.

El rey asirio Esarhaddon fue potencialmente lo mejor que le pasó a la ciudad de Babilonia en aquella época. Después de derrotar a Marduk-apla-iddina II, volvió a Babilonia y la gobernó personalmente. Eligió reconstruir la ciudad y centrarse en la paz en lugar de la expansión. Al morir, mantuvo unido el Imperio neoasirio, pero pidió que su hijo mayor gobernara en Babilonia y su hijo menor, el famoso Asurbanipal, gobernara como el rey más influyente de Asiria.[44]

Cualquiera que sepa algo sobre los hermanos intuirá cómo le fue con esta decisión. El hijo mayor, Shamash-shum-ukin, pasó décadas como súbdito de Ashurbanipal y finalmente se hartó de la situación. Declaró públicamente que Babilonia, no Nínive, debería ser la capital del imperio, formó un ejército y se rebeló contra Ashurbanipal.

---

[44] Ibid.

Combinó las fuerzas de casi todos los que estaban resentidos con el dominio y la subyugación asiria, incluidos los propios babilonios, los persas, elamitas, caldeos, medos, arameos y otros. Desafortunadamente para Shamash-shum-ukin, Ashurbanipal era tanto un erudito como un hábil estratega. Destruyó y diezmó completamente las fuerzas de su hermano, saqueando Babilonia una vez más, destruyendo a Elam y subyugando a todos los pueblos que se le oponían a través de la violencia, la brutalidad y el salvajismo. Por suerte para Shamash-shum-ukin, el hermano mayor murió en la batalla y no vivió para ver la ira de su hermano pequeño. A un nuevo gobernador llamado Kandalanu se le dio Babilonia para gobernar.

¿Había llegado la hora de la paz? No.

Como todos los mortales, Ashurbanipal murió. Su hijo, Ashur-etil-ilani, tomó el trono tras el fallecimiento de Ashurbanipal en el 627 a. C. e intentó ser un gobernante victorioso, pero el Imperio neoasirio se convirtió en escenario de enrevesadas y salvajes guerras civiles cuando los generales y otros nobles de Ashurbanipal intentaron arrebatarle el poder al joven rey. Algunos historiadores creen que estas batallas se vieron exacerbadas por las malas condiciones ambientales que dieron lugar a una gran sequía y a la limitación de los recursos.[45] A Ashur-etil-ilani lo traicionó su propio comandante militar, quien fue expulsado después de solo un año por otro hombre. Este hombre, llamado Sinsharishkun, gobernó entre el 622 y el 612 a. C. antes de sucumbir a los estragos del conflicto civil que estaba teniendo lugar.

Durante toda esta agitación, Babilonia aprovechó la oportunidad para liberarse. Un caldeo llamado Nabopolassar organizó una rebelión y una revuelta a gran escala, liberando finalmente la región y poniendo fin a los siglos de tributo y vasallaje que caracterizaron a Babilonia bajo los asirios.

---

[45] Adam W. Schneider and Selim F. Adali, ""No harvest was reaped:" demographic and climate factors in the decline of the Neo-Assyrian Empire", *Climate Change* 127, no. 3 (2014): 435-446 *(en inglés).*

Capítulo 8. El Imperio neobabilónico

Los problemas asirios de Babilonia no habían terminado, pero los tiempos del control asirio habían llegado a su fin. Pronto, el Imperio neoasirio sería reemplazado por el neobabilónico, ya que los babilonios descubrieron su nueva posición de poder sobre Mesopotamia. El viaje a un nuevo imperio comenzó con el caldeo Nabopolassar, que preparó el terreno para un estado babilónico independiente.[46] Él sería el fundador de una nueva dinastía llamada Dinastía XI, que sobrevivió hasta aproximadamente el 539 a. C. y consistía en seis gobernantes:

- Nabopolasar: de 626-605 a. C.
- Ninurta-kudurri-usur II (Nabucodonosor II): de 605-562 a. C.
- Amel-Marduk: de 562-560 a. C.
- Nabopolasar: de 560-556 a. C.
- Neriglissar: de 560-556 a. C.
- Nabonidus: de 556-539 a. C.

---

[46] Bryce, *Babylonia (en inglés)*.

Estos reyes controlaron el Imperio neobabilónico durante casi un siglo. Sin su labor, Babilonia no habría podido escapar a una mayor dominación por parte de fuerzas externas, especialmente cuando cada vez más grupos étnicos y tribus luchaban por controlar el mismo territorio. El Imperio neobabilónico representó una edad de oro única para Babilonia antes de que finalmente se hundiera una vez más en el vasallaje y la oscuridad por la enorme presión de todas estas fuerzas externas, así como por el surgimiento de una nueva amenaza. Pero antes de que llegara la sombra de un imperio rival, la historia comenzó con Nabopolasar.

Nabopolasar

Nabopolasar logró ocupar el trono en Babilonia sin ser molestado durante tres años, mientras que las sangrientas guerras civiles se iban produciendo en Asiria. Con el tiempo, sin embargo, un aspirante al trono consolidó su poder y puso sus ojos una vez más en el sur de Mesopotamia. Se trataba de Sin-shar-ishkun, que había asesinado a su hermano en la batalla, se apoderó del trono asirio y se centró en la conquista de Babilonia una vez más. Nabopolasar no era un guerrero inexperto y había esperado la resistencia asiria a la independencia de Babilonia. Aunque las fuerzas asirias se quedaron acampadas a lo largo de las fronteras de Babilonia durante siete años, Nabopolasar se resistía a la invasión. Admitió que le ayudó el hecho de que las guerras civiles asirias continuaban, distrayendo a menudo a su enemigo.

Nabopolasar también se abrió camino en la propia Asiria, capturando la influyente ciudad de Nippur en el 619 a. C. Nippur era parte de Babilonia, pero había sido uno de los centros del sentimiento proasirio, lo que significa que su conquista fue una maniobra política significativa para el futuro rey de una nueva Babilonia. Nabopolassar continuó consolidando su dominio en el sur de Mesopotamia y vio como las otras colonias asirias comenzaban lentamente a liberarse del vasallaje y la servidumbre.

Las ruinas de Nippur en el Iraq moderno

Alrededor del 616 a. C., Nabopolasar trató de tomar territorio de los restos del Imperio neoasirio. Asedió las ciudades de Arrapha y Assur, pero Sin-shar-ishkun se esperaba el ataque y obligó a los babilonios a regresar a sus propias tierras. Aquí, las dos fuerzas se quedaron en un punto muerto. Ni Asiria ni Babilonia poseían ningún poder para eliminar a la otra, obligándolos a convertirse en vecinos descontentos.

El punto muerto terminó cuando un antiguo vasallo de los asirios, un líder llamado Cyaxares, atacó a Sin-shar-ishkun. Cyaxares gobernó sobre varios grupos étnicos iraníes diferentes como los partos, los medos y los persas. Atacó en el 615 a. C., saqueó a Arrapha, destruyó Kalhu —también llamado Nimrud en fuentes contemporáneas— y luego formó una alianza con los cimerios y escitas. Juntas, las tres fuerzas sitiaron y conquistaron Assur. Nabopolasar y los babilonios no se involucraron, pero aun así se beneficiaron enormemente de la destrucción del poder asirio. Nabopolasar eligió formar alianzas con estas nuevas potencias, firmando tratados con los medos, escitas, persas, cimerios y otros pueblos iraníes.

Alrededor del año 613 a. C., los asirios se reunieron y consiguieron repeler los esfuerzos concertados de los babilonios y sus nuevos aliados. Esto llevó a Nabopolassar a combinar sus fuerzas con Ciaxares para crear un gran ejército formado por más de seis tribus/grupos culturales diferentes. Juntos, el sexteto convergió en la capital asiria de

Nínive. El tamaño del ejército resultó ser demasiado grande para los asirios debilitados y las murallas de la ciudad se desmoronaron tras un asedio de tres meses. Luego, la lucha continuó a menor escala, con fuerzas que luchaban casa por casa dentro de la enorme ciudad. Pronto, Sin-shar-ishkun murió defendiendo la ciudad.[47]

Las fuentes se vuelven un poco turbias sobre lo que pasó después. Una serie de tablillas conocidas como las *Crónicas de Babilonia* indican que un general asirio se convirtió brevemente en rey y se le ofreció la oportunidad de convertirse en vasallo de la coalición que sitiaba Nínive. Según todos los indicios, el general se negó, luchó por salir de la ciudad y creó una nueva capital en la ciudad de Harran. Aquí, se las arregló para mantener una base de poder durante cinco años antes de que Harran se perdiera en el 608 a. C. Con la mayoría de las fuerzas asirias destruidas, era el momento de dirigir la atención de Babilonia a los egipcios.

El faraón Necho II se involucró en la guerra de Mesopotamia alrededor del 609 a. C. Los egipcios fueron uno de los vasallos de Asiria e intentaron ayudar a sus antiguos comandantes, pero se vieron lentamente superados en número a pesar de que trajeron mercenarios griegos y se les unió lo que quedaba del ejército asirio. Babilonia, todavía dirigida por Nabopolasar, pasó años intentando hacer retroceder a los egipcios, ayudados por sus nuevos aliados de Siria, Israel y algunos lugares de Arabia y Asia Menor. Ayudando a Nabopolasar estaba su hijo, Nabucodonosor II (Nabu-kudurri-usur II), que fue uno de los mejores comandantes militares vistos en Babilonia en años.

La guerra entre los antiguos vasallos asirios y los egipcios culminó en la batalla de Carchemish en el 605 a. C. No hay buenos registros de esta batalla, ya que la fuente de información más completa proviene de una tablilla conocida como la Crónica de Nabucodonosor, que naturalmente elogia al comandante babilonio y afirma que tuvo una victoria decisiva. Los historiadores saben que los antiguos vasallos asirios entraron en batalla con un total de 18.000 soldados, mientras que los egipcios tenían 40.000. A través de una estrategia militar superior y aprovechando los recursos naturales, Nabucodonosor II

---

[47] Ibid.

derrotó al ejército egipcio, infligiendo el máximo de daños y las
pérdidas mínimas.

Nabucodonosor II

Ya no había dominación neoasiria. El norte de Mesopotamia pasó a
manos de los medos, mientras que los babilonios se centraron en
reconstruir su territorio en el sur. Nabopolasar murió en el 605 a. C., y
Nabucodonosor II se convirtió en rey en su lugar. Nabucodonosor II
vivió uno de los reinados más largos de todos los reyes babilonios y se
hizo muy conocido por sus proyectos de construcción en todo el
imperio. Reconstruyó todas las ciudades arruinadas, saqueadas y
destruidas del imperio, rediseñándolas y construyendo a una escala
verdaderamente extravagante con nuevos muros, templos y obras de
arte.[48]

Babilonia se convirtió en una ciudad de leyenda: hermosa, inmensa,
espectacular, y caracterizada por una inusual y encantadora
arquitectura. Babilonia se extendía a lo largo de tres millas cuadradas,
lo que no fue una hazaña fácil durante la Edad de Hierro.
Nabucodonosor II la dotó de dobles muros para mantener alejados a
los invasores —posiblemente debido a todos los saqueos— y construyó
profundos fosos para una mayor protección. El río Éufrates parecía
atravesar el centro de la ciudad, proporcionando belleza estética, pero
también los aspectos prácticos de una ruta comercial cercana, así como
agua dulce. En su centro, se colocó un zigurat conocido como
Etemenanki cerca del Templo de Marduk, el dios patrón de la ciudad.
Los historiadores creen que Etemenanki fue la inspiración de la Torre
de Babel de la leyenda.

---

[48] Ibid.

La Torre de Babel de Pieter Bruegel el Viejo, 1563

Las ruinas de la Babilonia que Nabucodonosor II construyó siguen siendo el sitio arqueológico más grande de Oriente Medio. Se extienden por más de 2.000 acres de tierra e incluyen grandes restos como la Puerta de Ishtar y el Camino de la Procesión. La Puerta de Ishtar fue una entrada extremadamente lujosa a la ciudad de Babilonia y fue construida como la octava puerta del centro de la ciudad. Estaba dedicada a la diosa Ishtar.

Además de centrarse en el desarrollo nacional, Nabucodonosor II continuó su labor como un exitoso comandante militar. Invadió Siria y Fenicia y obligó a varias ciudades y territorios importantes a convertirse en vasallos de Babilonia, entre ellos Tiro y Damasco. También fue a Asia Menor y comenzó a construir colonias allí para recibir un suministro constante de tributos y recursos. El Imperio neobabilónico se convirtió en algo parecido al de los neoasirios, obligados a hacer campaña todos los años solo para mantener su territorio. Si Nabucodonosor II no lo hacía, los vasallos se rebelaban.[49]

---

[49] Josette Elayi, *The History of Phoenicia*, (Lockwood Press, 2018) *(en inglés)*.

Alrededor del 601 a. C., Nabucodonosor II se enfrentó una vez más con los egipcios, luego pasó a conquistar partes de Arabia y después capturó Jerusalén en 597. Sin embargo, los egipcios pronto marcharon en un intento de recuperar el control en el Oriente Próximo. Los babilonios se ocuparon brevemente de tratar de defenderse de las hordas del último faraón, y Judá aprovechó la oportunidad para rebelarse y tratar de restablecer su independencia. Nabucodonosor II regresó enseguida, capturó Jerusalén en el 587 a. C., destruyó el famoso Templo de Salomón, deportó a miles de judíos a Babilonia y quemó la ciudad hasta los cimientos. Aunque tenía buenas cualidades, Nabucodonosor II fue nada menos que brutal con sus enemigos.

Una década antes de su muerte, Nabucodonosor II había extendido el Imperio neobabilónico a su mayor alcance. El territorio no solo abarcaba Babilonia, sino también Asiria, Israel, el norte de Arabia, una buena parte de Asia Menor, Fenicia y Filistea. Él incluso llegó a invadir Egipto en el 568 a. C., pero no tuvo éxito con la invasión completa.

Los otros cuatro reyes de la Dinastía XI

Los otros cuatro gobernantes del Imperio neobabilónico no tuvieron tanto éxito como los dos primeros. Cuando Nabucodonosor II falleció en el 562 a. C., fue reemplazado por su hijo, Amel-Marduk. Este no gobernó por mucho tiempo, ya que su cuñado, Neriglissar, parece haberlo asesinado y tomó su lugar en el 560 a. C. ¿Por qué? Algunos piensan que Amel-Marduk fue ineficaz e intentó acabar con la política de su padre en relación con los territorios y estados vasallos, que no salió bien. Según todos los indicios, Neriglissar fue un gobernante razonable y estable que continuó la tendencia de las obras públicas durante los breves cuatro años que estuvo en el poder. Se dedicó a restaurar algunos de los templos más antiguos y derrotó con éxito a la potencia de Cilicia en Asia Menor.[50]

Neriglissar murió joven en el 556 a. C. y el poder pasó a su hijo, que era solo un niño. Pasaron nueve meses hasta que surgió una conspiración para asesinar al niño, Labashi-Marduk. Los conspiradores nombraron a un hombre llamado Nabónido como el nuevo rey. Él sería el último gobernante y la mayoría cree que no era de etnia

---

[50] Ibid.

babilonia o caldea, sino asirio de Harran. Incluso se describió a sí mismo como de origen insignificante, aunque su madre parecía haber sido una sacerdotisa o sirvienta en el templo de un dios de la luna mientras que su padre era un plebeyo.

Aunque Nabónido fue un gran soldado, no tenía sensatez en cuanto a la administración y frecuentemente dejaba a su hijo a cargo del reino. Por si fuera poco, llegó a ser odiado porque intentó acabar con la adoración de Marduk, el dios patrón de Babilonia y, en su lugar, quiso elevar a los adoradores de Sin, el dios asirio de la luna. El fin de Nabónido llegaría a manos de los persas, que crecían en fuerza en el este y formaban un poderoso imperio bajo Ciro el Grande, que tenía numerosos partidarios en la propia Babilonia.

Capítulo 9. La conquista persa y el período helenístico

Tal vez Babilonia no hubiera caído si Nabónido hubiera sido mejor gobernante, pero las probabilidades estaban en su contra. La población expresaba repetidamente su insatisfacción con sus nuevas políticas sociales y culturales, pero él no escuchaba. Continuó elevando el estatus del culto al Sin, al mismo tiempo que hacía retroceder a Marduk. Cuando decidió centrarse en Marduk, intentó centralizar el culto en el propio templo de Babilonia, lo que distanció a los sacerdotes locales que salpicaban el paisaje del Imperio neobabilónico. El propio ejército de Nabónido también le odiaba porque se centraba en reconstruir las ciudades, desenterrar antiguos registros de excavaciones y, en general, actuar como un historiador o arqueólogo moderno en lugar de como un rey guerrero.[51]

Nabónido intentó pacificar a los militares al poner la defensa del imperio en manos de uno de sus soldados favoritos, Belsasar. Aunque Belsasar era un soldado excepcional, resultó ser un terrible diplomático que consiguió que las élites babilónicas lo odiaran en un tiempo récord. En particular, Belsasar parecía haber concentrado las fuerzas militares en Asiria en lugar de en el sur de Mesopotamia, lo que dejaría a Babilonia abierta al ataque y mantendría a los militares lejos de casa durante largos períodos de tiempo sin conquistar. El

---

[51] Ibid.

hecho de que ambos hombres fueran también asirios en lugar de babilonios o caldeos enfureció aún más a la nobleza.

El ascenso de Ciro el Grande

El mayor enemigo del Imperio neobabilonio apareció enforma de Ciro el Grande.[52] Alrededor del 550 a. C., él era el rey persa aqueménida de una ciudad en Elam que lideró una revuelta contra su superior, Astyages. Astyages era el rey de los medos que mantenía unido el Imperio medo al este de Babilonia. El Imperio medo es el nombre de la civilización creada por los medos, a quienes los lectores reconocerán como uno de los aliados babilonios contra Asiria. Dominaron a los otros pueblos nativos iraníes que vivían en la región del actual Irán. Ciro el Grande convenció al ejército de Astyages para que lo traicionara y Ciro se estableció entonces como un nuevo y poderoso líder en Ecbatana. Su revuelta acabó con el Imperio medo y empujó a los persas a la cima de la jerarquía de los numerosos pueblos iraníes que vivían en la región. En tres años, Ciro fue el rey de Persia propiamente dicho, que aplastó las revueltas asirias y se preparó para entrar en el Imperio neobabilonio para conquistarlo.

---

[52] Cameron Shamsabad, *History's Forgotten Father: Cyrus the Great,* (Shamsabad Publishing, 2014) *(en inglés).*

La representación de Ciro el Grande con cuatro alas

Después de pasar once años consolidando su dominio, Ciro dirigió su atención al Imperio neobabilonio. En el 539 a. C., lo invadió. Aquí es donde las fuentes se vuelven turbias una vez más. Fuentes primarias como las Crónicas Babilónicas y un artefacto llamado el Cilindro de Ciro —literalmente un antiguo cilindro con escritura grabada en la alfarería— indican que la ciudad de Babilonia cayó ante Persia sin luchar, lo que podría indicar que los gobernantes se dieron cuenta de que estaban dominados y superados en número. Sin embargo, los antiguos historiadores griegos, como el legendario Herodoto —quien, aunque propenso a la exageración, es también una gran fuente de antiguos relatos de imperios— indica que hubo un asedio. Para complicar aún más las cosas, los textos religiosos abrahámicos como la

Torá y la Biblia afirman que Babilonia cayó después de una sola noche de batalla, que resultó en la muerte del príncipe Belsasar.

¿Cuál de ellos es cierto?

Cuando los historiadores y arqueólogos se enfrentan a estos muchos relatos dispares, especialmente cuando examinan la historia antigua, la verdad a menudo puede encontrarse en algún lugar en el medio. Cada una de estas tres fuentes de información posee defectos inherentes que se deben abordar, lo cual es una práctica común para los historiadores sin importar la época que estudien. Las tablillas antiguas tienden a estar muy sesgadas a favor del rey que ordenó su creación, a los historiadores griegos les gustaba exagerar y crear historias fantásticas y los textos religiosos no se pueden considerar como canon histórico sin pruebas por una combinación de las dos últimas razones.

Teniendo en cuenta todo esto, lo que probablemente ocurrió fue una batalla entre los persas y los babilonios en un lugar llamado Opis donde los babilonios perdieron. Sin la fuerza del ejército babilonio, muchas de las otras grandes ciudades se rindieron sin luchar contra los invasores y Nabónido, que había estado acampado con su ejército en el sur, probablemente huyó a Babilonia o a Borsippa. Belsasar murió en la batalla y el gobernador de Asiria, un general llamado Gobryas, se puso del lado de los persas, persiguió a Nabónido y lo mató sin necesidad de asediar ninguna de las ciudades. Como recompensa, Ciro nombró a Gobryas nuevo gobernador de Babilonia, que se convirtió en una provincia del Imperio persa aqueménida.

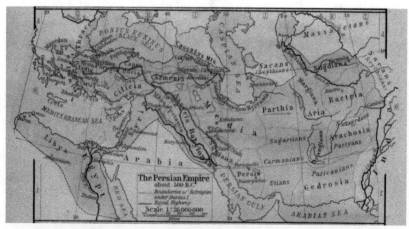

Babilonia y Asiria en el Imperio aqueménida

La asimilación de Babilonia

Los persas dividieron el Imperio neobabilonio en varias provincias
y colonias separadas, de las cuales las dos principales eran Babilonia y
Asiria. Su integración gradual comenzó alrededor del 539 a. C. y
continuó durante siglos mientras la Persia aqueménida dominaba el
paisaje de la Mesopotamia. Aunque la élite babilonia se quejaba de la
idea de un nuevo poder, muchos plebeyos y grupos étnicos o culturales
disconformes dentro del territorio se alegraron. Una de las primeras
acciones de Ciro al consolidar su dominio fue permitir que los
exiliados extranjeros volvieran a sus hogares. En particular, permitió
que los miles de judíos que habían sido secuestrados y enviados por la
fuerza de Judá a Babilonia por Nabucodonosor II volvieran a casa.
Con ellos, podían traer sus símbolos religiosos consagrados,
incluyendo imágenes y recipientes.

Es revelador que Ciro sea referido en los textos religiosos
abrahámicos como el liberador del pueblo judío y es uno de los únicos
individuos no creyentes en ser llamado mesías. En los relatos bíblicos,
es el hombre que libera a los judíos de su cautiverio babilonio. Aunque
vivieron bajo el dominio persa durante siglos, los judíos pudieron
volver a casa y nunca se rebelaron oficialmente o tomaron las armas
contra sus gobernantes.

Mientras tanto, los babilonios comunes y corrientes aún necesitaban
ser apaciguados. Una de sus mayores leyes era que nadie podía
reclamar el derecho a gobernar el territorio hasta que hubiera sido
consagrado en el cargo por los sumos sacerdotes. Para apaciguar a esta
tendencia, Ciro llevó a cabo la consagración, tomó el título de rey de
Babilonia y justificó su gobierno afirmando que era el sucesor de los
reyes babilonios originales y elegido por la deidad patrona Marduk
para restaurar la justicia, el orden y la paz en el sur de Mesopotamia. A
través de este sistema, Ciro logró mantener la paz y apaciguar el
sacerdocio de Marduk hasta su muerte.

Darius, disturbios y decadencia

La paz se mantuvo en Babilonia hasta aproximadamente el 521 a.
C. Para entonces, Ciro el Grande y su hijo, Cámesis II, habían fallecido
y un nuevo reclamante al trono emergió, Darío I. Darío I llegó al
poder en el 522 a. C. después de derrotar a un usurpador que había
matado a Cámesis y trató de ganar el control del imperio. Darío I,

también llamado Darío el Grande, no vio ninguna razón para apaciguar a los babilonios y abandonó la narrativa de «elegido por Marduk» en favor de impulsar la religión zoroastriana. El zoroastrismo es una fe monoteísta, lo que significa que tiene un solo dios, e identifica la dualidad del bien y el mal. El bien finalmente triunfará sobre el mal y lo destruirá, por lo que había un único ser supremo de sabiduría al que los persas adoraban. Aunque esta no fue la única razón de la revuelta babilónica, destruyó las pretensiones persas de legitimidad.[53]

---

[53] Aubrey Sélincourt, *The Histories*, (London: Penguin Classics, 2002).

A Frieze of Darius I's Palace in Susa (en inglés)

Una vez que Darío I llegó al poder, Babilonia trató de afirmar su independencia bajo un nuevo gobernante llamado Nabucodonosor III: los lectores observarán la originalidad aquí. Nabucodonosor III gobernó durante menos de un año antes de que aparecieran los persas y se sofocara la rebelión de forma espectacular y sangrienta. Al mismo tiempo, Darío I detuvo revueltas similares en todo el imperio y reconquistó Asiria. Seis años más tarde, en el 514 a. C., los babilonios declararon una vez más la independencia, esta vez bajo el liderazgo de un armenio llamado Arakha, que se rebautizó a sí mismo como Nabucodonosor IV. Darío I reclamó el territorio una vez más y destruyó en parte las murallas de Babilonia durante el asedio. Estas no se reconstruyeron.

Aquí, la historia de Babilonia se vuelve complaciente. No hubo más revueltas o revoluciones importantes durante los dos siglos siguientes, y la ciudad de Babilonia perdió lentamente su importancia y brillo a medida que las gentes se fueron y se trasladaron a las mayores capitales culturales del Imperio persa. Alrededor del año 331 a. C., los macedonios lucharon y expulsaron a los persas, liderados por uno de los hombres más grandes de la historia: Alejandro Magno. Alejandro murió en Babilonia en el año 323 a. C., probablemente debido a la fiebre tifoidea, aunque algunos creen que pudo haber sido envenenado. Una vez que los ex generales de Alejandro fueron a la guerra, Babilonia y Asiria pasaron a formar parte del Imperio seléucida, aún controlado por los macedonios.[54]

Babilonia perdió su importancia, aunque la vida urbana continuó de la misma manera que durante siglos hasta el siglo I a. C. La región quedaría absorbida una y otra vez por nuevos imperios, estados y países, pero nunca más reclamaría su independencia.

La caída final de Babilonia fue definitiva.

---

[54] Ibid.

Capítulo 10. Religión, mitología y los mitos de la creación

La religión de los babilonios era la de Mesopotamia. La región tenía una cosmología, mitología y estructura de deidades cohesivas que se transmitieron a lo largo de los siglos. No importaba qué cultura gobernara, ya fuera la sumeria, la acadia o la babilonia tradicional, la religión seguía siendo casi exactamente la misma. Esta religión era politeísta, lo que significa que había más de una deidad. Las deidades tendían a tener diferentes dominios, o áreas de la tierra y los cielos sobre las que tenían control. Podía haber un dios de la cosecha, un dios de las tormentas, una diosa de la fertilidad o una diosa del amor, además de muchos otros dioses o diosas.

Dado que la religión se mantuvo similar durante milenios, este capítulo ofrece un panorama general de los principales acontecimientos que tuvieron lugar dentro de la religión mesopotámica, incluidos los cambios ocurridos bajo el Imperio neo-babilonio. Además, se incluye una breve reseña de lo que ocurrió con la religión una vez que llegó el período helenístico. Después, hay una descripción de varias de las principales deidades.

Los mesopotámicos

La religión mesopotámica, en lo que se refiere a los babilonios, comenzó con los sumerios. Tal y como se ha mencionado hace algunos capítulos, los sumerios fueron los precursores de los babilonios tradicionales, que influyeron mucho en la cultura, la religión, la política y la economía de sus sucesores. Muchos sumerios étnicos se convirtieron con el tiempo en babilonios, ya que el pueblo permaneció dentro de Mesopotamia. Los sumerios tenían una sociedad teocrática o una sociedad regida por principios religiosos, creencias y, por lo general, una clase de sacerdotes u otros líderes espirituales. Los sumerios estaban tan dedicados a su religión y mitología que consideraban que casi todos los aspectos de la vida estaban gobernados por una de las deidades.

Antes de que se desarrollara un reinado en Sumeria, había ciudades-estado teocráticas con sacerdotes gobernantes. Los edificios culturales más significativos eran los templos. Originalmente, estas estructuras se construían con piedra simple y consistían en una sola sala para el culto. Con el paso del tiempo, los edificios se transformaron en los legendarios zigurats. Un zigurat era una alta torre con un santuario central en lo alto. No eran triangulares, sino que consistían en múltiples niveles de terrazas con amplias escaleras a las que se podía subir para llegar al santuario.

Modelo de un zigurat generado por ordenador

Estos zigurats no eran públicos. Los sumerios creían que eran las moradas de los dioses, así que el acceso estaba prohibido para la mayoría de la población. Algunos profesionales especulan que parte del diseño, con sus numerosos niveles, era para que se pudieran colocar guardias alrededor de las escaleras para evitar que la gente del pueblo espiara los ritos y ceremonias religiosas. Cada ciudad sumeria poseía una deidad patrona cuyos ritos y rituales se realizaban más a menudo que otros. Existe un gran zigurat que aún se conserva: el Chogha Zanbil en Irán.

Casi todos los mitos sumerios se transmitieron a través de una elaborada tradición oral. Una tradición oral es aquella en la que los miembros de una cultura aprenden sobre la historia, los relatos y la religión de su pueblo a través de la narración de historias, o de una persona que narra los relatos a otra. Los relatos escritos no aparecieron hasta finales del Periodo arcaico de Egipto alrededor del 2600 a. C. Estos escritos, además de la tradición oral, ayudaron a preservar la religión sumeria cuando decayó el poder de su pueblo.

Cuando los acadios comenzaron a desplazar a los sumerios, adaptaron las creencias religiosas sumerias a su propio panteón, donde se combinaron con la retórica y las ideas preexistentes. Desafortunadamente para los historiadores, arqueólogos y otros individuos interesados en la cultura, muchas de las creencias originales de los acadios se han perdido en el tiempo. Lo que se sabe es que muchas de las principales deidades sumerias absorbieron los lugares que ocupaban sus homólogos acadios y desarrollaron nuevos nombres. Por ejemplo, el dios sumerio An se convirtió en el dios acadio Anu con la misma historia, dominio y principales ciudades de culto.

Finalmente, los babilonios emergieron. Los babilonios amorreos conservaron muchas de las deidades tradicionales sumerias y acadias, pero hicieron varios cambios importantes en el panteón. En particular, añadieron al dios Marduk y lo designaron como cabeza del panteón. El papel de la diosa original Inanna también se transfirió a una nueva deidad llamada Ishtar. Por lo demás, el mundo siguió siendo el mismo, por lo que los babilonios conservaron las lenguas sumeria y acadia con fines de culto.

El mito mesopotámico de la creación

Hay varios mitos de la creación de la Mesopotamia o historias que se centran en cómo la tierra, los cielos y los humanos llegaron a existir. Los dos principales se llaman «El Génesis de Eridu» y «Enûma Elish». El primero es sumerio y el segundo es babilonio, pero hay muchos más que describen menores actos de creación. Algunos de estos otros son el «Debate entre la oveja y el grano», «Canción del azadón» y

«Debate entre el verano y el invierno». Es un tema común en todos los mitos donde las historias de origen se cuentan a través de conversaciones entre objetos personificados, animales, estaciones y otras creaciones inanimadas.

El primer mito de la creación sumeria proviene de una tablilla de arcilla descubierta por los arqueólogos durante una excavación en Nippur. El documento parece ser del 1600 a. C., lo que indica que se registró a finales de la época de los sumerios. El historiador Thorkild Jacobsen nombró a la tablilla como el «Mito Génesis de Eridu» y tradujo el cuneiforme. Debido a la avanzada edad de la reliquia, faltan varias piezas o la inscripción ha sido desgastada por las arenas literales del tiempo. Sin embargo, el público contemporáneo todavía puede reconstruir la historia rudimentaria. La historia es la siguiente:

Nintur estaba prestando atención:

Permítanme hacer reflexionar a la humanidad,

todos olvidadizos como son;

y no conscientes de mí,

Criaturas de Nintur, permítanme traerlos de vuelta,

dejadme conducir a la gente de vuelta a sus senderos.

Que vengan y construyan ciudades y lugares de culto,

para poder refrescarme a su sombra;

que pongan los ladrillos para las ciudades de culto en lugares puros,

¡y que ellos encuentren lugares para la adivinación en lugares puros!

Ella nos dió instrucciones para la purificación y nos enseño los gritos de clemencia,

cosas que la ira divina demandó,

perfeccionó el servicio divino y los oficios del culto,

y dijo a las regiones circundantes:

—¡Déjadme instituir la paz allí!

Cuando An, Enlil, Enki y Ninhursaga

moldearon a la gente de cabeza oscura (nombre que los sumerios se dieron a sí mismos)

crearon los pequeños animales que salen de la tierra,

provienen de la tierra en abundancia

y que habían dejado allá, como es propio de ella, gacelas,

asnos salvajes, y las bestias de cuatro patas en el desierto.

[...] y me dejaron que lo asesore,

me dejaron que supervisase su trabajo,

¡y que enseñe a la nación a seguir adelante

infaliblemente como el ganado!

Cuando el cetro real bajaba del cielo,

la corona de culto y el trono real

ya habían bajado,

él (el rey) regularmente realizaba a la perfección

los servicios y oficios de culto divinos,

y puso los ladrillos de las ciudades en lugares puros.

Se les nombraba por su nombre y se les asignaba cestas de medio bushel.

La primogénita de esas ciudades, Eridu,

que le dio al líder Nudimmud,

la segunda, Bad-Tibira, se la dio al príncipe y al sagrado,

la tercera, Larak, se la dio a Pabilsag,

la cuarta, Sippar, se la dio al galán Utu.

La quinta, Shuruppak, se la dio a Ansud.

Estas ciudades, que habían sido nombradas por sus nombres,

y que habían sido adjudicadas cestas de medio bushel,

dragaron los canales, los cuales fueron bloqueados con púrpura

arcilla transportada por el viento y llevaban agua.

Su limpieza de los canales más pequeños

estableció un crecimiento abundante.[55]

---

[55] Thorkild Jacobsen, *The Harps That Once...: Sumerian Poetry in Translation*, (Yale University Press, Publishers, 1987) *(en inglés)*.

Aquí falta un fragmento que describe cómo el ruido creado por los humanos y sus ciudades molestaba tanto al dios principal, Enlil, que decidió eliminar por completo a los sumerios. Persuadió a la asamblea divina de las diversas deidades para que votaran a favor de la destrucción humana mediante una tormenta de gran magnitud que inundaría el mundo. Los estudiantes inteligentes de historia, mitología o religión notarán el paralelismo de la leyenda sumeria con muchas otras en todo el mundo.

El mito del diluvio o la idea de que los dioses enviaron un gran diluvio para aniquilar a la humanidad aparece en casi todas las grandes religiones descubiertas en todo el mundo, incluyendo el cristianismo, el hinduismo, la antigua mitología china, la antigua mitología nórdica, la antigua mitología griega, la mitología maya, la tribu ojibwa del Lac Courte Oreilles, los aborígenes de Australia y otras numerosas tribus indígenas de ambos continentes americanos. Los mitos del diluvio de la Mesopotamia, o los de los sumerios, los futuros babilonios y otros, están entre los primeros.

Los antropólogos sospechan que estas primeras representaciones y escritos de la religión se extendieron más allá de Mesopotamia e influyeron en muchas otras culturas a lo largo de la masa terrestre de África, Asia y Europa, pero esto no explica cómo cruzó los océanos Atlántico, Pacífico e Índico a menos que la teoría de los puentes terrestres gigantescos sea cierta. Otros, en particular los estudiosos de la geología y la evolución del planeta, creen que algo de importancia climatológica pudo haber sucedido durante los primeros años de la humanidad, lo que hizo nacer este relato. No importa cuál pueda ser el caso, el mito de la creación sumeria continúa:

Aquel día Nintu lloró por sus criaturas

y la divina Inanna entonó un lamento por su pueblo;

pero Enki tomó consejo con su propio corazón.

An, Enlil, Enki y Ninhursaga

habían hecho jurar a los dioses del cielo y de la tierra,

en el nombre de An y Enlil.

En ese momento Ziusudra era rey

y el sacerdote lustrado.

Él formó, al ser un vidente, una estatua del dios del vértigo

y se quedó al costado asombrado por la realización de sus deseos con humildad.

Mientras estaba allí regularmente día tras día,

algo que no era un sueño aparecía:

conversando

se comprometió por su boca a declarar

bajo juramento por el cielo y la tierra,

y por los dioses que traen sus bancadas hasta Kiur.

Y cuando Ziusudra estaba de pie a su lado, escuchó:

¡Súbete al muro a mi izquierda y escucha!

¡Déjame hablarte junto al muro

y que entiendas lo que digo,

que escuches mi consejo!

Por nuestra mano un diluvio barrerá

las ciudades de cestas de medio bushel y el país;

la decisión, de que la humanidad será destruida

se ha tomado.

Un veredicto, una orden de la asamblea no se puede revocar,

es sabido que una orden de An y Enlil

nunca ha sido revocada,

su reinado, su mandato, nunca han sido desarraigados,

sino que debe acordarse de ellos.

Ahora [...]

Lo que tengo que decirte [...][56]

La siguiente parte que falta parece haber sido el consejo del dios embaucador, Enki, de construir un barco y llenarlo con una pareja macho y hembra de cada uno de los animales de la tierra. Los lectores volverán a notar los paralelismos entre este mito del diluvio y otros,

---

[56] Ibid.

incluida la historia bíblica de Noé y su arca. Ziusudra, el rey, obedece y se las arregla para salvar a la humanidad y a los animales del diluvio, pero el plan de Enki se descubre cuando Enlil encuentra a los supervivientes. Está a punto de masacrarlos cuando Enki convence al consejo divino de salvar a la humanidad. La historia termina con dos estrofas que explican cómo Ziusudra ascendió en la jerarquía de los cielos y los sumerios se salvaron.

> Aquí tú juraste
>
> por el aliento de la vida del cielo,
>
> por el aliento de la vida de la tierra
>
> que verdaderamente está aliado contigo;
>
> ustedes, An y Enlil,
>
> han jurado por el aliento de la vida del cielo,
>
> por el aliento de la vida de la tierra
>
> Que él está aliado con ustedes.
>
> El desembarcará los pequeños animales
>
> ¡que vienen de la tierra!
>
> Ziusudra, siendo rey,
>
> dio un paso ante An y Enlil,
>
> besando el suelo.
>
> y An y Enlil después de honrarlo
>
> le concedieron la vida como un dios,
>
> estaban haciendo descender en él
>
> el aliento de la vida duradera o eterna, como un dios.
>
> Ese día hicieron de Ziusudra,
>
> preservador, como rey, de los pequeños animales
>
> y de la semilla de la humanidad,
>
> vivieron hacia el este de las montañas
>
> en el monte Dilmun.[57]

---

[57] Ibid.

Muchas de las deidades mesopotámicas importantes aparecen en este mito. Los principales en el panteón eran An y Enlil, que se cree que crearon los cielos. Los dioses mesopotámicos no eran humanos y las representaciones tendían a hacerlos antropomórficos. Todos eran seres de gran tamaño, similares a un gigante, con un poder insondable. Las tallas y representaciones en piedra muestran a las deidades con cascos con cuernos en todo momento y un aspecto especial capaz de inspirar terror y asombro en cualquier mortal que la viera.

El mito babilonio de la creación

Los historiadores sitúan el desarrollo del mito babilonio de la creación, el «Enûma Elish», en la época de Hammurabi o alrededor del 1700 a. C. Existen varias versiones de la historia, pero la mejor conservada data del siglo VII a. C. y proviene de la Biblioteca de Ashurbanipal. Está inscrita en siete tablillas y varía significativamente del mito de la creación sumeria original, pero presenta temas e ideas similares. Un extracto de la primera tablilla traducida se encuentra a continuación:

Tablilla I

Cuando los cielos de arriba no existían,

Y la tierra de abajo no había nacido...

cuando el primer Apsu, su procreador,

Mummu, Tiamat que a todos había engendrado,

entremezclaron sus aguas

Antes de que la tierra de la pradera se uniera y se encontrara el cañaveral...

Cuando no se había formado ninguno de los dioses

O había nacido, cuando no se había decretado ningún destino,

Los dioses fueron creados dentro de ellos:

Lah-mu y Lah-amu se formaron y nacieron.

Mientras crecían y aumentaban su estatura

Anásar y Kisar, que los superaron, fueron creados.

Prolongaron sus días, multiplicaron sus años.

Anu, su hijo, podía rivalizar con sus padres.

Anu, el hijo, plendo Anásar,

Y Anu engendró a Nudimmud, su propio igual.

Nudimmud fue el campeón entre sus padres:

Profundamente perspicaz, sabio, de fuerza robusta;

Mucho más fuerte que el engendrador de su padre, Anu.

No tenía ningún rival entre los dioses, sus hermanos.

Los hermanos divinos se unieron,

Su clamor se hizo fuerte, lanzando a Tia-mat a la confusión.

Sacudieron los nervios de Tia-mat,

Y con sus bailes difundieron la alarma en Anduruna.

Apsû no disminuyó su clamor,

Y Tia-mat se quedó en silencio cuando se enfrentó a ellos.

Su conducta era desagradable para ella,

Sin embargo, aunque su esplendor no era bueno, deseaba perdonarlos.[58]

La primera tablilla cubre la creación de literalmente todo, ya que antes de Apsû y Tiamat no había nada. De estas dos deidades originales surgieron otras que perturbaron a Tiamat. Para luchar contra ellos, Tiamat propuso la creación de monstruos que detuvieran la dirección en la que se movía el universo. Las siguientes cinco tablillas detallan cómo su plan no se llevaría a cabo, ya que varios de los dioses más jóvenes conspiraron contra ella. Marduk se convierte en el nuevo señor de todas las deidades, mata a Tiamat golpeando su cráneo con una maza y usa su cuerpo para crear los cielos y la tierra tal y como los humanos los conocen. Marduk entonces crea a los humanos sacrificando a uno de los otros dioses y usando su sangre para formar los primeros babilonios. Llegados a este punto, la historia de la creación termina con una tablilla entera dedicada a alabar a Marduk y a leer cincuenta de sus numerosos nombres, lo que indica la importancia que tenía este dios en la religión babilonia. Parte del texto traducido de

---

[58] W.G. Lambert, *Mesopotamian Creation Stories*, (European History and Culture E-Books Online, 2007) *(en inglés)*.

la tablilla VII se incluye aquí para que los lectores se hagan una idea de todas las cosas que se atribuyen a esta única deidad.

Tablilla VII

Asarre, el dador de tierras de cultivo que estableció la tierra de arado,

El creador de la cebada y el lino, que hizo crecer la vida vegetal.

Asaralim, preeminente en la sala del consejo, donde se le hubo llevado,

Los dioses le prestan atención y le temen.

Asaralimnunna, el noble, la luz del padre, su creador,

que dirige los decretos de Anu, Enlil y Ea, es decir, Ninšiku.

Él es su administrador, que asigna sus porciones,

Cuyo turbante multiplica la abundancia para la tierra.

Tutu es él, el que lleva a cabo su renovación,

Que purifique sus santuarios para que puedan descansar.

Que formule un conjuro para que los dioses puedan descansar,

Aunque se levanten con furia, que se retiren.

Él es en verdad exaltado en la asamblea de los dioses, sus [padres],

Nadie entre los dioses puede [igualarlo].

Tutu-Ziukkinna, la vida de su anfitrión,

quien estableció los cielos puros para los dioses,

Quien se hizo cargo de sus cursos, quien nombró [sus puestos],

Que no sea olvidado por los mortales, sino que [se recuerden] sus actos.

Tutu-Ziku lo llamaban en tercer lugar, el creador de la purificación,

El dios de la brisa agradable, señor del éxito y la obediencia,

Quien produce la prosperidad y la riqueza, quien establece la abundancia,

quien convierte todo lo poco que tenemos en prosperidad,

Cuya agradable brisa olfateamos en tiempos de terribles problemas,

Que los hombres ordenen que sus alabanzas se pronuncien constantemente, que le ofrezcan adoración.

Marduk tomó su lugar a la cabeza del panteón babilonio, elevándose por encima de muchas de las otras deidades. Otros dioses notables eran individuos como Ishtar y Nergal, que controlaban el amor, la guerra, la sexualidad y el inframundo. En particular, Ishtar contaba con uno de los cultos más grandes de Babilonia y era considerada la principal diosa de las mujeres, el matrimonio y el parto, además de ser una deidad feroz y guerrera. Nergal, por su parte, representaba el fuego y el desierto además del inframundo, y frecuentemente aparecía como un león en sus representaciones. En contraste con el popular mito griego del Hades y Perséfone, Nergal no era el dios original del inframundo, sino que se casó con Ereshkigal, quien compartió su poder con él. Nergal no podía quedarse todo el año y se marchaba seis meses seguidos, lo que reflejaba el cambio de las estaciones.[59]

---

[59] "Nergal" *The Ancient History Encyclopedia, https://www.ancient.eu/Nergal/(en inglés).*

Capítulo 11. La versión corta de los babilonios bíblicos

Babilonia aparece frecuentemente en las religiones abrahámicas como un símbolo de decadencia y pecado. Cuando se le hace referencia en documentos como la Biblia, es importante darse cuenta de que diferentes pasajes se refieren al Imperio babilónico y a la propia ciudad de Babilonia, aunque ambos posean las mismas connotaciones. La razón principal de la presencia de Babilonia en estos documentos es la perpetua lucha que existía entre los babilonios y el pueblo judío, que vivía al oeste de una región conocida como el Levante. Durante el segundo y primer milenio antes de Cristo, el pueblo judío intentó formar sus propios reinos, pero fueron frecuentemente invadidos, conquistados y convertidos en vasallos por sus vecinos más poderosos. En un momento dado, estos conquistadores fueron los reyes del Imperio neobabilónico, que desarraigaron a miles de judíos de sus hogares tras una rebelión y les obligaron a vivir en Babilonia como cautivos.

Esta acción se conoce en los textos religiosos como el *Cautiverio de Babilonia*. Una vez que el Imperio neobabilónico cayó ante los persas y Ciro el Grande, el pueblo judío pudo volver a casa y escribió sobre sus experiencias en Babilonia en sus documentos religiosos. Ahora, es importante darse cuenta una vez más que los historiadores y arqueólogos no pueden aceptar documentos como la Torá o la Biblia como hechos, simplemente porque la evidencia histórica física no existe. Esto no significa que el judaísmo o el cristianismo no sean verdaderos, pero sí que influye en la percepción de los eventos. Para los propósitos de este capítulo, lo que fue escrito en los documentos de las religiones abrahámicas se debe tomar a la ligera, ya que los textos religiosos fueron editados repetidamente por los reyes, sumos sacerdotes y la nobleza para reiterar la creencia israelita de que eran el pueblo elegido por Dios, que los nobles y reyes poseían un derecho divino a gobernar y que los babilonios eran claramente un pueblo pecador que estaba siendo castigado por atreverse a actuar contra el pueblo judío.

La Caída de Babilonia, 1453. Grabado en madera

Cautiverio de Babilonia

Teniendo todo esto en cuenta, los documentos religiosos de Abraham cuentan una historia diferente del cautiverio babilónico que la explicada por las fuentes históricas como se ha visto en los capítulos anteriores. Según la Biblia, la situación era algo así:

> Palabra que vino a Jeremías acerca de todo el pueblo de Judá en el año cuarto de Joacim hijo de Josías, rey de Judá, el cual era el año primero de Nabucodonosor rey de Babilonia; la cual habló el profeta Jeremías a todo el pueblo de Judá y a todos los moradores de Jerusalén, diciendo:

> Desde el año trece de Josías hijo de Amón, rey de Judá, hasta este día, que son veintitrés años, ha venido a mí palabra de Jehová, y he hablado desde temprano y sin cesar; pero no oísteis.

Y envió Jehová a vosotros todos sus siervos los profetas, enviándoles desde temprano y sin cesar; pero no oísteis, ni inclinasteis vuestro oído para escuchar cuando decían: Volveos ahora de vuestro mal camino y de la maldad de vuestras obras, y moraréis en la tierra que os dio Jehová a vosotros y a vuestros padres para siempre; y no vayáis en pos de dioses ajenos, sirviéndoles y adorándoles, ni me provoquéis a ira con la obra de vuestras manos; y no os haré mal.

Pero no me habéis oído, dice Jehová, para provocarme a ira con la obra de vuestras manos para mal vuestro.

Por tanto, así ha dicho Jehová de los ejércitos: Por cuanto no habéis oído mis palabras, he aquí enviaré y tomaré a todas las tribus del norte, dice Jehová, y a Nabucodonosor rey de Babilonia, mi siervo, y los traeré contra esta tierra y contra sus moradores, y contra todas estas naciones en derredor; y los destruiré, y los pondré por escarnio y por burla y en desolación perpetua.

Y haré que desaparezca de entre ellos la voz de gozo y la voz de alegría, la voz de desposado y la voz de desposada, ruido de molino y luz de lámpara.

Toda esta tierra será puesta en ruinas y en espanto; y servirán estas naciones al rey de Babilonia setenta años.

Y cuando sean cumplidos los setenta años, castigaré al rey de Babilonia y a aquella nación por su maldad, ha dicho Jehová, y a la tierra de los caldeos; y la convertiré en desiertos para siempre.

Y traeré sobre aquella tierra todas mis palabras que he hablado contra ella, con todo lo que está escrito en este libro, profetizado por Jeremías contra todas las naciones.

Porque también ellas serán sojuzgadas por muchas naciones y grandes reyes; y yo les pagaré conforme a sus hechos, y conforme a la obra de sus manos.[60]

---

[60] Biblia, Jeremías 25.

En esta versión de los eventos, el dios israelita está castigando al pueblo por sus pecados y por no mantener los principios de la adoración apropiadamente. El Imperio neobabilónico es enviado a sacar al pueblo judío de su tierra natal, donde puede sufrir hasta que llegue el momento en que pueda volver a su territorio una vez más como el pueblo elegido por Dios. Este texto coloca a los persas en el papel de liberadores, una vez más enviados por Dios específicamente para ayudar al pueblo judío, ignorando las complejidades geopolíticas que se desarrollan en la región. Babilonia, mientras tanto, se destruye por ser pecadora y por no adorar a la deidad apropiada.

James Tissot, El vuelo de los prisioneros

La ramera de Babilonia

El otro gran ejemplo de Babilonia que aparece en los textos religiosos de Abraham es el extraño relato de la ramera de Babilonia, que sigue siendo una figura icónica en la civilización occidental. Era una figura simbólica destinada a representar el mal y las tentaciones experimentadas por los humanos mientras estaban en la tierra. Aparece en el siguiente pasaje del Apocalipsis:

Vino entonces uno de los siete ángeles que tenían las siete copas y habló conmigo diciéndome: Ven aquí, y te mostraré la sentencia contra la gran ramera, la que está sentada sobre muchas aguas; con la cual han fornicado los reyes de la tierra, y los moradores de la tierra se han embriagado con el vino de su fornicación.

Y me llevó en el Espíritu al desierto; y vi a una mujer sentada sobre una bestia escarlata llena de nombres de blasfemia, que tenía siete cabezas y diez cuernos.

Y la mujer estaba vestida de púrpura y escarlata, y adornada de oro, de piedras preciosas y de perlas, y tenía en la mano un cáliz de oro lleno de abominaciones y de la inmundicia de su fornicación; y en su frente un nombre escrito, un misterio: BABILONIA LA GRANDE, LA MADRE DE LAS RAMERAS Y DE LAS ABOMINACIONES DE LA TIERRA.[61]

La ramera de Babilonia se asocia frecuentemente con el Anticristo y con la Bestia del Apocalipsis. Ella no es una persona real, sino más bien una representación de la idolatría y otros grandes pecados que mantendrían a los practicantes del judaísmo y el cristianismo alejados del cielo. Tanto los historiadores como los teólogos especulan que está asociada con Babilonia debido al mencionado cautiverio babilónico y a comparaciones previas que indican que Babilonia es igual a pecado y exceso.

La ramera de Babilonia sobre la bestia de siete cabezas

---

[61] Bible, Revelations 1-5.

Conclusión. El legado de los babilonios

Entonces, ¿por qué deberían los lectores contemporáneos interesarse por los babilonios? Puede ser difícil para la gente moderna darse cuenta de lo mucho que las acciones de las civilizaciones de hace miles de años impactan sus vidas en el presente. Los babilonios fueron responsables de varios avances científicos importantes, incluidos los nuevos métodos matemáticos para entender el cosmos y crear calendarios. Trazaron mapas de las estrellas, descubrieron nuevos materiales de construcción y sentaron las bases para otras civilizaciones como la griega y la romana, que siguen siendo consideradas por las civilizaciones occidentales como los grandes precursores del intelectualismo político y social contemporáneo.

Al igual que muchas de las otras civilizaciones mesopotámicas, los babilonios avanzaron en la agricultura, la metalurgia, la guerra y otras prácticas esenciales para que los humanos no tuvieran que empezar de nuevo cada vez que un nuevo pueblo intentaba desarrollar su propia cultura. Las frecuentes guerras y el comercio con otras civilizaciones en todo el Oriente Próximo, Asia Menor y el norte de África también significaron que la cultura, la religión y las técnicas podían recorrer grandes distancias.

Babilonia incluso ha tenido un gran efecto en el desarrollo de las religiones abrahámicas, ya que sin ellas no habría narración de cautiverio.

Incluso si a alguien no le importan demasiado estos elementos esenciales vitales, puede apreciar la complejidad de una cultura que sobrevivió durante varios milenios y que generó hermosas obras de arte, una religión y un culto intrincados, y leyes únicas y la base de futuros sistemas legales de todo el mundo. Después de todo, fue Hammurabi quien ideó el infame punto de vista de «ojo por ojo» para analizar el mundo y la justicia. Teniendo todo esto en cuenta, sería difícil imaginar un mundo sin los babilonios. La historia es un tapiz: si alguien tira de un hilo, todo comienza a desenredarse. Esta es la posición de los babilonios: Un hilo crucial que no se puede quitar sin desmantelar el curso de la civilización humana tal y como la conocemos en el mundo contemporáneo.

Sexta Parte: Hammurabi

Una guía fascinante acerca del sexto rey de la primera dinastía babilonia, incluyendo el Código de Hammurabi

Introducción

La antigua Mesopotamia es una región rodeada de misterio, pero al mismo tiempo plena de historias fascinantes. La mayor parte de las veces, dichas historias hablan de grandes héroes, dirigentes épicos y de las relaciones entre dioses y hombres. Y cuanto más indagamos en su historia, más fascinación nos produce. Nos damos cuenta de que la gente que habitaba esa tierra no era tan bárbara ni tan salvaje como ahora somos nosotros, que su visión del mundo, sus actitudes y su forma de enfrentarse al día a día de la vida se parecen a las nuestras mucho más de lo que pensábamos, y que las historias que descubrimos se parecen a las nuestras tanto que se nos ponen los pelos de punta.

Fue esta región la que dio al mundo algunos de los dirigentes más poderosos y enigmáticos que han existido. Gilgamesh, uno de sus reyes, superó ese título, ya grande en sí, para convertirse en una figura iluminada y deificada para muchas generaciones posteriores. Sargón el Grande fue el primer emperador capaz de unir a muchos pueblos bajo la firmeza de su mando. Ur-Nammu modernizó la sociedad y las antiguas costumbres sumerias y dotó a la región de una de las culturas más desarrolladas y brillantes del antiguo Medio Oriente. Y estos no son más que tres ejemplos de las docenas de dirigentes que, de una forma u otra, cambiaron la faz del mundo desde su privilegiada posición geográfica, entre el Tigris y el Éufrates.

No obstante, hay muy pocos reyes de esta región, si es que hay alguno, tan reverenciado, tan poderoso y con tanta fama como un rey de Babilonia conocido con el nombre de Hammurabi. La lectura de solo algunos de la inacabable cantidad de escritos que se han realizado a propósito de este monarca nos da una imagen muy vívida de cómo una ciudad, inicialmente pequeña e insignificante, logró convertirse en la potencia dominante de Oriente Medio, y como un dirigente marginal logró convertirse en el gran unificador que desarrolló toda una estructura legal acerca de la tierra y pacificó muchos pueblos de diferentes ciudades, hasta lograr que la zona situada entre los dos grandes ríos se uniera por primera vez, pese a que dicha unificación durara menos de media década.

Si sigue leyendo, se hará una idea bastante clara de cómo era de verdad Hammurabi. También verá cómo se desarrolló Babilonia bajo el mando de sus antepasados más inmediatos, lo que hizo Hammurabi antes de embarcarse en una guerra contra el mundo, cómo lo veían los demás, desde dirigentes rivales hasta sus propios dignatarios, y cómo adquirió importancia su ahora famoso código. También aprenderá mucho acerca del propio código, lo que era y lo que no, lo que contenía, y lo que ahora no conocemos de él, y cómo su descubrimiento devolvió a Hammurabi a la fama muchos milenios después de su muerte.

La historia de Hammurabi es la historia de treinta y tres años llenos de conquistas, construcciones de templos, obras de irrigación y desarrollo de leyes, pero también una historia de ruptura de relaciones y de imperios que surgieron y cayeron. Es una historia de traiciones y de alianzas cambiantes, en la que hasta los dioses se inmiscuyen en los asuntos de los hombres. Y el caso es que, aunque ocurrió hace miles de años, parece contemporánea, como si Hammurabi aún estuviera respirando entre nosotros. Y, como ocurre con todos los grandes momentos de la historia del género humano, nos enseña que todos los grandes logros tienen un precio, y que la naturaleza humana siempre ha sido igual de compleja, como cuando los babilonios alababan a Marduk y aclamaron a Hammurabi como a un auténtico dios.

Capítulo 1 – Babilonia antes de Hammurabi: la posición de la ciudad en Mesopotamia y sus primeros dirigentes

No resulta exagerado decir que Babilonia se convirtió en una ciudad prominente e importante gracias a Hammurabi. Antes de que este rey llegara al poder, la ciudad era vasalla de otras potencias de la época. De hecho, si se tiene en cuenta que Hammurabi fue el sexto rey de la primera dinastía babilónica y que, literalmente, en los textos babilonios de la época no se hace ninguna mención importante acerca de los reyes que le precedieron, salvo las referencias habituales a las fechas de su reinado y alguna carta que otra en escritura cuneiforme, uno se da cuenta de lo fundamental que resultó este rey para el rápido desarrollo de la ciudad. A este respecto, el crecimiento de Babilonia fue semejante al de Acad e Isin antes de ella, y tanto Sargón el grande como, hasta cierto punto, Ishbi-Erra, están a la altura de Hammurabi, pues, por así decirlo, "pusieron en el mapa" sus respectivas ciudades.

Posición geográfica de Babilonia

Babilonia se encontraba en lo que hoy es la ciudad de Hila, dentro de la región administrativa de Babil, en Irak. Por lo que se refiere a la antigua Mesopotamia, la ciudad más cercana era la antigua Kish, al sur de Sippar y Eshnunna y al norte de Nippur e Isin. Pese a su escasa importancia en términos políticos, Babilonia era un puerto fluvial importante, dado que el Éufrates pasaba justamente por el centro de la ciudad, dividiéndola en dos. Una de las razones por la que muchas de las ruinas de Babilonia siguen sin ser excavadas es porque, en un momento dado, el cauce del río cambió, y una parte de la ciudad fue inundada por las aguas.

Hoy día, la zona arqueológica de Babilonia está formada por una serie de montículos. Cada una de las zonas tiene una extensión aproximada de dos por u kilómetros, que contienen ladrillos de barro y restos. Como todas las ciudades de Mesopotamia, cerca de babilonia no había bosques, ni tampoco montañas, por lo que tenía serias dificultades a la hora de conseguir materiales de construcción como madera, piedra, metales y piedras preciosas; sin embargo, contaba con mucho pescado, recursos agrícolas y ganado. Por supuesto, vivía del intercambio, y contaba con una red bien desarrollada de comerciantes, que se desplazaban por el río o realizaban sus negocios con colegas que llegaban por él.

Posición política de Babilonia

La primera mención de Babilonia como ciudad viene de los tiempos de Sargón de Acad, que presume de haber reconstruido templos en esa ciudad. En ese momento, los dirigentes de Babilonia no eran poderosos, y se trataba de un simple puerto del Éufrates. Hay cierto debate académico acerca de la posibilidad de que Sargón fuera el fundador de la ciudad, aunque tal sugerencia suele descartarse. Algunos historiadores llegan a atribuir la fundación de la ciudad a un dirigente asirio posterior, conocido con el nombre de Sargón II. En cualquier caso, la primera dinastía sargónida dejó algunas huellas sobre la por entonces pequeña ciudad.

Naram-sin, un legendario rey casi tan apreciado como su antecesor Sargón, y que reinó un cuarto de siglo después que él, gobernó sobre prácticamente toda Mesopotamia y hasta se declaró dios en vida. No obstante, el mantenimiento de un imperio de ese tamaño se convirtió en un problema para su sucesor, Shar-kali-sharri. Teniendo en cuenta la cantidad de guerras defensivas que tuvo que librar este monarca, era normal que tuviera la necesidad de mantener el orden en todos los territorios que había conquistado su padre, y ello implicaba pacificar a los pueblos ocupados. En la antigua Mesopotamia, eso significaba reconstruir los templos antiguos y construir otros nuevos. Una de las ciudades en la que Shar-kali-sharri construyó un nuevo templo fue Nippur, una ciudad de gran importancia religiosa y política de la región. Curiosamente, la segunda ciudad a la que Shar-kali-sharri concedió el honor de construir un nuevo templo, dos en realidad, fue precisamente Babilonia. Aunque esta iniciativa en concretó no supuso una posición más influyente para Babilonia, no deja de ser un acontecimiento digno de tener en cuenta, y pone de manifiesto que la ciudad ya gozaba de una cierta prominencia en la antigua Mesopotamia.

La famosa tercera dinastía Ur tampoco ignoró a Babilonia. A lo largo del reinado de los cinco dirigentes sumerios de Ur Babilonia tuvo que pagar impuestos, en realidad contribuciones en especie en lugar de dinero. Además, los reyes de Ur nombraron gobernadores de forma directa, lo cual nos indica que Babilonia estaba dentro de su zona de influencia directa.

Primeros dirigentes de Babilonia

Tras la caída de Ur, toda la zona de Babilonia fue conquistada por los amorreos. Aunque semíticos, hablaban un dialecto muy diferente y tenían un modo de vida muy distinto del de los pueblos semíticos que habitaban las ciudades. Como la mayoría de los pueblos situados fuera de los lindes de Mesopotamia, era nómadas. No obstante, con el paso del tiempo, algunos de los mercaderes amorreos establecieron potentes dinastías en muchas ciudades independientes, y su influencia siguió creciendo.

En esos momentos Babilonia era vasalla de Kazallu. Aunque las fuentes no son unánimes al respecto, lo más probable es que el primer dirigente que rompió la dependencia de Kazallu fuera un tal Sumu-Abum, también conocido como Su-abu. Se cree que él y su hijo, Sumu-la-El, fueron los que mandaron construir las murallas de Babilonia, y aún se debate acerca de cuál de ellos fue el primer verdadero rey de la ciudad.

Este problema a la hora de elegir el primer dirigente real de Babilonia se mantiene incluso hasta el padre y predecesor del propio Hammurabi, Sin-Muballit. Los cuatro dirigentes anteriores a él, Sumu-Abum, Sumu-la-El, Sabium, and Apil-Sin, fueron reyes, pero ninguno de ellos reclamó para sí el gobierno de la ciudad. En otras palabras, la capital de su reino, fuera la que fuera, no era Babilonia. Sin-Muballit fue el primero en romper con esa práctica y utilizar el título refiriéndose a la ciudad.

Sin-Muballit no solo se distinguió de sus predecesores en ese aspecto. De hecho, tenemos mucha información sobre este rey anterior a Hammurabi. A diferencia de los anteriores, Sin-Muballit expandió el territorio de la ciudad, y de manera bastante significativa. De hecho, tomó el control de Isin, que hasta hacía poco tiempo había sido una gran potencia. Es evidente que, en los tiempos de Sin-Muballit, Isin no era ni la sombra de lo que había sido, por lo que resultó fácil de conquistar, pero en términos de éxito militar, sí que fue muy significativo para una ciudad tan poco importante como era Babilonia en aquel momento. Antes de que terminara su reinado, Babilonia tenía el dominio sobre Borsippa, Sippar y Kish.

Una mirada a las anotaciones acerca de Sin-Muballit nos demuestra que seguía la tradición de la zona en lo que se refiere a construir templos y reconstruir o fortificar murallas. Al igual que otros conquistadores de su época, Sin-Muballit pretendía ganarse la deferencia y el respeto de sus recién conquistados, y los proyectos de construcción eran la mejor manera de lograrlo. También está acreditado que hizo construir bastantes canales y realizó el mantenimiento de otros muchos. Antes de avanzar, hemos de aclarar que, en aquella etapa de la historia, los antiguos reyes mesopotámicos "nombraban" los años de su reinado utilizando alguno de los logros del mismo, o bien con un acontecimiento importante. Lo mismo que ocurre con las fuentes históricas posteriores, e incluso actuales, esas referencias no son del todo fiables, pues muchas veces se utilizaban para jalear y tener contento al dirigente, y bastantes veces se silenciaban hechos de importancia histórica debido a que no eran favorables al rey de turno.

Pese a sus conquistas, es bastante probable que él mismo fuera vasallo, o al menos subordinado, de Shamish-Adad I. Como tal, en su época se produjo la expansión de Larsa bajo el mandato de Rim-Sin I, el saqueo de Isin por parte de dicho dirigente y el crecimiento y la expansión de Eshnunna, Elam y Mari, todos ellos en cierto modo aliados y al mismo tiempo enemigos de su hijo. Todas las fuentes coinciden en que abdicó del trono debido a problemas de salud.

Capítulo 2 – El ascenso de Hammurabi: guerras y logros

Cronología de Hammurabi

Antes de revisar las acciones de Hammurabi como rey y las fechas en las que las realizó, es importante hablar de las cronologías, pues están íntimamente ligadas con este dirigente.

Hay dos formas ampliamente aceptadas de datar los acontecimientos de la historia antigua, que reciben los nombres de cronología corta y cronología media, aunque ni mucho menos son las únicas. Las discrepancias entre ambas son de alrededor de 64 años. En lo que respecta a este libro, vamos a usar la cronología media, dado que es algo más precisa que la corta, aunque no todo lo fiable que les gustaría a los historiadores.

Otro escollo que se nos presenta es el hecho de que el año babilónico se basaba en el calendario lunar, y empezaba en marzo, no en enero. Lo cual significa que, en bastantes casos, el año babilonio duraba trece meses en lugar de doce. Pese a que utilizamos la expresión "antes de Cristo", a. C., es muy conveniente tener en cuenta tales particularidades, pues las fechas que citemos no coinciden exactamente con las de la época actual.

Los primeros años

Los acontecimientos más importantes del reinado de Hammurabi tuvieron lugar después del año 1792 a. C., que fue cuando ascendió al trono que dejó su padre. En lo que se refiere a los orígenes, todos los ancestros de Hammurabi eran de origen amorreo. Como es lógico, resulta difícil diferenciar entre las tribus semíticas de aquella época, y aunque en Mesopotamia el nombre puede resultar un buen indicador acerca de los orígenes de una persona, a veces lo que hace es contribuir a complicar las cosas. Por ejemplo, Sin-Muballit se traduce así: "el dios Sin (Nanna) es el que da la vida", y todas las palabras son de origen acadio, no amorreo. Pero concretamente, el nombre de Hammurabi se compone de un adjetivo acadio y un sustantivo amorreo. "Hammu", o también "Ammu", significa "familia", y es un término amorreo. Por su parte, "Rabi", o "Rapi", es un adjetivo acadio que significa "grande". El nombre significaba más o menos "pariente o familiar que cura"; incluso algunos lo traducen como "tío carnal que es un sanador".

El año 1792 se considera en la cronología media como el de su ascenso al trono. Reinó unos 43 años, y disponemos de nombres para prácticamente todos y cada uno de dichos años, aunque, como es lógico, algunos de los escritos están dañados y resultan difíciles de discernir. Esa es la razón por la que resulta difícil datar con exactitud la fecha de terminación del famoso código, aunque casi todo el mundo está de acuerdo en situarlo dentro de los últimos cuatro o cinco años del reinado de Hammurabi, teniendo en cuenta lo que se dice en su prólogo. Volveremos a hablar de ello en el capítulo dedicado al código, y de momento vamos a centrarnos en los diez o quince primeros años del largo reinado de Hammurabi.

En esa época, los antiguos grandes reinos o bien estaban deshaciéndose o bien formaban parte ya de la historia. Isin, que ya fue saqueada una vez por el padre de Hammurabi, también sufrió los ataques del poderoso Rim-Sin de Larsa. Rim-Sin fue contemporáneo de Hammurabi y, si hacemos caso de la cronología, ya tenía entre 65 y 70 años cuando el joven babilonio llegó al trono. Larsa era una potencia en sí misma, que se había desarrollado en paralelo con Isin después de la caída de Ur, que ocurrió varios siglos antes. Rim-Sin y Sin-Muballit se enfrentaron entre sí en la última década del siglo XVIII a. C., y una de las escaramuzas afectó a Isin y a Uruk, cuando una coalición de dirigentes, que incluía a Sin-Muballit, se rebelaron contra el rey de Larsa. Estas revueltas tenían su fundamento: Rim-Sin se estaba volviendo muy poderoso al unir todo el sur de Mesopotamia, y al parecer no tenía intenciones de parar. El objetivo de cualquier dirigente era controlar las orillas de los ríos, tanto en la zona norte como en la sur, pues se trataba de las zonas más lucrativas de esas regiones. No solo eran ricas en pesca y en tierra cultivable, sino que se trataba de las grandes vías de comunicación, por las que se transportaba absolutamente todo: ganado, grano, personas, estatuas y todo lo que nos podamos imaginar. Cualquier rey que tuviera a su alcance la captura de estas vías fluviales era una amenaza para los demás, y tales amenazas daban lugar a alianzas, que en cualquier caso resultaban frágiles y cortas.

En cualquier caso, Rim-Sin no era el único dirigente poderoso de la región. Shamsi-Adad, amorreo como Hammurabi, gobernaba sobre una vasta región que ahora conocemos como la Alta Mesopotamia. Su mayor logro fue la conquista de Assur, que de hecho lo convirtió en rey de Asiria. Se legitimó a sí mismo añadiendo su nombre a la lista de reyes oficiales de Assur, pero esa práctica terminó con su sucesor, Ishme-Dagan. No obstante, antes de conquistar la capital de Asiria, Shamsi-Adad se apoderó de una ciudad situada en la orilla del río Tigris llamada Ekallatum, así como de otros asentamientos conocidos originalmente con el nombre general de Eshnunna, y que en aquella época era ya una importante ciudad-estado. Así pues, Shamshi-Adad era el equivalente en el norte de Rim-Sin en el sur, un conquistador muy capaz con aspiraciones de apoderarse de más territorios, pero también con una larga lista de enemigos.

Mari, situada al noroeste de Babilonia y al suroeste de Assur, era otra pieza importante en el equilibrio de la región. Shamshi-Adad la tomó en 1796, cuatro años del ascenso al trono de Hammurabi. Nombró a su hijo, Yasmah-Adad, como gobernador de la ciudad, mientras que Ishme-Dagan gobernaba Ekallatum. Según las crónicas de la época, Shamshi-Adad no estaba contento con su hijo, y tras su muerte, ese mismo hijo fue derrotado por un nuevo dirigente natural de mari llamado Zimri-Lim. Los descendientes de la dinastía Lim iban a desempeñar un papel muy importante durante el reinado de Hammurabi, en algunos casos como aliados del rey babilonio, pero en otros como enemigos.

En cualquier caso, Zimri-Lim no fue el único dirigente de la región que se relacionó con Hammurabi. De hecho, Yasmah-Adad escribió directamente al rey, y sin tratarle de una manera completamente favorable. Al tratarse de un dirigente menor que gobernaba un pequeño territorio (que, en esos momentos, aparte de Babilonia, incluía Kish, Sippar y Borsippa), con toda probabilidad Hammurabi era considerado y tratado como un vasallo de Shamshi-Adad y sus hijos, al menos durante los primeros años de su reinado.

Durante estos primeros años del reinado de Hammurabi había otras dos potencias que controlaban otros territorios. Una, el estado de Elam, cuya capital era Susa, estaba en el sur profundo. La influencia de los gobernantes de Elam llegaba incluso hasta Babilonia, y su reino era fuerte, con una larga tradición de victorias militares basadas en un ejército muy potente. Aunque tampoco hicieron demasiadas cosas durante los primeros años de reinado de Hammurabi, quedándose al margen de las escaramuzas. Y la otra potencia que aspiraba a poseer más tierras de la fértil Mesopotamia era Eshnunna. Aunque, al igual que Elam, no fue directamente a por Babilonia durante la primera dinastía, sí que mantuvo el control de varias zonas clave de los alrededores del Tigris, algunas de las cuales se encuentran cerca de la moderna Bagdad.

Resumiendo, las cosas estaban así: el estado de Shamshi-Adad estaba empezando a derrumbarse, Rim-Sin todavía aspiraba a expandir la influencia de Larsa, Elam y Eshnunna se mantenían más o menos al margen y Mari enfilaba un tumultuoso renacimiento. ¿Y qué hacía Hammurabi en esta época?

La primera fase del reinado de Hammurabi no fue muy belicosa. Las campañas más importantes se desarrollaron contra Uruk y Isin, así como contra una ciudad aún no identificada que se llamaba Malgium. Está claro que esa ciudad ya estaba bajo control elamita, y Hammurabi la "liberó" con la fuerza de las armas. En todo caso, no fueron acontecimientos demasiado importantes en esa década, sobre todo si se los compara con la "impartición de justicia de Hammurabi en todas las tierras del reino" y la construcción de un gran canal que se denominó "Hammurabi significa abundancia". Como muchos dirigentes antes que él, Hammurabi quería ganarse el apoyo de sus súbditos, y lo hizo condonando deudas o pagándolas. A eso le siguieron una serie de campañas de construcción de templos, tanto en la misma Babilonia como en los territorios ocupados. La irrigación seguía siendo un aspecto clave para la supervivencia y el desarrollo de las ciudades, por lo que la construcción de un gran canal no puede considerarse una acción revolucionaria. Aparte de eso, reparó y reconstruyó otros canales previamente existentes y construidos por su abuelo Apil-Sin.

La segunda década de Hammurabi tampoco se caracterizó por las grandes conquistas militares, ni tampoco la tercera. Tras la conquista de Malgium cayeron bajo su control otras dos ciudades, Rapiqum y Szalibi. Durante los siguientes diecinueve años, al menos según los nombres oficiales que se les dieron, no emprendió ninguna campaña militar más. La mayor parte del tiempo lo dedicó a construir templos y estatuas de diversas deidades, y a reconstruir y hacer crecer las ciudades que integraban sus dominios. La mayoría de esas estatuas estaban dedicadas al dios del sol, Shamash (Utu en sumerio), pese al hecho de que la deidad principal de Babilonia era un dios menor llamado Marduk. No resulta fácil discernir de qué era dios, pero muchos historiadores lo asocian con el agua, los juicios, la vegetación y la magia. Naturalmente, con Hammurabi creció el culto a Marduk, y generó un gran seguimiento, lo que indica la enorme influencia de este rey en la región. De hecho, el propio Hammurabi fue deificado, y hablaremos de ello en próximos capítulos.

Hammurabi dedicó un año entero de su reinado a una deidad específica, Ishtar o Inanna, la diosa de la fertilidad, el sexo y el amor, entre otras cosas. . Antes de Hammurabi, el culto a Inanna estaba muy desarrollado entre los gobernantes, y era tan importante como Enlil, el dios de los vientos, y Anu, el ancestro de todos los dioses mesopotámicos. Muchos de los reyes se proclamaban "consortes de Inanna", y realizaban rituales en los que se casaban con la diosa. Los pueblos semíticos, incluidos los acadios y los babilonios, tenían un sistema religioso bastante similar al de los antiguos sumerios, y en esta materia Hammurabi se limitó a seguir las tradiciones de sus antecesores.

Fue a partir del trigésimo año de su mandato cuando Hammurabi se convirtió en un gran conquistador, tan recordado por la historia antigua.

Ataque a Elam

Elam estaba bastante más al sur que otros estados, cerca de las tierras altas de lo que hoy es la provincia iraní de Fars. Las montañas de su entorno eran ricas en materias primas, fuentes de estaño y lapislázuli entre otras. El estaño se utilizaba para fabricar bronce, que después se utilizaba en la fabricación de espadas y hachas. Por su parte, el lapislázuli era muy apreciado como adorno por su intenso y bonito color azul. Los antiguos sumerios lo utilizaban para elaborar piezas de joyería, estatuas y adornos de gran valor. Elam no solo daba acceso directo a estos productos, sino que además controlaba las rutas comerciales para obtenerlos. Resumiendo, el valor económico de Elam era mucho mayor que el de sus vecinos del norte y del oeste de Mesopotamia.

Como hemos dicho antes, Elam no se unió al resto de estados mesopotámicos durante los primeros años del reinado de Hammurabi. De vez en cuando apoyaban a un dirigente de aquí o de allá, como por ejemplo cuando Shamshi-Adad dirigió una campaña contra el pueblo montañoso de Zagros en 1781. Pero, aparte de eso, apenas intervinieron en el complicado equilibrio de poder de la Mesopotamia de la época. De todas formas, los acontecimientos que se produjeron después dieron lugar a un lento cambio de actitud de los elamitas, pasando de puros observadores a conquistadores activos.

Shamshi-Adad murió en 1776, lo que produjo la esperada fragmentación y el declive de su amplio reino. Sus hijos se mantuvieron en el poder, pero estallaron rebeliones por todas partes. En cualquier caso, los problemas de este decadente imperio procedían más del exterior que del interior. En resumen, el estado con capital en Assur se enfrentaba al crecimiento de otras ciudades-estado, siendo Eshnunna la más importante de ellas. Eshnunna era un puerto muy activo del río Tigris, pero, lo que era más importante, estaba entre Elam y el paso al otro gran río, el Éufrates. Nueve años después de la muerte de Shamshi-Adad, en 1767, el gobernante de Elam, Siwe-Palar-Khuppak, empezó a aliarse con Zimri-Lim de Mari, que en ese momento había logrado el control total de la ciudad, liberándola de Yasmah-Asdad, al que probablemente mató. Zimri-Lim recibió para su empresa el apoyo de Yarim-Lim, el segundo dirigente de Yamhad; gracias a eso, este reino estableció vasallaje sobre Mari y se convertiría en un importante aliado de Hammurabi tras el conflicto de 1767 entre la propia Mari y Elam.

Pero antes de convertirse en enemigos, Mari y Elam fueron aliados. Zimri-Lim quería destruir al rey de Eshnunna, Iba-pi-el II, porque realizaba constantemente ataques sorpresa contra el territorio de Mari. Babilonia también era miembro de esta alianza, pero sin la participación directa en la guerra por parte de Hammurabi. En algún momento entre el final de 1766 y el comienzo de 1765, Elam y sus aliados saquearon Eshnunna, y probablemente el rey de la ciudad murió en el ataque. Por consiguiente, Siwe-Palar-Khuppak se convirtió en señor de Eshnunna y, gracias a ello, Elam controlaba un territorio muy importante de Mesopotamia.

Pero el rey de Elam era insaciable. Además, trató a Zimri-Lim y a Hammurabi como subordinados, casi como siervos, y les ordenó que le enviaran tropas para una eventual invasión de Larsa. No olvidemos que, por entonces, Larsa estaba regida por Rim-Sin I, un gobernante muy activo y ambicioso; en otras palabras, alguien con quien no convenía enfrentarse. Por otra parte, Siwe-Palar-Khuppak se puso en contacto con él para proponerle el saqueo de Babilonia. Tanto Mari como Babilonia se enteraron, pero pese a un comportamiento político tan poco leal, Mari no cambió sus alianzas. En cualquier caso, su lealtad se fue desvaneciendo con el tiempo.

Babilonia resultó fundamental en muchos aspectos por los que respecta a la caída de Elam. Siwe-Palar-Khuppak seguía codiciando la ciudad, y no dejaba de presionar a Zimri-Lim para que le ayudara a conquistarla. Al mismo tiempo, Hammurabi no dejaba de mandar regalos ni de mantener una activa correspondencia con el rey de Mari, invitándole a formar un ejército para ayudarle a derrotar a los elamitas. Aunque con dificultades, Zimri-Lim se las arregló para juntar un ejército de unos 2.000 hombres, liderado por dos generales, Zimri-Addu e Ibal-pi-el (no confundir con el reu de Eshnunna; resulta interesante comentar que dicho rey, depuesto por Zimri-Lim, fue en su momento aliado de Hammurabi y financió campañas militares contra Shamshi-Adad para destruir su reino).

De todas formas, ni siquiera las fuerzas combinadas de Babilonia y Mari fueron suficientes como para batir a los elamitas. Hammurabi pidió ayuda al estado de Yamhad, cuyo anterior rey había demostrado ser un buen aliado de Mari ayudando a Zimri-Lim a establecerse en el trono. En esos momentos, curiosamente, Yamhad estaba regida por su propio Hammurabi, para ser más precisos Hammurabi I, hijo de Yarim Lim. Las curiosidades no terminan aquí: Yamhad, a diferencia de babilonia, tuvo nada menos que tres dirigentes con el nombre de Hammurabi, y el primero de ellos, como hemos visto, fue coetáneo del rey babilonio. Al tiempo que conseguía la ayuda de Yamhad, Zimri-Lim se puso en contacto con el estado de Zalmaqum que, por su parte, había enviado sus propias tropas para ayudar al rey de Mari en vez de a Hammurabi.

El rey babilonio continuó con su cruzada de reclutamiento de tropas. El siguiente dirigente al que se dirigió no fue otro que Ishme-Dagan, hijo del ultimo Shamshi-Adad. Curiosamente, el papel de los dirigentes de estas dos naciones, Babilonia y Mesopotamia Superior, cambió tras la muerte de Shamshi-Adad. Mientras este vivió, Hammurabi estaba en cierto modo supeditado a él. Sin embargo, el hijo de Shamshi-Adad gobernó Ekallatum casi como si fuera vasallo del monarca de Babilonia. Envió su regimiento a Hammurabi para procurar la derrota de Elam, pero no lo hizo verdaderamente convencido.

Larsa no se implicó en esta guerra. Por lo que fuera, Rim-Sin no tomó partido, pese a que por un lado estaba Elam y sus amplios territorios, y por el otro la coalición liderada por Hammurabi y formada por Babilonia, Mari, Ekallatum, Yamhad y Zalmaqum.

Elam golpeó primero, logrando una importante victoria en la ciudad de Upi, de la que según parece se retiraron las fuerzas de Hammurabi. Eso sucedió en 1765, y al año siguiente los elamitas se lanzaron hacia Mankisum, otra ciudad a orillas del Tigris cuya situación estratégica era fundamental. El ejército de la coalición se trasladó a una pequeña ciudad fronteriza llamada Mamsum, sin saber exactamente dónde iba a atacar el enemigo.

El siguiente objetivo del rey de Elam fue la ciudad de Hiritum, que estaba cerca de una de las posesiones babilonias, la villa de Sippar. Si los elamitas la conquistaban, sus tropas se acercarían peligrosamente a la capital de Hammurabi. No obstante, no solo los ciudadanos de Hiritum se defendieron con éxito de los invasores, con cierta ayuda de las tropas de Mari y de Babilonia, sino que las tropas de la coalición lograron entrar en Eshnunna, un territorio controlado por Elam. Eshnunna se convirtió en un quebradero de cabeza para Elam, y hay evidencias escritas de que sus habitantes no estaban muy dispuestos a luchar por el rey de Elam. Incluso algunos de ellos llegaron a pedir directamente ayuda a Hammurabi, jurándole lealtad posterior. Esta ciudad no fue la única que traicionó a Elam. Cierto dirigente llamado

Atamrum decidió abandonar a Siwe-Palar-Khuppak y aliarse con Zimri-Lim. Los elamitas comenzaron su retirada, saqueando la ciudad de Kakkulatum y dirigiédose a Mankisum. Esta ciudad estaba muy cerca de la ciudad-estado de Ekallatum, regida por Ishme-Dagan, y su conquista y eventual saqueo significaría un duro golpe para la coalición. En todo caso, Mankisum fue la última ciudad a la que llegó el avance del rey de Elam, dado que tuvo que dirigir su atención a Eshnunna, donde había estallado una fuerte revuelta. Lo que había empezado con algunas acciones aisladas de desertores derivó en un sucedáneo de guerra de independencia, que trajo consigo el ascenso de un plebeyo local al rango de dirigente de la ciudad. Su nombre era Silli-Sin lo que, de forma parecida a lo ocurrido en el caso de Sargón, es uno de los varios ejemplos que demuestran que en Mesopotamia era factible el ascenso al poder de hombres sin tradición de nobleza.

Silli-Sin fue responsable en parte de la derrota total de Siwe.Palar-Khuppak. El rey de Elam abandonó la ciudad de Diniktum y, dádose cuenta de que estaba derrotado, buscó la paz con Hammurabi, líder *de facto* de la coalición. En principio, Hammurabi se mostró receptivo y liberó a los "embajadores" a los que había encarcelado en babilonia al empezar la guerra. Pero el rey de Elam empezó de nuevo a conspirar contra el dirigente babilonio poniéndose en contacto con Rim-Sin y Silli-Sin, a los que ofreció formar otra coalición para saquear Babilonia. No obstante, la enfermedad impidió culminar esas maniobras a Siwe-Palar-Khuppak, que se retiró a Elam para terminar sus días.

Esta retirada tuvo lugar en el año 1763 a. C., pero fue el año anterior, 1764, cuando Hammurabi proclamó su victoria sobre todo Elam, dándole ese nombre al año para conmemorar el acontecimiento. Es importante tener en cuenta que la victoria contra Elam, la primera verdaderamente importante de su carrera militar, se produjo en una guerra fundamentalmente defensiva, y demostró por una parte que Hammurabi poseía grandes dotes diplomáticas y negociadoras, y por otra que tenía la suerte de cara. La rebelión de Eshnunna y la deserción de Atamrum fueron claves en el desarrollo de la campaña, y de no haber tenido lugar, es probable que la victoria de Hammurabi no hubiera sido tan completa, o incluso puede que ni siquiera se hubiera producido. El juntar los ejércitos de cuatro dirigentes distintos, Zimri-Lim, Hammurabi I, Ishme-Dagan y el desconocido rey de Zalmaqum, también ayudó mucho, teniendo en cuenta que, por sí solo, el ejército de Hammurabi no hubiera sido capaz de contener la invasión de los elamitas.

No obstante, esta guerra demostró también que Hammurabi no era un diplomático perfecto. Después de todo, no se aseguró la ayuda de Rim-Sin, cuyo poder era equiparable al de Siwe-Palar-Khuppak, y hasta incluso mayor. Este hecho bastó para que Hammurabi apuntara con sus armas a Larsa, y con Elam eliminada del tablero en lo que se refiere al equilibrio de fuerzas en Mesopotamia, no había nada que se lo impidiera.

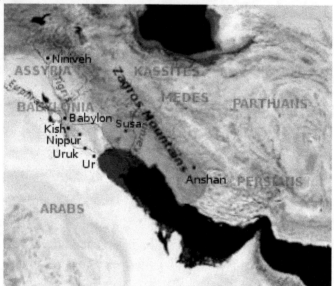

Mapa de la antigua Elam en la cúspide de su poder,
que incluye las ciudades importantes de la región[ii]

Ataque, saqueo y conquista de Larsa

Rim-Sin de Larsa fue lo suficientemente inteligente como para no interferir en la guerra contra Elam. Después de todo, no tenía razones de peso para enfrentarse a ninguno de los dos bandos. Una acción hostil directa contra Elam dejaría a su país vulnerable a cualquier ataque, e ir en contra de la coalición le dejaría inerme a cualquier intento de saqueo por parte de Elam.

Durante el mandato de Rim-Sin, Larsa alcanzó el máximo de su poder militar. Su hermano, Warad-Sin, gobernó Larsa hasta el año 1822 a. C., mientras que su padre, un elamita llamado Kudur-Mabuk, ejerció el control de un país denominado Yamutbal, con capital en la ciudad de Mashkan-shapir. Si anotamos el año, 1822, llegamos a la conclusión de que Rim-Sin murió siendo muy anciano, y ejerció el poder en Larsa durante algo más de 60 años.

Rim-Sin era un guerrero. Dirigió campañas militares contra Isin, Uruk y Babilonia ya durante la primera década de su mandato. No obstante, su victoria más importante fue el saqueo de Isin en el año 1794 a. C., dos años antes de que Hammurabi accediera al trono babilonio. La razón por la que esta victoria fue tan importante para Rin-Sin hay que buscarla en la historia que compartían ambas ciudades. Isin era una especie de "estado sucesor" de Ur, cuyo imperio se había desplomado, aunque sin ejercer el dominio sobre tantas ciudades como en su momento estaban sometidas a Ur. De una forma en cierto modo parecida a Isin, Larse se fue volviendo poco a poco cada vez más poderosa, de forma que las regiones del sur de Mesopotamia estaban bajo el control de una o de otra, dependiendo de la que fuera más potente en cada momento. Por eso esta época específica de la historia de Mesopotamia suele ser conocido entre los historiadores y arqueólogos como el periodo Isin-Larsa. Isin y Larsa, a todos los efectos, eran rivales enfrentados por la supremacía de la región, y con Rim-Sin la victoria se inclinó del lado de Larsa.

El último dirigente de Isin fue Damiq-ilishu, y durante su mandato el territorio y la influencia de la ciudad se redujo al contorno de sus propios muros. Hasta el padre de Hammurabi saqueó la ciudad años antes de la decisiva victoria de Rim-Sin, que fue la que de verdad tuvo eco en el mundo antiguo, dado que logró subyugar a su rival más importante y, como consecuencia, elevar a Larsa al mismo nivel del reino de Shamshi-Adad. A partir de ese momento, la frontera entre Babilonia y Larsa pasó a ser larga e inestable, y cuando Hammurabi llegó al poder, Rim-Sin ya llevaba tiempo demostrando que era un rey muy capaz.

A la caída de Elam le siguió un periodo turbulento en la región, pues ya no había un reino lo suficientemente poderoso como para ejercer de árbitro en los conflictos que habitualmente se producían entre los reinos mesopotámicos. Pero teniendo en cuenta lo rápido que los respectivos ejércitos empezaron a avanzar para enfrentarse entre sí (lo más probable es que Hammurabi declarara la guerra a Elam a principios de 1763), y también el hecho de que los mismos generales, Zimri-Addu e Ibal-pi-el, eran los comandantes en jefe del ejército de Mari que apoyaba a Babilonia, no es arriesgado decir que la guerra en realidad no se interrumpió, y que la invasión de Larsa fue una mara continuación de la campaña de Elam.

Rim-Sin no abandonó la capital, y encargó a su hermano la defensa de las fronteras septentrionales de su reino. Una curiosidad más: este hermano tenía el mismo nombre que el padre de Hammurabi, Sin-Mullabit, y su base de operaciones era la ciudad de Mashkan-shapir, la misma que en su momento gobernó el padre de Rim-Sin. Esta ciudad se iba a convertir en la capital del reino de Warad-Sin y Rim-Sin. El hecho de que se quedara en Larsa terminó siendo una mala decisión, pues la coalición de Hammurabi tomó Makshan-shapir, y no se paró ahí. Muy pronto, toda la región de Yamutbal, hasta entonces en manos de Rim-Sin, fue conquistada por los coaligados, y poco después ocurrió lo mismo con ciudades de tanta importancia como Nippur e Isin. Todas esas derrotas significaron golpes muy duros para Rim-Sin. La pérdida de Isin deslució la histórica victoria de Larsa sobre sus antiguos enemigos, pero la de Nippur, un centro religioso muy importante, fue un golpe político que dejó muy clara la debilidad de Larsa en ese momento tan grave, en el que se enfrentaba a una amenaza definitiva. Las tropas de la coalición llegaron al pie de las murallas de Larsa y la sitiaron durante seis meses.

Rim-Sin no quería enfrentarse solo a Hammurabi, y pidió ayuda a posibles aliados, aunque solo respondió uno, el rey de una pequeña ciudad-estado llamada Qatna. Incluso sin la ayuda de este rey, Rim-Sin juntó un ejército de decenas de miles de soldados. Por otra parte, Hammurabi tenía muchos aliados. Las tropas de Mari estaban bajo su mando directo, y una ciudad conquistada hacía décadas, Malgium, también aportó una apreciable cantidad de soldados. El ejército de Yamutbal, que se había rendido a Hammurabi poco después del sitio de Mashkan-shapir, también se unió a la lucha contra Rim-Sin. Hammurabi aún dio un paso más y pidió ayuda a Elam, la misma Elam a la que había hecho morder el polvo apenas hacía un año, ¡y su rey todavía vivía! También se pisó ayuda militar a Ishme-Dagan. En otras palabras, la mayor parte de las ciudades de Mesopotamia Superior preferían que Larsa sucumbiera, por lo que la derrota de Rim-Sin era inevitable.

La información acerca de la defensa y caída de Larsa es distinta según quien realice el relato. La versión más probable es que al final faltaron alimentos en la ciudad, lo que derivó en la rendición y en la huida de Rim-Sin, aunque después este fue capturado y llevado ante

Hammurabi. Las tribus nómadas suteanas plantearon otro problema, pues querían aprovechar la rendición de Larsa para saquear la ciudad. Las tropas de Hammurabi se enfrentaron a ellas, al mando de uno de los generales de Zimri-Lim, las redujeron y obtuvieron su recompensa en forma de tributos en especie, fueran tierras de cultivo, grano o ambas cosas. El trato que dio Hammurabi a Larsa fue mucho más compasivo de lo que era habitual en esa época de la historia. Destruyó las murallas, pero decidió no saquear la ciudad, seguramente con el deseo mantener la paz después de la conquista. Todas sus decisiones posteriores respecto a Larsa se tomaron con esa idea de evitar disturbios y levantamientos. En lo político, se declaró a sí mismo sucesor de Rim-Sin, en lugar de declarar Larsa territorio conquistado, y utilizó el salón del trono para gobernar la ciudad. Incluso, como era su costumbre, levantó en ella nuevos templos, al igual que hizo después en Zabalam y Ur como muestra de buena voluntad.

De todas formas, puede que los ciudadanos de Larsa no terminaran de apreciar a Hammurabi tanto como él deseaba. De hecho, solo unos pocos años después de su muerte se produciría una rebelión en la ciudad, pero nunca logró recuperar el esplendor de sus días de gloria. Los elamitas intentaron aprovechar la situación, y hasta mandaron cartas a Silli-Sin diciendo que invadirían Larsa si Hammurabi volvía a Eshnunna. La invasión elamita de Larsa nunca se produjo, y sin embargo Hammurabi sí que se lanzó a por Eshnunna.

La victoria sobre Larsa significó bastante más que un logro resonante para Hammurabi, que demostró de nuevo ser un gran conquistador y un guerrero hábil y astuto. Se convirtió así mismo en un punto de inflexión para la historia de Mesopotamia, pues terminó con el concepto de las ciudades-estado, imperante hasta entonces. Antes de sus conquistas, la mayor parte de la región estaba dividida en ciudades relativamente poderosas, total o parcialmente independientes, y cada una de ellas intentaba destacar sobre las otras, lográndolo en determinados momentos. Hammurabi introdujo una nueva idea para la zona, la de un imperio unificado con un único dirigente, así como un modelo bastante mejorado de los antiguos imperios (el reino de Eannatum, el imperio de Sargón, el de Ur III, el reino de Shmashi-Adad, etc.). Estos reinos, por muy poderosos que hubieran sido, no tuvieron el mismo sentido de unidad que se logró durante el reinado de Hammurabi y después. La desunión de las ciudades-estado, que era norma antes del ascenso del rey de Babilonia, acabó con él.

Placa fundacional de Rim-Sin de Larsa, realizada entre 1822 y 1763 a. C.

La derrota de Eshnunna

Estaba claro que Eshnunna iba a ser uno de los objetivos de Hammurabi en algún momento de su reinado. No solo por su situación estratégica, de una importancia vital, sino porque la región tenía una gran semejanza cultural con la propia Babilonia, aunque con una diferencia clave, que era la deidad titular de la ciudad, un dios menor llamado Tishpak.

Durante el reinado de Sin-Muballit, así como durante los primeros años del de Hammurabi, Eshnunna pasó de ser un centro de poder a convertirse en zona de sucesivas y rápidas conquistas, y eso que en algún momento el dirigente de esta ciudad disfrutaba de una influencia política incluso superior a la de Shamshi-Adad.

A propósito de Shamshi-Adad, fue precisamente su muerte la que hizo que los países y ciudades de Mesopotamia Superior empezaran a enfrentarse entre ellos, buscando la supremacía. Y en esa situación fue cuando surgió con potencia la figura del ya citado rey de Eshnunna, Ibal-pi-el II. Ya en el 1776 a. C. estaba presionando a Zimri-Lim, un dirigente relativamente nuevo por entonces, para que se convirtiera en su aliado o, para ser más precisos, en su subordinado. Zimri-Lim tenía mínimos lazos con Eshnunna, por lo que prefirió mantener la independencia de Mari.

Con el tiempo, el tira y afloja entre Ibal-pi-el y Zimri-Lim acabó en conflicto. Más o menos en 1771, el dirigente de Ershnunna pidió ayuda a la tribu de los benjaminitas, que estaban rebelándose contra Mari. Ibal-pi-el envió sus tropas directamente a Mari para ayudar a la tribu rebelde, y Zimri-Lim no tuvo otra opción que buscar ayuda. Hammurabi respondió enviando un regimiento, aunque él no se implicó directamente en la lucha. Se estableció un tratado entre Eshnunna y Mari, quedando la primera en una posición superior, pero no excesivamente. Las obligaciones de Zimri-Lim respecto a Eshnunna consistían en el envío de estatuas, sirvientes y estandartes como signos de paz, así como en el compromiso de no apoyar a los enemigos de Eshnunna en futuros e hipotéticos conflictos. Ni siquiera tuvieron que ceder ningún territorio tras la refriega.

Como hemos dicho antes, Elam fue la potencia que destruyó Eshnunna, con la ayuda tanto de Mari como de Babilonia. No obstante, el gobierno elamita no fue bien acogida por la población local, y cuando Hammurabi se abrió paso a través de las defensas de Elam comenzaron una revuelta que pronto se convirtió en una rebelión abierta y muy hostil a los elamitas. Por el contrario, recibieron al babilonio como a un libertador y le juraron fidelidad, lo cual se convirtió en un problema añadido para Siwe-Palar-Khuppak, que tuvo que concentrarse en ellos en lugar de atender a su propia conquista. Pero inmediatamente después de esta rebelión Hammurabi cometió un error grave: en lugar de nombrar un gobernante para Eshnunna, dejó que fueran sus habitantes los que lo nombraran. Y el pueblo decidió que fuera Silli-Sin.

Pese a que a los lectores que saben inglés ese nombre suene a persona de pocas luces (en inglés *silly* significa "estúpido"), Silli-Sin no tenía un pelo de tonto. Era de origen plebeyo, pero había llegado al puesto de general del ejército de Eshnunna, cosa que, en aquella época, no era nada habitual en la Mesopotamia Superior. Y ya no digamos llegar a rey desde orígenes humildes, eso era casi impensable. El pueblo lo escogió por su gran desempeño durante la guerra, y Silli-Sin actuó desde el principio como un rey en toda regla. Restauró el palacio de Eshnunna y nombró oficiales nuevos para alguna de las ciudades satélites, aunque también mantuvo a algunos gobernadores nombrados por su antecesor Ibal-pi-el, demostrando un gran pragmatismo.

Las relaciones entre Silli-Sin y Hammurabi no eran especialmente buenas. En todo caso, dado que en ese momento el objetivo casi único del babilonio era la conquista de Larsa, era prioritario llegar a algún tipo de alianza con Eshnunna; aunque también estaba claro que esa ciudad y sus territorios también serían objetivo de conquista en el futuro. La alianza implicaba un tratado entre las dos ciudades, y Hammurabi no envió bastantes propuestas de acuerdo, que Silli-Sin rechazó de forma sistemática. Durante este tiempo Hammurabi también intentó llegar a algún tipo de acuerdo pactado con Elam, muy poco después de derrotarla con su propio ejército, pero al final no lo logró.

Lo que sí que contribuyó a una mejor relación, aunque breve, entre Eshnunna y Babilonia fue el matrimonio de Silli-Sin con la hija de Hammurabi. Pero ni siquiera eso aseguró por completo una conquista fácil para Hammurabi de las ciudades norteñas. Su antiguo aliado, Zimri-Lim, deseaba ganar peso e influencia política, pero sobre todo quería que sus tropas regresaran, unas tropas que habían resultado claves para las victorias contra Elam y Larsa. Teniendo todo esto en mente, Zimri-Lim quiso aliarse con Eshnunna, y hasta llegó a proclamarla potencia dominante. Ambas ciudades intercambiaron numerosos regalos, y toda esa acumulación de desplantes finalmente llevó a un rabioso Hammurabi a declarar la guerra a ambas ciudades.

Dado que ya no podía contar con las tropas de Mari, Hammurabi alistó a soldados procedentes de Larsa. Ambos bandos empezaron a realizar preparativos de cara a la nueva guerra, y algunos documentos indican que Silli-Sin quería controlar la ciudad de Shitullum, un importante enclave en el río Tigris. También sobornó a dirigentes elamitas para que no se implicaran en la guerra, y azuzó a sus aliados, los gutu, a realizar ataques sorpresa contra el territorio de Larsa, recién conquistado por Babilonia. También pidió a los dirigentes del norte, todos ellos ahora vasallos de Hammurabi, que no cumplieran las obligaciones que habían adquirido con Babilonia. Esta acción incluyó también a Zimri-Lim, por supuesto.

Desgraciadamente no se tienen muchos detalles acerca de la batalla en sí misma, salvo el hecho de que Hammurabi ordenó el envío de 2.700 palas desde Eshnunna hacia Larsa, aunque ni siquiera se sabe con qué propósito, ni si estaba relacionado con la guerra. En cualquier caso, el resultado fue contundente: Hammurabi destrozó a Silli-Sin en 1762, también derrotó a los gutu y se hizo con el control total de Eshnunna.

De todas maneras, conviene explicar el tipo de control que Hammurabi ejerció sobre Eshnunna. La mayoría de las fuentes sugieren que actuó como una potencia externa, aunque concediendo una independencia nominal a la ciudad. Lo cierto es que o incorporó la ciudad a su reino, e incluso tuvo que sofocar una rebelión en 1756 a. C., lo hizo por medio de una inundación. El mejor ejemplo de su influencia sobre Eshnunna lo aporta el hecho de que incorporó a su reino la ciudad de Mankisum, un importante punto estratégico sobre el Tigris que conducía a Eshnunna y que en épocas anteriores ya había estado bajo su control. Y aunque la ciudad sufrió cierto declive y hubo bastante gente que la abandonó para establecerse en pueblos cercanos, no decayó por completo y se mantuvo relativamente estable durante el reinado de Hammurabi, y también después. También se desconoce lo que el destino deparó a Silli-Sin. Aunque está claro que fue derrotado con todas las de la ley, y probablemente murió poco después, no está claro si su muerte se produjo en batalla o después. En la propia Eshmunna no se han encontrado documentos, y los de ciudades cercanas como Mari tampoco aportan datos acerca de esa época.

En cualquier caso, fue una victoria muy importante para Hammurabi. Aunque no incluyera a Eshnunna en su reino, obtuvo paso franco hacia las regiones norteñas, lo que le permitió acometer nuevas conquistas sin impedimentos previos. El siguiente objetivo era Mari, pero antes de eso Hammurabi tenía otras cosas que hacer en el norte.

Relieve en terracota de la diosa Ishtar, Eshnunna, inicios del segundo milenio a. C.

Los reinos del norte y Hammurabi

En términos estrictamente geográficos, así como desde el punto de vista del bagaje histórico y cultural, lo que llamamos Mesopotamia Superior o del Norte era muy diferente de la del sur. Al fin y al cabo, en el sur de la región florecieron algunas de las ciudades más antiguas e importantes de la antigüedad, como Nippur, Ur, Uruk, Lagash, Kish, Larsa, Isin, Sippar y algunas otras. Fue la zona en la que surgió la escritura y la cultura cuneiforme, así como una religión muy completa y seguida. Por el contrario, las ciudades del Mesopotamia Superior o del Norte no alcanzaron ni de lejos ni la brillantez cultural ni el crecimiento de las del sur. Pese a ello, mantenían una vida muy activa, con animadas centros urbanos y cierto desarrollo cultural. En aquellos tiempos, la región recibía el nombre coloquial de Subartu, y fue ese nombre el que utilizó Hammurabi al hablar de la zona que pacificó gracias a su conquista.

La vida de las gentes del norte era bastante similar a la de sus vecinos del sur. Cultivaban la tierra, tenían granjas, pescaban y cuidaban rebaños para su sustento, construían ciudades con altas murallas y templos en honor de las deidades locales, y hacían listas con los nombres de sus reyes y sus logros anuales. Y, lo que es más importante, se involucraban en la política de la región tanto como sus vecinos del sur. Durante la época de Hammurabi, toda la zona septentrional de Mesopotamia estaba bajo el mando de Shamshi-Adad. Como ya se ha dicho, fue un dirigente tan importante que, a su muerte, dejó un vacío que hubo que llenar, y todos los reyes del sur con alguna aspiración de poder intentó hacerlo. Pero Shamshi-Adad no murió sin dejar descendencia. Su hijo mayor, Ishme-Dagan, fue coronado rey de la ciudad-capital de su padre, Ekallatum. El pequeño, Yashma-Adad, gobernaba Mari antes de la reconquista de esta ciudad por parte de Zimri-Lim. En el momento en el que Hammurabi inició sus campañas de guerra, Ishme-Dagan no era más que un príncipe local de escasa importancia, que gobernaba solo de murallas para dentro de Ekallatum. No obstante, como descendiente de un gran rey, no dejó de observar atentamente todo lo que se producía a su alrededor. Él fue uno de los dirigentes norteños que supieron calibrar el potencial de Hammurabi y decidieron apoyarlo. Evidentemente, Ishme-Dagan no siempre estuvo de acuerdo con las decisiones tomadas de Hammurabi, pero sí que ayudó a Babilonia cada vez que hizo falta y se lo solicitaron. Por ejemplo, mandó tropas para ayudar a Hammurabi en su lucha contra Elam en 1764 a. C., y mantuvo relaciones a lo largo de todo el enfrentamiento con Larsa. Es más que posible que esta ayuda se debiera al hecho de que Hammurabi lo "perdonó" tras ser acusado, eso sí, de forma indemostrable, de robar joyas y otros elementos del templo de Marduk, que deberían haber sido enviadas a Elam. Otro resultado de ese "perdón" de sus supuestas transgresiones fue el hecho de que a sus generales se les permitió participar en las reuniones secretas del consejo de Hammurabi, una cortesía que el rey babilonio no extendió ni siquiera a Zimri-Lim de Mari, un apoyo mucho más potente, pese a que mantuvo los ejércitos dentro de sus murallas. Los representantes de Zimri-Lim se lo notificaron, y las relaciones entre ambos reyes empezaron a deteriorarse, y con escasas posibilidades de recuperación.

Durante la ausencia de Ishme-Dagan, mientras estuvo en Babilonia ayudando a Hammurabi en sus campañas militares, el general elamita Atamrum (que también apoyó a Hammurabi en algún momento), conspiró con la nobleza local para dar el trono al hijo de Ishme-Dagan, Mut-Ashkur, y convertirlo en el nuevo dirigente de Ekallatum. Mut-Ashkur no tenía edad para gobernar, y tras la derrota de Elam, Ishme-

Dagan volvió a su ciudad natal y recuperó la corona. Extrañamente, su hijo no fue condenado a muerte por haberse prestado al golpe, como era lo habitual en esos casos pese al parentesco, y de hecho sucedió a su padre en el trono cuando llegó el momento.

Hammurabi era aliado de Ishme-Dagan, pero con el tiempo sus relaciones también empezaron a deteriorarse. A Ishme-Dagan no le gustó nada que tratase al rey de Mari mejor que a él, y sus mensajeros se lo dejaron muy claro al rey babilonio. Hammurabi respondió dejando muy claro que era decisión exclusivamente suya el trato que diera a cada cual, y que Ishme-Dagan tenía la obligación de tratar a Zimri-Lim como a un superior. Y también estaba el problema de Atamrum. Antes de este cruce de mensajes con Ekallatum, Hammurabi había recibido la ayuda de 300 hombres de Atamrum; la verdad es que no eran muchos, pero toda ayuda era buena. Los mensajeros de Ishme-Dagan también se lo dejaron claro a Hammurabi, pero él respondió que esas tropas, por su número, eran insignificantes, y que Ishme-Dagan seguía siendo un amigo y aliado, cosa que probablemente no era verdad, y tampoco le importaba demasiado.

Desde un punto de vista estrictamente pragmático, Hammurabi no estaba en condiciones de mandar tropas a Ekallatum. Corría el año 1763 a. C., y en esos momentos estaba centrado en la lucha con Larsa. Malgastar tropas con un dirigente de muy escasa importancia como Ishme-Dagan no le convenía. Sin embargo, la verdadera razón por lo que no lo hizo hay que buscarla en su relación con Mari. Zimri-Lim era un dirigente comparable con él términos de población, riqueza y experiencia. Aportar tropas que pudieran ser utilizadas para enfrentarse a Mari habría sido un suicidio político en unos tiempos tan turbulentos, así que mantuvo las distancias. En cualquier caso, cabe preguntarse si de verdad consideraba a Zimri-Lim un verdadero aliado y amigo. La cosa no está ni mucho menos clara.

En cualquier caso, Ishme-Dagan siguió buscando vías para enfrentarse a Mari y librase de la influencia de Hammurabi. Pidió ayuda a Eshnunna, que respondió positivamente, pero, en realidad, no hizo nada sustancioso. El rey de Ekallatum tenía problemas mucho peores que Mari o Babilonia, como por ejemplo en el distante reino de Turukkum, que se encontraba en Zagros, y con su dirigente Zaziya. Concretamente, Zaziya siguió hostigando al sucesor de Shamshi-Adad hasta que, en un momento dado, propuso un acuerdo. Como se podía esperar, el acuerdo era una trampa, y antes de darse cuenta, Ishme-Dagan tuvo que enfrentarse al saqueo de Ekallatum, a la pérdida de una ingente cantidad de mercancías, ganado, grano y, básicamente, cualquier cosa que los invasores fueron capaces de llevarse con ellos. Derrotado y sin apoyos, tuvo que dirigirse de nuevo a Babilonia y pedir ayuda a Hammurabi.

Pero Hammurabi ya había tenido suficiente. Durante su campaña contra Eshnunna, que terminó con una victoria decisiva, envió también un gran contingente de tropas, de hecho, decenas de miles de soldados a saquear y "pacificar" algunas ciudades y reinos menores del norte. Esas tropas cayeron sobre Ekallatum, Zalmaqum, Burunda, Kakmum y Turukkum. Seguro que algunos de esos nombres resultan familiares. Además de la propia Ekallatum, que Ishme-Dagan y sus descendientes siguieron gobernando incluso después de esta intervención punitiva del monarca babilonio, Zalmaqum había proporcionado ayuda unos años antes en la campaña de Elam. Turukkum era la ciudad en la que reinaba Zaziya, e incluso antes de convertirse en vasallo del rey de Babilonia, había reconocido las dotes de Hammurabi durante la refriega con los elamitas. En cualquier caso, Hammurabi insistió en pacificar la región por vía de la conquista, y el mismo año en que saqueó Mari, tomó el control directo de Qattara, una de las pocas ciudades que aún seguían bajo el mando de Ekallatum en ese momento. Depuso a su rey Ashkur-Adad y colocó en el trono a su cuñado, de nombre Aqba-Hammu. No hace falta más que leer el nombre para darse cuenta de su lealtad y subordinación a Hammurabi. Además, su título incluía la acotación de "servidor de Hammurabi", e incluso se refería de esa manera a sí mismo cuando escribía a su esposa Iltani. Tal lealtad se extendió también a su hijo Re'um-El.

Basándonos en su actividad durante esos años, parece claro que Hammurabi buscaba, entre otras cosas, aumentar su poder, y aunque no incluyera en su reino muchas de las ciudades saqueadas, sí que tenía influencia sobre ellas y contaba con su apoyo. Al igual que Eshnunna, otras ciudades del norte tenían ahora reyes-marioneta que estaban a expensas de lo que les ordenara Hammurabi, y los pocos que se rebelaron contra tal situación lo hicieron a costa de perder la vida.

En este ladrillo hallado en Ur se encuentra el nombre
de Ishme-Dagan. Actualmente está en Londres

El sometimiento de Mari

Después de todo lo ocurrido, era inevitable: tras varios años llenos de intrigas, derramamientos de sangre, alianzas rotas y enemigos que se volvían amigos, solo era cuestión de tiempo que Zimri-Lam y Hammurabi se batieran en duelo (no literalmente, por supuesto, ya que ninguno de los dos dirigentes entraba en el cuerpo a cuerpo durante las batallas).

Pero antes de referir a caída de Mari, es bueno saber de qué manera había llegado Mari a alcanzar la posición en ese momento que tenía en la región. Con sus siete siglos de antigüedad, Mari era una ciudad estratégicamente situada en mitad del valle del Éufrates. Debido precisamente a su situación, había recibido influencias culturales de varias culturas y tradiciones distintas, pero sobre todo de la propia Babilonia y de Asiria. De hecho, Mari era una ciudad bonita e inspiradora, tanto que Shamshi-Adad hizo de ella una de sus tres capitales. Y por eso, antes de morir, coronó rey a su segundo hijo, Yasmah-Adad, lo que en realidad equivalía dejarla a su suerte. Y su suerte fue que los rebeldes locales derrocaron del poder a Yasmah-Adad y los sustituyeron por Zimri-Lim.

Zimri-Lim decía ser hijo de Yahdu-Lim, lo cual podía ser factible dado el parecido de los nombres. Yahdu-Lim pertenecía a una dinastía que había gobernado la ciudad en el pasado, y eso implicaba que la aspiración de Zimri-Lim al trono tuviera una buena base. Lo que pasa es que, muy probablemente, el padre de Zimri-Lim era más bien

Hadni-Adad, miembro de una tribu, los Banu-Simal, que no tenía ninguna relación con los mariotas. En ese aspecto, Zimri-Lim y Silli-Sin eran dos personajes similares, dado que ninguno de los dos pertenecía a la nobleza, ambos se hicieron con el mando de una gran ciudad y también los dos resultaron ser buenos gobernantes. En particular, Zimri-Lim destacó tanto que no desmerece en absoluto de otros poderosos líderes de la época, como Ibal-pi-el II de Eshnunna, Rim-Sin I de Larsa e incluso el mismo Hammurabi de Babilonia.

Por lo que respecta a sus relaciones con Hammurabi, los dos líderes mantuvieron una activa correspondencia, al menos al principio de su relación, y dieron signos de buena voluntad mutua. Los tres hijos de Hammurabi de los que se tienen noticias, el mayor Samsu-iluna y los menores Sumuditana y Mutu-Numaha, visitaron Mari de forma regular, y se vaciaban casas y zonas enteras para acomodarlos a ellos y a sus séquitos.

Sin embargo, había un punto de roce que, con el tiempo se convertiría en la principal razón de los enfrentamientos finales entre Mari y Babilonia: la ciudad de Hit. Dicha ciudad era rica en betún, y estaba justamente en la frontera de los territorios de Babilonia y Mari. El bitumen era un material que utilizaba Hammurabi para recubrir el casco de sus barcos, y el control de Hit le permitiría un acceso sencillo a esa materia prima. Pero, por otra parte, para Mari Hit era una ciudad importante porque en ella celebraban el denominado "ritual del veredicto": si alguien era acusado de un delito concreto, esa persona, o alguien en su nombre, tenía que realizar una tarea en el Éufrates para demostrar su inocencia. Normalmente solía ser nadar un trecho en el río llevando cierto peso, o bien bucear. Fuera cual fuese la tarea, la cosa estaba clara: Si sacabas la cabeza antes de tiempo, o si te hundías, se demostraba que eras culpable.

Resumiendo, una de las ciudades quería la ciudad por cuestiones espirituales y de tradición, mientras que para la otra se trataba de pura practicidad. Cuando Elam era la potencia dominante, arbitraba en este tipo de decisiones. De hecho, en su momento favoreció a Mari, cosa que, como es lógico, sentó mal a Babilonia. De todas formas, no era cuestión de desobedecer el arbitraje e invadir la ciudad, ya que debía atender asuntos más importantes como, sin ir más lejos, prepararse militarmente para atacar a la propia Elam y acabar con su dominio sobre Mesopotamia. Y para ello necesitaban una alianza con Mari (así como a Larsa y a otras ciudades, como hemos dicho antes). Así que Hammurabi decidió dejar para más adelante el asunto de Hit, aunque mantuvo cierta presión al respecto con Zimri-Lim, que se negó sistemáticamente a ceder la ciudad. Zimri-Lim propuso un acuerdo a Hammurabi que implicaba que este dejara de pedir la anexión de Hit hasta acabar la guerra contra Elam, que estaba en su momento álgido. Hammurabi se limitó a eludir el asunto, mientras que Zimri-Lim, tras consultar a los adivinos, insistió en mantener la ciudad.

Durante las guerras contra Larsa, que tuvieron lugar poco después de la derrota de Elam, Zimri-Lim exigió que le fueran devueltas sus tropas, y Hammurabi no atendió la petición. Los dos dirigentes cada vez se fiaban menos el uno del otro, lo que se reflejaba en su política de alianzas. Hammurabi se enteró de que sus aliado Atamrum estaba ayudando a Mari a escondidas, y lo mimo pasó con las ciudades de Yamhad y Zalmaqum, ambas aliadas tanto de Mari como de Babilonia. La cosa llegó a un punto inmanejable cuando ambos monarcas intentaron aliarse con Silli-Sin de Eshnunna. A Silli-Sin se le planteó un serio dilema, pues por una parte era el marido de de la hija de Hammurabi, pero Zimri-Lim aceptaba gustoso ponerse a su mando si aceptaba luchar contra Babilonia. Hammurabi decidió entonces que era el momento perfecto de atacar tanto a Eshnunna como a Mari, acusando de traición a ambos dirigentes. Eshnunna cayó en el año 1762 a. C., y ya no había nada que pudiera detener a Hammurabi de su decisión de marchar contra Mari y conquistarla. Zimri-Lim permaneció atento a los movimientos de los babilonios gracias a los espías que había colocado en la corte. Además, para asegurarse de una potencial victoria sobre Hammurabi, consultó los oráculos, que fueron favorables. El tiempo demostró que esa respuesta favorable fue tan errónea como terrible para sus intereses.

Hammurabi atacó Mari tanto desde el sur como desde el norte, obligando a Zimri-Lim a adoptar una actitud defensiva. La ciudad fronteriza de Hanat fue atacada y saqueada por tropas al mando de dos generales que odiaban hasta la médula a Mari: Se trataba de Mutu-Haqdum y Rim-Adad. Ni que decir tiene que Hammurabi comandaba un ejército muy potente y numeroso, y muy probablemente formaban parte de él soldados procedentes de la propia Mari o de sus alrededores descontentos por la forma de gobernar de Zimri-Lim.

No hay crónicas acerca de la batalla final entre las dos ciudades, pero los resultados de la misma sí que se conocen, y muy bien: Hammurabi conquistó Mari en el año 1761 a. C. y derrotó a Zimri-Lim. Apenas sabemos nada acerca de los últimos días de la existencia del rey de Mari, que fue saqueada y de la que se obtuvieron grandes y valiosos tesoros, estatuas y otros objetos que fueron trasladados a Babilonia. También fueron destruidos los archivos reales. Es muy probable que esto último se realizara por razones puramente políticas, pero en cualquier caso resultó un auténtico desastre en términos históricos y arqueológicos, pues nos hemos quedado sin conocer los últimos cinco meses de la correspondencia entre Mari y Babilonia, y entre la ciudad saqueada y sus aliados, como Eshnunna y Yamhad. La última vez que se citó a Mari durante el reinado de Hammurabi fue dos años después de su conquista. Concretamente, en el año 1759 a. C., el rey de Babilonia tuvo que sofocar una revuelta de los mariotas, y lo cierto es que lo hizo de forma brutal, reduciendo a cenizas el palacio real y otros edificios. Aparte de eso, desconocemos el trato dado a Mari por parte de Hammurabi.

Restos del palacio de Zimri-Lim en Mari, hoy Syria

Capítulo 3 – El reinado de Hammurabi: Babilonia durante su reinado, y relaciones con otras ciudades

La Babilonia de Hammurabi

Como se ha dicho anteriormente, antes e incluso durante la primera etapa del reinado de Hammurabi, Babilonia solo era una ciudad menor de Mesopotamia. Ni siquiera era especialmente antigua, al menos si se la compara con otras. No es que cuatro siglos sean un corto espacio de tiempo, pero había ciudades bastante más antiguas. Mari, sin ir más lejos, en ese momento tenía 700 años.

El que apenas conozcamos datos de la historia de Babilonia anterior a Hammurabi es un indicio de la escasa importancia de la ciudad comparada con otras de la Mesopotamia de entonces. Incluso durante la época de los cinco primeros reyes de la primera dinastía de Babilonia, la ciudad no era otra cosa que un próspero puerto fluvial. Por lo tanto, no era raro que sufriera ataques e incursiones de otros pueblos. En términos culturales, religiosos y literarios tampoco había apenas nada que distinguiera a Babilonia de otras ciudades. Su panteón divino era muy semejante, y en algunos casos idéntico, al de otras ciudades, utilizaba la escritura cuneiforme y había adoptado las instituciones habituales de Mesopotamia Inferior. No obstante, desde el punto de vista étnico, los babilonios eran descendientes del pueblo amonita, que a su vez tenía orígenes semíticos, como los acadios y otras tribus menos numerosas de los alrededores, pero de una rama distinta del resto de los pueblos semíticos de la región. De hecho, es muy probable que el propio Hammurabi nunca llegara a sentirse un "babilonio" en el sentido puramente étnico, algo de gran importancia en aquella época, sino simplemente un amonita.

Y era precisamente el hecho de ser amonita el único rasgo que diferenciaba a Hammurabi del resto de los dirigentes contemporáneos a él. Sus conquistas, que se realizaron en un cortísimo lapso de tiempo, unos cinco años, lo puso en la cúspide y lo convirtió en el centro de todas las miradas. Naturalmente, la conquista de Mari no fue la última. De hecho, su potencia militar era tal que, al mismo tiempo que atacaba Mari, también lo hacía con otras ciudades y territorios menores. Alrededor del año 38 de su reinado dejó de guerrear y se centró en dotar de consistencia legal a los territorios conquistados, dotándolos de una administración de justicia; los investigadores y académicos se refieren a este año como el del encargo de su imperecedero código legal, aunque en realidad estamos muy lejos de poder darlo por exacto, Durante un corto periodo de tiempo, su reino fue extraordinariamente vasto, e iba a ser unificado por un único marco de derecho civil, establecido en el famosísimo Código de Hammurabi.

En sus años dorados, Hammurabi no se limitó a conquistar y legislar. De hecho, incluso antes de lanzar se a la conquista de Elam, dedicó mucho tiempo a reconstruir y construir templos en numerosas ciudades. También construyó y recuperó canales, incluida su obra magna al respecto, un canal al que se bautizó como "Hammurabi es abundancia", de unos 160 kilómetros y que pasaba por varias ciudades importantes como Ur, Uruk, Larsa, Isin, Nippur y Eridu.

La construcción de este canal, y de muchos otros después de él, disparó su popularidad entre el pueblo, y por supuesto contribuyó a la prosperidad de todos. Más irrigación significaba directamente más cosechas, y consecuentemente más alimentos. Además, aumentaron las facilidades para el transporte de mercancías y de personas por la vasta red de ciudades y territorios satélites de Babilonia. Igual que otros antes que él, Hammurabi intentó mantener contento al pueblo aumentando la disponibilidad de alimentos y la capacidad de desplazarse rápidamente para facilitar el comercio.

Babilonia se había convertido en el centro de un gran imperio. Otros centros de poder, como Larsa, por ejemplo, estaban regidos por gobernantes nombrados por el propio Hammurabi. La propia Larsa, a la que Hammurabi se refería casi siempre como Yamutbal, que era el nombre utilizado para toda la región, estaba bajo el mando de un babilonio llamado Sin-Iddinam, que ostentaba la mayor parte de los resortes de la autoridad, incluyendo la impartición de justicia en relación con las disputas territoriales y de lindes de fincas. Además, había un buen número de oficiales a su servicio, lo que indica una potente estructura de gobierno que garantizaba la efectividad del mando centralizado de Hammurabi.

Es importante matizar este aspecto de centralismo "efectivo", en contraposición con un poder abiertamente centralizado. No cabe duda de que Hammurabi fue el iniciador de una forma de estado y gobierno totalitaria y autocrática sobre muchos territorios heterogéneos, pero las ciudades bajo su control se sentían en realidad como entidades autónomas. Por ejemplo, la gente que vivía en Ur o Uruk nunca se consideraron "babilonios" durante el reinado de Hammurabi, sino exclusivamente ciudadanos de su urbe natal. Las razones de este sentimiento de autonomía son relativamente simples, y tienen que ver con el hecho de que la forma de relacionarse políticamente en las ciudades-estado de esa época llevaba funcionando desde hacía milenios e, históricamente hablando, esa forma de relación no tenía nada que ver con la que se da hoy día en nuestros estados o naciones. La religión era asimismo un factor clave, ya que cada ciudad tenía su propia deidad titular. Hammurabi tuvo esto muy en cuenta, por supuesto, y reedificó, reformó y enriqueció muchos templos dedicados a estas deidades específicas por toda la región y durante todo su largo reinado, incluyendo ciudades tan lejanas como Ur.

Además de reforzar los centros religiosos y nombrar como dirigentes a reyes vasallos, Hammurabi tenía otros planes con las ciudades. Siempre se preocupó por tener un ejército preparado para intervenir en cuanto hubiera necesidad de ello, por lo que, sobre todo en los cinco años de gran actividad conquistadora, los reclutamientos fueron constantes. Castigaba durísimamente a los desertores y recompensaba con largueza a los soldados leales. Incluso desarrolló un cuerpo legal relacionado con los soldados que tenían que abandonar el cuidado de sus tierras para ir a combatir, y es llamativo que se nombraba a sustitutos temporales para que las atendieran debidamente.

Por lo que se refiere a otras leyes, la preocupación principal de Hammurabi era que en los nuevos territorios se gobernara con justicia, lo cual implicaba necesariamente algún tipo de código legal unificado, o al menos un conocimiento a grandes rasgos de lo que los ciudadanos podían esperar del gobierno y su aplicación de la justicia. Este aspecto se analizará con detalle en el capítulo referido al Código de Hammurabi.

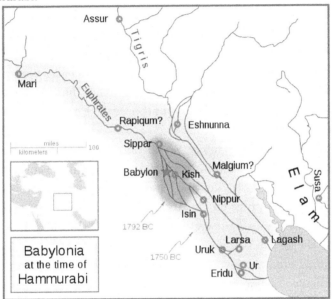

Mapa de Babilonia y de las ciudades vecinas gobernadas por Hammurabi

Babilonia y otras ciudades

Basándonos en lo que los arqueólogos e historiadores han descubierto gracias a diversas fuentes (nombres de años reales, sellos de cilindros, correspondencia oficial e incluso nombres de personas), se puede decir con cierta seguridad que el comportamiento de Hammurabi respecto a otras ciudades era, en el mejor de los casos, pragmático, y también, dependiendo de las situaciones concretas, incluso hasta hipócrita y engañoso. Probablemente la verdad, esté en el término medio, como ocurre casi siempre, y, con los medios de os que se dispone actualmente, es imposible averiguarla por completo.

Si nos fijamos en las ciudades-estado más poderosas de la época, no solo porsus dominios sino también por su tradición histórica, es decir, Ekallatum, al mando de Shamshi-Adad, Mari, con Yasmah-Adad o Zimri-Lim, Elam, cuyo rey era Siwe.Palar-Khuppak, la Eshnunna de Ibal-pi-el II y Larsa, gobernada por Rim-Sin I, podemos asumir que ninguna de ellas tenía lealtades enraizadas. Un hipotético aliado de Mari hoy podía convertirse mañana mismo en enemigo y decantarse por ayudar a Babilonia, para luego volver a aliarse con Mari al año siguiente y atacar a... ¡Babilonia!, que paradójicamente, también se alió con Mari. No son hipótesis, son hechos. Las alianzas duraban en general menos de un año, y a veces incluso menos de un mes, y las puñaladas traperas eran la norma. Resulta curioso ver que pasaba lo mismo con los dirigentes de ciudades de segunda fila, como las de Mesopotamia del Norte, que fueron conquistada por Hammurabi al principio de su mandato y le juraron lealtad tras su saqueo de Eshnunna y Mari.

Pero Hammurabi también era conocido por su política de reconstrucción de ciudades tras haberlas conquistado. También actuó sobre los templos de las deidades locales, y un ejemplo de ello es la reconstrucción de varios en Ur. Aunque es muy posible que esta forma de actuar tuviera únicamente la intención política de influir en la voluntad de los ciudadanos y dirigentes locales, también se sabe que Hammurabi era muy devoto, y se tomaba muy en serio el demostrarlo públicamente. El más importante para él era Marduk, como deidad local de Babilonia, su ciudad natal, pero también era muy devoto de Shamash, el dios del sol, así como de la diosa Ishtar.

Por supuesto, no solo construyó (y reconstruyó) templos. También liberó a los ciudadanos de sus deudas y estableció nuevos impuestos, dando cierto margen a los ciudadanos que adeudaban mucho dinero a los templos locales y a la nobleza. Por otra parte, puso las bases para que todo el mundo aumentara su riqueza al aumentar espectacularmente la eficacia de la red de canales de irrigación, arreglando muchos que hacía tiempo que no servían y construyendo muchos más. Un ejemplo muy claro del trato a los territorios conquistados fue lo que hizo con Larsa. Aparte de destruir las murallas, no saqueó la ciudad ni ejerció violencia de ningún tipo sobre sus ciudadanos. Por el contrario, gobernó desde esa ciudad durante las siguientes campañas e invirtió mucho dinero y mucho trabajo de sus hombres en mejorar sus equipamientos, lo que trajo nueva riqueza a la ciudad. El año siguiente a la conquista de Larsa transcurrió muy pacíficamente, pese a las inmediatas campañas militares.

En resumen, Hammurabi trataba bien a sus nuevos territorios, y dedicaba trabajo de manera abundante y meticulosa para mejorar su nivel, mientras que a sus vecinos los consideraba únicamente peones a los que utilizar para seguir con su expansión. En el siguiente capítulo indagaremos más acerca de lo que pensaba de sus aliados, pero podemos adelantar que, al menos en algunos aspectos, no se diferenciaba mucho de otros dirigentes de su misma época.

Capítulo 4 – Cómo era Hammurabi: aspecto físico, relación con otros dirigentes y rasgos se su personalidad

¿Qué aspecto tenía Hammurabi?

La respuesta breve es que no lo sabemos.

Pero este libro no se ha concebido para dar respuestas breves. Hay representaciones físicas de Hammurabi, sí, pero solo dos, y la verdad es que no dan excesivas pistas. La primera de ellas es un bajorrelieve que está en la parte superior del código legal que lleva su nombre. En él vemos a Hammurabi de pie, frente al dios del sol, que está sentado poniéndole el emblema solar. En la otra fuente de información, una inscripción votiva grabada en un bloque de caliza, Hammurabi mantiene esa misma postura devota. La pieza arqueológica procede probablemente de Sippar y es contemporánea a su reinado.

Ambas representaciones presentan imágenes demasiado insípidas y típicas. Son las clásicas representaciones de un dirigente rezándole a una deidad de manera muy formal. Los rasgos faciales no están marcados, con excepción de la enorme barba, que era muy habitual entre los dirigentes de la época y el lugar. De hecho, las representaciones de Hammurabi no difieren mucho de otros relieves de monumentos dedicados o encargados por otros reyes. En el lenguaje moderno, podríamos decir que lo que aparece en ambas piezas arqueológicas son como fotos de archivo de los reyes de la primera dinastía de Babilonia.

Durante mucho tiempo, el busto de un hombre, que ahora está expuesto en el Louvre, se conoció con el nombre de "La cabeza de Hammurabi". Por desgracia, esta escultura, bastante detallada, es anterior en varios siglos al rey que nos ocupa, por lo que resulta absolutamente imposible que lo represente.

Sus orígenes amonitas dan una pista acerca de su posible aspecto. Varias fuentes describen los rasgos característicos de los amonitas, entre ellas la Biblia hebrea. Al parecer, tenían un aspecto muy europeo, con la piel clara, ojos azules y pelo rojizo, y al parecer eran muy altos. Los egipcios los representaban con caras muy afilada y nariz aguileña, y la piel clara y la altura son una constante. Si Hammurabi era un amonita típico, probablemente su aspecto sería el descrito. Pero, una vez más, hasta que no se encuentre una representación de Hammurabi, procedente de una fuente contemporánea contrastada, no podemos estar seguros de nada.

Monumento votivo de Hammurabi, entre 1790 y 1750 a. C.

La personalidad de Hammurabi. Sus relaciones con los demás

Resulta frustrante el hecho de que no solo no podemos saber el aspecto físico de Hammurabi; tampoco conocemos sus actitudes, su filosofía personal, su carácter y sus patrones de comportamiento. En una palabra, no sabemos cómo era.

La forma de actuar más sencilla para averiguar algo es leer las fuentes de otros dirigentes que coincidieron con él. Por ejemplo, las cartas enviadas por sus propios emisarios, o por los de sus aliados, o incluso de sus oponentes. El problema de esto es la naturaleza misma de dichas misivas. Es altamente improbable que, en una carta de naturaleza diplomática, se transcriban las verdaderas intenciones y palabras de un dirigente. Es muy probable que hiciera saber a sus escribas los puntos clave que debía contener el mensaje y que estos lo redactaran y, aunque cumpliendo el objetivo de trasladar el contenido del mensaje a transmitir, probablemente omitirían, en aras de la diplomacia, detalles y actitudes cruciales que podrían dar a conocer la verdadera personalidad del rey. Por supuesto, Hammurabi no era el único rey que actuaba de esa manera, y por eso tampoco conocemos el verdadero carácter de Shamshi-Adad, Rim-Sin, Ibal-pi-el, Zimri-Lim, Silli-Sin, Ishme-Dagan, Samsu-iluna ni de ningún dirigente de la época que intercambiara mensajes diplomáticos con Hammurabi. Las cartas oficiales se "editaban" a fondo, y muy habitualmente contenían frases tópicas y grandilocuentes. Además, la obligación de un escriba era no traslucir jamás ningún aspecto negativo de su rey, y tampoco dar una buena impresión absoluta de su rival. Todo lo cual implica que tales cartas presentan a los dirigentes de forma inexacta, borrosa y, en dos palabras, absolutamente partidista.

De lo único que podemos hablar es de las razones más probables por las que Hammurabi actuaba como actuaba. A partir de sus reacciones en determinadas situaciones, como por ejemplo sus retrasos a la hora de firmar ciertos tratados, la falta de ayuda militar, o incluso el hecho de que se preocupara tanto de los aspectos legales relacionados con la tierra, podemos extraer algunas conclusiones. Al parecer, Hammurabi se implicaba mucho en los asuntos de estado, incluso más que otros dirigentes. Y esto haría de él un gobernante atento, diligente, implicado y astuto. Esta astucia también se desprende de la forma en la que se enfrentaba con los problemas diplomáticos graves, como por ejemplo a quién apoyar, y de qué forma. Sabía cómo jugar con sus oponentes, y no le daba ningún miedo utilizar tácticas dilatorias u ocultar sus intenciones para ganar posiciones, bien negociadoras, bien militares. Toda su correspondencia con Zimri-Lim o con Ishme-Dagan es un ejemplo perfecto de lo que hemos afirmado.

Un detalle que aparece bastante a menudo es que solía sufrir ataques de ira, como ocurrió cuando Isheme-Dagan lo toreó en lo que se refiere a sus relaciones con Zimri-Lim, o la forma de reaccionar, aliándose con los enemigos del otro dirigente. Aunque tales reacciones probablemente se hayan exagerado y hasta pudieran considerarse difamatorias, pues la mayor parte de las veces proceden de crónicas de embajadores y siervos de Zimri-Lim mientras estaban en Babilonia y acudían a reuniones privadas, no resultaría raro que Hammurabi tuviera reacciones emocionales de vez en cuando.

Hammurabi tenía también mucho respeto por la religión, lo que incluía la práctica de aruspicina, es decir, la lectura de las entrañas de los animales para predecir el futuro. Fue uno de los muchos dirigentes que consultó a los arúspices y a los sacerdotes de los templos acerca de los augurios relativos a algunas situaciones. La práctica habitual era sacrificar una cabra y leerle las entrañas. Debemos insistir en que esta práctica era muy habitual en todos los dirigentes mesopotámicos, y sobre todo en Zimri-Lim, que tanta relación tuvo con el rey babilonio, pero en el caso de Hammurabi, las prácticas religiosas eran más intensas, o al menos eso parece.

En lo que se refiere a su vida privada, se sabe que tuvo muchas esposas, y de ninguna de ellas conocemos ni siquiera el nombre, por cierto, y que tuvo al menos tres hijos. El mayor, Samsu-iluna, heredó el imperio y seguramente fue el último gobernante babilonio que mantuvo tanto territorio. Todos sus hijos fueron a Mari en diversas ocasiones, lo que demuestra hasta qué punto se implicaba Hammurabi en lo que se refiere a las alianzas con toras ciudades-estado (o, para ser más precisos, hasta qué punto parecía implicarse).

Capítulo 5 – El Código de Hammurabi y las antiguas leyes de Mesopotamia

No cabe discusión alguna con respecto a Hammurabi cuando se habla de su extraordinario legado a las siguientes generaciones, su famoso Código de Leyes. Se ha hablado sobre este monumento, se ha analizado hasta la extenuación, se ha citado, muchísimos expertos han discutido acerca de él, no solo en derecho, sino en muchos otros campos... En fin, no es exagerado decir que es una de las obras más estudiadas de Edad Antigua.

Descubrimiento del código

Durante el invierno de 1901 y 1902, un equipo de exploradores franceses, dirigidos por Jacques de Morgan realizaba excavaciones en Susa, la antigua capital de Elam. Uno de los arqueólogos del equipo, un egiptólogo llamado Gustave Jéquier, encontró una enorme estela que contenía las leyes. Estaba rota en tres pedazos, pero parecía que se podían unir con cierta facilidad. Tras hacerlo, el equipo se la llevó y, con cierto esfuerzo, otro miembro de la expedición llamado Jean-Vincente Scheil, lo tradujo y publicó dicha traducción en 1902. Desde entonces han aparecido bastantes traducciones más, e incluso hay réplicas de la estela en universidades de todo el mundo.

Las características de la estela

La estela que contiene el código es de diorita negra que supera por poco los 2,2 metros de alto. En la cúspide hay un bajorrelieve de Hammurabi en postura de oración, y sentado frente a él se encuentra el dios del sol, Shamash, que le está entregando la insignia real, lo que nos informa de que el dirigente cuenta con el favor de los dioses a la hora de impartir justicia en la tierra. Se ha especulado con que el dios podría ser en realidad Marduk, pero la iconografía de la deidad sedente se corresponde con Shamash, que está concediéndole a Hammurabi su favor. Además de eso, incluso en la época sumeria Shamash, o Utu, era el dios de la justicia, por lo que tiene bastante más sentido que sea él el que presida la estela. Y, para terminar, Hammurabi adoraba a Shamash tanto como a Marduk, y reconstruyó y construyó muchos templos dedicados a él por todo el reino.

El bajorrelieve con las dos figuras ocupa apenas la cuarta parte de la estela. El resto de la misma está absolutamente llena de columnas de escritura cuneiforme, en las que probablemente se detallan casi 300 leyes. Y decimos probablemente porque falta una buena parte de ellas, que fueron borradas por un gobernante posterior que intentó añadir las suyas propias. Esa era una práctica que Hammurabi tuvo en cuenta a la hora de encargar sus estelas. Pese a ese enorme hueco, se puede decir sin temor a equivocarse que este monumento es uno de los textos más antiguos que se han traducido, y también uno de los mejor conservados. Si lo comparamos con el Poema de Gilgamesh, se han tenido que utilizar distintas fuentes procedentes de varias ciudades de la antigüedad, a veces situadas a cientos de kilómetros de distancia, para interpretar las partes que faltan del poema épico, y todavía falta mucho trabajo.

El Código de Hammurabi; la parte superior muestra al rey
babilonio de pie frente al dios del sol, Shamash

La composición del código

Muy posiblemente, lo más interesante del código sea su estructura. No necesariamente se lee como un simple código legal si se tienen en cuenta el prólogo y el epílogo.

El código se divide en tres secciones diferentes. Las dos mencionadas en el párrafo anterior, el prólogo y el epílogo, están escritas en forma de poemas y ambas con un lenguaje de exaltación. La parte media contiene las leyes, en general de contenido civil. Los historiadores suele clasificarlas en función de las materias que tratan, que son las siguientes: procedimientos legales y judiciales, delitos contra la propiedad, temas relacionados con bienes raíces, acuerdos y negocios financieros, herencias y matrimonios (sobre todo lo que afecta a las mujeres), agresiones, tasas profesionales y responsabilidades de los que las cobran, cuestiones agrícolas, tasas de alquiles y esclavitud. Por supuesto, gran parte de las leyes, unas 40 más o menos, han sido borradas, que están entre las que se refieren a los bienes raíces y las referidas a negocios financieros, por lo que no podemos saber con exactitud qué era lo que contenían; no obstante, teniendo en cuenta los temas entre los que se encontraban, no es arriesgado pensar que tuvieran que ver con las que están antes y después.

Estratificación social en Babilonia

Antes de hablar del propio código, hemos de referirnos a un tema importante, que tiene que ver con las clases sociales en la Babilonia de Hammurabi. Las tres clases sociales que se citan en los escritos son los *awilum*, los *mushkenum* y los *wardum*. Resulta difícil de entender lo que eran cada una de ellas sin conocer el contexto de la vida en Babilonia, e incluso con esa información las diferencias tampoco resultan fáciles de discernir. Los *wardum* eran esclavos, pero no en el sentido habitual del término. En teoría, un esclavo podía comprar su libertad o incluso ganársela, y el término incluso podía hacer referencia a un hombre que tuviera una deuda con otro y que, por ello, se pusiera a su servicio durante un periodo de tiempo limitado. La de los *mushkenum* seguramente es la más difícil de explicar, ya que incluía a los hombres libres que trabajaban en palacio, pero que podían utilizar en usufructo las propiedades del rey aún sin ser dueños de ellas. En otras palabras, podían trabajar con ellas y obtener sus frutos si eran tierras, pero debían cuidarlas para no destruirlas ni dañarlas, y, por supuesto, no las podían dejar en herencia. Los *awilum* eran terratenientes que no tenían necesidad de alquilar nada ni rendir cuentas a ninguna autoridad superior en lo tocante a sus propiedades. Estas dos últimas clases sociales resultan problemáticas en el sentido de que las diferencias entre ellas no estaban del todo claras, o al menos no se citan en las fuentes disponibles. Lo cual resulta frustrante porque las leyes del código dependían mucho del nivel de la jerarquía social al que pertenecieran el acusado y el acusador.

Capítulo 6 – Análisis del código

Como ya se ha dicho, a lo largo del siglo pasado se hicieron múltiples traducciones del Código de Hammurabi. La que vamos a utilizar aquí es la realizada por Leonard William King en 1915. Aunque existen otras más modernas y detalladas, esta es la más citada de todas.

El prólogo

El Código de Hammurabi comienza empieza con un extenso poema que habla de sus logros, el favor de los dioses hacia él y las tierras sobre las que gobierna. Las líneas iniciales son tan predecibles como cabía esperar. Al principio se invoca a los dioses de Mesopotamia, incluyendo a "Anu el sublime" y a sus "Anunnaki", es decir, a los hijos de Anu, Bel (señor de los cielos y de la tierra), Marduk, Ea y otros muchos, indicando que hicieron grande a Babilonia desde el principio. Por supuesto, estos mismos dioses eligieron a Hammurabi como el líder adecuado y honrado de todas las personas que vivían entre los dos ríos. Según los dioses, su labor era ser "como Shamash", e "iluminar la tierra" para el continuo bienestar del género humano.

La invocación a la voluntad de los dioses a la hora de justificar el derecho de un rey a gobernar la tierra era moneda común en la Mesopotamia de la época. Con estas líneas Hammurabi indica en pocas palabras que los dioses habían escogido su ciudad, Babilonia, para que se convirtiera en la más importante, y también como se escogió a Marduk también como el más importante de los Anunnaki o Igigi (ambos términos son sinónimos) y, finalmente y por supuesto, como se escogió a Hammurabi para actuar como árbitro de la justicia en tan importante ciudad en nombre del también importante dios. Conviene tener en cuenta que, en la antigua Mesopotamia, Anu es el dios padre creador de toda la vida, por lo que Hammurabi está afirmando sin lugar a dudas que fue escogido por el dios de dioses para propagar la justicia entre los hombres.

Pero Hammurabi se presenta con la suficiente humildad como para no parecer arrogante. Deja caro que sus leyes se han escrito "para que los fuertes no dañen a los débiles", y que su objetivo, además de afectar a los "cabezas negras" (los habitantes de Mesopotamia, aunque previamente esta expresión hacía referencia específicamente a los sumerios), es llevar la honestidad a la tierra y destruir el mal. En pocas palabras, su objetivo es noble.

Después hay un auténtico aluvión de texto que detalla todo lo que hasta ese momento había hecho en la vida. Reparaciones en muchos templos y canales. Reconstruido y enriquecido ciudades como Nippur, Eridu, Babilonia, Ur, Sippar, Larsa, Uruk, Isin, Kish, Kutha, Borsippa, Dilbat, Kesh, Lagash, Girsu, Adab, Akkad, Ashur y Nínive, e incluso aporta una lista de los templos arreglados en cada una de ellas, y de las deidades que los habitan. Tampoco resulta sorprendente que se denomine a sí mismo como "el rey de las cuatro zonas" y "el rey de las tierras de Sumeria y Acadia", pues ese fue el título que llevaron muchos gobernantes anteriores a él, tanto los que lo merecían por derecho como los que lo incluyeron solo para alimentar su ego, pese a no poseer apenas territorios salvo alguna ciudad estado. En su caso, los títulos sí que se ajustaban a la realidad.

Hammurabi no quería bajo ningún concepto que su importancia y capacidad a la hora de impartir justicia quedaran en entredicho, y termina el prólogo con las siguientes palabras:

"Cuando Marduk me envió para gobernar a los hombres, para proteger el derecho a la propiedad de la tierra, así lo hice con rectitud..., y dio lugar al bienestar de los oprimidos".

Código de leyes de Hammurabi, en versión reducida, sobre una estela de terracota hallada en Nippur (1790 a. C.). Actualmente en Londres

El código en sí mismo

La versión que se ha utilizado para este libro contiene 282 leyes, de las cuales faltan alrededor de 40. La mejor manera de revisarlas es hacerlo una por una, seguidas, ya que en bastantes casos una ley se basa en la anterior.

Las cinco primeras leyes se refieren a los procesos judiciales en Babilonia, y la primera de todas expone un principio universal del derecho que siempre se ha repetido en la historia de la humanidad:

1. Si alguien imputa a otro haber cometido algún delito, pero no puede probarlo, aquel que hace la imputación será condenado a muerte.

En efecto, esa primera ley se refiere a la presunción de inocencia. Incluso en aquella época tan antigua los legisladores que una persona debe ser considerada inocente mientras no se demuestre lo contrario, y no resulta sorprendente que este principio fuera el primero que quería poner de manifiesto Hammurabi.

Es importante prestar atención a esta ley en particular, sobre todo teniendo en cuenta que el actual clima político parece evadir el hecho de todo el mundo es "inocente mientras no se demuestre lo contrario". Este postulado ha estado vigente desde los albores de la humanidad, y por ello es lógico que el derecho a un juicio justo sea uno de los derechos humanos más importantes. Evidentemente, el castigo que se establece para la transgresión es bastante duro, pero también es cierto que no difiere demasiado del castigo que acompaña a la violación de la mayoría de las leyes del código, incluyendo la siguiente:

2.- Si alguien hace una acusación contra un hombre, y el acusado se va al río y salta al río, en el caso de que se hunda en el río su acusador tomará posesión de su casa. Pero si el río demuestra que el acusado no es culpable, entonces quien ha hecho la acusación será condenado a muerte, y el que sobrevivió al río tomará posesión de la casa que había pertenecido a su acusador.

Una vez más encontramos en acción el ritual del veredicto del río, el mismo que los mariotas utilizaban en la ciudad de Hit. La compensación a cada una de las partes es muy grande y estricta, pues en cualquier caso uno de los dos morirá, y el otro se hará con las propiedades del muerto.

Teniendo en cuenta el periodo histórico, se puede decir que la pena capital era bastante utilizada, y dado que estas dos leyes se refieren a la presunción de inocencia (a su manera, por supuesto), nos damos cuenta de hasta qué punto los babilonios se tomaban en serio el concepto.

Las dos siguientes leyes son ejemplos de cómo una ley se construye sobre otra, y se trata de algo que se repite docenas de veces a lo largo del código.

3.- Si alguien hace una acusación ante el consejo de ancianos, pero no prueba dicha acusación, en caso de que el delito alegado sea capital, será condenado a muerte.

4.- Si demuestra su acusación y los ancianos imponen una multa, a pagar en grano o en dinero, recibirá la multa correspondiente al delito.

Seguimos con el concepto de la presunción de inocencia, pero nos encontramos por primera vez con una referencia a un posible proceso legal, y más concretamente a un "consejo de ancianos". En la antigua Mesopotamia, la mayoría de los asuntos y disputas legales y militares debían dilucidarse ante dos consejos, uno formado por ancianos y otro formado por hombres jóvenes, aunque importantes de la ciudad. Y una vez más nos encontramos en una de las leyes con la pena de muerte como castigo. Pero también vemos una posible resolución si ocurre lo contrario, y es que el consejo obligará a que se le pague al acusador lo que corresponda.

La siguiente ley es la última que se refiere a los procedimientos legales, y hace referencia a los jueces.

5.- Si un juez juzga un caso, toma una decisión y presenta su veredicto por escrito; si en el futuro se demuestra que en dicha decisión hay un error, y que ese error solo puede achacarse al juez, entonces pagará doce veces la multa que impuso en el caso, y será expulsado del banco de los jueces, y nunca volverá a sentarse en él para juzgar y dictar sentencia.

Babilonia tenía jueces, y en general eran gobernadores o militares escogidos por el propio rey. Generalmente decidían sobre asuntos de escasa importancia que no requerían la atención del propio Hammurabi, pero teniendo en cuenta que muy a menudo revisaba asuntos de toda índole, siempre estaban obligados a realiza run trabajo impecable, pues de lo contrario serían castigados con severidad. En cualquier caso, como comprobamos gracias a esta ley, la pena no era la muerte, sino una compensación y la expulsión.

Estas cinco leyes constituyen las bases del derecho en Babilonia, y no son tan específicas como todas las que las siguen. Nos sirven de ejemplo de hasta qué punto estaba Hammurabi comprometido con la verdad y la justicia, o más concretamente, con la verdad *en* la justicia.

Las siguientes veinte leyes se refieren a delitos contra la propiedad, y cada una de ellas están incluidas en su propia categoría. Por ejemplo, las leyes 6 a 14 se refieren al robo, sea de animales, de mercancías o incluso de personas. Robar en un templo o en la corte acarreaba la pena de muerte, pero no solo al ladrón, sino a la persona que recibiera de él lo robado (6); el mismo destino aguardaba a quien robara plata, oro, esclavos de ambos géneros, ovejas, bueyes, asnos o cualquier otra cosa a alguien sin testigos ni contrato de por medio (7). Robar ganado del templo obligaba al ladrón a pagar treinta veces lo robado, aunque solo diez veces si el ladrón era un hombre libre (8). Naturalmente, si no podía pagar lo que le esperaba era la muerte. La cosa era algo más complicada si alguien perdía algo y otra persona lo encontraba. La ley 9 establece que si la persona decía que un mercader había vendido el producto y había testigos, dichos testigos, así como el mercader, debían concurrir al proceso. Y el dueño también estaba obligado a acudir al proceso con sus propios testigos, por si podían asegurar que la propiedad perdida, o robada, realmente le pertenecía. Era el juez el que debía establecer quién estaba diciendo la verdad. Si el mercader era el ladrón se le condenaba a muerte, y al hombre se le devolvía su propiedad, mientras que el comprador del artículo robado recibía una indemnización que salía del patrimonio del mercader. Las tres leyes siguientes, es decir, la 10, la 11 y la 12 (falta la 13) son extensiones de la 9. Si el comprador del objeto robado no podía aportar testigos de la compra, era él el acusado de robo y el condenado a muerte. Y si era el supuesto propietario el que mentía, le aguardaba el mismo destino. En cualquier caso, cada una de las partes tenía alrededor de medio año para aportar testigos, y si alguno de los dos no lo lograba, se establecía una doble culpabilidad y ambos eran condenados a muerte.

La ley 14 es diferente de las anteriores, aunque también está relacionada con el robo. Establece que el que robe a "un hijo menor" será condenado a muerte. No se detallan las posibles circunstancias tanto como en las anteriores, pero encaja bien con el concepto de que el robo debe castigarse con la muerte, y en eso sí que se asemeja a las otras.

Robar era un crimen mayor, pero robar algo de un templo todavía lo era más. Los templos se consideraban las moradas de los dioses, y las estatuas que había en su interior no eran una mera "representación" de los dioses, sino los dioses mismos, que se manifestaban en la tierra. Por tanto, llevarse una propiedad de un templo era en realidad como robar a los mismísimos dioses, y le seguía la pena de muerte, por supuesto, Quien recibía y aceptaba como regalos objetos robados de los templos, o bien los compraba, también era condenado a muerte.

Por supuesto, ovejas, ganado vacuno, bueyes, burros, grano, estatuas, esclavos de ambos sexos y cualquier cosa que tuviera cierto valor eran las mercancías protegidas contra el robo. De todas formas, hay una discrepancia en lo que se refiere a las clases sociales; un ladrón tenía que pagarle menos a un hombre libre que a la corte o a un templo, lo que significa de hecho que la justicia favorecía a los ricos. Sin embargo, a quien no favorecía en absoluto era a los delincuentes.

Una vez más nos encontramos con el tema de los falsos testimonios, pero en este caso en relación con las propiedades perdidas y encontradas por alguien que no era su dueño. También entra en el asunto de buscar testigos y llevarlos a la corte, y de los tiempos que debe durar todo el proceso legal.

El robo y la huida de esclavos es el tema del que tratan las seis leyes siguientes. La ley número 15 establece que los que se lleven fuera de la ciudad esclavos pertenecientes a la corte o de un hombre libre serán condenados a muerte. Lo mismo ocurriría con quien recibiese a esclavos huidos y no avisase a las autoridades de lo que había pasado. Quedarse con esclavos huidos tenía las mismas consecuencias que robarlos (16).

Por supuesto, se establecían recompensas para aquellos que encontraran esclavos huidos y se los devolvieran a sus amos. La recompensa por ello eran dos siclos de plata (17. El siclo era una antigua moneda con un peso determinado; actualmente las monedas hebreas siguen llevando ese nombre). Pero también había veces en las que los esclavos se negaban a decir quién era el amo del que habían huido, lo que implicaría una investigación (18). Erra palacio quien se encargaba de ella, y si se encontraba al amo, los esclavos debían volver con él. Por supuesto, quedarse con los esclavos que se habían encontrado comportaba la pena de muerte (19), lo cual es una redundancia en la ley, puesto que una anterior ya establecía ese castigo por el mismo delito. Pero había un aspecto por el que el hallazgo de esclavos podía implicar librarse del terrible castigo. Si el esclavo huía también del hombre que lo había encontrado, lo único que tenía que hacer para librarse era jurarles a los dueños que el esclavo había escapado (20).

Se trata de un grupo de leyes bastante interesante ya que es el primero que se refiere directamente a los esclavos, y nos muestra cómo los veían los babilonios. Ayudar o colaborar con un esclavo huido, al igual que liberar a alguno sin el permiso expreso de su amo, se castigaba con la pena de muerte. Y, por el contrario, devolverlo podía significar recibir una buena recompensa del amo. Lo que parece una paradoja y un resquicio forma parte de la propia ley, concretamente que el esclavo podía huir y que la persona de la que huía solo tenía que jurar a su dueño que lo había hecho. Es lógico imaginar que este resquicio legal se usase para liberar esclavos en la Babilonia de la época: después de todo, lo único que había que hacer para salvar la vida era jurar que el esclavo se había librado de ti y que había huido.

Las cinco últimas leyes de esta sección se refieren a los allanamientos y los robos. La ley 21 establece que, si alguien abre un hueco en casa de otra persona con objeto de realizar un robo, se lo podía matar en el sitio. Los ladrones que cometían sus fechorías sin "hacer agujeros en las paredes" también eran condenados a muerte, según establece la siguiente ley. Sin embargo, con la ley 23 vemos lo que pasaría si el ladrón, por lo que fuese, se escapara sin ser capturado: toda la comunidad local tendría que asumir una compensación por las mercancías robadas, y la persona que había sufrido el robo tenía que hacer un juramento ante los dioses indicando el importe de lo robado. Por los esclavos robados, la ley 24 establece que la comunidad y alguien más (no sabemos quién, dado que el código está dañado en esta zona específica) debía pagar una mina de plata al amo del esclavo robado y a su familia cercana (una mina era otra unidad monetaria que se utilizaba mucho en la antigua Babilonia, y que pesaba 0,57 kilos). Curiosamente, la ley 24 se refiere al fuego, pero no a la pérdida de propiedades por causa de las llamas, sino a la gente que se dedica a robar cosas mientras se está apagando un incendio. Cualquier persona que robara algo durante tan horrible suceso sería arrojado a las llamas como castigo, hay que decir que bastante severo.

La mayor parte de estas leyes pueden relacionarse con todo lo que ya se ha dicho acerca de los castigos por robar. En efecto, hacerse con algo que era propiedad de otra persona se castigaba con la muerte, y lo mismo ocurría con el que allanaba la morada de otros. Pero el detalle interesante tiene que ver con lo que ocurría cuando no se detenía al autor. Aunque falta una parte de esta sección, no es difícil inferir que la comunidad estaba obligada a compensar al que había sufrido la pérdida, fuera esta de bienes materiales o de esclavos. Lo cual parece una forma interesante de prevenir los robos: si todos los miembros de la comunidad tenían que pagar por lo que hacían los ladrones, nadie se atrevería a cometer robos, pues o bien tendrían que contribuir a pagar o bien, de ser capturado, sería condenado a muerte.

También sorprende lo específica que es la ley cuando el robo se comete durante un incendio. Precisamente por esa especificidad se puede asumir que los incendios y los allanamientos y robos durante los mismos se producían a menudo, y que por eso había que hacer algo al respecto desde el punto de vista legal. Ni que decir tiene que la forma del castigo está en la línea de crueldad que hemos visto hasta ahora.

El siguiente tema es el de los bienes raíces. Nada menos que 27 leyes se refieren solo a la propiedad de la tierra. Según la primera de ellas, ni un general ni un soldado raso estaban obligados a ir a la guerra en persona, ya que podían pagar a un mercenario para que fuera en lugar de ellos. No obstante, si una vez terminado el conflicto bélico el mercenario no era compensado, el que lo había contratado era condenado a muerte, y su propiedad se transfería al mercenario.

Las leyes 27, 28 y 29 se refieren a los hombres capturados durante la guerra. Si regresaban, el hombre que se había quedado al cargo de la propiedad y la había mantenido activa debía devolverla. O, alternativamente, podían mantenerla el hijo o la madre. Las leyes 30 y 31 establecen los términos temporales del mantenimiento de las propiedades: si el propietario original volvía dentro del plazo de un año, recuperaría la propiedad, pero si regresaba a los tres años o más, la propiedad pasaba al contratado para mantenerla. En la ley 32 se establece que un hombre comprado en batalla por un mercenario no podía comprar su libertad a cambio de sus tierras. O bien tenía que pagar por ella o bien permitir al templo o a la corte que lo compraran. Además de estas, otras dos leyes se refieren a los mercenarios y a los prisioneros de guerra, pero están demasiado dañadas y no se pueden entender.

Las leyes que se referían a las propiedades concedidas por el rey eran clarísimas respecto a la posibilidad de que fueran vendidas a un tercero. La ley 35 dice que cualquiera que comprara ovejas o vacas regaladas por el rey a los jefes de tribu perdería el dinero. La siguiente ley se refiere a los campos, jardines y casas de cualquiera, fuese noble u hombre libre, que las tuviera alquiladas. Esas propiedades no podían venderse. De hecho, la ley 37 dice específicamente que cualquier tabla contractual que incluyera lo contenido en la ley anterior debía romperse, lo que significaba la anulación de hecho de dicha compra. Es el equivalente a romper un contrato hoy en día, o meterlo en una trituradora de papeles. La persona que hizo la venta perdería el dinero y lo vendido pasaría de nuevo a los antiguos propietarios.

Resulta bastante extraño el hecho de que ni los nobles ni los hombres libres pudieran vender abiertamente sus propiedades, y que, si lo intentaban, se les devolvería el dinero sin completar la transacción. Tendría las mismas dificultades a la hora de asignar la titularidad de sus propiedades a una familiar, por ejemplo, la esposa o una hija, a no ser que compraran propiedades adicionales, o si se las vendían a un funcionario real. La ley 38 insiste en ello, y resalta que la titularidad de campos, jardines y casas nunca debe pasar a una esposa, una hija o a cualquiera que no pertenezca a la casa. Pero la cosa cambia si la titularidad de esos bienes se había comprado y mantenido en propiedad. En otras palabras, se podía actuar libremente con cualquier propiedad nueva o "hipotecada", y se podían ceder a familiares del sexo femenino. Lo mismo ocurría cuando se trataba de vender dichas propiedades a miembros de la familia real o a otros nobles. Ambas posibilidades, es decir, cederlas a mujeres o venderlas a la nobleza, son las que se describen en las leyes 39 y 40.

Queda claro que la propiedad era un tema relevante en la Babilonia de Hammurabi, y de ahí que resultara tan complicado obtenerla y venderla. Tampoco sorprende que la corte real manejara todo lo relacionado con la propiedad privada, y fundamentalmente la concedida por el rey.

Las leyes siguen con estos temas, como el vallado de campos (41), la forma de tratar a las personas que no trabajaban bien los campos (42), o no lo hacían a tiempo (43) o no eran capaces de transformar en productivo un campo después de habérseles ofrecido otra alternativa (44). Todas esas leyes establecen compensaciones y castigos, en grano y en fuerza de trabajo obligada. En otras palabras, si no le sacas partido a la tierra, deberás pagar una multa al dueño y, en cualquier caso, tendrás que volver a trabajarla.

La ley número 45 se refiere a los daños causados por las fuerzas de la naturaleza. Un propietario podía alquilar sus tierras a un agricultor a un precio fijo y recibir su renta, pero a su vez, el mal tiempo (causado por los dioses, por supuesto) podría arruinar la cosecha. En tal caso el agricultor sería declarado responsable de los daños. Como suena.

Evidentemente, esto era algo funesto para el agricultor, ya que la solución a una tormenta, una inundación, un huracán o lo que fuera que destruyera la cosecha estaba absolutamente fuera de su alcance. No obstante, los agricultores si el propietario no cobraba una renta fija por la cesión de la tierra (46); en ese caso, propietario y agricultor se repartirían el grano que se obtuviera. Los propietarios de los campos no podían quejarse si eran otros los agricultores que trabajaban su campo, y no aquel al que se lo había alquilado en origen (47), siempre y cuando obtuviera la parte del grano que le correspondía.

En la ley número 48 vuelven las tormentas, pero en este caso como una circunstancia beneficiosa. Concretamente, si una persona tenía una deuda y el grano que había cosechado para pagar la deuda resulta destruido o inundado por el mal tiempo, o incluso porque el suelo fuera pobre, el acreedor le tenía que perdonar la deuda, y la "tabla de deuda", es decir, el documento oficial que estipulaba los términos de la misma, debía "limpiarse con agua". Así pues, ese año la propiedad explotada por el agricultor estaría libre de rentas.

La condonación de deudas y prestamos era el pan nuestro de cada día de todos los gobernantes de Mesopotamia ya desde los primeros reyes sumerios. El tener una ley que regulara las anulaciones de deudas era un avance estratégico, puesto que dejaba claro desde el inicio a los súbditos que había situaciones que podían quedar fuera de su control, y que aportaban una buena excusa para no pagar deudas.

Las últimas cuatro leyes de esta sección hablan de la obtención de dinero de manos de un comerciante y de la devolución de dicho dinero en forma de grano al mercader, pero hay detalles interesantes en ellas:

49. Si alguien recibe dinero de un mercader y le da al mercader un campo cultivable de maíz o sésamo y le ordena plantar maíz o sésamo en el campo, y recoger la cosecha; si el cultivador planta maíz o sésamo en el campo, en el momento de la cosecha el maíz o el sésamo pertenecerán al dueño del campo, que pagará la renta del dinero que recibió del mercader en maíz, y también le pagará el sustento del cultivador al mercader.

50.- Si da un campo de maíz o de sésamo, el maíz o el sésamo del campo pertenecerán al dueño del campo, y devolverá el dinero al mercader como renta.

51.- Si no tiene dinero para pagar la renta, pagará en maíz o sésamo en sustitución del dinero que recibió del comerciante, según las tarifas reales.

52. Si el agricultor no planta maíz o sésamo en el campo, el contrato de deuda no decae (es decir, sigue en vigor).

La mayor parte de la gente sabe que en Mesopotamia no había maíz, dado que se trata de una planta procedente de América. El "maíz" al que se hace referencia en estas leyes en realidad indica grano en general (la traducción utilizada falla en ese aspecto). A partir de estas leyes nos damos cuenta de que el dueño de un campo cultivable tenía diversas posibilidades a la hora de pagar sus deudas al mercader que le prestara dinero, y que casi todas ellas hacían referencia al grano del campo que produjera el campo prestado al mercader.

Todas las leyes que van de la 53 a la 58 se refieren al mal uso del agua para regar y al pastoreo no autorizado; o, dicho de otro modo, al uso irresponsable de una propiedad. Las cuatro primeras indican que la inundación de un capo, sea este propiedad del acusado o de sus vecinos, es un delito que implica una compensación material: el culpable deberá entregar una cierta cantidad de grano por cada medida de tierra destruida por el agua. Otra alternativa para pagar es la venta de una parte de la propiedad y el uso de parte del dinero recibido por dicha venta para indemnizar al vecino cuya propiedad resultó inundada. Las dos leyes siguientes se refieren a los pastores que deberán pagar multas si sus rebaños pastan en propiedades ajenas.

Las leyes que van de la 59 a la 65 son las anteriores a una gran interrupción del texto, y se refieren al cultivo de árboles frutales. Sabemos por ellas que la tala de árboles en huertos de otros se castigaba con multas (59), que el cuidado de un huerto frutícola implicaba que a partir de ese momento el dueño y el horticultor pasaban a compartir la propiedad (60) y que las zonas de tierra no cultivadas también podían pasar con el tiempo a ser propiedad del que realmente trabajaba las tierras adyacentes. También se dice que el horticultor debía compensar al dueño si sembraba grano en su tierra y lo cosechaba (62), que el dueño tenía que pagar al horticultor si era capaz de convertir una tierra infértil en cultivable (63), que los horticultores se llevaban un tercio de la cosecha como pago de sus servicios (64) y que también debía pagar una estimación de la producción de otros campos si aquel en el que trabajaba no alcanzaba una cosecha comparable a la de los campos vecinos (65).

Después de la parte dañada del código, la siguiente ley viene marcada con el número 100, o al menos esa es la opinión de muchos de los historiadores. No obstante, falta la primera parte de la ley 100, por lo que no podemos estar seguros de cuál era el asunto específico del que trataba. No obstante, las leyes 102 a 107 son bastante claras. La 102 establece que si un comerciante le confía dinero a un intermediario y este pierde el dinero que se le ha entregado, dicho intermediario deberá devolverle el dinero al comerciante. Sin embargo, la siguiente ley indica que hay una excepción para el principio enunciado, y es si la pérdida es a causa de un robo. El intermediario al que le roben el dinero debe exponer y jurar ante los dioses que fue objeto de un robo, y eso lo liberará de tener que pagar al comerciante. La 104 ordena que cualquier transacción que implique grano, lana, aceite, o en realidad casi lo que sea, el intermediario debe llevarse un recibo, emitido por el comerciante. El recibo debe reflejar la cantidad exacta de todos y cada uno de los materiales que le fueron entregados para que negociara con ellos. Después de devolverlos, debía emitirse un nuevo recibo por el conjunto de la transacción, incluyendo intereses y otros conceptos. Lo cual significa que la ley obligaba a ambos estaban obligados legalmente a emitir documentos acerca de las transacciones realizadas. La ley 105 indica las consecuencias para el comerciante si no emite un recibo, mientras que la 106 indica lo propio para el intermediario, en el caso de que no aporte el recibo acordado inicialmente. El mercader tenía que jurar ante los dioses, mientras que el intermediario debía pagar tres veces lo acordado inicialmente. La ley 107 presenta la otra cara de la moneda: en caso de que sea el mercader el que no cumpla con el intermediario e intente estafarlo: el mercader tendría que jurar, como en la situación anterior, y si seguía negando el delito, tenía que pagar una multa de seis veces la cantidad acordada inicialmente para compensar los servicios del intermediario.

Perder dinero era algo muy grave, y cuando ocurría el que lo había perdido tenía que devolverlo, sobre todo si se le había confiado para comerciar con él. Y, sin embargo, volvemos a encontrar una salida, la típica de "jurar ante los dioses que un enemigo lo ha robado", lo que implicaba quedar exento del delito. Una forma de asegurar la justicia del negocio en el caso del agente intermediario, que estaba vendiendo o distribuyendo mercancías en nombre del comerciante, era anotarlo todo y ponerlo a disposición del comerciante, así como un recibo por la cantidad total. Probablemente se trate de uno de los primeros ejemplos en la historia de género humano de legalización de documentos financieros, algo que terminaría por convertir el comercio en algo tan importante como la producción de alimentos y la obtención de materias primas mediante la minería.

Las leyes también tienen en cuanta los posibles errores o problemas que podrían surgir entre las partes. El agente tenía que obtener un recibo, y el mercader reconocer que se lo había entregado. De no hacerlo así, las consecuencias, aunque no tan crueles como algunas de las que hemos visto hasta ahora, no dejaban de ser devastadoras: después de todo, pagar el triple o seis veces una cantidad no es cosa de risa, y puede cavar con la capacidad de sustento de una persona. En cualquier caso, de nuevo aparece la "salida" de jurar ante los dioses e invocar su justicia. Pero en este caso aparecen nuevos elementos, los "testigos y jueces". En las propias leyes no aparece con total claridad, pero os juramentos ante los dioses podían contradecirse y ser declarados falsos por parte de los jueces y los juzgados públicos. El castigo en este caso no aparece codificado en la estela.

Es bastante sorprendente el hecho de que las cuatro leyes siguientes se refieran a las mujeres que ejerzan como taberneras o vendedoras de vino, y la verdad es que lo que se dice en ellas a veces es bueno para dichas damas, pero otras no tanto. Veamos:

108. Si una tabernera no acepta grano como pago en especie por una bebida, pero sí dinero, y el precio de la bebida es menor que el valor del grano, será declarada culpable y arrojada al agua.

109. Si se reúnen conspiradores en una taberna y dichos conspiradores no son capturados y llevados ante la corte, la tabernera será condenada a muerte.

110. Si una "hermana de un dios" abre una taberna o entra en una taberna a beber, esa mujer será quemada en la hoguera.

111. Si una posadera suministra sesenta ka de licor usakani a... tras la cosecha recibirá cincuenta ka de grano.

No se puede decir que estas leyes no sean, como poco, bastante claras y simples. Si eleva el precio de la bebida, terminará ahogada en el río. Si acoge a enemigos del estado, muere. Y si suministra a crédito una cierta cantidad de bebida (60 *ka* en este caso; el *ka* o *qa* era una medida de volumen equivalente al litro de agua, y se medía con cubos de unos 10,2 cm de largo), debía ser compensada por ello tras la cosecha.

Pero la más interesante de todas estas leyes es la 110, ya que implica a las sacerdotisas a as que se les ocurriera abrir o beber en una taberna. La creencia de que en estos tiempos de la historia antigua las mujeres eran tratadas poco menos que como esclavas es absolutamente equivocada. Aunque era poco habitual que ocuparan puestos de alto rango, eso no significa que formaran la parte más baja de la escala social. Uno de los mejores ejemplos de ello lo encontramos en los distintos estamentos o rangos de sacerdotisas que existían en la corte real. A veces servían como hermanas o esposas de los dioses, y también intervenían en rituales sagrados como los matrimonios, y en la crianza de los niños. También podían poseer tierras, e incluso antes de que Babilonia tomara el poder, incluso podían llegar a ser "reyes".

Hay que tener en cuenta todo esto cuando se analiza la ley 110 del Código de Hammurabi. El puesto de sacerdotisa no había que tomárselo a la ligera ni mucho menos, y la mujer que llegara a ostentar tal título no podía rebajarse a abrir una taberna o una posada, ya que se trataba de lugares mundanos en los que la gente se emborrachaba a menudo, entre otras cosas. Y ya que hablamos de emborracharse, una sacerdotisa que estuviera borracha, o incluso algo bebida, lo que estaba haciendo era pisotear las creencias sagradas e inmemoriales de la antigua Babilonia. El sacrilegio siempre se castigaba con la muerte, y ni siquiera las clases más altas se libraban del castigo, fueran del sexo que fueran. No obstante, y como derivada, nos damos cuenta de que la presencia de las mujeres en las tabernas debía ser algo normal durante el reinado de Hammurabi, dado que una ley al respecto de ello se hizo sitio en la estela. Nos vamos a encontrar con más leyes que atañen a las mujeres, pero no inmediatamente. Antes hay que hablar de las deudas, de los depósitos de grano y de otras mercancías y bienes.

Las deudas y las obligaciones contraídas se cubren en las leyes 113 a 119. La ley 112 está apartada de este grupo y del precedente, pues trata de la custodia del dinero y de lo que ocurre si alguien que debe devolverlo no lo hace. Por lo que se refiere a las leyes que siguen, un hombre al que se le adeuda grano no debe tomarlo por sí mismo, pues si lo hace deberá devolverlo y, de paso, la deuda original quedará anulada (113). Tampoco puede acusar falsamente a alguien de que tiene una deuda, y debe recompensarlo con la cantidad injustamente reclamada (114). Las cosas tampoco pintarán bien para aquel a quien le deben dinero o grano y tiene la mala suerte de que el que se lo adeuda fallece (115), ya que la deuda quedará anulada automáticamente. En este tipo de situaciones de imposibilidad de pago por fuerza mayor, tiene interés el hecho de que, en ciertos casos, la clase social influye en las condenas: supongamos que un hombre en prisión que tiene una deuda es torturado o maltratado y muere como consecuencia de ello. Si nació como hombre libre, su torturador será condenado a muerte, y si era esclavo de nacimiento, el responsable de su muerte deberá pagar cierta cantidad de dinero. Así pues, las diferencias sociales tenían mucha importancia a la hora de establecer las penas, de modo que cuanto más baja fuera la clase social de la "víctima", menos severas eran las penas.

Las tres leyes siguientes cubren el tema de la esclavitud. La ley 117 aborda el lapso de tiempo durante el que un esclavo debe servir a su amo. Un hombre podía venderse a sí mismo como esclavo y también a su esposa y a sus hijos de ambos sexos, y el tiempo que tenía que trabajar para sus amos no podía exceder de tres años. Evidentemente, no todo era "tan bueno" para los esclavos; la ley 118 establece que el amo primer comprador podía vender a sus esclavos a otro amo por dinero, y que los esclavos no tenían nada que decir, ni tampoco los miembros de su familia. Sin embargo, después entra en juego la ley 119, que se refiere a las esclavas-sirvientas que cuidan de los niños en la casa. Si se vendía a un comprador, la sirvienta podía liberarse del compromiso, con el consiguiente reembolso al comprador.

Los tres años de servicio forzado parecen, en principio, un acuerdo decoroso, sobre todo si se tiene en cuanta el trato que se daba a los esclavos en Egipto o en la antigua Grecia. De todas formas, los esclavos podían tener la desgracia de ser vendidos a otros dueños, lo cual, técnicamente, daba lugar al inicio de un nuevo periodo completo de tres años de esclavitud. Es un nuevo y espectacular resquicio legal que, en este caso, va en contra de la gente común, al contrario de lo que pasaba con lo juramentos ante los dioses.

La práctica de depositar dinero o grano en un establecimiento era en aquellos tiempos tan habitual como es hoy el uso de los bancos. Las siete leyes que siguen detallan por completo el proceso. La ley 120 indica lo que le pasaría a alguien que denegara el servicio de guardar grano, o que lo robara en todo o en parte una vez guardado o si se estropeara por negligencia. El dueño tenía que hacer un juramento ante los dioses, y la persona que guardaba el grano tenía que compensarle por los perjuicios, también en grano, La siguiente ley establece el precio que se debe cobrar por la cutodia, en función de la cantidad (por cada 5 ka de grano se pagaba un gur, siendo el gur una unidad de medida que se menciona mucho en varias de las leyes que siguen, por lo que dejamos la explicación para más adelante. La ley 122 establece lo que una persona, una vez hubiera decidido dejar algo custodia, debía hacer previamente. Por supuesto, había que firmar un contrato, en este caso con algún testigo. Las consecuencias de que no hubiera testigos o no se firmara un contrato se evidencian en la ley 123: si una persona reclamaba un bien en custodia, fuera grano, oro, plata o cualquier cosa de valor, sin aportar ninguna evidencia de haberlo hecho, los tribunales rechazarían su demanda y la persona que hubiera custodiado el bien, pero sin contrato ni testigos de por medio, podía quedárselo. Después está la ley 124, que prevé lo que pasaría si un guarda deniega el servicio, aunque el cliente lleve un testigo y se avenga a firmar un contrato. En ese caso, el "guarda profesional" tendría que pagar el precio completo del bien a la persona agraviada... ¡nada menos! Dicho de otra forma, el guarda no podía reservarse el derecho de admisión. Y llegamos a las leyes 125 y 126, que abordan el robo de objetos custodiados. Si un ladrón se hacía con objetos custodiados por un guarda profesional, este debía compensar al dueño de la mercancía guardada. No obstante, el dueño tenía que hacer todo lo que pudiera para encontrar y recuperar lo robado. La siguiente reconoce que podría haber quien mintiera al afirmar que había perdido una propiedad. Si hacían un juramento ante los dioses, incluso en el caso de que en realidad no hubieran perdido el bien, de todas formas, tenían que ser compensados por la pérdida, como si de verdad se hubiera producido.

Como se puede ver, estas leyes abordan temas eterno como la destrucción o pérdida de material almacenado, la negación de servicio, el robo (todo ello en la ley 120), el precio por guarda, custodia y almacenamiento (121), el proceso de comparar espacio de almacenamiento, en el que ha de firmarse un contrato y tener testigos (122) y las consecuencias de la falta de alguno de ellos (123); la negación de servicio incluso cumpliendo los requisitos de contratación y aportación de testigos también trae consigo multas (124). Está claro que estas cuatro leyes conforman a su vez una gran ley, temáticamente independiente. La ley 125 se refiere al robo de una propiedad dejada en custodia, pero de forma algo distinta. La compensación se debe producir, pero el dueño sigue obligado a intentar localizar al ladrón y recuperar su propiedad. Mientras que esta ley parece bastante lógica y bien pensada, la siguiente, la 126, presenta una de las "puertas traseras" más flagrantes de todo el código babilonio. Una vez más, aparece el juramento ante los dioses, y la frase literal en este caso es "incluso aunque no hubiera perdido los bienes". Lo lógico es que esta ley se utilizara con ánimo fraudulento en bastantes ocasiones, o incluso de forma habitual. En cualquier momento, quien tuviera una propiedad podría haberla perdido debido tras ponerla en custodia con un extraño, y lo único que tendría que hacer ese "extraño" sería indicar que los bienes robados eran del dueño de la propiedad. El Código de Hammurabi fue un logro extraordinario en su momento, pero también es verdad que estaba lejos de ser perfecto.

La sección siguiente es la más larga de todas las del código, pues contiene nada menos que 67 leyes separadas que se refieren al matrimonio y la familia. Seguro que no se sorprenderá si le digo que los sujetos principales de las leyes son las mujeres y los niños, lo que significa que esta sección contiene con toda probabilidad la mayor colección de leyes que afectan a las mujeres de toda la antigua Mesopotamia.

Las primeras dos leyes, la 127 y la 128 se refieren a las falsas acusaciones y a lo que hace que un matrimonio sea válido. La ley 127 establece que, si alguien "señala con el dedo", es decir, calumnia a la mujer de alguien o a una "hermana de un dios" (sacerdotisa de un templo) sin aportar pruebas, será estigmatizado. La ley siguiente indica que la mujer que "no tiene relaciones carnales" con su marido no es legalmente su esposa.

La primera ley defiende con claridad a las mujeres, siempre que sean esposas o sacerdotisas, por supuesto. La estigmatización como calumniador no es un castigo como la pena de muerte o la confiscación de una propiedad, pero sí que tenía su gravedad, aunque a otro nivel: un hombre estigmatizado podía hasta ser expulsado de su propia comunidad y convertirse en un paria.

Hoy la segunda ley se interpreta de una forma algo diferente, más o menos así: "*Si un hombre toma por esposa a una mujer, pero no firma con ella los contratos que corresponda, la mujer no es su esposa legal*". Una vez más nos damos cuenta de que, en los tiempos de Hammurabi, la mujer estaba bastante protegida por la justicia.

Las cuatro leyes siguientes se refieren al adulterio en general, y si se leen con atención, se puede descubrir que en una de ellas hay un motivo familiar. Al leer la ley 129 vemos que una mujer sorprendida en adulterio será lanzada al río atada, al igual que el hombre que estuviera yaciendo con ella. No obstante, el marido tenía la potestad de perdonar a la mujer si era su voluntad. La ley 130 es más favorable a la mujer, pues dice que una virgen (fuera una niña o una novia soltera a punto de casarse) que fuera violada en su casa por un hombre distinto a su futuro marido es completamente inocente, mientras que el violador será condenado a muerte. Un marido también podía acusar a su mujer de adulterio, pero, tal como señala la ley 131, si no se la pilla *in fraganti*, puede realizar el juramento a los dioses y salir así del paso sin cargo alguno. Extrañamente, la ley 132 establece que, si una mujer es acusada de adulterio por otras personas distintas a su marido, se arrojará al río por el bien de su marido, incluso si alega que es inocente.

Las dos primeras leyes comentadas están en la línea general de brutalidad del código; sin embargo, ambas propician algún clavo al que agarrarse, como el posible perdón del agraviado (129) y la exención de culpa debido a las circunstancias especiales del caso (130). La 131 de nuevo saca a la palestra el juramento a los dioses, y en este caso es la esposa la que puede tomar ese atajo para librarse de la pena. No obstante, en aquellos tiempos el arma de la opinión pública debía de ser más o menos igual de fuerte que ahora, teniendo en cuenta que esta ley prescribe que la mujer ha de lanzarse al río para preservar el honor de su marido. Sin duda se trata de un ejemplo claro de que, en ciertos aspectos, la mujer estaba muy poco protegida. En todo caso, es muy poco habitual en el código legislar que una mujer inocente deba morir simplemente porque otros la señalan con el dedo.

Siguen cuatro leyes más que afectan de manera específica a las esposas, esta vez refiriéndose a un segundo matrimonio y las circunstancias en las que puede producirse. Las mujeres de prisioneros de guerra estaban obligadas a encargarse de la hacienda, y si alguna se relacionara con otro hombre sería arrojada al río (ley 133). Sin embargo, si el mantenimiento no se había organizado con antelación, no se le podía acusar de nada (134), y si se unía a otro hombre y tenía hijos con él, eventualmente podía volver con su marido anterior si es que este era liberado y regresaba, aunque los hijos tenían que quedarse con su padre biológico, es decir, el cabeza de la familia de la que formaba parte la mujer mientras su primer marido era prisionero de guerra (135). La mujer tenía también todo el derecho a no volver con su marido si este desertaba y, por tanto, traicionaba a su ciudad (136).

El tema del divorcio cubre las leyes que van de la 137 a la 143. Se trata de una sección bastante espectacular, ya que establece la práctica de la anulación del matrimonio varios miles de años antes de nuestros días. Y desde el primer momento vemos que a las mujeres divorciadas les convenía tener niños con el hombre que quisiera divorciarse de ellas. La primera ley de la sección, la 137, establece que, si un hombre quiere separarse de la madre de sus hijos, sea esposa o concubina, debe compensarla con una dote, así como con una parte de la tierra cultivable, del jardín o de la propiedad. De esta manera podría criar a los hijos con más facilidad. Una vez que los hijos se hicieran mayores recibirían una parte de la dote o/y de las tierras. Por su parte, la madre recibiría una parte equivalente a la de cada hijo, y tras todo ello, podría casarse con quien quisiera.

En efecto, hace más de 3.500 años la mujer recibía una compensación adecuada, e incluso después de que sus hijos alcanzaran la edad adulta. Las tres leyes siguientes establecen lo que el hombre debía darle a la mujer de la que se divorciara en el caso de que no hubieran tenido hijos. Podría tratarse de una cantidad equivalente a la dote aportada por la mujer en el momento del matrimonio (138) o una *mina* de oro si no había habido dote (139). No obstante, la cantidad se reducía a un tercio si el que se divorciaba de dicha esposa era un hombre libre (140).

Las dos siguientes leyes se refieren a la negligencia o irresponsabilidad cometidas por cualquiera de las partes. Si la mujer no hubiera realizado las tareas que le correspondieran, el marido podía dejar que se marchara, aunque sin la dote, o bien mantenerla como criada y casarse con otra. La ley 141 es muy clara: las mujeres no eran únicamente compañeras de matrimonio. Tenían sus obligaciones, y si no las cumplían se exponían a la situación descrita en la ley anterior. Por tanto, y según la ley 142, un marido que se comportara mal con una mujer que sí que cumpliera con sus obligaciones matrimoniales, si se demostraba que era culpable, tenía que devolverle la dote y dejar que volviera con su familia de procedencia. Lo malo es que si se demostraba que había sido la mujer la que no cumplía con sus obligaciones, se la arrojaba al agua.

Algunas de las leyes anteriores hacen referencia a las segundas esposas, pero este caso se trata con mucho más detalle en las leyes 144 a 149. La primera de ellas trata de la sirvienta de una mujer que tuviera hijos con el marido. De ser así, el hombre no podía casarse por segunda vez. La 145 establece que, si un marido se casaba con una segunda mujer porque la primera no podía darle hijos, no debía tratar a esta segunda mujer al mismo nivel que a la primera. Así pues, la primera mujer tendría autoridad sobre las sucesivas. Después, en la ley 146, se habla de la "categoría" y derechos (o la falta de ellos) de la sirvienta que tiene hijos. El marido no tenía derecho a vender a la madre de sus hijos, pero podía mantenerla como una sirvienta más de la casa. La siguiente ley deja claro que el marido podía vender a la sirvienta si no le daba hijos. La ley 148 es igual de favorable a la primera esposa que las anteriores, y establece que una mujer que contrae una enfermedad no puede ser expulsada de la casa, ni vendida si es una sirvienta. El marido deberá cuidar de la enferma hasta que fallezca. No obstante, la siguiente ley abre la posibilidad de que la mujer enferma no permanezca en la casa si el marido la compensa con la dote que en su momento aportó su padre, con el que volvería la mujer si ella lo deseara así.

Las dos primeras leyes con muy claras en lo que respecta a la autoridad de la primera mujer: el hombre no podía forzarla a marcharse, ni tampoco podía casarse por segunda vez si ella le daba hijos. En el caso de que la mujer no pudiera tener hijos, no se la podía descartar sin más, y su autoridad en la casa seguía siendo mucho mayor que la de una concubina, incluso aunque esta tuviera hijos. Y si la mujer que tenía hijos se convertía en segunda esposa, el marido dejaba de tener la potestad de venderla, y tenía que mantenerla como criada. Las compensaciones vuelven a jugar un papel relevante en el caso de que la primera mujer dejara la casa por cualquier razón

Estas leyes nos permiten ver con claridad como las distintas clases sociales son tratadas de forma diferente por el sistema judicial. Incluso si una sirvienta se ponía por encima de la esposa debido a su capacidad para tener hijos, seguía siendo tratada mucho peor. Como en casi todos los casos y culturas, es la diferencia de riqueza, y no la de género, la que ha subyugado a las personas a lo largo de la historia.

Las tres leyes siguientes (150, 151 y 152) tiene que ver con la hacienda y posesiones de su marido si este fallece. No estará obligada a pagar las deudas dejadas por el marido (aunque, por supuesto, mantendrá las suyas propias, si las tuviere), y la hacienda y posesiones no pasan exactamente a ella, sino a uno de sus hijos, el que ella elija. Y sí, eso significa que los demás hijos pueden quedarse sin un sitio en el que vivir debido a la decisión. La ley 153 describe de forma bastante terrible la forma de tratar a las mujeres que cometían un asesinato. Una mujer que hubiera matado a su marido a petición o por causa de otro hombre terminaría empalada con una estaca; más aún, su amante tendría exactamente el mismo destina que ella por complicidad; el asesinato es un crimen atroz, sí, pero el empalamiento solo aparece esta vez en todo el código (a no ser que sí que estuviera contemplado en alguna de las leyes borradas). Así que está claro que este crimen en el seno del matrimonio debía de considerarse como el más grave de todos por parte de los jueces de Babilonia.

Después aparece la figura del incesto y su tratamiento legal. A juzgar por las siguientes cinco leyes, se trataba de un delito sancionable con más dureza que la que se le aplica hoy en día. Por ejemplo, la ley 154 establece que el hombre que se acueste con su hija será expulsado de la ciudad. La siguiente indica que un padre que deshonre a la esposa de su hizo después de que ambos (hijo y nuera) se hayan acostado ya sería arrojada al río atado. Después, la ley 156 regula la situación si el padre se acuesta con la esposa de su hijo siendo esta virgen aún, porque el hijo aún no haya tenido ocasión de acostarse con ella. En tal caso, el padre pagaría media *mina* de oro a la mujer y, además, tendría que devolver la dote que aportó. Tras esto, ella podría casarse con otro hombre. La ley157 es muy dura: establece que el que se acueste con su madre después de que ella se haya acostado con su marido, es decir, el padre del infractor, será quemado vivo junto a la madre consentidora. La última ley de esta sección, la 158, se refiere a los padres que sorprendan a sus hijos acostándose con esposas del padre que le hayan dado hijos. El hijo que cometiera ese delito sería expulsado de la casa.

Como se ve, los castigos son variados: exilio, expulsión, muerte por ahogamiento, compensaciones económicas y materiales e incluso muerte en la hoguera. Resulta interesante el que la ley 156 se refiera específicamente a las consecuencias del incesto sobre el matrimonio. En realidad, son dos leyes las que contemplan este caso, aunque el castigo, que es una compensación, es mucho más leve en la 156 que, en la siguiente, en la que los dos perpetradores del incesto acaban en la hoguera. Pero es importante fijarse en que la víctima (la mujer del hijo), técnicamente, no es familia de sangre, por lo que en este caso el incesto lo es solo "en espíritu", por decirlo de alguna manera.

La mayoría de las leyes que incluían el supuesto del matrimonio mencionan de una forma u otra la dote. Las tres leyes que vamos a revisar a continuación se refieren al potencial marido y a los acuerdos con su futuro suegro antes de que se celebre el matrimonio. Concretamente, si el novio se arrepiente y se casa con otra mujer, el padre de la novia abandonada recibiría el doble de la suma correspondiente a los regalos que aportó (159); consecuentemente, si es el padre quien niega la mano de su hija pese al acuerdo, debe pagar el doble de la dote (160). La última de las leyes de esta subsección parece un poco extraña, pues se refiere a "la difamación realizada por un amigo", y dice algo tan raro como que "el amigo del padre no podrá recibir a la mujer como esposa". La clave del asunto es que el padre no puede negarse a entregar a su hija en matrimonio le diga lo que le diga su amigo.

Otras ocho leyes de esta sección, las que van de la 162 a la 169, tratan de la herencia. Son extraordinariamente exhaustivas y detalladas, y dejaban muy claro a las familias de Mesopotamia que es lo que corresponde a cada uno en caso de partición de una hacienda, en el sentido de bienes y riquezas. Según la ley 162, si una mujer da a luz a dos hijos y muere, son ellos los que heredarán su dote (desde el momento en el que se casó con su marido), y no el padre. La siguiente ley se refiere a la mujer que no tenga hijos. En caso de que el padre de la esposa fallecida hubiera devuelto el monto del acuerdo de matrimonio (lo que el marido tuvo que pagar antes de que se celebrara el matrimonio) al marido, entonces es el padre de la esposa quien hereda la dote, no el marido. No obstante, y según la ley siguiente, si el padre no hubiera devuelto el total de la cantidad citada, lo que falte se restaría de la dote, y el resto se entregaría al padre de la esposa fallecida. La siguiente ley, la 165, se refiere a la muerte del padre y a la herencia consiguiente. Lo normal es que el padre escogiera un "hijo favorito", es decir, el que fuera a heredar el nombre de la familia. Ese hijo recibiría un "regalo" (legado) de su padre, como un huerto, un campo de labor, una cantidad de dinero o una casa. Si el padre muere, ese hijo recibirá el legado en primer lugar, y el resto se dividirá entre todos los hijos, incluyendo al "favorito". Los hijos menores, y sus esposas, se contemplan en la siguiente ley. En el caso de que ese hijo no tuviera esposa a la muerte de su padre, los otros hermanos deberán guardar dinero suficiente para un contrato de matrimonio y, por supuesto, el resto se dividirá entre todos a partes iguales. Como vemos, la mayor parte de estas leyes se refieren a la muerte del padre y a la división del caudal entre los hijos. ¿Pero qué pasaba si moría el padre y había hijos de dos esposas distintas? La ley 167 establece que los hijos se reparten la dota, pero solo la de sus respectivas madres. Por lo que respecta a la hacienda del padre, esta se dividirá a partes iguales entre los hijos, independientemente de quien fuera la madre de cada uno. Las dos últimas leyes, la 168 y la 169, se refiere al caso de que un padre quiera desheredar a un hijo. La primera ley establece que un hijo o puede ser desheredado a no ser que se demuestre que ha infringido una ley importante. No obstante, la ley 169, sorprendentemente, no elimina de forma inmediata del reparto de la herencia al hijo que haya cometido el delito. En principio, el padre estaba obligado a perdonar al hijo una vez. No obstante, si el hijo en cuestión vuelve a cometer un delito grave, entonces sí que queda desheredado.

Resumiendo, y para entendernos, un padre no puede reclamar la tierra o los bienes que la madre aportó en su día al matrimonio como dote, que solo puede pasar o bien a sus hijos o bien a su propio padre, dependiendo de las circunstancias. También los hijos se reparten la herencia de su padre, que a su vez debe haber decidido quien es "el favorito" entre ellos antes de proceder a la división de la tierra y/o los bienes. Las esposas sin hijos también recibían ayudas durante el proceso de partición de la herencia, y los hijos de otra madre debían recibir primero la dote procedente de esta, después repartir el resto de la hacienda entre ellos, incluidos los medio hermanos. Las dos últimas leyes de la sección se refieren a las exclusiones. Ambas dan la posibilidad de que el hijo desheredado tenga la oportunidad de defender su inocencia, reforzando el concepto de "inocencia mientras no se demuestre lo contrario". Resulta interesante el hecho de que en la última ley se dé la oportunidad de arrepentirse al hijo que ha cometido un delito, sobre todo teniendo en cuenta la severidad de otras condenas para delitos que se ven en el código.

Los niños también tenían protección legal, sobre todo los de esclavas y concubinas. Un hombre podía tener hijos con sirvientas y esclavas, y si los reconocía como suyos mientras vivía también tenían derecho al reparto de la hacienda tras la muerte de su padre (170). De no ser así, la sirvienta o esclava y sus hijos quedarían libres, y la esposa podría seguir utilizando la hacienda, pero no podría vender nada, ya que los hijos la habrían heredado (171). Pero es la ley 172 la que viene a complicar el tema, y es que si la esposa no tuviera dote, tendría que recibir una parte de la hacienda igual a la de cada uno de sus hijos (salvo el favorito, por supuesto); además, si los hijos se pusieran de acuerdo y, para intentar que no heredara nada, la acusaran de algún delito y al final se demostrara que era inocente, podría quedarse con la hacienda y utilizarla. Finalmente, si decidiera marcharse de la casa familiar, tendría que dejar lo que su marido le hubiera regalado durante el matrimonio, aunque tendría derecho a una nueva dote aportada por su propio padre en el caso de que volviera a casarse. Esta última ley es más bien un conjunto de ellas que, por alguna razón, se agruparon en una sola.

¡La retahíla de preceptos no termina aquí! Eso sí, en otras leyes. Esa misma mujer podría tener hijos con un nuevo marido. En tal caso, una vez que muriera, su dote tendría que repartirse entre todos sus hijos, los del primer matrimonio y los del segundo (173); y si muriera sin tener más hijos, la dote pasaría a pertenecer a los hijos del primer matrimonio (174).

La ley 175 se refiere a la paternidad de esclavos que han tenido hijos con mujeres de una clase superior. Los hijos no pueden ser reclamados por el amo del esclavo, ya que son ciudadanos libres. No obstante, los esclavos sí que se encontraban con ciertas dificultades en lo que se refería a las herencias: la ley 176 estipula que un esclavo puede casarse con una mujer de clase más alta, y que los dos pueden trabajar conjuntamente para ganar propiedades, pero, tras la muerte del esclavo, la tierra se dividiría entre su esposa y el amo. En resumen, si el padre de un babilonio era esclavo, solo podía aspirar a heredar la mitad de las posesiones que tenía antes de morir.

Las esposas y las viudas eran una cosa, pero las sacerdotisas y las mujeres casadas en segundas nupcias otra, y las ocho leyes que siguen establecen sus derechos de herencia en la ley babilonia. Un segundo matrimonio tenía que tener en cuenta la hacienda previa, los hijos y la venta de las propiedades, o más bien esto último se prohíbe expresamente. Una viuda que tuviera hijos menores de edad no podía volver a casarse hasta que un juez determinara su situación, según establece la ley 177. El juez tenía que estudiar las propiedades del primer matrimonio y, si todo estaba en orden, la gestión de esa hacienda pasaba a ser ejercida por nuevo marido y la propia viuda, que tenían que legalizar esa situación firmando un documento. Una vez en la casa, su deber era cuidar de los hijos y mantener la hacienda completa, sin vender nada. Si vendían algo a alguien, inmediatamente perdían el dinero obtenido y los bienes vendidos debían ser repuestos.

Y ahora les toca el turno a las leyes que afectan a las sacerdotisas. La ley 178 estipula que una sacerdotisa, y también una aspirante, podía recibir una parte de la hacienda de su padre cuando este muriera y se repartiera su herencia, y si los hermanos no se la facilitaban, podía quedarse con la totalidad. La siguiente ley, muy en línea con la anterior, establece que si el padre de la sacerdotisa hubiera decidido específicamente que ella podía hacer lo que quisiera con su propiedad, entonces los hermanos no tendrían derecho a nada si la sacerdotisa así lo decidiera.

La ley 180 deja claro que las hijas que las hijas pueden quedarse con una cantidad de grano solo si el padre se la lega (el código habla de "regalo", no de legado). El resto de los bienes va a los hermanos. No obstante, según la ley 181, una sirvienta o virgen de un templo sin legado solo tenía derecho a recibir un tercio de su legado potencial. El caso de las sacerdotisas de Marduk, la deidad titular de Babilonia, era sustancialmente distinto. Esas sacerdotisas recibían un tercio de la casa, y podían utilizarla, pero no venderla. Su parte se la podían dejar en herencia a quien quisieran (182).

Las concubinas, en lo tocante a las propiedades, no recibían ni mucho menos el mismo trato que las esposas. El padre de una segunda esposa o concubina podía dejar una dote a su hija cuando se casase, pero no recibiría nada de la hacienda de su padre cuando este muriera (183). En caso de que no recibiera dote en vida de su padre, el hermano que heredara debía proporcionarle una dote y buscar un marido para ella (184).

La subsección la cierran diez leyes, y todas ellas se refieren a un tema bastante peculiar en el mundo antiguo: la adopción. Un primer vistazo a estas diez leyes pone de manifiesto las ventajas y los inconvenientes que conllevaba ser adoptado. Primero vemos la ley 185, que estipula que una vez que un hombre adopta un hijo y lo cría como propio, el padre biológico pierde el derecho a reclamarlo como suyo (en el caso de que cambiara de opinión al respecto, por supuesto). La ley 186 establece que, si un hijo adoptivo maltrata a sus padres de acogida, tendrá un castigo. Según la ley, tendría que volver con sus padres biológicos, presumiblemente perdiendo los derechos que había adquirido con su nueva familia. Los hijos de prostitutas o los de sacerdotisas o aspirantes no podían volver con sus padres biológicos, según estipula la ley 187Lo mismo ocurre con los padres artesanos y sus hijos adoptados, como recoge la siguiente ley. No obstante, hay una adenda a esta última ley, que se contempla en la siguiente (189), que indica que si el hijo no había aprendido el oficio tendría que volver con sus padres biológicos. El hijo también podía volver si el padre adoptivo no lo trataba igual que a sus otros hijos (190). Y la 191 se refiere a la herencia en estos casos particulares. Un hijo adoptivo podía ser desheredado en beneficio de los hijos biológicos del padre adoptivo. No obstante, el adoptado no podía ser abandonado sin más: el padre tenía que dejarle obligatoriamente una cantidad igual a un tercio de la parte de la herencia que correspondiera a sus otros hijos, aunque sin incluir las tierras de labor, el huerto ni la casa. Las tres últimas leyes, es decir la 192, 193 y 194, muestran de nuevo lo cruel que Babilonia podía ser a la hora de decretar castigos. Los hijos de las sacerdotisas o aspirantes de los templos y los de las prostitutas no tenían derecho a rechazar a sus padres adoptivos, y si lo hacían se les cortaba la lengua (192). Al hijo de una de estas mujeres proscritas que reclamara la casa de su padre biológico y rechazara a sus padres adoptivos se le sacarían los ojos, mientras que un ama de cría que tuviera que amamantar a un recién nacido y amamantara a otro, dando como resultado que el primero muriera, perdería los pechos por engañar a los padres del niño fallecido (194).

Los hijos adoptivos no podían ser devueltos salvo que ocurriera algo excepcional, como el abandono del niño o una agresión a los padres. La clase social del adoptado determinaba a dónde debía ir. Los artesanos podían quedarse con ellos como aprendices si los habían enseñado adecuadamente, y los hijos de prostitutas o de mujeres del templo dejaban de pertenecer a los padres biológicos de manera definitiva. Los hijos adoptados tenían la posibilidad de obtener una compensación si el padre los desheredaba, pero cualquier atisbo de mal comportamiento por su parte era castigado con brutalidad (por ejemplo, como hemos visto, cortarles la lengua o sacarles los ojos).

La sección correspondiente a las agresiones contiene una sola subsección que incluye veinte leyes. Todas ellas establecen el mismo principio, aunque con distintas formas y variaciones sobre el mismo tema. Como ejemplo de cuál era el principio citado, realmente solo se necesita revisar dos leyes:

196. Si un hombre le saca un ojo a otro, se le sacará un ojo.

200. Si un hombre golpea a un igual y le arranca varios dientes, se le arrancarán el mismo número de dientes.

Uno de los códigos legales que más frecuentemente se compara con el Código de Hammurabi es el contenido en la Biblia. Y el porqué se encuentra precisamente en estas dos leyes, que se pueden resumir en el famoso principio: "Ojo por ojo y diente por diente". Prácticamente todos los historiadores están de acuerdo en que la mayoría de los pueblos de la zona, incluidos los judíos, compartían un conjunto de leyes comunes que cada uno codificaba a su manera y que presidía el trabajo de sus tribunales. La mayoría de los principios que sustentan dichas leyes son muy semejantes, tanto que resulta casi imposible hablar del Código de Hammurabi sin mencionar la Biblia Hebrea.

En todo caso, y volviendo al código babilonio, la agresión no se juzgaba ni se castigaba de la misma forma independientemente de la clase social. Normalmente se castigaba más duramente a los esclavos (205), mientras que los castigos eran distintos para los hombres libres que para los que acababan de liberarse de la esclavitud (203, 204). Además, golpear a un hombre de una clase social más alta podía acarrear incluso una paliza pública (202). Golpear a un hombre sin intención implicaba el abono de los gastos médicos en que se incurriera (206), y una compensación si el hombre moría (207). Las últimas seis leyes de la sección se refieren a las mujeres. Cualquier hombre que golpease a una mujer libre y a causa de ello la mujer abortara tenía que pagar una compensación de diez *shekels*. Si la mujer moría en el proceso, la hija del causante debía morir también (210). No obstante, las mujeres de las clases más bajas solo recibirían cinco *shekels* del hombre que las hubiera golpeado si abortaban (211), y si moría, su familia tenía que recibir media *mina*. Las criadas estaban aún en una escala más baja, pues solo recibían dos *shekels* si abortaban (213) y su familia un tercio de *mina* si morían (214).

Una vez más comprobamos que las mujeres estaban protegidas por la ley, pero era importante haber nacido en la clase adecuada, al igual que pasaba con los hombres acusados y condenados por agresión. Eso sí, mal que bien, pero estaban protegidas todas las mujeres, fueran de la clase social que fueran, y aparte del brutal castigo de la ley 210, todas recibían una compensación monetaria específica, en lugar de condenar al asaltante a la pena capital.

La sección que se refiere a las tasas que debían cobrar los distintos profesionales por su trabajo es, admitámoslo, un poco más tediosa que las anteriores, pero muestra muy bien el trato y la consideración que tenían los miembros de las distintas profesiones en la Babilonia de Hammurabi. Once leyes hablan específicamente de los pagos a médicos y veterinarios, que varían en función de la clase social del cliente (215, 216, 217, 221, 222, 223 y 224), y de la penalización que sufrían si cometían un error (218, 219, 220 y 225). Las dos leyes siguientes hablan de las consecuencias asociadas al hecho de que un barbero eliminara la marca de un esclavo. La ley 226 establece que a un barbero que eliminase la marca de esclavitud de una persona que aún no había sido vendido se le cortarían ambas manos. Por otro lado, al barbero se le podía engañar al respecto. La persona que hiciera eso sería condenada a muerte, y después de muerta sería quemada en su propia casa. El barbero solo tenía que jurar que no lo había hecho a propósito para quedar libre de toda culpa (227).

El juramento ante los dioses de la ley 227 parece ser más una idea añadida que un requisito, teniendo en cuenta que va a continuación del elaborado y, una vez más, brutal castigo que recibía el hombre que engañaba al barbero y le hacía eliminar la marca del esclavo.

Las trece leyes restantes afectan a barqueros y constructores, y siguen más o menos los mismos criterios que las anteriores. Solo tres de ellas hacen referencia a las tarifas que deben cobrar (228, 234 y 239), mientras que todas las demás se centran en los castigos por malas prácticas. Las más brutales son las que se refieren a la muerte accidental del dueño de la casa o de alguno de sus familiares (229, 230). Las demás se limitan a establecer compensaciones, sea en dinero o en especie.

Cerca del final de la estela hay otras tres secciones en las que se agrupan las restantes leyes (41). Le toca el turno a la ganadería y la agricultura, y las diez primeras leyes de esta subsección hacen referencia al ganado, y más específicamente a los bueyes. Cualquier buey que se dedicara a un trabajo de arrastre o arado estaba valorado en un tercio de *mina* (241), mientras que el "alquiler" por un año de un buey para arar podía costar hasta cuatro *gur* de grano (242). A un babilonio de la época el alquiler de una cabeza de ganado de pastoreo le costaba tres *gur* de grano (243), es decir, un *gur* menos que un buey para arar la tierra. A continuación, se aborda el tema de la pérdida de animales. No era extraño que los leones mataran bueyes o asnos en el campo, y la pérdida corría por cuenta del dueño del animal, no de la persona que lo tenía alquilado (244). Por cada buey perdido o herido por un ataque de animales salvajes había que compensar al dueño (245), y lo mismo ocurría si el buey se rompía una pata o los ligamentos o perdía los ojos, aunque en este caso solo se le pagaba al dueño la mitad del valor del animal (247). La ley 248 continúa estableciendo los valores a aplicar por la pérdida de distintas partes de la anatomía del animal: la rotura de un cuerno, la pérdida del rabo o una herida en el hocico suponía una compensación de la cuarta parte del valor. No obstante, se podía aducir que los dioses habían "aniquilado" al animal, y en tal caso el que lo había alquilado podía jurar ante los dioses que eso era precisamente lo que había ocurrido. Con eso se libraba de pagar la compensación (249). Tampoco debía pagar si un extraño hacía que el buey se desviara de su camino y resultaba herido (250). Es más, en ese caso era el dueño el que tenía que compensar a las personas que resultaran heridas por causa del buey descarriado (251); de ser así, tenía que serrarle los cuernos al animal, o amarrarlo definitivamente. Y si alguien resultaba muerto por negligencia del dueño del buey a la hora de contenerlo, este tenía que pagar media *mina* en metálico a la familia de la víctima. La multa se reducía a un tercio de *mina* si el buey mataba a un esclavo (252).

Merece la pena señalar que ninguna de estas leyes llevaba aparejada la pena capital. En otras palabras, el que un buey resultara herido o muerto, o viceversa, es decir, que un buey hiriera o matara a una persona nunca acarreaba la muerte del culpable, sino una multa a pagar al dueño o a la víctima. Ni que decir tiene que la cuantía de la multa variaba en función del estatus social de la víctima.

Las cuatro leyes siguientes también se refieren, en algunos casos, al ganado, pero en el contexto de la malversación asociada a los tratos agrícolas y ganaderos. Robar grano al dueño de un campo mientras se trabajaba para él traía como consecuencia para el ladrón la pérdida de los dedos (253), mientras que una atención negligente al campo (254) o el subarriendo a una tercera persona guardándose el grano recogido (255) solo implicaba compensaciones económicas. La ley 256 es interesante desde el punto de vista de lo "creativo" que es el castigo asociado: el delincuente tenía que arar el campo sin la ayuda de ningún animal ("ararlo como el ganado", dice textualmente la ley), en caso de que no tener dinero para pagar la compensación que previamente establece la propia ley.

Las once leyes que cierran esta subsección tratan del alquiler de trabajadores y los reglamentos que correspondían. De ellas, hay una, la 262, que desgraciadamente está incompleta, aunque está claro que hace referencia al ganado, y también que está muy conectada con la siguiente. Las leyes 257, 258 y 261 indican el salario en grano que había que pagar a los trabajadores del campo, a los pastores y a los conductores de bueyes (se trataba de un trabajo diferente al pastoreo), así como a las compensaciones a pagar por los asalariados en caso de que se produjera algún robo o alguna pérdida en el curso de sus servicios (259, 260, 263, 264, 265, 266, 267). De ellas, solo la 266 se refiere a la posible inocencia de un pastor si algo malo le ocurría al rebaño del que cuidaba; una vez más, comprobamos que el juramento ante los dioses se usa como salvoconducto para librarse de la cárcel, aunque las circunstancias en las que podía utilizarse eran muy específicas: si un dios o un león eran los autores de la muerte del animal o animales.

Las dos subsecciones finales continúan en la línea de las anteriores. Las leyes 268 a 277 establecen los precios de alquiler de las bestias de carga, de los trabajadores y de los vehículos. De ellas, las tres primeras se refieren exclusivamente a los animales. La 268 indica que el precio de un buey utilizado para trillar es veinte *ka* de grano, y la siguiente cifra el mismo precio para un asno que realice idéntico trabajo. Los animales más jóvenes, del tipo que fueran, costaban la mitad (270).

Después siguen los precios del alquiler de carros de carga, con o sin conductor o/y buey. Según la 271, un buey, un carro y un conductor costaban 180 *ka* de grano al día. No obstante, la 272 indica que si lo que se alquilaba era solo el carro, el precio era de cuarenta *ka* de grano, también al día.

También se establecen los precios de los trabajadores. La ley 273 indica que un trabajador contratado desde abril a agosto debía cobrar seis *gehra* en metálico por cada día de labor (por supuesto, la ley hace referencia a los meses babilonios, y lo que indicamos aquí es una aproximación a nuestro calendario). A partir de agosto y hasta el final del año babilonio, el precio bajaba a los cinco *gerah*. Los caracteres de la ley 274 están algo rotos, pero trata de la contratación de artesanos (alfareros, sastres, fabricantes de cuerda, albañiles, etc.). Por desgracia no todos los precios son visibles, aunque fluctúan entre los cinco *gerah* al día, con oscilaciones de uno o dos al alza o a la baja.

El alquiler de barcas y botes también se recoge en el código. Un transbordador costaba tres *gerah* al día, en metálico (275), mientras que un barco de carga costaba dos *gerah* y medio (276). Si se quería alquilar un barco grande entero, el coste era de sesenta *gur* (277), la sexta parte por adelantado y el resto el día del uso.

Si hacemos caso a la Biblia, un *gerah* pesaba alrededor de 0,60 gramos, mientras que el *gur* era una unidad de volumen, unos 303 litros. No obstante, las distintas fuentes indican cantidades diferentes para ambas unidades, aunque no varían excesivamente.

Las cinco leyes que ponen fin al Código de Hammurabi se refieren a los esclavos. La ley 278 hace mención a los esclavos enfermos o heridos y los denomina "mercancía defectuosa" (tal cual). Un esclavo que cayera enfermo podía devolverse, y el tratante tenía que devolver el precio completo pagado en su momento por el comprador, independientemente del género del esclavo. En algunos casos, un tercero podía reclamar esclavos ya comprados, y la ley 279 establece que era el dueño el que debía resolver la reclamación. La 280 y la 281 son las dos últimas leyes del código íntimamente relacionadas entre sí, y se refiere a los esclavos comprados en una ciudad distinta a Babilonia. Si su anterior dueño los reconocía y todos procedían de la misma ciudad, podía quedárselos siempre que indemnizara al dueño actual con el precio completo de los mismos; y si eran de ciudades diferentes, el nuevo dueño debía jurar ante los dioses el precio que había pagado, obtener el dinero y después devolver los esclavos a su antiguo dueño. La última ley, la 282, establece el castigo a recibir por un esclavo que declare que su dueño no es su patrón: se le cortaba una oreja. Y se explica que los esclavos deben tener claro cuál es su sitio. La ley también estipula que el dueño debe demostrar que el esclavo es suyo, pero por desgracia no sabemos qué pasaba si se demostraba que el dueño mentía, dado que el código se acaba ahí.

Sello cilíndrico de culto al dios del sol, Shamash

El epílogo

Como era de esperar, el epílogo contiene una buena ración de autobombo para Hammurabi. Una vez más, explica sus conquistas del norte y del sur, el logro de la paz y la prosperidad en la tierra de los antiguos sumerios y acadios y el mantenimiento del equilibrio y la armonía dentro de las fronteras del imperio. En cualquier caso, el párrafo que viene a continuación aporta a los historiadores las claves a la hora de establecer los verdaderos objetivos de las leyes presentes en la estela:

Yo soy el rey que manda sobre los reyes de las otras ciudades. Mis palabras son adecuadas, no hay sabiduría mayor que la mía. Bajo el mando de Shamash, el gran juez del cielo y de la tierra, impongo el derecho que debe regir el territorio: por orden de Marduk, mi señor, decreto que mi monumento no sea destruido jamás. Que E-Sagil, al que tanto amo, haga que mi nombre se repita por siempre; que el oprimido pueda acogerse a la ley y permanezca junto a mi imagen, como rey de la justicia; dejad que lea la inscripción y que entienda bien mis preciosas palabras; la inscripción le permitirá entender su derecho; comprenderá lo que es justo, y su corazón se alegrará, por lo que proclamará:

"Hammurabi es un dirigente que actúa como un gran padre para sus súbditos, que atiende reverentemente a las palabras de Marduk; que, a mayor gloria de Marduk, ha conquistado el norte y el sur; que alegra el corazón de Marduk, su señor; que colma de bienes para siempre jamás a sus súbditos; que ha establecido el orden y la justicia en la tierra.

Cuando lea la estela, dejad que rece con todo su corazón a Marduk, mi señor, y a Zarpanit, mi señora; y entonces las deidades protectoras y los dioses, que frecuentan E-Sagil, concederán graciosamente los deseos expresados a Marduk, mi señor, y a Zarpanit, mi señora.

Aquí tenemos a Hammurabi dirigiéndose directamente a sus súbditos, al pueblo que se beneficiará (o se verá afectado) por la mayoría de las leyes presentes en el código. Hammurabi era un rey que se preocupaba por sus súbditos, o más bien que quería dar esa impresión, y por ello les facilitaba los medios para obtener justicia. Y no se trataba de una posibilidad, sino casi de una obligación. Sí, Hammurabi no solo implica a su pueblo con el código, como comprobamos si seguimos leyendo el epílogo:

En los tiempos futuros, a lo largo de todas las siguientes generaciones, dejad que el rey, que siempre estará en su tierra, lea con atención las palabras de rectitud y justicia que yo he escrito en mi monumento; no permitáis que altere la ley de la tierra que os he dado, los edictos que he promulgado; mi monumento perdurará y deberá ser seguido. Si los dirigentes quieren ser sabios y tener la capacidad de mantener el orden en esta tierra, deberán observar las leyes y preceptos que he escrito en mi monumento; las reglas, estatutos y leyes de la tierra que os he dado; esta inscripción les mostrará las decisiones que he tomado durante mi mandato; que gobierne a sus súbditos conforme a ellas, que les hable con justicia, que tome buenas decisiones, expulse de esta tierra a los criminales como se arrancan las malas hierbas y garantice la prosperidad de sus súbditos.

Como muchos dirigentes y diplomáticos de épocas posteriores (Constantino VII Porfirogéneta, Nicolás Maquiavelo), Hammurabi escribió su código pensando en los dirigentes del futuro, haciendo hincapié en la importancia de gobernar de forma justa y equitativa. Más específicamente, en el mismo epílogo, indicó que los dirigentes que siguieran el código al pie de la letra serían benditos por los dioses, mientras que, si alguno se atrevía a cambiar, borrar o destruir el código (cosa que ocurrió posteriormente), sería maldecido por esos mismos dioses. La mayor parte del epílogo detalla con mucha concreción las maldiciones que cada dios y diosa harían sufrir al sacrílego que desafiara los preceptos del código o no los siguiera a propósito.

Comentarios acerca del código; malinterpretaciones más habituales

Desde su descubrimiento, el Código de Hammurabi ha sido objeto de grandes y casi fieras discusiones, incluso referidas a los aspectos más básicos del mismo, como por ejemplo el propósito que guio su elaboración. Pese a casi un siglo y medio de investigación histórica, solo unos pocos detalles de este extraordinario documento resultan inequívocos para los expertos.

La primera y quizá más importante pregunta que necesitaba ser contestada era la referida al objetivo del código. Contrariamente a lo que se cree en general, e incluso contrariamente también al nombre que se le ha dado a la estela, el Código de Hammurabi en realidad no es un "código". No se utilizaba en las disputas judiciales, y las referencias a las leyes que se detallan en él son muy escasas, y en su mayor parte parecen más conjeturas que realidades. En otras palabras: los jueces no utilizaban la estela como punto de referencia cuando juzgaban sus casos legales. Las personas que se han dedicado al estudio del rey babilonio llevan años preguntándose qué propósito fue el que le llevó a crearlo, teniendo claro que no era resumir las leyes a aplicar en el nuevo imperio de Hammurabi. Y la mejor pista que tenemos es lo que el propio rey dice en el epílogo. El código fue uno de los muchos monumentos que glorificaron a Hammurabi durante su reinado y, por encima de todo, su propósito era dejarle claro a todo el mundo, desde los nobles hasta los esclavos, lo benevolente y justo que era el rey. Como muchas otras estelas mesopotámicas de este periodo de la historia, se creó para engrandecer la figura del rey ante el conjunto de su pueblo, pero de una manera que también hiciera parecer a cada uno de los súbditos tan importante individualmente como el propio rey. Otra posibilidad es que el código sea meramente una colección de leyes basadas en casos previos que ya habían sido juzgados, y con veredictos aplicados; es decir, una especie de "jurisprudencia". El gobernante decidió que resultaría muy conveniente inscribirlas en diorita negra. El mensaje que hace llegar en el epílogo a los dirigentes futuros en relación con el mantenimiento y la utilización del código, so pena de castigos divinos, refuerza este hipotético objetivo. De todas maneras, no hay consenso científico total respecto a los dos objetivos mencionados, y mientras no se encuentren evidencias contundentes e inequívocas, lo único que podemos hacer es especular y emitir hipótesis.

Otro detalle importante acerca del código es que no es exhaustivo en absoluto. De entrada, solo contiene leyes civiles. No hay en él ninguna referencia a aspectos militares, ni nada que roce siquiera la "política exterior", y no nos cabe la mínima duda de que estos había leyes y regulaciones que afectaban a estos dos aspectos del gobierno del impero. El código no indica cómo se organizaban los reclutamientos, los años de servicio, el trato a los prisioneros de guerra o la firma de tratados (aunque algunas de las leyes tratan de pasada algunos de estos aspectos). Tampoco sabemos cómo se trataba a los extranjeros que querían establecerse en Babilonia, no en lo que se refiere a los esclavos o a los prisioneros, sino a los hombres libres que quisieran, por ejemplo, comprar tierras o poner una tienda en la ciudad. Tampoco hay leyes que se refieran al sector de la salud (salvo las pocas que afectan a los cirujanos y veterinarios) ni al de la educación de los niños, ni a los acontecimientos extraordinarios y de emergencia, como por ejemplo las guerras, los desastres naturales, las hambrunas y las epidemias. Pese a que el código es uno de los más amplios de la Antigüedad, simplemente no contiene muchos de los elementos que sin duda debería tener un conjunto general de leyes.

Capítulo 7 – El legado de Hammurabi

No cabe la menor duda acerca de que Hammurabi tuvo mucha influencia en toda Mesopotamia. Si nos fijamos únicamente en los aspectos positivos de su dominio, encontramos todo un conjunto de formas por medio de las cuales este rey babilonio dio la vuelta casi como un guante al paisaje político, religioso y cultural de la región de los dos grandes ríos.

Algo de lo que Hammurabi estaba especialmente orgulloso era de sus enormes logros en lo que se refería a la administración de justicia. Algunos himnos y poemas presentes en estelas encontradas en diversas excavaciones de Ur y Sippar muestran lo orgulloso que estaba por haber logrado librar a esas tierras de delincuentes y estafadores, así como de instituir leyes que ayudaran a la buena gestión de la tierra y al mantenimiento de las propiedades familiares. El código que desarrolló se mantuvo intocado hasta más de un siglo y medio después de su muerte, y hoy día adorna los atestados pasillos del Louvre; buenos argumentos que respaldan el orgullo que, en vida, sentía el rey por sus logros a ese respecto.

Está claro que Hammurabi no necesitaba en realidad alardear de sus logros, ya que otros lo hacían e hicieron por él. De hecho, y contrariamente al resto de los reyes de su dinastía, fue deificado algunos años antes de su muerte. La práctica de declaran dios a un dirigente no era infrecuente en el Cercano Oriente de la Antigüedad, pero sí que fue la primera vez que un dirigente babilonio recibía tal honor, y la cosa no paró ahí. Hammurabi vivió para ver como a muchos niños se les daban nombres en su honor, como por ejemplo Hammurabi-ili, que se puede traducir por "Hammurabi es mi dios".

Resulta curioso el hecho de que no fue el primero en llevar el nombre de Hammurabi, e incluso durante su reinado hubo un dirigente de otra ciudad que llevaba el mismo nombre, como ya se ha dicho antes en estas páginas. Pero el pico de popularidad del nombre creció desmesuradamente tras su largo y fructífero reinado, y no es de extrañar que muchos dirigentes posteriores lo adoptaran, tanto dentro de su dinastía como en otras. Tampoco era una práctica rara, pues, por ejemplo, Sargón fue un nombre igual de popular, hasta el punto de que muchos dirigentes lo adoptaron en varias de las ciudades-estado de la región.

Hammurabi fue un monarca tan notable que incluso la gente que vivió un milenio después de él era capaz de recordar su nombre. Muchos poemas y cuentos posteriores a su reinado utilizan su nombre y recuerdan sus logros, lo mismo que ocurre con deidades como Ishtar o incluso Shamash. Si utilizáramos términos de hoy, podríamos decir que Hammurabi se subió al carro ganador de la historia cultural de Mmesopotamia. Su código de leyes lo ha sobrevivido hasta nuestros días, y no es de extrañar que Shutruk-Nahunnte, un rey elamita que atacó Babilonia en el año 1158 a. C., decidiera llevarse valiosas reliquias del brillante pasado de la ciudad, incluyendo hasta tres estelas que contenían el código. Las dejó en Susa, y fueron descubiertas muchos siglos después gracias a la curiosidad de varios arqueólogos europeos. El código también se abrió camino hacia la enorme biblioteca asiria de Asurbanipal, donde se guardó y registró.

Se puede decir sin temor a equivocarse que el Código de Hammurabi en sí mismo influyó sobre muchos sistemas legales de la Antigüedad. Es de todos sabido que la ley hebrea contiene referencias a varias de sus leyes, siendo el ejemplo más conocido el famoso principio de "ojo por ojo y diente por diente". Su descubrimiento fue tan importante para la historia del derecho que la cámara del Capitolio de los Estados Unidos recibió en 1949 un retrato de Hammurabi, que se incluía entre las veintitrés personas que influyeron en la elaboración del sistema legal americano. Resulta fascinante pensar que, a pesar de que el rey babilonio dedicó gran parte de su vida a las conquistas mediante la guerra, se le recuerda como un hombre que promovió la paz y la justicia. Al contrario que Sargón, a quien se recuerda por sus conquistas, o Utu-hengal, que liberó a los sumerios de las influencias externas, o incluso Gilgamesh, cuyas legendarias victorias inspiraron algunas de las páginas épicas más bellas de la ficción en la Edad Antigua, Hammurabi permanecerá para siempre como el legislador por excelencia de esa época, y, además, como el dirigente pacificador que promovió activamente la justicia para su pueblo.

Cono de Samsu-iluna, 1749-1712 a. C. Actualmente en Chicago, IL

Conclusión

Sin lugar a dudas, Hammurabi fue un dirigente de enorme importancia histórica. Durante su reinado de cuatro décadas logró pasar de ser un príncipe local, más preocupado por la construcción y reparación de templos y canales de irrigación, a convertirse en el unificador de numerosos reinos y el vencedor de antiguas grandes potencias de Oriente Medio. Así, pasó de estar bajo el yugo de déspotas poderosos a convertirse en un emperador respetado y temido en todas partes. Al contrario que la mayoría de los dirigentes anteriores a él, consiguió unir toda la región bajo su mando, pero, al contrario que los pocos predecesores que lo lograron en su momento, consiguió cambiar el comportamiento de los países que conformaban la Mesopotamia de la época. Con él murió el concepto de ciudad-estado y nació la primera época de los imperios. No es extraño, pues, que su nombre haya resonado a lo largo de los siglos, e incluso de los milenios posteriores a su muerte.

Pero fue mucho más que un poderoso conquistador. Sus relaciones con las ciudades conquistadas, aunque no fueron perfectas en todos los casos, dejan claro como trataba a sus súbditos. Al menos de cara a la galería, Hammurabi hizo lo que pudo por pacificar realmente la región, reconstruyendo los templos locales de las ciudades y reinos y teniendo en cuenta el bienestar y la prosperidad del pueblo. Su ahora famoso código, por encima de todo lo demás, demuestra que la impartición de la justicia era su máxima preocupación, y durante un breve plazo de tiempo, Mesopotamia gozó de un sistema legal unificado, y todos podían confiar en que su rey se preocupaba personalmente de llevarlo a la práctica. De hecho, muchas veces actuaba como juez supremo en procesos legales, incluso menores.

Finalmente, es justo decir que su código cambió de una forma bastante significativa nuestro modo de mirar la historia, por lo que influirá en las futuras tanto como lo ha hecho en las pasadas. Los científicos e historiadores se cuestionan ahora la edad de la ley bíblica, y buscan paralelismos entre su código y los muchos que le siguieron y, conforme crecen las investigaciones, también con las leyes que lo precedieron. La propia historia de Mesopotamia le debe tanto a Hammurabi que las formas más habituales de medir el tiempo toman como referencia los años de su reinado (antes de Hammurabi" y "después de Hammurabi"). La expresión "de largo alcance" ni siquiera se acerca a hacer justicia a este rey, pues su influencia va mucho más allá.

Como es natural, Hammurabi era un ser humano, y pese a que su naturaleza real solo puede apreciarse a retazos gracias al intercambio epistolar con los reyes contemporáneos, lo que se vislumbra es una verdad universal: incluso los guerreros, dirigentes y líderes sociales más legendarios tenían sus flaquezas. Si examinamos el propio código, así como algunos de los actos de Hammurabi, nos damos cuenta de que, al igual que el resto de los dirigentes de su época, ni mucho menos era tan perfecto como pretendía aparentar. En cualquier caso, estas imperfecciones en modo alguno empañan su contribución a la historia del mundo. Simplemente la humanizan. Hammurabi seguirá fascinando a muchas generaciones futuras de investigadores, y dado que cada año surgen nuevas fuentes de consulta, iremos teniendo más y más información acerca de este trascendental rey de Babilonia.

Séptima Parte: El Imperio Persa

Una guía fascinante de la historia de Persia, desde los antiguos imperios aqueménida, partenopeo y sasánida hasta las dinastías safávida, afsárida y kayar.

Introducción

Los estudiantes de historia antigua conocen bien a los persas. Los persas son un grupo cultural y lingüístico presente en la actualidad, y los fundadores de la nación moderna de Irán. Sus raíces se remontan a los arios del norte de Europa, pero con el paso del tiempo, consiguieron afirmarse en una identidad propia que condujo a la formación de algunos de los imperios más poderosos del mundo.

Una de las cosas más sorprendentes de los persas es la rapidez con la que pasaron de ser una tribu desconocida, impotente y nómada a un inmenso imperio que se extendía por Asia occidental, África y partes de Europa. El ascenso de Ciro el Grande, considerado el padre de Persia, en el siglo VII a. C. llenó el vacío de poder causado por la caída de los asirios, y condujo a la formación de uno de los imperios más poderosos del mundo antiguo.

Este primer imperio, conocido como el imperio aqueménida, controlaba uno de los mayores imperios en cuanto a superficie terrestre jamás registrados. Las tropas persas llegaron hasta Libia y Grecia, y los gobiernos persas controlaban los territorios de las actuales naciones de Afganistán, Uzbekistán y Tayikistán, así como la India. Sus constantes guerras con los griegos jugaron un papel fundamental en el desarrollo de su cultura al obligar a las ciudades-estado griegas a unirse, dando lugar a una Edad de Oro griega. Esto ha tenido una enorme influencia en el mundo en que vivimos hoy en día; si los griegos no hubieran sido capaces de detener el avance persa, el mundo sería muy diferente.

Sin embargo, como todos los imperios del mundo antiguo, los aqueménidas no duraron para siempre. La guerra constante agotó sus recursos, y el surgimiento de los griegos y macedonios guiados por Alejandro Magno finalmente empujó al gran Imperio persa a un segundo plano en la historia. Pero los persas no desaparecieron para siempre. Sucesivas dinastías que comenzaron en el siglo III a. C. y continuaron hasta el siglo VII d. C. ayudaron a restablecer a Persia como una fuerza dominante en la región, y desempeñaron un papel importante en la creación y propagación de una identidad cultural y étnica persa que perduraría a lo largo de los casi 900 años de dominio islámico y continuaría hasta la actualidad.

Los persas han hecho importantes contribuciones a la cultura mundial, desde su capacidad para reunir y entrenar una de las fuerzas de combate más formidables del mundo antiguo, los inmortales persas, hasta sus nuevas y efectivas formas de organizar y administrar el gobierno. También, el arte persa tuvo una fuerte influencia en los invasores musulmanes, lo cual marcó el comienzo de la Edad de Oro Islámica que ayudó a extender el islam por el Medio Oriente y África.

Algunos aspectos de la cultura persa desaparecieron con el tiempo, pero muchos sobrevivieron, aunque solo en pequeñas porciones. El zoroastrismo, por ejemplo, una de las religiones monoteístas más antiguas del mundo, desempeñó un papel importante en la cultura e identidad persas hasta la invasión islámica, pero todavía existe en la actualidad y es practicada por miles de personas en todo Irán y la India. Así que, aunque la gloria del Imperio persa es en gran medida una cosa del pasado, su influencia en el mundo no lo es. Por lo tanto, entender cómo los persas llegaron al poder, y cómo ejercieron su influencia en los diferentes grupos culturales de Asia occidental, ayuda a entender mejor tanto la historia de Oriente Medio como la del mundo entero.

Capítulo 1 - ¿Quiénes son los persas? La historia de la población humana en Irán

Hoy en día, Persia es un nombre muy conocido. La gente come comida persa, disfruta de los productos persas, y millones de personas hablan el idioma persa. Se ha convertido casi en sinónimo del país moderno de Irán. Pero no siempre fue así. De hecho, cuando se examina la historia desde una perspectiva amplia, los iraníes son relativamente nuevos en la escena de Oriente Medio. Pero la combinación de azar, desarrollo cultural y poderío militar cambiaría esto rápidamente y convertiría a Persia y al pueblo persa en una de las civilizaciones más famosas del mundo. Sin embargo, antes de ver cómo el Imperio persa llegó al poder, es importante entender los orígenes del pueblo persa y también la tierra que eventualmente llamaría hogar.

La llegada de los iraníes y los persas

La civilización eventualmente entendida como Persia obtiene su nombre de la región de Persis, que se encuentra en el noroeste de Irán en la moderna región de Fars. Fue allí donde la tribu iraní Pasargada, a veces conocidos como los Parsua, decidieron establecerse en el siglo VII a. C. después de una larga y lenta migración desde el norte y el oeste. La ciudad que construyeron, también llamada Pasargada, se convertiría en el centro cultural y político del primer Imperio persa.

Sin embargo, aunque la concepción moderna de la civilización persa no comenzó oficialmente hasta el último milenio a. C., la historia del pueblo persa comienza mucho antes en la línea de tiempo de la historia humana.

La evidencia de las poblaciones humanas en Irán se remonta a la Edad Glacial Tardía, así como a la Edad de Piedra Tardía. Sin embargo, la evidencia arqueológica sugiere que los humanos no comenzaron a cambiar su estilo de vida nómada por el sedentario basado en la agricultura hasta el siglo V o quizás incluso el VI a. C.

A medida que la gente comenzó a abandonar sus formas de vida nómada en favor de las sedentarias, se produjeron migraciones masivas, conduciendo a pueblos de diferentes orígenes étnicos y lingüísticos hacia el Medio Oriente. Se cree que los persas son el resultado de una mezcla de etnias orientales y occidentales, en gran parte procedentes de la meseta de Asia Central, y también los arios y otros grupos étnicos originarios de Rusia y muchos de los actuales estados eslavos.

Como era común en las civilizaciones antiguas, al asentarse Persis, las tribus nombraron un líder o rey. Sin embargo, este «rey» tenía poder solo sobre la tribu que le había concedido el derecho a gobernar, y prácticamente ninguna influencia sobre los territorios circundantes. Esto cambiaba rápidamente en el contexto de la historia antigua (Persia comenzaría a ejercitar sus músculos imperiales menos de 200 años después de la fundación de Pasargada), pero al principio, los persas eran vasallos de otros grupos más poderosos de la región, concretamente de los medos.

Los medos fueron un grupo étnico y eventualmente un reino (y tal vez imperio, dependiendo de cómo se defina el término) contemporáneo del Imperio asirio Tardío (1000 a. C.-600 a. C.). Se cree que llegaron a la escena en el siglo II o posiblemente en el III a. C., y que con el tiempo controlaron grandes partes del noroeste de Irán, el sudeste de Turquía y el oeste de Irak. Desafortunadamente, no se ha excavado ningún sitio de los medos, y la mayor parte de lo que se conoce sobre su civilización se ha sabido estudiando los registros de las civilizaciones circundantes. Así que, aunque ciertamente fueron influyentes, se desconoce el alcance de su control político en la región, y se cree que, en términos generales, mantenían un control débil que dependía en gran medida de las voluntades y los caprichos de sus vecinos más poderosos, específicamente los elamitas y los asirios.

Sin embargo, no se puede subestimar el papel de los medos en el desarrollo de la historia persa. Mientras que los persas eran súbditos del reino vecino, las similitudes del lenguaje y la religión ayudaron a acercar los dos pueblos. Específicamente, tanto los medos como los persas hablaban un idioma iraní y son parte del grupo étnico iraní. Ninguno de los dos podía entender completamente al otro, pero la similitud en la estructura de estos dos idiomas facilitaba la comunicación entre los dos grupos y la formación de redes de comercio y poder político.

A diferencia de los idiomas semíticos que se hablaban en gran parte de la Mesopotamia y el Asia occidental en esa época, los iraníes son un grupo etnolingüístico compuesto por muchos otros grupos étnicos diferentes, como los bactrianos, cimerios, medos, partos, persas y escitas, entre otros, siendo el idioma iraní la característica unificadora de este grupo etnolingüístico. El iraní forma parte del grupo más amplio de lenguas indo-iraníes, que es una rama de la clasificación indoeuropea mucho más amplia que incluye unas 445 lenguas vivas, entre ellas el español, el hindi, el inglés, el portugués, el punjab, el alemán, el francés, el italiano y el persa, entre otras.

Además, en el momento de la llegada de los persas al Irán, practicaban una religión familiar para los medos, pues ambos compartían raíces de las tradiciones de la Ley Antidemocrática, sabidamente parte prominente de la cultura aria (los pueblos originarios de Rusia y otras partes del noreste de Europa).

Esta religión no tenía «dioses». En cambio, se entendía que la vida en la Tierra estaba controlada por una serie de demonios sin nombre que eran responsables de todas las cosas terribles que pueden definir la existencia. Y tenían esencialmente un culto al fuego, adorando al fuego sagrado como su principal deidad. Sin embargo, a medida que los persas se asentaron y se hicieron más influyentes, comenzaron a adaptar algunas de las prácticas religiosas de los medos y de otras culturas iraníes de la región, dando lugar finalmente al zoroastrismo, la mayor religión surgida en Irán con la excepción del islam.

Sin embargo, los persas, con su idioma iraní y sus costumbres religiosas iraníes/arias, eran dramáticamente diferentes de las otras culturas que ya vivían allí. Cuando llegaron a la Medialuna Fértil (la zona que incluye Mesopotamia -el gran valle fértil entre los ríos Tigris y Éufrates en el actual Iraq, así como los territorios circundantes en el actual Israel y el golfo Pérsico. Véase la figura 1 infra), fueron considerados «norteños». Y debido a su idioma distinto, también habrían sido considerados «extranjeros»; en esa época, la mayoría de la gente de la región hablaba una lengua semítica, como el asirio, el acadio, el babilonio, etc. Esta clasificación desempeñaría un papel importante en la configuración del paisaje geopolítico de Irán y el territorio circundante.

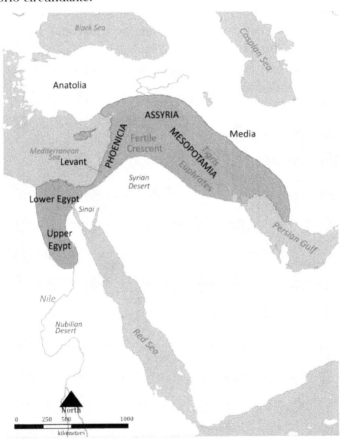

La geografía y la geopolítica de Oriente Medio: El nacimiento del Imperio persa

Además de las diferencias culturales, religiosas y lingüísticas que existían en el antiguo Oriente Medio, la geografía de la región también desempeñó un papel fundamental en la configuración del curso de su historia. La mejor palabra para describir la meseta iraní y los territorios circundantes es «difícil». Las montañas rodean casi toda la región. En el norte, bordeando el mar Caspio, están las montañas Alborz, y las fronteras occidentales del moderno Iraq, que se extienden a lo largo de las fronteras con Iraq y Turquía, están protegidas por las montañas Zagros. Los desiertos dominan la topografía tanto en el centro como en el sur de Irán, con la meseta elevándose lentamente hacia el este para finalmente formar parte del gran Himalaya. La figura 2 muestra la topografía de Irán y la región circundante. Persis en la antigüedad era la región del sur de Irán que rodea la actual ciudad de Shiraz.

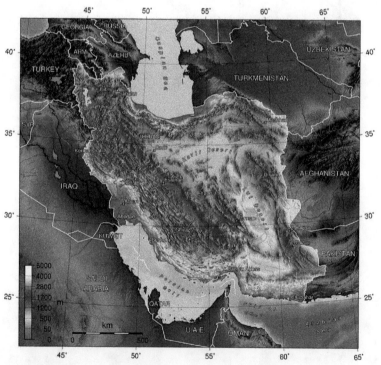

Debido a este clima, los lugares para el asentamiento humano eran escasos. La mayoría de las tierras fértiles estaban entre las cimas de las montañas, y las precipitaciones en la región eran, y siguen siendo, mínimas. La mayor parte del territorio dependía del deshielo de la nieve en la primavera para su abastecimiento de agua, y asegurar este precioso recurso era, y sigue siendo, con frecuencia la máxima prioridad para cualquier líder de la región. Sin embargo, a pesar de estas dificultades, la gente fue capaz de encontrar maneras de instalar y hacer crecer las civilizaciones. Pero la agricultura tradicional no era común, y la gente utilizaba la cría de animales como su principal fuente de alimentos e ingresos.

Sin embargo, debido a sus diferencias culturales y lingüísticas, y también a la situación geopolítica en el momento de su llegada al Irán, la historia persa fue definida por la forma en que interactuaron con sus vecinos más poderosos e influyentes.

Con la fundación de Pasargada en el siglo VII a. C., Asiria, que había sido la potencia dominante en la región durante gran parte de los últimos 300 años, estuvo al borde del colapso. Pero seguía siendo el imperio más poderoso de Mesopotamia y del extranjero; su esfera de influencia se extendía al oeste hasta Egipto y al este hasta los montes Zagros. Los registros asirios indican que los primeros reyes persas, que mantenían una hegemonía sobre la región de Persis, eran vasallos de los reyes asirios, y enviaban tributos como señal de su lealtad.

Sin embargo, a finales del siglo VII a. C., Asiria cayó y casi desaparece de los anales de la historia. Pero cuando sucedió, las nuevas potencias, específicamente Babilonia, Elam, Caldea, Lidia, Egipto, y en menor medida, Grecia, ejercitaban sus músculos en el oeste de Asia, lo cual significa que desde el principio los persas tuvieron que luchar para mantener el control sobre el territorio que iban a llamar hogar. El paso del Imperio persa a la historia como uno de los más avanzados militarmente no debería sorprender a los estudiantes de historia.

Sin embargo, esta transición no ocurrió de la noche a la mañana. Tras la caída de Asiria, los persas se convirtieron en vasallos de los medos, cuya influencia en la región crecía tras ayudar a los babilonios, elamitas y egipcios a derrocar el imperio asirio. Pero Persia crecía tanto en tamaño como en influencia. Comenzó a establecer su propia tradición monárquica, con una familia real, la aqueménida, en control total del trono persa. Esta familia ganó poder lentamente, y hacia el 550 a. C. Ciro II, también conocido como Ciro el Grande, subió al poder y logró derrocar el gobierno medo, logrando autonomía política para Persia, y dando a luz el primer Imperio y dinastía persas, que jugaría un papel importante en la conformación de la historia de la región.

Conclusión

En general, los persas pueden considerarse rezagados en el escenario de la antigua Mesopotamia, Irán y el Medio Oriente. Pero esto no aminora su influencia. Usando la lente de la retrospectiva histórica, los persas llegaron en un momento particularmente fortuito de la historia. La caída de los asirios significó agitación política en la región. Y aunque el Imperio neo-babilónico tomaría el control de gran parte de Mesopotamia, Irán y la región circundante estaban a la altura. La sucesión de reyes de la dinastía aqueménida llevaría gloria al pueblo persa, y ayudaría a consolidar a los persas como una de las civilizaciones más formidables, poderosas e influyentes de toda la historia de la humanidad.

Capítulo 2 - El nacimiento del Imperio de los aqueménidas: Surgimiento y reinado de Ciro el Grande

A mediados del siglo VI a. C., el paisaje político de Mesopotamia y sus alrededores había cambiado considerablemente. Asiria ya no existía, y la alianza formada por dos de sus enemigos -Babilonia y los medos- se había diluido. Su relación era débil, y después de conquistar el botín del Imperio asirio, las tensiones empezaron a aumentar de nuevo.

En esta época, las diferentes tribus persas dispersas por la región de Persis comenzaban a unificarse y a lograr alguna forma de identidad nacional. El nacionalismo llegó en el momento oportuno para los persas, pues la agitación política de la región produjo condiciones bastante favorables para afirmar su independencia.

Establecimiento de una nación: La unificación de Persia

En el 559 a. C., tuvo lugar el primer acontecimiento real trascendental en la historia persa: la coronación de Ciro II, más tarde conocido como Ciro II el Grande. Probablemente este apodo se debe al reconocimiento de su tremendo logro: unir las tribus persas y expandir el Imperio persa hasta ser el más grande de la región en aquel momento.

La capital de Ciro II fue Pasargada, ocupada en gran parte por miembros de la tribu Pasargada, gobernada por la familia de Ciro II, los aqueménidas. Pero en este momento de la historia, era vasallo de los reyes medos. Sin embargo, no se conformó con el papel de rey secundario, y empezó a tramar una revuelta que ayudaría al pueblo persa a conseguir cierto grado de autonomía política.

Empezó reuniendo el apoyo de otras tribus persas que se habían asentado en toda la meseta iraní, a saber, los Maraphii, los Maspii, los Panthialaei, los Deusiaei y los Germanii. Pero Ciro II sabía que sería incapaz de derrocar el gobierno de los medos por sí solo, así que después de conseguir unificar muchas de las diferentes tribus persas, empezó a buscar un aliado que apoyara su revolución.

Como ya se ha mencionado, la calidez que definió los asuntos babilónicos-medos durante su intento conjunto de sacar a los asirios de su posición de dominio se había enfriado considerablemente, y aunque las dos potencias no estaban en conflicto abierto, tampoco eran buenos amigos. Como resultado, Babilonia fue la primera elección de Ciro II como aliada, y considerando que Babilonia era el siguiente vecino más cercano de Persia sin contar a los medos, esta decisión tenía sentido lógico.

En el momento en que Ciro II planeaba su revuelta contra los gobernantes medos, Babilonia estaba pasando por una transición. Los caldeos, un grupo étnico que constituía una gran parte del Imperio babilónico, siempre generaban controversia respecto al trono babilónico, pues a menudo no eran bienvenidos como líderes por otras potencias de la región; Asiria, Elam y los medos apoyaban frecuentemente las revueltas dentro de Babilonia que se producían como resultado del ascenso al trono de los caldeos.

Cuando Ciro II estaba reuniendo apoyo para su rebelión, nadie en Babilonia tenía un claro derecho al trono. Eventualmente, un líder anti-Caldeo, Nabu-naid, fue nombrado rey, e hizo una alianza con Ciro II para ayudarle a recuperar las tierras perdidas con los medos durante las guerras con Asiria justo el siglo anterior, específicamente la región que rodea la ciudad de Harran, que fue la última ciudad en caer del Imperio asirio, quitándoles el poder en la región.

Ciro II comenzó su guerra contra los medos en el 555 a. C., y los babilonios hicieron su parte expulsando a los medos de los territorios disputados cerca del golfo Pérsico. Esto ocupó a las fuerzas medas de ambos frentes, lo cual facilitó que Ciro II y sus ejércitos se adentraran en el territorio medo y conquistaran sus ciudades, incluida su capital, Ecbatana. Los esfuerzos de los medos por tomar represalias se vieron frustrados por un motín -sus tropas probablemente reconocieron su inminente perdición- y esto significó que para el año 550 a. C. Ciro II logró conquistar a los medos. Persia era ahora oficialmente una nación independiente, pero su poder e influencia derivaría en parte de las estrechas conexiones que tenía con el antiguo Imperio medo. Ciro II asumió el control de lo que los medos habían construido, y él y sus sucesores se expandirían a partir de allí para colocar firmemente a los persas en el centro de la poderosa civilización iraní.

Este es claramente un momento glorioso en la historia persa, pero también puso en marcha un período de considerable incertidumbre que los persas debieron afrontar para poder mantener su recién descubierta autonomía. Concretamente, la conquista de las tribus de los medos significaba que Ciro II sentía derecho a gobernar los territorios conquistados por los reyes de los medos, que se extendían por Mesopotamia, Asiria, Siria, Armenia y Capadocia (una región de la actual Turquía).

Sin embargo, los babilonios también consideraban que tenían derechos legítimos sobre esas tierras, lo cual implicaba a Persia inmediatamente en conflicto con una cultura que había sido su aliada apenas unos años antes. Como resultado, estas etapas iniciales de la historia persa están estrechamente ligadas a las acciones de los babilonios y a la forma en que estos dos poderosos reinos negociaron la ausencia de los medos, anteriormente un amortiguador entre Babilonia y otras naciones más poderosas del este. Pero antes de que Ciro II se pusiera a trabajar en la conquista de los babilonios y en poner bajo su control el sur de Mesopotamia, pasó un tiempo en el norte de la Medialuna Fértil, lo cual ayudó a extender la influencia persa más hacia el oeste.

Poder emergente: La conquista de Lidia

Lo notable de Ciro II es que pasó de ser el rey de una poderosa pero pequeña ciudad en la meseta iraní a emperador de una vasta civilización que se extendía desde su tierra natal hasta el oeste de Egipto en menos de una vida. Y sus sucesores irían aún más lejos al llegar y entrar en batalla con las ciudades-estado de la periferia griega. Debido a esto, en solo una generación, Persia pasó de ser un conjunto de tribus dispersas que se identificaban con los mismos orígenes y hablaban el mismo idioma al mayor imperio jamás visto en la Medialuna Fértil y el Mediterráneo. De hecho, se convertiría en el mayor imperio del mundo en ese momento, excepto por China.

Cuando Ciro llegó al poder, se le llamó el rey de Ashan, nombre del pueblo del cual provenía, que le daba su título y el derecho a gobernar. Poco se mencionó el término «Rey de Persia» hasta mucho más tarde en la historia, y puede que provenga del nombre utilizado por culturas de lejos para describir un territorio poblado por diferentes tribus persas. La primera mención del rey de Persia proviene de los registros babilónicos, quienes habrían reconocido el cambio de poder proveniente de uno de sus aliados más cercanos y poderosos.

Después de que Ciro II logró conquistar a los medos, comenzó a poner sus miras más lejos, específicamente hacia los reinos de Lidia y Babilonia. Pero le llevó casi tres años reunir a sus tropas y comenzar la campaña. Hubo resistencia a la conquista, lo que significa que algunos antiguos súbditos de los medos se resistieron a rendir su lealtad a Ciro II, lo cual requirió una operación militar. Pero cuando sintió que tenía la situación bajo control, se reorganizó y puso en marcha la campaña.

El reino de Lidia está situado al oeste de los medos en el centro de Turquía (la figura 3 muestra un mapa de cómo el Irán y la Mesopotamia del siglo VI pueden haber estado políticamente organizados antes del ascenso al poder de los persas).

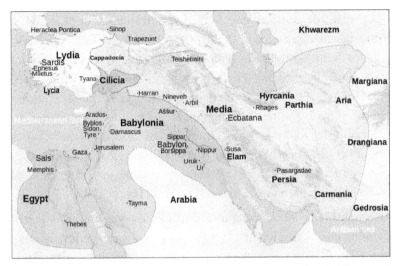

Aunque no era muy poderoso, el reino de Lidia estaba estratégicamente ubicado, en particular para sus vecinos occidentales más poderosos, es decir, Grecia y Egipto. Ambos veían a Lidia como un útil amortiguador entre ellos y los reinos más poderosos que tendían a salir de Mesopotamia. Es probable que no hubieran comprendido plenamente el alcance del poder persa en ese momento, pero después de tres siglos de gobernantes asirios, los líderes de los reinos egipcio y griego sabían que debían mantener la distancia. Como resultado, estaban dispuestos a ofrecer apoyo a los lidios cuando necesitaban ayuda para defenderse de los invasores orientales.

Unos 30 años antes del surgimiento de Ciro II, Lidia y los medos habían firmado un tratado para establecer la frontera de Halys, que dividía Asia Menor (la actual Turquía) entre los lidios y los medos (véase la figura 3 para encontrar la frontera entre estos dos reinos). Sin embargo, cuando Ciro conquistó a los medos en el año 550 a. C., los líderes de Lidia temían que Ciro II no cumpliera los términos del tratado.

Como resultado, el rey lidio de entonces, Creso, envió a buscar ayuda de los babilonios, egipcios y griegos. Y mientras tanto, lanzó un ataque contra Ciro II, violando efectivamente el tratado entre las dos naciones y pasando a la ofensiva como una forma de proteger a su pueblo y territorio.

Los registros indican que la primera respuesta de Ciro II fue intentar incitar una rebelión dentro del territorio de Lidia apelando a los jonios (término utilizado para describir a los griegos que vivían en Asia Menor), pero debió ser infructuosa, ya que en el año 547 a. C., Ciro II reunió sus tropas y entró en el territorio de Lidia, avanzando hasta su capital, Sardes, lo que provocó la muerte de Creso y la eliminación del reino de Lidia como nación independiente. Con esta victoria, el Imperio persa se extendió por todo el norte de Mesopotamia y Asia Menor, así como por la meseta iraní. Se estaba convirtiendo rápidamente la hegemonía de la región.

Lo interesante de la conquista de Lidia es que unió dos culturas muy diferentes. Cuando Ciro II tomó control de los medos, asumió el poder en una tierra llena de gente no tan distinta de la suya. Ambos hablaban idiomas iraníes; se veían relativamente similares, ya que ambos grupos tenían orígenes arios del norte; y practicaban la misma religión. Sin embargo, cuando Ciro conquistó a los lidios, puso bajo su control a personas que habían sido fuertemente influenciadas por la cultura y el pensamiento griegos. Esto implicaba un desafío para mantener el control de la región. Y también ayuda a mostrar por qué Ciro II se inclinó a tratar las costumbres o creencias griegas como inferiores a las suyas. Los persas y los griegos tienen una larga historia juntos definida por el conflicto y la rivalidad, y es posible que se deba al choque cultural inicial que Ciro II experimentó al entrar en Asia Menor y reclamar las tierras de Lidia como parte del Imperio persa.

Solidificando el control: La conquista de Babilonia

Tras controlar de los lidios, Ciro II había logrado aumentar considerablemente el tamaño del Imperio persa. Su esfera de influencia en el 547 a. C. incluía la meseta iraní y sus territorios circundantes, incluyendo las tierras previamente controladas por los medos, así como el reino de los lidios. En este punto de la historia, sin embargo, Neo-Babilonia y Egipto permanecían independientes, pero pronto tendrían que enfrentarse a los avances del poderoso ejército de Ciro II.

Egipto probablemente se sentía más seguro ya que una invasión a su territorio requería que Ciro II y su ejército cruzaran Siria y Fenicia, territorios aún leales al trono babilónico. Sin embargo, el rey babilonio reconocía el peligro.

Pero transcurrieron casi siete años para comenzar la lucha. No está claro qué hizo Ciro II durante aquellos años. Continuar el avance hacia el sur desde Lidia hasta Babilonia tenía sentido, pero algo lo distrajo. Se especula que debió atender asuntos en las partes orientales del recién formado imperio, pero los hechos no han sido confirmados.

Parece que cuando Ciro II finalmente organizó el ataque a Babilonia en el 540 a. C., el tiempo transcurrido entre las dos campañas le permitió prepararse adecuadamente para la invasión. Ciro II marchó a Babilonia y fue capaz de proclamarse rey aquel año, lo cual significa que para el 539 a. C., el Imperio neo-babilónico había caído.

Parte de la causa del enorme éxito de la invasión de Ciro fueron las luchas internas entre los diferentes gobernantes de Babilonia. Una antigua fuente de conflicto en los asuntos babilónicos eran los caldeos. Este grupo étnico afirmaban ser los «verdaderos babilonios», y usaban estas afirmaciones para atribuirse el poder sobre la tierra. Sin embargo, otros grupos no veían las cosas de la misma manera, y hubo constantes luchas entre los caldeos y otros grupos étnicos a lo largo de la historia de Babilonia. Ciro II incitó el sentimiento anti-caldeo en su invasión y así ganó el apoyo de muchos ciudadanos babilonios, lo cual facilitó la invasión.

Pero Ciro II debió reconocer que, aunque ahora era rey de Babilonia, mantener el título requería de un fuerte control sobre un grupo de personas que fue muy poderoso. Como resultado, se instaló en el palacio de la realeza babilónica, añadió el título de rey de Babilonia al suyo, y también nombró a su hijo, Cambises, gobernador de Babilonia, para tener un control más estricto de la región.

Conclusión: La muerte de Ciro II

Después de la exitosa conquista de Babilonia, el siguiente objetivo lógico era Egipto al oeste. El control de Babilonia le dio a Ciro II el derecho a reclamar tierras sirias y fenicias, y parecía que enfrentaría poca resistencia para solidificar el control en aquellas regiones. Pero esta expansión hacia el oeste no ocurrió en vida de Ciro II. Sus últimos diez años de reinado los pasó construyendo su nuevo imperio y consolidando su poder, y cuando murió en el 529 a. C., su hijo Cambises asumió el cargo de rey de Persia. Sería él quien entraría en Egipto.

Es importante poner en perspectiva los logros de Ciro II como conquistador. En solo 30 años, Ciro II unificó las tribus persas en un esfuerzo por lograr autonomía de los gobernantes medos. Inmediatamente después se embarcó en una campaña de expansión que rivaliza con cualquier otra en la historia. En el momento de su muerte, los imperios medo, lidio y babilónico, algunos de los más poderosos del mundo antiguo, habían sido borrados de la faz de la tierra para siempre, y estaban controlados por Ciro y su recién fundado Imperio persa. Esta notable expansión explica por qué los historiadores persas llaman a su primer líder Ciro el Grande.

Capítulo 3 - La Gloria del Imperio Aqueménida: Cambises y Darío

Ciro II, o Ciro el Grande, unificó a Persia y luego emprendió conquistas militares que la convertirían en el mayor imperio de Asia occidental del momento. Sin embargo, como cualquier estudiante de historia antigua sabe, una conquista exitosa no significa un imperio exitoso. Cuando las tierras y los reinos han sido subyugados, sigue un período de consolidación en el cual los reyes se establecen como verdaderos gobernantes de un territorio.

A menudo esto no corresponde al trabajo del rey conquistador. Suelen ser sus sucesores quienes consiguen fortificar las conquistas, y esto determina si las conquistas dan lugar a la formación de un imperio capaz de durar más de una generación o si desaparecen en los anales de la historia como un simple desvío en el camino hacia el poder de otra civilización.

Los dos reyes que vinieron después de Ciro II, su hijo, Cambises II, y Darío I, pretendiente potencial que consiguió la corona persa a pesar de enfrentarse a frecuentes insurrecciones, pudieron perpetrar los éxitos del primer emperador persa. Cambises II consiguió expandir aún más el imperio, y luego Darío I, que gobernó durante mucho más tiempo, fortaleció estas conquistas y estableció una administración imperial que pondría a Persia en una posición de hegemonía duradera.

La dinastía aqueménida comenzó con unos pocos reyes que gobernaban una tribu persa, pero al final del gobierno de Darío I, era una de las dinastías más poderosas en la historia de Persia y de todo el mundo antiguo.

El reinado de Cambises II

Cuando el hijo de Ciro II, Cambises, subió al trono en el 529 a. C., el siguiente paso obvio para el Imperio persa era continuar hacia el oeste. Egipto fue durante mucho tiempo una posesión muy apreciada para las civilizaciones de Mesopotamia e Irán. Los reyes de Asiria y de Babilonia buscaron tener el territorio egipcio bajo su control, y aunque ambos lo lograron, ninguno pudo mantener el poder por mucho tiempo.

Así que, con Cambises a la cabeza del imperio más poderoso de Asia occidental, dirigirse a Egipto como su próximo objetivo de conquista era apenas lógico. Sin embargo, al igual que su padre, no comenzó la campaña hasta tres años después de asumir el control del imperio. No está claro lo qué hacía, pero se cree que las tensiones en las fronteras orientales del Imperio persa lo mantuvieron ocupado en otros lugares.

Pasando por Palestina y Siria, Cambises y su ejército cruzaron Gaza hacia el oeste para comenzar la invasión de Egipto en el 525 a. C. Su primer objetivo fue la ciudad de Pelusio, que albergaba un ejército egipcio. Tras una victoria decisiva las fuerzas egipcias se retiraron a la cercana Memphis, la capital en aquel momento. Los persas asediaron la ciudad, lo cual terminó en su desaparición. El rey egipcio, Psamético III, fue capturado, y Cambises fue reconocido oficialmente como el rey de Egipto.

Tras esta victoria, Cambises continuó su campaña en Egipto y otras partes de África. Los reinos de Libia y Cirene se sometieron a Cambises, ampliando su círculo de influencia al oeste. Y empleando a Tebas como base, envió una fuerza masiva para seguir el río Nilo hacia el sur hasta Etiopía. La mayoría de los historiadores piensan que buscaba extender el control persa hasta Cartago (la actual Túnez), hacia Etiopía y hacia el Oasis de Ammón, conocido hoy como el Oasis de Siwa (Siwah) (ver figura 4).

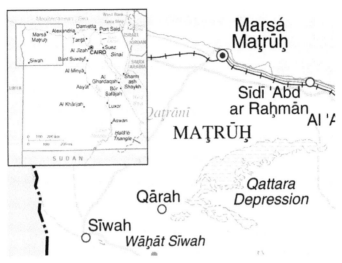

A pesar de que la sumisión de Libia y Cirene acercó a Cambises a Cartago y Siwa, no llegó hasta allá. La fuerza que envió fue detenida, y la mayoría de los registros indican que sucumbieron ante el desastre, muy probablemente una tormenta de arena. El propio Cambises quedó paralizado en su invasión a Etiopía. A pesar de una gran fuerza de 50.000 hombres, Cambises nunca logró llegar a la capital etíope de Meroe, lo cual era necesario si quería reclamar el control del territorio. No está claro exactamente por qué Cambises no pudo llegar hasta el final, pero se cree que una combinación del clima cálido y húmedo del río Nilo y la falta de suministros adecuados era una carga considerable para Cambises y sus soldados. No obstante, Cambises había hecho importantes anexiones al Imperio persa, cuya influencia se extendió por todo Egipto y sus vecinos más poderosos, Cartago y Etiopía, aunque estas potencias seguían disfrutando de su independencia.

El ascenso de Darío

Cambises murió en el 522 a. C., solo siete años después de que asumir el trono. Pero en este corto tiempo, logró expandir el Imperio persa hasta su mayor tamaño, lo cual significaba que su sucesor se haría cargo de un imperio en crecimiento.

Su muerte generó una importante agitación dentro del imperio con un gran efecto para su historia. Para entenderlo, es necesario situar la muerte de Cambises en un contexto amplio. Específicamente, hay que entender los derechos al trono en la Antigua Persia y el árbol genealógico de la familia gobernante, pues jugaba un gran papel en la estabilidad del imperio.

Para empezar, hay que recordar que Cambises y Ciro II forman parte de la dinastía aqueménida, que recibe su nombre del clan aqueménida, el más poderoso y líder de la tribu de Pasargada, al cual se atribuye la fundación de la ciudad de Pasargada y también la unificación de las diferentes tribus persas dispersas por la meseta iraní. El nombre de Aqueménida probablemente viene de Aquémenes, que habría sido el tatarabuelo de Ciro II. La figura 5 muestra el árbol genealógico de los aqueménidas.

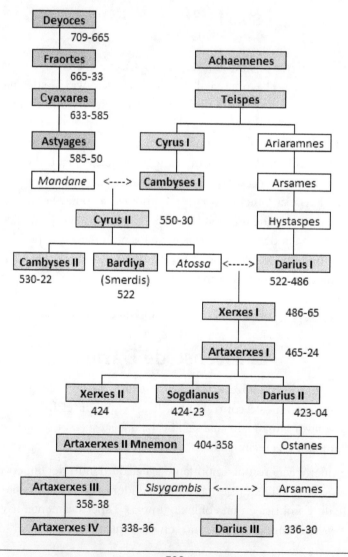

Como resultado, la legitimidad de cualquier persa para reclamar el trono dependía de su habilidad para rastrear su linaje a través del árbol genealógico de los aqueménidas hasta el mismo Aquémenes. La figura anterior muestra que Ciro II tuvo tres hijos, Cambises II, quien sucedería a Ciro II y ampliaría sus logros imperiales, Bardiya, y Atosa, que era una mujer y por lo tanto descalificada para relevar a su padre.

Bardiya murió en el 522 a. C., el mismo año en que murió Cambises y Darío I se hizo rey. Pero las circunstancias que rodean su muerte no están claras. Algunas leyendas dicen que Cambises II perdió la cabeza y mató a su hermano, y luego murió por una herida de guerra. Otros relatos difieren y sugieren que murió por causas naturales. Sin importar qué pasó, el punto principal es que Cambises II murió sin un heredero claro, lo que naturalmente llevó al imperio a la confusión, ya que diferentes personas trataron de hacer valer su derecho a gobernar.

Dos hombres reclamaron el trono: Darío I y un hombre llamado Guatama, quien presumiblemente era un miembro de la nobleza persa que no tenía ninguna conexión real con la línea aqueménida. Ambos hombres acusaron al otro de usurpador. Guatama afirmaba que él era Bardiya, y por lo tanto el verdadero heredero de Ciro II y del trono persa. Sin embargo, Darío I afirmaba que Guatama fingía ser Bardiya, pues Bardiya estaba muerto, y que se aprovechaba de la ignorancia persa respecto a su muerte para legitimar su reclamo del trono. Como Darío I era el pariente vivo más antiguo de Aquémenes, pensaba que esto era suficiente para justificar su derecho al trono.

Aunque Darío I se mantuvo firme en que el hombre que afirmaba ser Bardiya era un impostor, al principio no pudo convencer de su versión a muchas regiones bajo control persa. Varios reinos, como Babilonia, Lidia y Media, prometieron lealtad a Guatama/Bardiya al principio. Sin embargo, en el año 522 a. C., junto con la ayuda de varios nobles persas, Darío asaltó la capital de Guatama y lo mató, eliminando su reclamo al trono para poder afirmarse como soberano persa. Pero debido a que tantos reinos dentro del Imperio persa habían declarado su lealtad a Guatama/Bardiya, aquel evento desencadenó una serie de revueltas que definieron las primeras etapas del gobierno de Darío I.

Aunque breve, el reinado de Guatama fue bastante peculiar, en gran parte porque, aunque Darío consideraba que Guatama era un pretendiente, lo reconoció como rey de la tierra. Al escribir después de la muerte de Guatama, Darío menciona cómo tomó «su reino», sin hacer referencia a su derecho a un reino que creía legítimamente suyo. Algunos estudiosos han especulado que esto prueba que Darío I era el pretendiente y que Guatama era en realidad Bardiya y por lo tanto un rey legítimo, pero nadie ha podido confirmar esta teoría.

Es probable, sin embargo, que Darío I procediera de tal manera en respuesta a la popularidad de Guatama. Para intentar congraciarse con la gente del Imperio persa, esperando convencerlos de que le juraran lealtad y aceptaran su gobierno, Guatama concedió enormes libertades a la nobleza y al pueblo persa.

Por ejemplo, concedió a todos los habitantes de los territorios conquistados la libertad de realizar el servicio militar y de recibir tributos durante tres años, lo cual fue bien recibido por todos. También se propuso construir templos de acuerdo con las diversas religiones dentro de la región y trabajó con los nobles y otras familias poderosas de todo el imperio que perdieron su estatus con la conquista pero que estaban interesados en recuperar su posición de prominencia. Todos estos movimientos significaron que Guatama, aunque un «falso» gobernante en el sentido de que no tenía relación directa con Ciro, se hizo bastante popular.

Como resultado, cuando Darío I logró matar a Guatama y colocarse en la cima del trono persa, se encontró en una posición de necesidad desesperada de consolidar su poder, proceso que definiría en gran medida la primera parte de su gobierno. Muchos líderes, como los de Babilonia, vieron el momento adecuado para liberarse del dominio persa y obtener su independencia. Así, a partir del año 522 a. C. y durante los tres años siguientes, Darío I se ocupó principalmente de derrotar las diversas rebeliones que estallaron en todo el imperio y de confirmar su posición como el único rey persa. Más tarde, cuando logró someter las diferentes partes del imperio bajo su control, se casó con Atosa, la hija de Ciro, y los hijos que tuvieron juntos continuaron la línea de los aqueménidas.

Darío el Conquistador

A diferencia de sus dos predecesores, Darío I no estaba tan preocupado por la expansión del imperio. Las circunstancias de su ascenso dictaminaron la necesidad de pasar un tiempo considerable haciendo campaña en el interior del imperio para consolidar la monarquía. Pero cuando logró asegurar el poder, quiso extender las fronteras persas en la región. Sin embargo, sus conquistas fueron mucho más modestas que las de los dos reyes que le precedieron, y las de los más prominentes que le siguieron.

Al tomar el trono, Darío I tuvo que enfrentarse inmediatamente a la rebelión. Sus argumentos implicaban que no todas las provincias del imperio lo apoyaban. Como resultado, su primer orden del día era atender a la inquietud en Susiana, nombre dado al territorio del previo reino de Elam, el cual se hallaba en plena rebelión.

(La figura 6 muestra dónde estaba Susiana en relación con Persia y su capital en Pasargada).

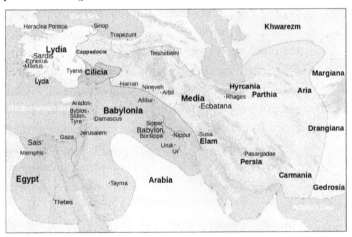

Sin embargo, esta revuelta no duró mucho tiempo, y Darío pudo sofocarla enviando un ejército a la ciudad. Confió esta campaña a sus generales y no los acompañó, lo cual sugiere que no consideraba altas las posibilidades de ser derrotado.

La siguiente revuelta a la que tuvo que enfrentarse capturó toda su atención. Babilonia, que había declarado su lealtad a Guatama, esperaba aprovechar este clima de inestabilidad política a su favor y recuperar su independencia de los persas. Y como Babilonia era una ciudad poderosa en la región que cualquier emperador en búsqueda de expansión necesitaba controlar, Darío I la consideró una rebelión mucho más importante.

Darío I reunió y dirigió un ejército a Babilonia para sofocar la rebelión y establecerse como el verdadero gobernante de la tierra. Y aunque los babilonios opusieron una resistencia más fuerte que los susianos, su rebelión no duró mucho tiempo, y para el 521 a. C. renunciaron a reclamar su independencia y declararon lealtad a Darío I, lo cual convirtió a Babilonia en una provincia del Imperio persa de nuevo.

Durante el siguiente año más o menos, Darío I se vio absorto en sus intentos de consolidar el poder y someter los reinos conquistados por Ciro y Cambises firmemente bajo su control. Además de Susiana y Babilonia, Darío se enfrentó a rebeliones en Media, Armenia y en la propia Persia. Las familias que se habían alineado con Guatama también utilizaron este momento histórico como oportunidad para obtener más poder y autonomía dentro del imperio.

Debido a las constantes rebeliones durante los primeros años del gobierno de Darío I, tan pronto se dirigía a una esquina del imperio para sofocar una rebelión, otra estallaba en otro lugar. La mayor parte de su reinado lo pasó cruzando el imperio tratando de sofocar las diversas rebeliones resultantes del intento de Guatama de reclamar el poder. Sin embargo, los esfuerzos de Darío I fueron muy exitosos, y pudo someter el territorio bajo su control y establecerse firmemente como rey de Persia. Y para aclarar aún más las cosas, se casó con Atosa, hija de Ciro II, por lo cual sus hijos podrían argumentar que eran descendientes directos del famoso rey y por lo tanto gobernantes legítimos de Persia.

La otra gran preocupación del gobierno de Darío I fue Egipto. Después de su reciente conquista por Cambises, dependía de Darío I mantener el poder sobre Egipto de cualquier manera posible. Y debido a que Egipto era considerado un territorio conquistado, la principal táctica para mantener el control político era la fuerza. El propio Darío I no pasó mucho tiempo en Egipto, estaba demasiado ocupado trabajando para mantener el control de otras tierras imperiales, pero dedicó bastante energía militar a la región. Designó a un general y a un almirante para liderar el ejército y la flota naval estacionada en Menfis, con la tarea de mantener el dominio persa mientras Darío se ocupaba de otro lugar.

Sin embargo, a pesar de que la fuerza era la principal táctica para consolidar el poder en Egipto, Darío puso en práctica otras políticas que demostraban su comprensión de la dificultad de mantener esta gran potencia subyugada al dominio persa. Por ejemplo, permitió un nivel bastante alto de tolerancia religiosa, dando a los egipcios rienda suelta para practicar su religión, un importante respiro de las políticas intolerantes de Cambises.

Darío I también realizó inversiones considerables en el bienestar económico de Egipto, principalmente mediante la construcción de canales y presas. La más destacada fue un canal que conectaba el Nilo con el mar Rojo, una apertura comercial importante para los egipcios. Darío también limitó las exigencias de tributo a los reyes egipcios, lo cual reducía el peso de vivir bajo el dominio persa para impedir que la gente intentara rebelarse. Estas políticas ayudaron a Darío I a mantener a Egipto relativamente sometido, mientras que su atención se ocupaba de otras partes del imperio.

Debido a que Darío tuvo que pasar tanto tiempo lidiando con rebeliones dentro del imperio, pasó poco tiempo expandiendo sus fronteras. Es un tema común al estudio de los grandes imperios a lo largo de la historia: el imperio se expande con uno o dos reyes, y los sucesores tienen la tarea de consolidar esas conquistas y reforzar el control sobre los territorios.

Sin embargo, Darío I consiguió ampliar ligeramente las fronteras del Imperio persa, aunque es mejor pensar estas conquistas como reconquistas de territorios tomados por Ciro o Cambises, pero que se liberaron del control persa cuando Cambises murió.

Como muestra la figura 7, acercó la influencia persa a Cartago, aunque no llegó hasta allí. Y también logró expandirse hacia el oeste a través de Turquía, llevando a los persas a la frontera norte del territorio griego. Este movimiento definiría la historia persa de muchas maneras. El siguiente rey, Jerjes, pasó la mayor parte de su tiempo intentando conquistar Grecia, y las guerras greco-persas tuvieron una gran influencia en la historia persa y mundial.

Pero tal vez los logros importantes de Darío como conquistador tuvieron lugar en las fronteras orientales del imperio. Sus ejércitos llegaron hasta el río Indo, y Darío pudo imponer tributos a los reyes que gobernaban aquellos territorios, llevando a los persas más lejos de lo que nunca antes llegaron.

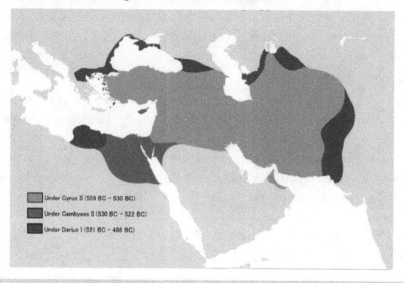

Las guerras greco-persas

Por ser los dos reinos más poderosos de Asia occidental y la Medialuna Fértil, la historia griega y persa, especialmente durante la dinastía aqueménida, están estrechamente entrelazadas. Grecia siempre fue un objetivo para los conquistadores persas de la dinastía aqueménida, en gran medida porque, junto con Egipto, era la más avanzada culturalmente de la región. El éxito de Ciro II y Cambises II en la invasión dieron a Darío I la esperanza de poder finalmente conquistar las ciudades-estado griegas y ponerlas bajo el control del Imperio persa.

Sin embargo, los griegos tenían otros planes, y la serie de batallas y revueltas que tuvieron lugar durante la primera mitad del siglo V a. C. se conocen como las guerras greco-persas. Varias ciudades y reinos se alinearon con cada bando, convirtiendo este conflicto en una guerra sangrienta y duradera que remodelaría drásticamente las estructuras de poder en la región y, posteriormente, la historia de ambas civilizaciones.

Para entender esta guerra, que se comprende mejor como una serie de conflictos militares intensificados entre Grecia y Persia (podríamos verla como una serie de guerras, pero en el contexto histórico todas pertenecen a un mismo conflicto), es importante recordar la naturaleza de Grecia en aquel momento. Aunque los griegos pronto formarían uno de los imperios más grandes en la historia del mundo, en aquel momento no existía una Grecia unificada. En cambio, Grecia era una combinación de ciudades-estado que compartían un idioma. El comercio era una característica definitoria de la temprana civilización griega, con estas grandes e influyentes ciudades-estado realizando un considerable comercio entre ellas. Debido a esto, varias de estas ciudades-estado se hicieron bastante ricas y poderosas, dificultando a los persas ejercer un control efectivo sobre ellas.

Generalmente, el año 499 a. C. se considera el comienzo de las guerras greco-persas. Fue el año en que Aristágoras, el rey tirano de la ciudad-estado griega Mileto, ubicada en la costa occidental de Anatolia, combinó fuerzas con Darío I para invadir y conquistar la isla de Naxos. Fracasó, y Aristágoras sabía que Darío I probablemente lo castigaría y tal vez lo removería del poder a causa de su fallida campaña militar. Por lo tanto, intentando retener el poder, Aristágoras se volvió contra Darío I y animó a todos los pueblos del Asia Menor helénica (griega) a rebelarse contra los persas. Tuvo mucho éxito, y así inició el período conocido como las Revueltas jónicas, que duró hasta el 493 a. C.

Estas revueltas no terminaron sin causar un serio daño al poder persa en la región. Aristágoras fue capaz de conseguir el apoyo militar de Atenas y Eritreapara sus acciones, y juntos lograron saquear y quemar la capital persa en Asia Menor, Sardes.

Este movimiento obviamente desató la ira de Darío I, quien se dispuso a vengar su territorio perdido. Como Atenas y Eritrea se habían unido a Aristágoras en el ataque, pusieron a la Grecia continental en la mira del rey persa. El primer objetivo de la campaña de Darío I fue Mileto, el centro del poder de Aristágoras, y tras varios años de estancamiento, Darío I logró vencer a los jonios (término utilizado para los griegos asentados a lo largo de la costa occidental de Asia Menor) en la decisiva batalla de Lade.

Decidido a castigar plenamente a los responsables de la agitación política en Jonia y Asia Menor, Darío I comenzó a planear una invasión a gran escala de Grecia con el objetivo de conquistar Atenas y Eritrea por prestar apoyo a Aristágoras. Darío I encargó el liderazgo de la campaña griega al general Mardonio, quien logró que las ciudades de Tracia y Macedonia volvieran al control persa. Luego fue derrotado y detenido en su avanzada en el 490 a. C.

Los persas se hicieron a la mar y navegaron a través del Egeo, y durante esta campaña lograron conquistar las Cícladas, e incluso capturaron Eritrea, quemándola hasta los cimientos. Tras entrar en territorio griego menos de 10 años después del comienzo de las revueltas jónicas, los persas continuaron su marcha hacia Atenas. Sin embargo, se encontraron con los atenienses y lucharon en la batalla de Maratón, que los griegos ganaron, deteniendo eficazmente a los persas en su camino. La figura 8 muestra un mapa de los diversos movimientos de los ejércitos persa y griego durante las revueltas jónicas y las subsiguientes guerras greco-persas.

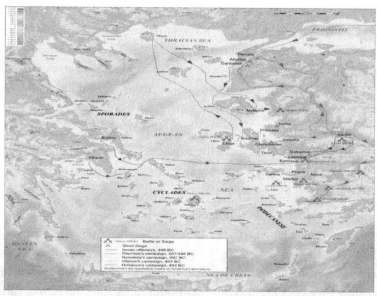

Después de su derrota en la batalla de Maratón, Darío I comenzó a reunir fuerzas para un segundo intento de invasión, pero murió en el 486 a. C., dejando la responsabilidad de la conquista griega a su hijo Jerjes. Estos eventos tuvieron un impacto significativo en el futuro de los griegos y de los persas. Por un lado, ayudó a solidificar el sentimiento anti-persa entre los griegos. Por ejemplo, Esparta, que había permanecido relativamente neutral durante los conflictos, declaró su deseo de liberar al pueblo griego de las molestias persas. Se unieron a Atenas y otras ciudades-estado griegas para formar la Liga de Delos, que desempeñaría un papel crucial en el intento de socavar el poder persa en todo su imperio incitando a la rebelión y a la guerra.

La Liga de Delos estuvo activa durante los siguientes 30 años aproximadamente, y su parte en la historia terminó cuando la Liga fracasó en incitar un golpe efectivo en Egipto. Hacia el 450 a. C., las guerras greco-persas se enfriaron lentamente y finalmente terminaron, pero no sin que ambas culturas influyeran dramáticamente en la historia de la otra. El reinado de Jerjes estaría casi totalmente definido por sus campañas contra Grecia, pero este período de la historia persa se entiende mejor en el contexto del gobierno de Jerjes, lo cual se discute en detalle en el siguiente capítulo.

Darío I el Rey

Aunque los logros de Darío I como conquistador no son tan impresionantes como los de sus predecesores, esto no fue lo más importante de su reinado. Posiblemente debido a las luchas que enfrentó para consolidar y establecer su poder, Darío I estaba particularmente preocupado por la organización del imperio y por establecer sistemas e instituciones que facilitaran tanto a él como a los futuros reyes el dominio de su territorio. Lo que Darío I ideó terminó siendo una forma bastante avanzada de organización política que continuaría utilizándose incluso después de la caída de la dinastía aqueménida a manos de Alejandro Magno y los griegos en el siglo IV a. C.

La primera decisión que Darío I tomó como rey en términos de la organización del imperio fue qué tipo de gobierno usar. Darío I reunió a sus asesores más cercanos para discutir cuál sería la mejor manera de establecer y mantener el control sobre lo que se había convertido en un vasto y expansivo imperio. Darío I estaba a favor de una monarquía, mientras que algunos de sus asesores abogaban por una república, y algunos incluso apoyaban la idea de una oligarquía. Al final, Darío I convenció al consejo, y el gobierno persa se convirtió oficialmente en una monarquía absoluta con Darío I como su soberano. Esta monarquía sería hereditaria, lo cual era importante para los persas en ese momento, como se ve en el intento de Darío I y Guatama de demostrar su linaje aqueménida.

La siguiente decisión fue dónde ubicar su capital. Pasargada fue la capital de Ciro II, pero poco después de ascender al trono, Darío I comenzó a construir palacios y templos en Persépolis en el año 521 a. C., que no estaba muy lejos del norte de Pasargada. Parte de la razón por la cual estos dos reyes eligieron construir sus capitales en esta región es que se consideraba el territorio central de Persia. Elegir estos lugares como el centro del imperio era una fuente de gran orgullo para los persas que vivían en ese territorio, y dado que los reyes persas dependían de ellos para formar sus vastos ejércitos y llevar a cabo sus extensas campañas militares, complacerlos era una prioridad máxima tanto para Ciro II como para Darío I.

Pero, aunque tenía sentido simbólico y cultural construir la capital persa en lo profundo del corazón de Persis, no tenía mucho sentido en términos de la administración del imperio. Ambas ciudades estaban escondidas entre el terreno montañoso de la meseta iraní, lo que dificultaba su conexión con el resto del imperio. Por ello, Darío I comenzó a construir otra capital al mismo tiempo que construía Persépolis.

Esta ciudad, Susa, situada en el noroeste de Irán, estaba mucho más cerca de los grandes centros políticos y culturales del Imperio persa, Babilonia y Ecbatana (la antigua capital del Imperio medo, ciudad importante para la administración del imperio y las tierras anteriormente controladas por los medos). Habría sido mucho más fácil conectar Susa con la red de carreteras construida a lo largo de Asia occidental, lo cual facilitaba al monarca la comunicación con sus generales y gobernadores, extendidos por todo el territorio controlado por los persas. Sin embargo, Persépolis seguiría siendo el centro cultural del imperio, y aunque Darío I eligió ser enterrado allí, casi no paso tiempo en aquella ciudad.

La otra acción importante de Darío I fue organizar el imperio en satrapías, que eran esencialmente provincias. La mayoría de los registros indican que Darío creó 20 satrapías diferentes en todo el imperio, las más prominentes se hallaban en Egipto (Menfis), Babilonia, Arabia, Asia Menor (la actual Turquía), Ecbatana y Media, y Bactria, que es el territorio al noreste de Persia en el actual Afganistán.

La figura 9 muestra un mapa de cómo se veía el Imperio persa durante el gobierno Darío I. En esta época, la Persia controlada por la Dinastía Aqueménida estaba en su punto más álgido de la historia.

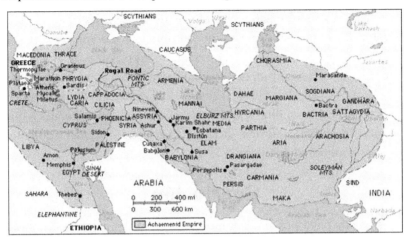

La división de la administración en provincias no era nada nuevo, pero Darío I hizo dos cosas que lo diferenciaron y le ayudaron a asegurar un mayor control del poder. Primero, les dio a los sátrapas (los líderes de las satrapías) una libertad bastante grande respecto a la administración de sus provincias. La palabra del rey era ley en todo el país, y los sátrapas podían hablar en nombre del rey, por lo que eran los jueces más altos de la región. Además, las satrapías eran responsables e independientes para asegurar su territorio. Las revueltas o rebeliones eran tratadas directamente por los sátrapas, y esto puede haber permitido respuestas más eficaces. Los anteriores imperios de la región, como Asiria, enviaban campañas militares y deportaban gran número de personas cada vez que había una rebelión. Pero los persas preferían una respuesta más local, lo cual ayudó a disminuir las hostilidades hacia el rey en Persia.

La segunda decisión de Darío I para establecer sus satrapías y su gobierno fue promulgar una política de tolerancia religiosa. El Imperio persa en la época de Darío I se extendía hasta Asia Menor e incluso abarcaba partes de la Grecia continental, Egipto, Libia y Sudán, pasando por Arabia y Mesopotamia, hasta llegar al río Indo. Como resultado, había una gran diversidad en términos de tradiciones culturales y religiosas. Y en lugar de intentar aplastarlas y sustituirlas por costumbres persas, Darío I dejó intactas las culturas de los pueblos e incluso contribuyó a su crecimiento ayudando a construir templos y otros edificios para facilitar los cultos.

Estas dos características del gobierno persa -la descentralización y la tolerancia- no fueron parte importante de otros gobiernos de Asia occidental, y es probable que hayan contribuido a la dominación persa. Los anteriores imperios de la región, como Asiria o Babilonia, sufrieron al intentar mantener la estabilidad política en gran medida debido a la gran diversidad regional. Sin embargo, Darío I pudo establecer un sistema que dejó intactas las costumbres regionales y que también le permitió afirmar fácil y eficazmente su poder sobre los diversos dominios del imperio.

Conclusión

No se puede pasar por alto la importancia de los reinados de Cambises II y Darío I. Aunque Cambises II solo gobernó siete años, tuvo éxito al continuar el trabajo de su padre, Ciro el Grande, en la expansión de las fronteras del imperio hacia el oeste en África y partes del sudeste de Europa. El gobierno de Darío I, mucho más prolongado, aunque algo menos accidentado, ayudó a consolidar estos logros y a establecer un sistema de gobierno que permitiría al Imperio persa florecer como la mayor potencia de Asia occidental. En el momento de la muerte de Darío I y el ascenso de su hijo Jerjes, el imperio estaba en su punto más álgido y preparado para continuar su crecimiento.

Sin embargo, el poder de la dinastía aqueménida estaba llegando rápidamente a la cúspide, y poco tiempo después comenzaría a desmoronarse hasta finalmente caer en el siglo IV a. C. ante los griegos. Lo cual no sucedería hasta después de que los persas lograran consolidarse como una potencia regional resistente al paso del tiempo y contribuyeran significativamente al desarrollo cultural no solo de la región, sino de todo el mundo antiguo.

Capítulo 4 - El principio del fin: El reinado de Jerjes y la caída de la dinastía aqueménida

Quizás el más famoso de todos los reyes persas, Jerjes el Grande subió al trono después de su padre. Dos generaciones de gobierno, comenzando con Ciro II hasta Darío I, habían expandido el Imperio persa hasta su punto más álgido. Era sin duda la civilización más poderosa de Asia occidental, y las guerras greco-persas indicaban que Europa tampoco estaba a salvo. Sin embargo, Jerjes difería de algunas de las políticas promulgadas por su padre. Esto ayudó a amplificar su poder e importancia, pero también aumentó la posibilidad de revueltas y disensiones regionales, una «piedra en el zapato» de casi todos los gobernantes antiguos.

Como resultado del cambio de la política diseñada para consolidar el poder, el poder de los persas, o más específicamente de los aqueménidas, empezó desaparecer muy ligeramente, a pesar de que Jerjes heredó un imperio en su apogeo. No perdió una porción importante de territorio, pero tampoco obtuvo grandes ganancias. Y su famoso fracaso al invadir Grecia y Europa alteró dramáticamente el curso de la historia persa. Pero a pesar de sus excentricidades y sus modestos éxitos, Jerjes era el hombre más poderoso de toda Asia occidental, y se le considera uno de los reyes más formidables de la historia de la humanidad.

Jerjes sube al trono y asegura el imperio

La tradición persa indicaba que el rey debía nombrar a su sucesor antes de embarcarse en una larga campaña militar, por lo cual la decisión de nombrar a Jerjes príncipe heredero se tomó cuando el hijo de Darío I era todavía un niño. La decisión de nombrar a Jerjes su heredero fue sorprendente porque Jerjes no era el hijo mayor de Darío I, ya que la tradición persa exigía nombrar al hijo mayor heredero de la riqueza y los títulos del padre. Esto se debió a que el hijo mayor de Darío I no nació en la realeza. Nació de una relación que Darío I tuvo con una plebeya antes de que se convirtiera en rey. Pero poco después de ganarle el trono a Guatama el pretendiente, Darío I se casó con la hija de Ciro II, Atosa, y su primer hijo, Jerjes, fue considerado el hijo mayor de Darío I, lo cual lo convirtió en la elección ideal para hacerse cargo del reino.

Como príncipe heredero, Jerjes dirigía la satrapía de Babilonia. Se le dio el título de rey de Babilonia, y este fue su entrenamiento para cuando eventualmente se convirtiera en rey de todo el imperio.

Algunos de los comportamientos de Jerjes, como la reutilizar edificios religiosos en Persépolis para convertirlos en harenes, sugieren que el reino persa estaba empezando a madurar. Tres reyes consecutivos fueron capaces de conquistar y mantener grandes extensiones de territorio, lo cual le permitió a la realeza enriquecerse bastante. Gastaron estas riquezas construyendo sus ciudades y palacios para que se ajustaran al esplendor del gran imperio.

Pero solo porque el poder y tamaño del Imperio persa crecieron significativamente desde los tiempos de Ciro II, no significa que Jerjes heredara un país unificado y en paz. Las campañas de su padre en Grecia se estancaron tras su derrota en la batalla de Maratón, y mientras se reagrupaba para una segunda invasión estalló una revuelta en Egipto. Y al este, los bactrianos, llamados así por la provincia de Bactra, región situada al este de Persia en las actuales naciones de Afganistán, Uzbekistán y Tayikistán, también empezaron disturbios y amenazaban con intentar liberarse del dominio persa.

Debido a su proximidad, a las revueltas en Egipto solían seguir las revueltas en Jerusalén. Así sucedió en el 485 a. C. cuando Jerjes subía al trono persa. Como resultado, su primer acto real sería movilizarse contra Palestina y Egipto para sofocar la rebelión y volver a poner ambas regiones bajo su firme control. En el 484 a. C., Jerjes y sus ejércitos marcharon a través de Palestina y de Gaza hacia Egipto, y lograron sofocar rápida y eficazmente la revuelta que había estallado.

Sin embargo, a pesar de lo rápido que esta campaña comenzó y terminó, las acciones de Jerjes en Egipto tuvieron un efecto duradero en el imperio y su capacidad para controlar las regiones conquistadas por los reyes. Comenzó con la respuesta de Jerjes a la revuelta egipcia, ya que mostraba una diferencia del estilo de gobierno de su padre, Darío I.

Darío I mostró un gran respeto por la religión y las costumbres egipcias, y se esforzó por asegurarse de que tuvieran la oportunidad de practicar su cultura. Reconoció y honró a algunos de los dioses egipcios, e incluso llegó a tomar el nombre de un dios-rey egipcio para mantenerse dentro de la comprensión egipcia del gobierno monárquico. Sin embargo, Jerjes no fue tan tolerante, y optó por rechazar las prácticas religiosas de los egipcios y trató de que se adaptaran a las costumbres persas. Estos esfuerzos fueron en gran medida infructuosos y le harían difícil a Jerjes mantener un control estricto sobre los egipcios.

El otro gran problema con el cual Jerjes tuvo que lidiar al subir al poder fue Babilonia. Al ser el virrey de su padre en esta antigua capital, Jerjes inicialmente no tuvo problemas para conseguir apoyo al reclamar la soberanía de Babilonia. Sin embargo, una curiosa decisión de cambiar los títulos asociados con el rey persa despertó algunas dudas sobre la legitimidad de su derecho al poder.

Debido a su importancia histórica en la región, los reyes persas anteriores a Jerjes se referían a sí mismos, especialmente y quizás solo cuando se dirigían al pueblo babilónico, como «Rey de Babilonia, rey de las tierras». En parte para tratar de respetar su antiguo poder, pero también era un movimiento estratégico; todos los imperios de Mesopotamia y Asia occidental necesitaban un plan para apaciguar a los reyes y ciudadanos de Babilonia. Y como Babilonia estaba en su punto más bajo en términos de poder regional cuando Persia alcanzó la prominencia, estas pequeñas formalidades fueron suficientes para mantener a los babilonios contentos.

Sin embargo, cuando Jerjes se convirtió en rey, rápidamente dio un giro de 180 grados, lo cual tuvo un gran efecto en el comienzo de su gobierno. Como virrey, consiguió un apoyo considerable, y no tenía competencia alguna para reclamar el trono al principio. Pero cuando se dirigió a los babilonios en los primeros días de su reinado, se refirió a sí mismo como Jerjes, «Rey de Parsa (Persia) y Mada (Media)», relegando «Rey de Babilonia, rey de las tierras» al final de su título, lo cual resultaba muy insultante para el pueblo babilonio, especialmente para sus gobernantes.

Algunos estudiosos especulan que este movimiento no fue una locura, sino más bien un movimiento intencional para tratar de despojar a Babilonia de parte de su independencia. Después de lo recién sucedido en Egipto, Jerjes probablemente comenzó a dudar de la eficacia de las políticas de no intervención de su padre, y la humillación a los babilonios puede haber tenido el efecto deseado de reafirmarse como el único soberano de Babilonia.

Sin importar la intención, la decisión de Jerjes causó inicialmente un caos. Viendo la ruptura de lealtad del pueblo a Jerjes, un poderoso miembro de la nobleza babilónica, Belsimanni, se levantó e intentó luchar por la independencia de Babilonia y su pueblo. Se refirió a sí mismo como «Rey de Babilonia, rey de las tierras», un claro intento de congraciarse con el pueblo babilónico de la manera que Jerjes se había negado. Belsimanni empezó por asaltar las instalaciones persas en Babilonia, y se las arregló para alcanzar y matar al sátrapa nombrado por Jerjes para gestionar Babilonia y sus territorios circundantes.

Afortunadamente para Jerjes, y desafortunadamente para Belsimanni, el rey persa, que estaba en Ecbatana en ese momento, tuvo comunicación con su mejor general, su cuñado, Megabizo. Por órdenes de Jerjes, llevó un ejército a Babilonia y rápidamente destruyó a Belsimanni y su rebelión. Se movió con rapidez y decisión, y recuperó Babilonia en cuestión de días. Y luego se dispuso a castigar a los babilonios por su insurrección. Destruyó la muralla de la ciudad, derribó templos y otros edificios religiosos. Fundió la estatua de oro de 6 metros de Bel Marduk, uno de los dioses más importantes de

Babilonia y la transformó en lingotes de oro. Y también asesinó a todos los sacerdotes y otras personas que intentaron protestar.

Este rápido cambio de política en cuanto a la forma de manejar a los sátrapas comenzó a reformular la dirección de la historia persa. Como era de esperar, comenzó a sembrar semillas de rebelión en todo el imperio, lo que cualquier estudiante de historia antigua sabe que es el principio del fin. Y con Jerjes a punto de realizar una invasión masiva a Grecia y Europa, el destino de la dinastía aqueménida empezó desmoronarse lentamente. Pero para sus contemporáneos, no parecía así. El ejército persa era tan fuerte como siempre, y la dura respuesta de Jerjes a la insurrección infundía miedo en la gente de todo el imperio, desalentando la disidencia y fortaleciendo el control de Jerjes sobre el oeste de Asia.

Jerjes avanza hacia Grecia

Lo interesante de Jerjes, y algo que lo diferencia bastante de su padre Darío I y de su tío Cambises, es que no estaba particularmente interesado en la conquista. Jerjes fue el primer rey persa en nacer en el tremendo esplendor resultante de las ganancias imperiales de sus antepasados, por lo cual es natural que se preocupara por otros intereses, a saber, el fortalecimiento de su poder y la glorificación de su riqueza dentro del imperio.

Por ejemplo, cuando Jerjes asumió el cargo de rey, inmediatamente comenzó a supervisar los enormes proyectos de construcción iniciados por su padre. Dio los últimos toques a los palacios iniciados por Darío I en Babilonia y Susa, y también se puso a trabajar para terminar las espléndidas terrazas que rodeaban el palacio principal de su padre en Persépolis.

Pero a pesar de su aversión a la conquista y a la guerra, Jerjes no pudo evitar una campaña militar. El lugar obvio para la campaña primaria de Jerjes era Grecia y Europa. Darío I había intensificado las guerras greco-persas al tomar represalias contra las revueltas jónicas con una invasión a gran escala de Grecia. Se las arregló para llegar al continente griego y se dirigió a Atenas, pero fue detenido y conducido de vuelta a través del mar Egeo a Anatolia y Asia Menor.

Sin embargo, se necesitaba convicción para que Jerjes se comprometiera a una invasión a gran escala de Grecia, y también un poco de engaño. Los diplomáticos persas que vivían en Atenas se exiliaron después de la fallida invasión de Darío I. Deseosos de venganza, contrataron a un desacreditado oráculo para que fuera a hablar con Jerjes sobre la necesidad de invadir de nuevo a los griegos, y el primo de Jerjes, Mardonio, que estaba ansioso por ser nombrado sátrapa, incitó a Jerjes, ya que la conquista de nuevos territorios significaba la necesidad de nuevos sátrapas.

Como resultado, el destino de Jerjes cambió y su atención enfocada en su enriquecimiento personal se desvió hacia la expansión del imperio. Sabiendo lo difícil que sería invadir Grecia con éxito y aprendiendo de los errores de su padre, Jerjes comenzó a planear un avance gradual que le llevaría tiempo y recursos pero que también aumentaría enormemente sus posibilidades de éxito. Para la invasión, convocó a las flotas navales de Egipto, Fenicia y los griegos conquistados en Asia Menor (sí, los griegos lucharon contra los griegos. El castigo por negarse a cumplir el servicio militar era severo, y ayudaba a crear esta situación un tanto antinatural). Y Jerjes también llamó a la mitad de su ejército permanente; tres de los seis cuerpos del ejército fueron desplegados, cada uno compuesto por unos 60.000 hombres. Así que, en total, Jerjes tenía un ejército de unos 180.000 hombres a su mando para la invasión de Grecia.

La otra cosa que Jerjes hizo para ayudar a aumentar sus posibilidades de éxito durante su invasión fue construir una vasta línea de suministros para sus ejércitos. Se establecieron mercados y puestos de comercio a lo largo de la costa tracia para almacenar el grano y facilitar el movimiento de los suministros necesarios para mover un grupo tan grande de personas alrededor del mar Egeo hacia Grecia. Este movimiento demostró la destreza de Jerjes como comandante militar, ya que estaba dispuesto a emplear el tiempo necesario para realizar una invasión adecuada en Grecia, en lugar de apresurarse al conflicto y arriesgarse a una rápida y humillante derrota.

Su movimiento a través de Asia Menor hacia Grecia fue lento y gradual, y por lo tanto evidente para los griegos. Se corrió la voz rápidamente de una fuerza masiva liderada por un hombre «más poderoso que Zeus» que se dirigía a conquistarlos. Obviamente, temerosos de la inminente amenaza a su independencia, los griegos comenzaron a armar una defensa. Dado que la mayoría de los griegos que se habían establecido en Asia Menor y África ya habían sido conquistados por los persas y luchaban en sus ejércitos y armadas contra sus parientes, a menudo bajo el látigo persa, las restantes ciudades-estado independientes tenían pocos aliados, si es que quedaba alguno, dispuestos a contribuir a su defensa.

Las partes septentrionales de Grecia, el sur de Macedonia y el oeste de Delfos y Atenas, pudieron permanecer neutrales, y dado que no tuvieron parte en la causa original de las guerras greco-persas (las revueltas jónicas), no eran una preocupación primordial de Jerjes y los persas.

Pero esto significaba que los griegos estaban solos. Ciudades-estado amenazadas, como Esparta, Atenas, Delfos y Eritrea intentaron formar una alianza, pero se detuvo por la falta de voluntad de los oráculos para permitir la guerra contra los persas. Casi todos los registros de adivinos de la época indican que los sacerdotes griegos querían que los ejércitos y líderes griegos abandonaran su tierra y se rindieran a los persas. Incluso si uno no cree en los oráculos, no es sorprendente que esta fuera la recomendación. Los griegos se enfrentaban solos a lo que quizás sea el mayor ejército jamás reunido.

En el 480 a. C., Jerjes y sus tropas marchaban a lo largo de la costa tracia, con su gran flota naval acompañándolos y ayudándolos a cruzar terrenos difíciles donde fuera necesario. Entraron en Macedonia y se dirigieron al sur hacia Grecia (la figura 11 muestra un mapa de los movimientos de las tropas persas durante esta parte de las guerras greco-persas). Los exploradores griegos que eran capturados normalmente eran acogidos y se les mostraba la inmensidad del ejército persa para que pudieran volver con sus líderes e informarles sobre lo visto, un intento de conseguir la sumisión griega antes de la invasión. Sin embargo, esto no funcionó y parecía que los griegos iban a levantarse y luchar por su independencia, aunque todo indicaba que se preparaban para una derrota rápida y definitiva.

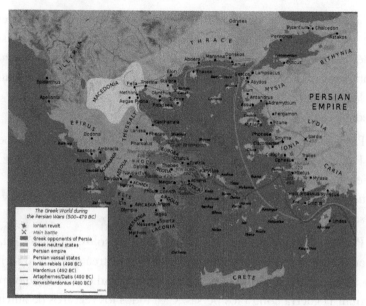

A finales del 480 a. C., Jerjes y sus ejércitos y flotas llegaron a Salamina, una isla cerca de la costa de Atenas. Parecía una posición ideal para forzar a las ciudades-estado circundantes a aceptar los términos de la rendición, lo cual dejaba a Atenas casi derrotada. Sin embargo, Jerjes escuchó a sus consejeros y lanzó una ofensiva en el estrecho de Salamina. Las tropas de tierra se acercaban por el norte, y se encontraron con un pequeño contingente de soldados griegos en el paso de las Termópilas. Allí los griegos fueron esencialmente masacrados, aunque las referencias a la batalla en la cultura pop (la película 300), sugiere lo contrario. Los griegos también fueron derrotados en Artemisio, a pesar de haber sido reforzados por los que huían de la batalla de las Termópilas. Estas victorias persas condujeron a la conquista de ciudades-estado griegas como Fócida, Beocia, Ática y Eubea, lo cual daba a Persia una importante fortaleza en Grecia, amenazando a Atenas.

La respuesta griega fue enfrentarse a la flota naval persa en el estrecho de Salamina, una estrecha franja de agua frente a la costa de Atenas. Los griegos salieron de Atenas en una ofensiva contra los persas, que estaban en la isla de Salamina preparando la invasión de Atenas. Este movimiento les dio un mayor control sobre las condiciones de combate, lo que se tradujo a una ventaja. Los persas superaban en número a los griegos, pero atacar en lugar de esperar a ser atacados dio sus frutos. El pequeño espacio en el que tenían que operar resultó ser un gran obstáculo para las tropas persas. Tuvieron problemas para mantenerse organizadas y mantener la formación, y esto significó que la mucho más pequeña flota ateniense pudo montar un ataque que resultó en una victoria decisiva para los griegos, cambiando dramáticamente el curso de la guerra.

Sin embargo, el impacto de la batalla de Salamina no se sintió en el interior del ejército persa. En general, los persas habían sufrido modestas derrotas. Y después de sus victorias en las Termópilas y en Artemisio, el ejército seguía intacto y en buena posición para continuar su avance al sur, hacia Atenas. Pero lo que cambió con el resultado de la batalla de Salamina fue Jerjes. Fue él quien ordenó el ataque contra los atenienses, por lo tanto, no tenía a nadie a quien culpar, pero inmediatamente después de la derrota, hizo que sus capitanes navales fenicios fueran ejecutados por cobardía. Horrorizados por la respuesta cruel e irracional a lo que no era más que una derrota naval normal, los fenicios y los egipcios abandonaron a Jerjes y regresaron a casa, reduciendo drásticamente el tamaño de la flota que tenía a su disposición y abriendo la puerta para que las ciudades-estado aliadas de Grecia lanzaran una contraofensiva al año siguiente. Lo cual terminó efectivamente con el avance persa en Grecia y marcó el comienzo de la ofensiva griega en Persia.

El otro gran acontecimiento que se produjo tras la derrota en Salamina fue que Jerjes, que debemos recordar no era particularmente belicoso desde el principio, abandonó el campo de batalla y se retiró a Sardes, la capital persa en Asia Menor. Dejó a Maradonio al mando del ejército, lo que en otras circunstancias hubiera sido una decisión inteligente, dado el historial de Maradonio, comprobado general militar más hábil que Jerjes. Dejarlo al mando aumentaba las posibilidades de éxito de los persas, en gran parte porque Jerjes, como líder militar, era más una desventaja que una ventaja.

Al año siguiente, 479 a. C., los persas aún estaban en buena posición para terminar su conquista. La mitad de las ciudades-estado griegas estaban bajo control persa, y las fuerzas aliadas no tenían el número suficiente para vencer a los persas. Pero todavía resistía a su dominio. Los asesores griegos de Maradonio le sugirieron que renunciara a las campañas militares en favor de la diplomacia, sugiriendo que usara el soborno como medio para ganar el apoyo de la élite política griega, lo cual facilitaría ganarse el favor del pueblo griego.

Sin embargo, Maradonio ignoró este consejo y eligió atacar tanto en Platea como en Micale. Pero antes de hacerlo, Maradonio tomó medidas para concentrar el ejército. En lugar de confiar en una fuerza masiva de reclutas tomados de varias partes del imperio, envió todos los cuerpos de ejército menos uno a casa, y su fuerza restante quedó compuesta solo por iraníes, es decir, persas, medos, bactrianos e indios, así como por inmortales persas (una clase especial de soldados persas profesionales que se discutirá más adelante en el capítulo 6). Creía que los iraníes eran soldados más fuertes y eficaces y, por lo tanto, consideraba que el éxito era más probable si reducía el tamaño de su fuerza y utilizaba solo los «mejores» soldados. Y sus posibilidades le parecían mejores por considerar que los soldados griegos eran débiles e ineficaces, un signo de la ignorancia militar persa.

Pero la decisión de atacar en lugar de usar la diplomacia, junto con el desprecio de la habilidad de los soldados griegos, llevó a la derrota tanto en Platea como en Micale. Por lo tanto, a finales del 479 a. C., los persas fueron efectivamente derrotados en Grecia. Y cuando el descontento comenzó a estallar en Asia occidental, el ejército persa tuvo que abandonar Europa y ocuparse de otros asuntos del imperio.

Existe un consenso general entre los historiadores de que los persas deberían haber ganado esta guerra. Superaban ampliamente a los griegos, y la alianza formada entre las ciudades-estado griegas era débil y desorganizada. Jerjes comenzó en la dirección correcta con el suministro de su ejército y moviéndose gradualmente hacia el territorio griego, asegurándose de que la marina apoyara al ejército durante todo el camino. Sin embargo, algunas derrotas casuales, seguidas del descenso de Jerjes a la locura, y luego una serie de errores militares de su comandante en jefe hicieron que la campaña europea terminara en derrota.

Esto marca un importante punto de inflexión en la historia persa. La retirada persa dio a los griegos la oportunidad de reorganizarse, y en el transcurso del siguiente siglo, se unirían y fortalecerían lentamente. Este período de fortificación alcanzó su punto culminante cuando los griegos, encabezados por Alejandro Magno, llegaron a Persia y la conquistaron, lo que provocó la caída de la dinastía aqueménida y del imperio persa que controlaba.

Sin embargo, las implicaciones de la derrota persa se extienden mucho más allá. Los griegos sobrevivieron e hicieron contribuciones significativas a la cultura mundial en campos que van desde la ciencia y las matemáticas hasta la filosofía y las artes. Pero, si los persas hubieran tenido éxito en borrarlos del mapa en el siglo V a. C., mucho de esto podría no haber ocurrido nunca, y el mundo actual sería un lugar muy diferente.

La decadencia de Jerjes y el poderío persa

Aunque una vez fue considerado un prometedor príncipe heredero, y también un esperanzado comandante militar, Jerjes regresó de Grecia como un hombre cambiado. Ya no estaba tan interesado en expandir el imperio, ni siquiera en construir su palacio. En cambio, se sumergió en vida en un harén, y relegó la mayor parte de la gestión de su imperio a sus consejeros y sátrapas.

Un momento particularmente bajo para Jerjes sucedió en Sardes después de retirarse de Grecia: se enamoró de la esposa de su hermano. Y cuando ella rechazó sus insinuaciones, decidió casar a su hijo con la hija de ella, esperando que esto le ayudara a ganarse su favor. Sin embargo, poco después, Jerjes cambió su inclinación hacia la esposa de su hermano por la de su hijo, y estas acciones repelieron a la mayor parte de su corte.

Además, Jerjes se embarcó en una agresiva campaña de impuestos que puso en tensión a todo el imperio. Persia hacía tiempo estaba exenta de pagar impuestos, pero el resto del imperio no. Y buscando consolidar su poder aún más, elevó la tributación de los reinos de las tierras que controlaba.

Esto rápidamente drenó gran parte del oro y la plata del imperio, que Jerjes fundió y almacenó en su palacio de Persépolis. Y también ayudó a sembrar el descontento en todo el imperio, lo cual los griegos, deseosos de continuar su resistencia al dominio egipcio, y de llevar su influencia más lejos en Asia, estuvieron dispuestos a financiar y apoyar con la Liga Delos.

Los últimos 15 años de gobierno de Jerjes sucedieron relativamente sin incidentes, y su creciente incompetencia como gobernante le llevó a ser asesinado en el año 465 a. C. Lo sucedió su hijo, Artajerjes I, quien tuvo que enfrentar rápidamente las consecuencias de los fracasos de su padre, que se manifestaban principalmente en una revuelta generalizada en Egipto.

Los atenienses apoyaban a los egipcios en su intento de rebelarse, así que Artajerjes I, en un esfuerzo por disminuir su influencia en el conflicto, comenzó a financiar a los enemigos de los atenienses en Grecia, una medida que los impulsó a mover su tesoro y a centrarse una vez más en sus esfuerzos contra los persas. Sin embargo, esto no tuvo éxito. Artajerjes fue capaz de sofocar la rebelión en Egipto, terminando efectivamente con el apoyo ateniense y de la Liga de Delos a la insurrección en ese lugar. Los persas siguieron luchando contra los atenienses, dirigidos por su líder Cimón, en toda Asia Menor, hasta la batalla de Chipre en 450 a. C., que proporcionó escasos beneficios a ambos bandos. Viendo que esta guerra constante no iba a ninguna parte, Cimón y Artajerjes acordaron lo que se conoce como la Paz de Callias, que efectivamente puso fin a las guerras greco-persas.

Artajerjes I reinó en relativa paz hasta su muerte en el 424 a. C., momento en el que la monarquía entró en un período de extrema inestabilidad. Artajerjes solo tuvo un hijo legítimo, Jerjes II, y fue nombrado rey inmediatamente después de la muerte de su padre. Sin embargo, días después de ser nombrado rey, fue asesinado por su hermanastro ilegítimo, Sogdianus, quien días después fue asesinado por su hermanastro, Ochus. En un intento de establecerse como el heredero legítimo de la monarquía, Ochus tomó el nombre real de Darío II. Su reclamo fue impugnado, y pasó la mayor parte de su tiempo sofocando rebeliones en todo el imperio.

Su muerte, apenas 12 años más tarde, volvió a crear una situación caótica a la cabeza del Imperio persa. La esposa de Darío II, la Reina Parysatis, le rogó a su marido que no heredara el trono a su hijo mayor, Artajerjes II, sino a su siguiente hijo, Ciro el Joven. Ella fracasó, y Artajerjes II asumió el trono. Hizo que arrestaran a su hermano Ciro el Joven, y programó su ejecución, pero Parysatis intervino e impidió que sucediera.

Artajerjes II y Artajerjes III: La gloria final del Imperio aqueménida

La ascensión de Artajerjes II en el 412 a. C. puso fin a la agitación que había definido al Imperio persa desde la muerte de Jerjes en el 467 a. C. Gobernó durante los siguientes 45 años y ayudó a restaurar la paz y la estabilidad del imperio. Pero esto no significó que su reinado pasara sin incidentes. De hecho, se definió una vez más por la insurrección y la revuelta, y la mayoría de sus campañas militares se dedicaron a restablecer su control sobre el poder.

El primer asunto que tuvo que tratar fue la revuelta de Egipto. Esta no fue la primera vez que los egipcios aprovecharon la oportunidad que les ofrecía un cambio de monarca para intentar ganar su independencia, pero fue una de las primeras veces que lo lograron. Artajerjes pasó tiempo reuniendo una fuerza para tratar de reconquistarlo en el 373 a. C., pero fracasó, y se vio obligado a aceptar que Egipto ya no fuera parte del Imperio persa.

Una vez más, los griegos comenzaron a antagonizar a los persas. Pero en esta ocasión, no eran los atenienses, sino los espartanos, los que se oponían a Persia. Habían invadido Asia Menor, el punto de partida de la mayoría de los conflictos greco-persas. Sin embargo, Artajerjes no quiso enfrentarse a ellos directamente, sino que optó por financiar al principal enemigo de los espartanos, los atenienses, que menos de un siglo antes habían estado en conflicto directo con los persas. Esto puso a las dos ciudades-estado griegas en conflicto entre sí, pero Artajerjes II sacudiría las cosas volviéndose contra sus aliados atenienses y haciendo un tratado con Esparta para devolver a los persas el control de las ciudades de Jonia y Eolia en la costa de Anatolia.

En el año 372 estalló otra revuelta, conocida como la Revuelta de los sátrapas, en la que los gobernadores provinciales de Armenia, Capadocia (una región de Turquía) y Filigia (también en Turquía) se unieron para tratar de derrocar a Artajerjes II. Esto dio lugar a una guerra que terminó con la derrota de los sátrapas en el año 362 a. C.

Artajerjes II no era un expansionista. Aunque intentó recuperar el control de los territorios perdidos por la revuelta, no le interesaba extender el poderío persa, y cuando perdió Egipto, parecía dispuesto a aceptar esta derrota. Sin embargo, su eficacia para sofocar las diversas revueltas que estallaron durante su época como rey ayudó a traer estabilidad y prosperidad económica al imperio.

Gastó mucha energía en la construcción de ciudades persas y en la ampliación de los palacios de Susa, así como en el traslado de su capital a Persépolis y en dedicar recursos para su desarrollo. Además, y este podría ser el logro cultural más significativo de Artajerjes II, supervisó la expansión del zoroastrismo, que se había convertido en la religión oficial persa bajo Artajerjes I, y que se discute con más detalle en el capítulo 7. Los santuarios que construyó a los dioses y profetas zoroástricos son algunos de los logros arquitectónicos más notables del Imperio persa. Debido a su falta de conquista y expansión, Artajerjes II no se considera uno de los gobernantes persas más gloriosos. Pero está claro que tuvo un efecto significativo en el desarrollo cultural persa. La dinastía que vino después de los aqueménidas, los partos, remontó su linaje hasta Artajerjes II para establecer su legitimidad, lo que sugiere que Artajerjes II es una figura importante en la comprensión colectiva de la identidad persa. Parte de esto también proviene de la inmensa familia de Artajerjes II. Los registros indican que tuvo unos 115 hijos y hasta 350 esposas.

Sin embargo, el reinado de Artajerjes II llegó a su fin, y esto empujó una vez más al Imperio persa a un período de dramática inestabilidad, pero esta vez no pudo recuperarse. Su único empujón final no lograría restablecer el dominio persa, y la gloria de los aqueménidas quedaría relegada a los anales de la historia.

Su hijo, Artajerjes III, asumió el cargo de rey, y como era de esperarse, su mandato como rey comenzó con la necesidad de suprimir los diversos sátrapas y reinos que disputaban su reclamo al trono. Asia Menor había sido difícil de controlar de forma fiable desde que Ciro II conquistó por primera vez Lidia en el siglo VII a. C., y esta tendencia continuó incluso después de 300 años de influencia persa en la región y de repetidos intentos de conquistarla y controlarla.

Para evitar una larga, costosa y probablemente improductiva campaña en Asia Menor, Artajerjes III buscó una forma diferente de traer paz duradera a la región. Comenzó a organizar diplomáticamente un acuerdo de paz con los atenienses, que se inmiscuían constantemente en Asia Menor debido a la gran presencia de griegos en la región. Este tratado obligó a los persas a reconocer la independencia de las ciudades-estado griegas en Asia Menor. A continuación, procedió a disolver los ejércitos de las diversas satrapías en toda Asia Menor, obra que esperó ayudara a desarmar a los líderes rebeldes de la región e impedir que hicieran cualquier amenaza grave al poder persa.

Pero nada de esto funcionó, y Artajerjes III se vio obligado a volver a las tácticas de sus predecesores. Atenas traicionó a Artajerjes III y envió fuerzas para ayudar a los rebeldes a recuperar Sardes, lo cual hicieron. Pero entonces, en el año 353 a. C., Artajerjes III lanzó una campaña a gran escala a través de Asia Menor que tuvo éxito en la disolución de los ejércitos rebeldes y aseguró el control persa en la región.

Poco después de su éxito en Asia Menor, Artajerjes III comenzó a poner sus ojos en Egipto, el territorio que su padre había perdido y no había podido recuperar. Pero casi tan pronto como Artajerjes III entró en Egipto y se enfrentó a los egipcios, la rebelión estalló de nuevo en Asia Menor, esta vez apoyada por los egipcios. Sin embargo, Artajerjes III continuó en Egipto hasta que fue derrotado, y para cuando esto sucedió, Fenicia, Asia Menor, y ahora Chipre estaban en plena revuelta. El intento de sofocar la rebelión en Chipre fracasó, y los persas fueron pronto expulsados de Fenicia, llevando al Imperio persa a su área más pequeña desde que Ciro II y Cambises establecieron por primera vez el dominio persa en toda Asia occidental.

En el año 343 a. C., Artajerjes III volvió a prestar atención a Egipto, y esta vez logró someter al rey. Después, instauró un reino de terror que implicó la quema de edificios religiosos y culturales, y cualquiera que fuera sorprendido practicando las religiones egipcias era perseguido y a menudo ejecutado. La idea era tratar de disuadir a los egipcios de volver a rebelarse, y tuvo el efecto adicional de impedir que otras regiones del Imperio persa se rebelaran. La victoria sobre Egipto fue suficiente para que estos grupos rebeldes vieran que Artajerjes III todavía comandaba un poderoso ejército que no debía ser desafiado. Sin embargo, Macedonia, liderada por Felipe III de Macedonia, estaba ganando un poder considerable al otro lado del mar Egeo, y su ascenso significaba que los días de Persia como superpotencia del Asia occidental estaban contados.

Durante estas etapas finales de la campaña, Artajerjes III nombró a un hombre llamado Bagoas para que fuera uno de sus asesores de más alto rango, pero este movimiento resultaría desafortunado, ya que Bagoas tenía sus propias ambiciones y envenenó a Artajerjes III con la ayuda de un médico. Artajerjes III murió en el 338 a. C.

El fin de la dinastía aqueménida

Artajerjes IV sucedió a Artajerjes III, pero antes de que pudiera hacer nada, él también fue envenenado por Bagoas, quien luego colocó al sobrino de Artajerjes IV, Darío III, en el trono. Poco después de que esto sucediera, Darío III, consciente de las acciones de Bagoas, le obligó a tomar veneno. Egipto, una vez más, se rebeló, y Darío III tuvo que enviar tropas para sofocar la rebelión.

Pero en este punto, no importaba realmente quién era el rey de Persia o si los egipcios habían sido sometidos. Alejandro III de Macedonia, conocido en el resto del mundo como Alejandro Magno, había llevado su gran ejército, endurecido por la batalla, a Asia Menor durante el 334 a. C. Rápidamente derrotó a los ejércitos persas en Gránico en 334, Issos en 333 y Gaugamela en 331. Luego siguió estas victorias atacando Susa y la capital persa, Persépolis, que se rindieron en el año 330 a. C.

Darío III había huido a Ecbatana y luego continuó a Bactria, donde fue asesinado por el sátrapa bactriano, Beso, que se declaró entonces Artajerjes V, rey de Persia. Pero esto duró casi nada. Alejandro y sus ejércitos marcharon a Bactria, encontraron a Beso, o Artajerjes V, y lo juzgaron en la corte persa, donde fue sentenciado a ser ejecutado.

Algunos estudiosos consideran que Alejandro Magno es el «último de los aqueménidas», en gran parte porque mantuvo intacta la mayor parte del aparato político persa después de su conquista. Sin embargo, no era persa y no tenía derecho al trono. Aun así, su voluntad de dejar la administración del imperio tal como estaba puede atribuirse en parte a su relativamente exitoso gobierno sobre el Asia occidental.

Cuando Alejandro Magno murió en el año 323 a. C., su enorme imperio, que se extendía desde Grecia hasta el río Indo, se dividió entre sus generales. El territorio más grande, aquel en el que se encontraba la meseta iraní, fue entregado a Seleuco I Nicátor, quien gobernó sobre el territorio una vez conocido como el Imperio persa, pero que ahora se entendía como el Imperio seléucido.

Conclusión

Como es el caso de la mayoría de los imperios antiguos, la desaparición del Imperio persa bajo la dinastía aqueménida parece haber ocurrido rápidamente. Sin embargo, al observar más de cerca los eventos que llevaron a su caída, es fácil ver cuán precario era realmente el control del poder de Persia, y también es fácil ver cómo la compleja situación geopolítica de Mesopotamia y del extranjero hizo difícil mantener un imperio de ese tamaño por demasiado tiempo.

Pero esto no pretende descartar los logros de la Dinastía Aqueménida. En cuestión de solo 300 años, pasó de liderar una oscura tribu persa en la meseta iraní a ser uno de los imperios más grandes y formidables en la historia del mundo antiguo.

Sin embargo, la región que Persia controlaba era simplemente demasiado grande, demasiado diversa y estaba sujeta a demasiadas influencias como para mantenerse en el poder para siempre. Así pues, aunque el ejército persa de entonces era uno de los más fuertes que se han visto hasta la fecha, la competencia entre los poderes políticos dentro del Estado, combinada con las frecuentes revueltas de los territorios conquistados y los intentos excesivamente ambiciosos de expansión en Europa iniciados por Darío I y continuados por Jerjes, contribuyeron a la eventual caída del Imperio persa bajo la dinastía aqueménida. Pero este no sería el final de la historia persa. A los pocos cientos de años de la conquista de Persia por Alejandro Magno, una nueva dinastía, que remontó sus raíces a los aqueménidas, conocida como los partos, se fusionó y devolvió el poder a los iraníes en Persia y en toda Asia occidental.

Capítulo 5 - La vida en la antigua Persia

Casi tan pronto como Persia se convirtió en un imperio bajo la dinastía aqueménida, también se convirtió en una nación grande y diversa. Sus fronteras se extendían desde Egipto hasta Turquía, partes de Grecia, Armenia, Irak, Irán, Arabia, Afganistán, Uzbekistán, e incluso hasta la India, y casi todas las tierras intermedias, que incluían culturas poderosas e influyentes como los fenicios, los judíos, los medos, los babilonios, y muchos más. Como resultado, es imposible describir Persia como una sociedad unificada con sus propias normas culturales distintivas.

En cambio, es mejor pensar en ella como una coalición informal de diferentes culturas, muchas de las cuales se unieron por la fuerza, pero que permanecieron conectadas a través de la forma centralizada y altamente desarrollada de organización política de Persia que fue establecida por Darío I (véase el capítulo 3). Sin embargo, todavía podemos crear una imagen de cómo podría haber sido la vida de los habitantes del Imperio persa.

Los propios persas, que residían en Persis, que es el país moderno de Irán, estuvieron en el centro del imperio. Sin embargo, debido a su falta de tierra cultivable y a su duro terreno, Persia misma estaba lejos de ser la parte más desarrollada del imperio. De hecho, Irán apenas estaba poblado antes de que las tribus persas se unificaran bajo Ciro II. En cambio, estaba habitado en su mayor parte por tribus nómadas, lo que puso a los persas muy por detrás de sus vecinos de Mesopotamia en cuanto a desarrollo urbano y avance social.

Debido a la difícil topografía de Irán, las tierras buenas y fértiles eran escasas, lo que condujo al desarrollo de una clase propietaria de tierras que sirvió como nobleza durante el Imperio persa. Antes del nacimiento del imperio y durante su existencia, Persia fue una sociedad feudal, lo que significaba que se esperaba que los campesinos pagaran un alquiler a un terrateniente a cambio del derecho a trabajar la tierra, y algunos de los frutos de su trabajo se devolvían al terrateniente como impuesto.

Sin embargo, a medida que el imperio crecía y se expandía, el pueblo que vivía en Persia probablemente experimentó una drástica mejora en su calidad de vida. En primer lugar, la finalización del Camino Real por Darío I conectó Sardes en Asia Menor con Susa y Ecbatana, así como con otras ciudades a través de Media y Bactria. Esto trajo desde lejos nuevos bienes a Persia, y facilitó el comercio con otras partes del imperio. Además, la propia Persia estaba exenta del pago de impuestos y tributos imperiales, lo que redujo significativamente la carga imperial sobre el pueblo persa.

Otra cosa que contribuyó al nivel de vida relativamente alto del pueblo persa fue la salida de la clase terrateniente. Una vez que Ciro II conquistó Babilonia y fue fortificada por Darío I, gran parte de la clase terrateniente se trasladó de Persia a Babilonia y Mesopotamia. Las tierras de cultivo eran mucho mejores y más abundantes en el Creciente Fértil, lo que significa que fue más fácil para ellos aumentar su riqueza. El sistema feudal permaneció, pero es probable que su carga no fuera tan pesada en comparación con lo que habría ocurrido si la élite persa hubiera elegido permanecer en la meseta iraní.

La vida en Persia también fue relativamente pacífica. La guerra no llegó hasta que Alejandro Magno comenzó a conquistar el oeste de Asia. Pero esto no significa que el pueblo persa no estuviera familiarizado con la guerra. El servicio militar era obligatorio, y muchos hombres pasaban gran parte de sus vidas fuera de casa luchando en diferentes escenarios alrededor del imperio. Sin embargo, el uso de mercenarios, reclutas y esclavos en sus ejércitos redujo la necesidad de soldados persas, aunque la mayoría de los reyes persas consideraban que sus parientes eran naturalmente mejores combatientes. En el capítulo 6 se ofrece una descripción más detallada del ejército persa.

Como todas las sociedades pre-modernas, Persia era una cultura mayormente agraria. Dentro de la propia Persia, el ganado fue el principal producto, en gran parte porque la escasez de tierras cultivables dificultaba la producción de un excedente de productos agrícolas. Sin embargo, gracias al comercio con las provincias de todo el imperio, los persas tuvieron acceso a muchos de los bienes de los que se disfrutaba en Mesopotamia y en el extranjero, incluidos el trigo y la cebada. Es difícil determinar con exactitud cómo vivía la gente, en gran parte debido a la falta de registros. Pero es razonable creer que el campesinado vivía en lo que hoy se considera pobreza rural. Sin embargo, la ausencia de conquistas militares y la disponibilidad de bienes a través del comercio trajeron mejoras significativas a la calidad de vida del campesinado.

En otras partes del imperio, la presencia del Imperio persa trajo una prosperidad considerable por varias razones. En primer lugar, la construcción del Camino Real facilitó enormemente a los mercaderes la posibilidad de viajar a través de Asia occidental y de comerciar entre ellos. También, la burocracia centralizada del Imperio persa facilitó a personas de diferentes orígenes culturales, lingüísticos y étnicos comprometerse económicamente entre sí.

Otra cosa que contribuyó a la prosperidad económica del Imperio persa fue la introducción de la moneda. Ciro II introdujo por primera vez las monedas de oro en el imperio, pero fue Darío I quien amplió la práctica estandarizando una moneda de oro. Pesaba 8,4 kilogramos, y era el equivalente a 20 monedas de plata. La moneda ya se utilizaba de una forma u otra en todo el imperio, en particular en las ciudades-estado griegas que estaban situadas en Asia Menor, pero esta normalización facilitó mucho el comercio entre las distintas partes del imperio. Los monarcas persas, especialmente a partir de Jerjes, tenían una propensión a acumular oro y plata. Esto ralentizó la circulación de las monedas en todo el imperio, lo que redujo la importancia de la moneda. Pero, aun así, este adelanto fue bastante significativo para el desarrollo económico de la región.

La última razón importante por la que el Imperio persa ayudó a iniciar un período de relativa estabilidad económica y prosperidad fue la política de tolerancia y aceptación de Darío I. Como no intentó perseguir a la gente por su religión y su cultura, la mayoría de la gente vivía en relativa paz durante todo el tiempo de dominación persa. Por supuesto, las rebeliones e insurrecciones eran comunes en todo el imperio, y la guerra era constante. Pero esto se limitó a las regiones de la periferia. El resto del imperio disfrutaba de una considerable estabilidad que permitió el crecimiento de la riqueza.

Los persas también ayudaron a introducir el arameo como la lengua franca del imperio. Aunque se encontraba un idioma diferente en casi todos los rincones del imperio, el establecimiento del arameo como idioma oficial del imperio, que era un idioma semítico utilizado sobre todo en las ciudades de la Siria moderna, dio a la región una lengua franca para utilizar en el derecho y los negocios. Parte de la razón por la que se eligió esta lengua fue porque estaba muy estandarizada y era uniforme, lo que significaba que era más fácil de aprender que otras lenguas de la región. Algunos estudiosos han llamado al arameo el idioma oficial del Imperio persa, pero esto es incorrecto, ya que probablemente solo se hablaba fuera de sus regiones tradicionales para llevar a cabo negocios, asuntos legales y gubernamentales. No obstante, el uso de un idioma común facilitó enormemente la comunicación y la interacción entre los numerosos y diferentes pueblos del Imperio persa, lo que ayudó a fortalecer el poder imperial persa.

En general, la vida en el Imperio persa no era tan diferente de la vida en muchas de las otras civilizaciones antiguas de esta parte del mundo. La vida diaria consistía en la agricultura, rezar a los dioses, entrenamiento y servicio militar, o participar en cualquier oficio o artesanía para la que se hubiera sido entrenado. Los mayores cambios que tuvieron lugar fueron en los arreglos políticos y burocráticos del imperio. Pero algunos de estos cambios ayudaron a introducir una mayor calidad de vida y una mayor conectividad entre muchas culturas diferentes. Sin embargo, estas mejoras y avances vinieron como resultado de las conquistas y la expansión de la monarquía persa, lo que significa que la guerra fue una parte central de la vida para la mayoría de las personas que vivían durante la época del Imperio persa.

Capítulo 6 - El ejército persa

Tomar y mantener el poder en el mundo antiguo no podía hacerse sin un ejército grande, fuerte y efectivo. Los asirios, que precedieron a los persas como hegemonía de Asia occidental, desarrollaron una máquina militar que infundía miedo en los corazones de casi todos sus vecinos, llevando a muchos reinos a someterse simplemente por miedo a lo que podría pasarles si sufrieran una invasión asiria.

Los persas no eran diferentes. Mientras que los asirios pasaron a la historia como una de las culturas militares más despiadadas que han caminado por la Tierra, los persas fueron capaces de crear y mantener un gran ejército que sería la fuente de su poder durante toda la duración de la dinastía aqueménida. El núcleo del ejército estaba formado por los propios persas, pero los aqueménidas también se sirvieron de muchos otros grupos de personas para ayudarles a sostener sus grandes ejércitos y mantener el control sobre su imperio.

Los inmortales persas

Este rango particular de soldados persas fue considerado como una de las fuerzas más poderosas en toda Asia occidental y en el extranjero, y han pasado a la historia como una de las unidades militares más famosas del mundo. Fueron considerados «inmortales» porque por ley el tamaño de la armada nunca se permitió bajar de 10.000. Esto significaba que, en teoría, tan pronto como un soldado persa moría, era reemplazado inmediatamente por otro, impidiendo que cualquier enemigo hiciera un daño real al ejército persa.

Para llenar estas filas, los monarcas persas recurrían a su propio pueblo; los persas no estaban obligados a pagar impuestos ni tributos a la corona, pero se esperaba que dieran su vida y lucharan por su rey sin hacer preguntas. Sin embargo, también era común encontrar medos y elamitas entre las filas de los inmortales, ya que estas tres civilizaciones estaban estrechamente alineadas tanto cultural como políticamente. Una vez seleccionados, se les enviaba a Susa para entrenar y luego se unían a las filas de los Inmortales dondequiera que estuvieran en el imperio en ese momento. Esto creó una situación en la que el ejército persa tenía un flujo constante de refuerzos, lo que le ayudaba a ser más eficaz y a estar mejor capacitado para llevar a cabo largas campañas militares contra enemigos extranjeros.

Los Inmortales persas recibieron un trato especial. Estaban bien vestidos, y sus uniformes a menudo presentaban adornos de oro decorativos. Y cuando estos soldados viajaban, se les permitía llevar sirvientes y concubinas con ellos, y a menudo se les servía comida especial en camellos u otros animales de equipaje. Para añadir a su grandeza y también para intimidar a las fuerzas enemigas, los Inmortales Persas estaban todos vestidos igual. Sus cabezas estaban afeitadas y sus barbas cortas estaban enroscadas. Brazaletes de oro caían sobre sus brazos, y sus lanzas estaban hechas con cuchillas de plata que ayudaban a probar que eran realmente un miembro de los 10.000 Inmortales. También tenían un arco y una aljaba sobre su hombro, pero a un Inmortal no se le permitía llevar ninguna otra arma aparte de la lanza y el arco.

Ejércitos satrapales

Mientras que los Inmortales representaban los rangos más altos del ejército persa, 10.000 hombres no eran suficientes para asegurar el imperio y atender a sus muchos enemigos, tanto cercanos como lejanos. Jerjes invadió Grecia con una fuerza de más de 150.000 hombres y las flotas navales de tres reinos muy poderosos.

En un intento por mantener el control sobre las diferentes regiones del imperio, los reyes persas exigieron a cada sátrapa que contribuyera con un cierto número de tropas. El rey nombraba a un comandante militar para dirigir los ejércitos satrapales, y luego cada líder regional era responsable de cumplir con las cuotas ordenadas por el rey y sus comandantes, un número que dependía en gran medida de la campaña que se llevara a cabo y de los tipos de soldados que un sátrapa pudiera ofrecer. Por ejemplo, a los egipcios y los fenicios se les apelaba por sus armadas navales, mientras que los persas recurrían a sus provincias medias, bactrianas e indias para sus soldados de tierra.

A diferencia de los Inmortales, había poca o ninguna uniformidad en los ejércitos satrapales. Cada grupo adornaba cualquier ropa que fuera la norma para los soldados de su región, y esto a menudo hacía difícil que los enemigos supieran que estaban luchando contra los persas. Además, este reclutamiento forzoso de poblaciones satrapales significaba que, aunque el ejército persa era grande, estaba compuesto en su mayoría por personas que habían sido obligadas a prestar servicio. Por consiguiente, según la situación política de la época, la eficacia de estas fuerzas variaba. Por ejemplo, los egipcios y los fenicios se comprometieron a ayudar a Jerjes con su invasión a Grecia hasta que decidió ejecutar sin piedad a los comandantes fenicios. Respondieron abandonando Grecia y desertando en medio de la campaña de Jerjes para invadir Europa, algo que perjudicó significativamente sus posibilidades de victoria.

La dependencia de estos ejércitos satélites estableció un interesante enigma que se ve comúnmente en las civilizaciones de todo el mundo antiguo. Por un lado, Persia necesitaba conquistar y expandir su control territorial para poder reclutar un ejército lo suficientemente grande como para mantener su control sobre los territorios conquistados. No debe sorprender entonces que muchas de las satrapías, especialmente las ubicadas en la periferia del imperio, estuvieran sometidas a una guerra constante. Por otro lado, otros reyes de la región, intentando recuperar la autonomía después de ser conquistados, compitieron por las lealtades de estas mismas personas, ya que así es como abastecerían a sus ejércitos y tendrían éxito como reyes. Esto significaba que la gente cambiaba constantemente de bando y que habría sido difícil confiar únicamente en las sátrapas para llenar las filas de los ejércitos persas.

Mercenarios y otros ejércitos

Además de los inmortales y los ejércitos satélites, los persas también dependían en gran medida de los mercenarios, especialmente para sus unidades navales. También hicieron un uso generalizado de los ejércitos de esclavos, tomando gente de las tierras conquistadas y obligándolos a hacer el servicio militar. Sus unidades militares se formaron en base a la necesidad y también a la relación que un sátrapa tenía con el rey. A las unidades militares se les podía conceder cierto grado de autonomía, o podían ser absorbidas por el gran ejército persa. Por ejemplo, después de una de las primeras revueltas babilónicas, la región fue anexada al sátrapa de Asiria. A partir de ese momento, no existe ninguna mención de las tropas babilónicas. Probablemente no se confiaba lo suficiente en ellos para operar por su cuenta, y su estatus fue relegado al de esclavos.

El poderío militar persa fue una de las principales razones por las que pudo ganar un territorio y poder tan considerables en un período de tiempo tan corto. Los éxitos iniciales de Ciro II dieron a los futuros reyes la noción de que los soldados persas eran más fuertes y más capaces que cualquier otro grupo del imperio. Esto dio lugar a la formación de los Inmortales Persas, que sería la fuerza militar más aterradora y eficaz durante el período en que los persas controlaban todas las tierras desde Egipto hasta la India.

Capítulo 7 - Zoroastrismo: La religión de Persia

Al igual que en otras civilizaciones antiguas, la religión desempeñó un papel importante tanto en la vida de los plebeyos como en la de los líderes del Imperio persa. Pero a diferencia de los anteriores imperios de Asia occidental, a saber, Sumeria, Asiria y Babilonia, los persas eran monoteístas. Practicaban una religión conocida como el zoroastrismo, que lleva el nombre de su principal profeta, Zoroastro, a veces conocido como Zaratustra. Sus orígenes se remontan al segundo milenio a. C., lo que la convierte en una de las religiones monoteístas más antiguas de la historia de la humanidad. Todavía se practica hoy en día, pero a partir de la invasión árabe de Persia en el siglo VII d. C., el islam comenzó a extenderse por la meseta iraní. Más tarde, la Revolución iraní, que tuvo lugar en el siglo XX, situó al zoroastrismo en un segundo plano de la cultura persa/iraní, aunque sigue siendo prominente e incluso está resurgiendo, ya que los iraníes modernos buscan alejarse de la teocracia islámica que domina la política de su país.

La fundación del zoroastrismo

La primera mención del zoroastrismo como religión organizada aparece en el siglo V con el historiador griego Heródoto, a menudo llamado el padre de la historia. Él escribió *Las Historias*, que es un relato detallado de las muchas y diferentes culturas y civilizaciones que existieron e interactuaron entre sí a lo largo del Asia occidental y el sur de Europa.

Sin embargo, muchos historiadores piensan que las creencias y prácticas fundamentales del zoroastrismo pueden remontarse a las costumbres indo-iraníes que se hicieron populares a partir del 2500 a. C. Sin embargo, es probable que en algún punto intermedio es cuando tomó forma como la religión que eventualmente se convertiría en una característica definitoria de la cultura persa. Se cree que Zoroastro, que es considerado un profeta en la religión, pero que probablemente fue un reformador religioso, comenzó a difundir su versión de la fe en el siglo X a. C.

Poco a poco, las enseñanzas de Zoroastro penetraron en la psique colectiva del pueblo persa, e incluso influyeron en el desarrollo de otras tradiciones religiosas, como el zurvanismo, la principal religión de los Magi, una tribu que tuvo una considerable influencia en las cortes medas. Se cree que la difusión inicial del zoroastrismo en realidad tenía por objeto ayudar a limitar el poder de este grupo en particular después de que Ciro el Grande pudo unificar a los reinos persa y medo, sentando las bases de lo que se convertiría en el gran Imperio persa.

Pero no sería exacto decir que Ciro II y sus sucesores inmediatos, como Cambises y Darío I, eran de hecho zoroastrianos. En ese momento, muchos persas creían en la deidad de Zoroastro, Ahura Mazda, aunque esto no significaba que fueran seguidores de Zoroastro y sus enseñanzas. Pero a medida que el Imperio persa se expandió, también lo hizo la influencia del zoroastrismo en su gente, resultando en que eventualmente se convirtió en la principal religión de Persia bajo Artajerjes II.

Creencias Zoroastrianas

En primer lugar, el zoroastrismo es una religión monoteísta, lo que significa que cree en un solo dios, Ahura Mazda, que se traduce del iraní antiguo y del persa como Señor Sabio. Ahura significa literalmente «ser», mientras que Mazda significa «mente». Zoroastro enseñó esta distinción para resaltar el concepto de dualidad, y también se aseguró de referirse a uno como masculino y a otro como femenino, probablemente un intento por no representar a Ahura Mazda como un humano. Además, Zoroasro enseñó que Ahura Mazda era todopoderoso, pero no omnipotente, una distinción importante y que no hacían muchas religiones de la época, especialmente las basadas en el politeísmo.

Una de las características que definen al zoroastrismo es la importancia que da a la dualidad. Específicamente, describe al mundo como atrapado en una lucha entre el bien y el mal, y que el fin de los tiempos coincidirá con el triunfo final del bien. Ahura Mazda se manifiesta a través de los Spenta Mainyu, que son entidades divinas. El término se traduce literalmente como santos divinos. A través de estas entidades, Ahura Mazda sirve como un «padre» benevolente responsable de superar la influencia de Druj, que significa falsedad o engaño. No hay maldad en Ahura Mazda, y su principal responsabilidad con la humanidad es ayudarla a superar las fuerzas del mal que tratan de empujarla hacia la destrucción.

Los pilares del zoroastrismo son: 1) Humata, Hukhta, Huvarshta, que se traducen en Buenos Pensamientos, Buenas Palabras, Buenas Acciones; 2) Solo hay un camino, el camino de la Verdad; y 3) Hacer lo correcto porque es correcto, y entonces verás recompensas más tarde.

Esta creencia en una deidad todopoderosa que lucha por difundir el bien y derrotar el mal representa un desarrollo significativo en comparación con las primeras religiones iraníes, que se remontan a las costumbres arias que no definían ningún bien o deidad, y en cambio pensaban que el mundo estaba gobernado por diferentes espíritus malignos y demonios. Otro aspecto interesante del zoroastrismo es que pide a sus seguidores que protejan la naturaleza, señalando específicamente la necesidad de mantener la tierra, el aire, el viento y el agua, lo que ha llevado a muchos teólogos a declarar el zoroastrismo como la primera religión ecológica del mundo, aunque este título ha sido impugnado por algunos.

Sin embargo, no importa cómo se mire, el zoroastrismo era una religión pacífica. A diferencia de las religiones de otras civilizaciones antiguas, como Asiria o Babilonia, no predicaba la guerra como medio necesario para la existencia y la supervivencia. Esta creencia podría ayudar a explicar por qué los reyes persas rara vez, o nunca, se interesaron en cambiar las costumbres religiosas practicadas por aquellos a quienes conquistaron; la persecución típicamente solo tenía lugar cuando era políticamente necesaria.

Además, algunas de las ideas principales de las enseñanzas zoroástricas, como la idea de un mesías, el juicio después de la muerte, la idea del cielo y el infierno y el libre albedrío, ayudaron a dar forma a otras tradiciones religiosas, en particular al judaísmo del Segundo Templo, el gnosticismo, el cristianismo y el islam. El zoroastrismo siguió siendo la principal religión del pueblo persa hasta que los árabes la invadieron en el siglo VII. A partir de ese momento, el islam fue la principal religión de la región, y el zoroastrismo fue a menudo perseguido más allá de este punto de la historia.

Se estima que hoy en día hay unas 200.000 prácticas de zoroastrismo diseminadas por todo Irán y la India. Y aunque su importancia disminuyó considerablemente tras la invasión árabe de Persia, tuvo un efecto significativo en el desarrollo cultural de Persia y de Asia occidental en su conjunto.

Capítulo 8 - Dinastías persas posteriores: Del Imperio parto a la Dinastía Kayar

Después de la caída de Susa y Persépolis ante Alejandro Magno en el 330 a. C., la dinastía aqueménida sucumbió. El Imperio persa era ahora parte del vasto dominio de Alejandro, y cuando este murió, quedó en manos de uno de sus generales, Seleuco I Nicátor, que formó el Imperio seléucido, que consistía en los territorios de la meseta iraní y Media, y partes de Mesopotamia, aunque nunca llegaría a tener ni siquiera una cercanía al tamaño y la gloria de Persia bajo los aqueménidas. A los persas se les negó la capacidad de gobernar su propia patria durante poco más de 100 años después de ser conquistados por Alejandro.

Sin embargo, solo porque los aqueménidas perdieron el poder, esto no significó el fin de los persas. De hecho, usando una mirada amplia de la historia, en realidad fue solo el comienzo. Diferentes dinastías persas emergieron después de la caída del Imperio seléucida, y esto ayudó a llevar al Imperio persa hasta la era moderna. Cayó una vez más en el siglo XIX bajo la dinastía kayar, y esto preparó el camino para la formación del país de Irán.

Estas diferentes dinastías que vinieron después de los aqueménidas experimentaron distintos niveles de éxito. Por ejemplo, el Imperio sasánida, que se formó en el año 224 d. C., duró más de 400 años, mientras que la Dinastía Afsárida, formada en 1501 d. C., estuvo en esta tierra únicamente por 60 años, existiendo solo el tiempo suficiente para que hubiera apenas unos pocos reyes.

Cada una de estas dinastías debería ser estudiada en sí misma. Como los aqueménidas, cada una tiene una rica historia de conquista y consolidación, y cada una hizo sus propias contribuciones específicas tanto a la historia como a la cultura persa. Sin embargo, al observar los principales logros de cada una de ellas, se puede tener una perspectiva de cómo Persia ha moldeado el curso de la historia del mundo, y cómo ha contribuido a la formación del mundo en el que vivimos ahora.

El Imperio parto (247 a. C.-24 d. C.)

El Imperio seléucida no duró más de 100 años antes de que los persas, comenzando con la dinastía parta y terminando con la dinastía sasánida, pudieran retomar el control de su patria, y una vez que lo hicieron, lograrían mantenerla durante los siguientes 600 años.

A este sucesor de los aqueménidas se le conoce como el Imperio parto, en gran parte debido a cómo se formó. En algún momento a mediados del siglo III a. C., el rey Arsaces I de Partia, que dirigía la tribu local Parni, se levantó y se apoderó de la región de Partia, que está en el noreste de Irán. Más tarde, los historiadores partos describirían el año 247 a. C. como el año exacto en que se fundó el Imperio parto, aunque no se sabe con certeza por qué se eligió esta fecha, ya que los registros históricos no aportan pruebas de ningún acontecimiento significativo durante este año que pueda asociarse con la formación del imperio. Esto podría deberse a que, en esa época, Partia estaba en rebelión abierta contra el gobierno seléucida. Es probable que la toma del territorio por parte de Arsaces I fuera impugnada y que necesitara pasar mucho tiempo asegurando las tierras que acababa de recuperar de las autoridades centrales del imperio.

El éxito de Arsaces I, sin embargo, se detuvo allí. Pasó la mayor parte de su reinado defendiéndose de los anteriores gobernantes imperiales de la región mientras intentaban recuperar el territorio que habían perdido. Sin embargo, no tuvieron éxito, y los persas liderados por los partos pudieron mantener su independencia a pesar de los repetidos avances de los seléucidas. No fue hasta que Mitridatos I llegó al poder en c. 171 a. C. que los partos comenzaron a desmantelar el Imperio seléucida y se establecieron como una potencia en la región, convirtiendo una vez más a Persia en un importante actor político en Asia occidental.

Mitridatos I logró conquistar Media y Mesopotamia, lo que redujo al Imperio seléucida a apenas el territorio que hoy conocemos como el sur de Irán. Esto casi borró al Imperio seléucida de la historia, y una vez más llevó a los iraníes al poder en la meseta iraní, que duraría hasta que los árabes invadieran en el siglo VII, todavía a unos 700 años de distancia.

Sin embargo, si bien el Imperio parto pudo anexar un territorio relativamente grande en Asia occidental, nunca igualaría lo que hicieron los aqueménidas en cuanto a la cantidad de territorio que controlaban y su influencia sobre él. Por ejemplo, mientras que los aqueménidas instalaron un sistema de gobierno altamente centralizado que dependía de sátrapas nombrados por el rey, los partos dependían mucho más del liderazgo local. En lugar de conquistar, trataban de negociar las relaciones de tributación de los reyes circundantes, convirtiéndolos en sus vasallos y aliviando la carga de gobierno que a menudo conlleva el hecho de tener un gran imperio.

El otro factor que limitaba la expansión de los partos era la competencia por el control de Asia occidental. Lejos al oeste, la República romana se había vuelto bastante poderosa y comenzó a tratar de expandir su influencia en y alrededor de Irán. Y en el Lejano Oriente, los chinos bajo la dinastía han se movían hacia el oeste para tratar de expandir su influencia y establecer relaciones comerciales. Los partos nunca se relacionarían directamente con los chinos, en gran parte porque las provincias orientales estaban bien defendidas por los reyes de esa zona, pero competían activamente con los romanos. Por ejemplo, ambos imperios querían hacer del rey de Armenia su vasallo, y esto provocó algunos momentos de tensión entre los otrora grandes persas y los romanos en ascenso. Los romanos y los partos también lucharon directamente en diferentes partes de Asia occidental, ya que los romanos continuaron alardeando de su poder imperial en todo el mundo.

Pero quizás el logro más significativo del Imperio parto fueron las relaciones comerciales que pudieron de establecer. Lo más importante es que ayudó a conectar la Ruta de la Seda china con Asia occidental, lo que facilitó la importación de productos chinos a Europa. Por ejemplo, los romanos compraron cantidades considerables de seda -su mayor importación- así como perlas y otros artículos de lujo. A cambio, los chinos compraban tintes y especias, así como otros alimentos de Oriente Medio. Dado que Persia se encuentra estratégicamente en el centro de estas dos regiones influyentes del mundo, pudieron imponer derechos sobre el comercio entre Roma y China, enriqueciendo el imperio y ayudándolo a establecerse como un actor importante en la política de Asia occidental, así como en el desarrollo de la historia del mundo.

Dado el período de tiempo en el que existió el Imperio parto, no debe sorprender que su caída fuera el resultado directo de la expansión del Imperio romano. Con frecuencia se celebraban y luego se rompían tratados de paz, y los persas pudieron mantener la autonomía en gran medida porque los romanos dudaban en extenderse demasiado hacia el este y agotar sus recursos militares. Sin embargo, los romanos no capturaron a los reyes partos. En cambio, avanzaron lentamente hacia Mesopotamia, asegurándose de que la frontera estuviera fortificada antes de continuar. Durante la mayor parte del tiempo los dos reinos coexistieron, y la frontera entre ambos estaba regularmente en algún punto alrededor del río Tigris.

Un intento de invasión fue realizado por el emperador romano Trajano (c. 100 d. C.), quien logró capturar la ciudad persa de Susa, una de las ciudades más importantes bajo el control aqueménida. Pero esta conquista no duró mucho tiempo ya que los babilonios se rebelaron y empujaron a los romanos más al oeste hacia Mesopotamia. Los romanos nunca más intentarían expandirse tan al este, pero los resultados de esta invasión sacudieron al Imperio parto en su núcleo y provocaron su caída del poder.

Las luchas internas entre los diversos gobernantes con Persia debilitaron significativamente el poder de los partos, y la guerra casi constante con Roma también ejerció una presión considerable sobre su ejército, dejando a los partos abiertos al ataque, que se produjo en el año 224 d. C. cuando Ardashir I de Persis (que fue el centro de la dinastía aqueménida, pero que se había reducido a una provincia bajo los partos. Aunque no era una capital, ya que los partos establecieron sus capitales en el noreste de Irán) se rebeló contra la dinastía parta y comenzó a subyugar territorios. Finalmente se enfrentó a los partos en la batalla de Hormozgán en 224 d. C., la cual ganó Ardashir I. Esto puso fin al Imperio parto y dio nacimiento a la siguiente era de Persia: el Imperio sasánida. La figura 12 muestra la extensión del Imperio parto cuando estaba en su apogeo.

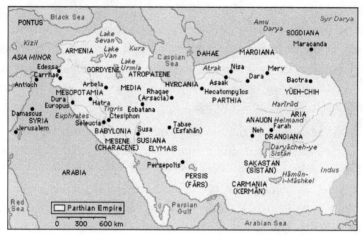

El imperio sasánida (224 a. C.-651 e. c.)

En comparación con la dinastía y el imperio aqueménida, los partos eran mucho más pequeños y mucho menos poderosos. Esto es en parte debido a la constante competencia que enfrentaban con sus poderosos vecinos, como Roma. Sin embargo, tras la caída del Imperio parto, nació el Imperio sasánida, que duraría unos 400 años. Se expandió significativamente en el territorio controlado por Persia, y fue el último Imperio persa antes del surgimiento del islam.

La ascensión de Ardashir I no fue indiscutible. La rebelión estalló en todo el imperio, y los romanos intensificaron sus hostilidades una vez que vieron las luchas internas de los partos, con la esperanza de aprovechar esto para ayudar a poner a los partos bajo el control romano. Sin embargo, Ardashir I, así como su hijo, Sapor I, lograron hacer una campaña exitosa alrededor del imperio para sofocar estas rebeliones, y también lograron derrotar a los romanos en el oeste, llevando el conflicto hacia el Mediterráneo y el Cáucaso.

Las rebeliones continuaron, pero hacia el año 300 d. C., los sasánidas estaban firmemente arraigados como los nuevos monarcas persas. La división del Imperio romano significó que su nuevo oponente sería el Imperio romano de Oriente, también conocido como el Imperio bizantino. El Imperio sasánida estaba constantemente en guerra con este poderoso vecino occidental, e incluso sitió Constantinopla. Pero ninguno de los dos lados fue capaz de conquistar al otro, y al final, el agotamiento de los recursos y las luchas políticas causadas por la guerra resultaron ser la caída de los sasánidas.

Sin embargo, aunque el Imperio sasánida no era tan grande territorialmente como el Imperio aqueménida (véase la figura 13), en muchos sentidos devolvió la gloria al Imperio persa y también ayudó a establecer a los persas como una de las fuerzas más poderosas de la región.

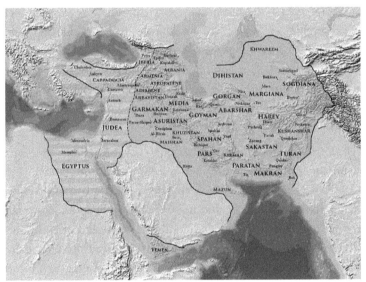

La cultura persa floreció bajo los sasánidas, que hicieron muchas contribuciones al desarrollo de la región. Más específicamente, los sasánidas eran bien conocidos por su arte, y se comisionaban y comerciaban pinturas, esculturas y textiles decorativos por todo el imperio. Muchos eruditos consideran que el arte sasánida es el predecesor del arte musulmán, que se convertiría en uno de los estilos más conocidos en todo el mundo a medida que el islam creció en prominencia a lo largo del primer milenio d. C.

Parte del éxito de Persia bajo los sasánidas fue que los reyes sasánidas volvieron a la forma de gobierno centralizada implementada por los aqueménidas. A diferencia de los partos, que eligieron en su lugar confiar en los reyes y gobernantes locales para que les ayudaran a hacer cumplir su mandato, los sasánidas utilizaron sátrapas y nombraron directamente a los gobernadores provinciales, utilizando el intrincado sistema de carreteras construido a lo largo de Mesopotamia y Asia central para desplazar tropas y dar órdenes sobre la mejor manera de gestionar el imperio. Esto ayudó a los sasánidas a ser mucho más poderosos y, por lo tanto, mucho más influyentes que los partos.

Una breve descripción de los logros del Imperio sasánida no hace justicia a su importancia. Pero lo que es importante recordar es que la formación de la dinastía partia y luego la dinastía sasánida es una gran razón por la que la cultura persa sigue existiendo y es prominente hoy en día. Muchas civilizaciones antiguas fueron y vinieron, Asiria y Babilonia, por ejemplo, siendo a menudo absorbidas por poderes mucho más grandes. Los aqueménidas pusieron a Persia en el mapa, pero los casi 1.000 años de dominio parto y sasánida ayudaron a afianzar a los persas como contribuyentes clave al desarrollo de la cultura mundial.

Y si nos detenemos a considerar que en los próximos 900 años no hubo ningún gobierno persa -los árabes invadieron e incluyeron a Persia en su califato-, los logros culturales de los primeros imperios persas pueden considerarse aún más notables. Habían logrado ser tan influyentes en la región que, aunque sus normas culturales fueron reprimidas -el zoroastrismo disminuyó significativamente bajo los árabes-, pueden seguir siendo relevantes hasta el día de hoy, lo que es una prueba más de que el imperio y el pueblo persas son algunos de los más importantes para la formación de nuestro mundo moderno.

La Dinastía Safávida (1501-1736 d. C.)

En un corto período de solo cinco años, a mediados del siglo VII, el Imperio sasánida cayó. Los ejércitos musulmanes invadieron, y aprovechando el declive ya existente del imperio, fueron capaces de derribarlo en c. 651. Esto marcó el comienzo de una dramática transformación en la historia y la cultura persa. El zoroastrismo comenzó a declinar, y el islam se convirtió en la religión dominante de la época. Pero al igual que la cultura romana/latina no desapareció tras la caída de Roma, la cultura persa se había desarrollado hasta el punto de poder seguir creciendo a pesar de que los persas no podían reclamar ser parte de una nación independiente. Aun así, este período de tiempo tuvo una influencia dramática en la historia persa/iraní, y también tuvo un gran impacto en la conformación del mundo moderno.

Sin embargo, los persas estaban lejos de haber desaparecido. Tardaron casi 900 años, pero para 1501 d. C., Persia había conseguido su independencia, y la dinastía safávida subió al poder, un grupo de gobernantes que desempeñó un papel importante en la formación del Irán actual, tanto en términos de territorio como de cultura.

En 1501, los disturbios políticos de la región dejaron a Persia esencialmente sin gobernante, y el Sah Ismail I, cuyos antecedentes son discutidos, aunque él y sus descendientes afirmaron que compartían linaje con el profeta Mahoma, subió al poder y estableció la dinastía safávida. Poco a poco fue capaz de conquistar las diversas ciudades de la meseta iraní, terminando su conquista con la expulsión de los uzbekos del territorio iraní y fortificando también la frontera con el Imperio otomano, que era la mayor potencia del Asia occidental en ese momento. La figura 14 muestra la extensión del Imperio persa bajo los safávidas, y también muestra las fronteras modernas de los diversos países de la región. Los safávidas controlaban más territorio que el que se considera hoy en día el Irán, pero la capacidad de la dinastía safávida para asegurar estas fronteras es en parte la razón por la que se le considera el fundador del Irán moderno.

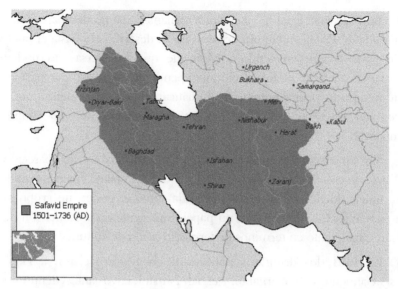

La característica que definía a la dinastía safávida era el sah (rey) y su poder. Junto con el Imperio mogol en la India y el Imperio otomano en Turquía, el Imperio safávida es uno de los Imperios de la Pólvora, término que se utiliza para describir las civilizaciones que fueron capaces de establecer estados fuertes y militaristas mediante el monopolio del uso de las armas de pólvora, específicamente la artillería y los mosquetes.

Y aunque el sah gobernó con absoluta supremacía, todavía hay pruebas de algunos principios e instituciones democráticas. Por ejemplo, la burocracia persa era grande y avanzada, y los funcionarios del gobierno persa estaban capacitados para registrar casi todas las acciones de sus departamentos. Ambas tácticas tenían el efecto de facto de limitar el poder del sah, aunque este tenía un control total sobre los militares. Este concepto de burocracia altamente centralizada pero eficiente y eficaz era una característica definitoria de la cultura persa, y sus raíces se remontan a las políticas de Darío I, el tercer emperador de la dinastía aqueménida.

Este fuerte gobierno militar es en parte la razón por la que tenemos un país de Irán hoy en día. Permitió a los persas reafirmarse como parte integral de las rutas comerciales por tierra entre las potencias europeas y los imperios orientales, principalmente los ubicados en China e India. Al ser capaces de asegurar sus fronteras y también de evitar eficazmente los ataques de las tribus nómadas y otros aspirantes imperiales, los sahs de la dinastía safávida lograron establecer a Persia como una fuerza poderosa en la región, algo que continuaría hasta el día de hoy.

Pero quizás la contribución más significativa a la cultura persa/iraní hecha por los safávidas fue la adopción y difusión de la rama chiíta del islam. Sin embargo, esto se hizo en formas menos que éticas. Cuando el Sah Ismail I llegó al poder a principios de 1500, le dio la espalda a una vieja tradición de tolerancia religiosa de los reyes persas e hizo del islam chiíta la religión oficial del imperio, haciendo obligatoria la conversión. La población suní, que era bastante grande en Persia en ese momento, que no se convirtió fue exiliada o asesinada, y el Ulema suní, el sacerdocio, fue fuertemente perseguido. Esta decisión tuvo un efecto dramático en el curso de la historia del mundo. El conflicto entre sunníes y chiítas es uno de los más significativos del mundo moderno, y tiene sus raíces en la decisión Safávida de hacer del islam chiíta su religión oficial y despreciar a los creyentes de todas las demás fes.

El declive de la dinastía safávida se ajusta a la tendencia histórica más amplia de la influencia europea en otras partes del mundo. Mientras que las guerras con los estados vecinos agotaron los recursos de la dinastía safávida y debilitaron su poder, fue la entrada de la Compañía holandesa de las Indias Orientales, así como de la marina británica, la que tendría un papel importante en el declive del Imperio persa bajo los safávidas.

Esta entrada de la Compañía holandesa de las Indias Orientales dio a los europeos un monopolio sobre el comercio en la región, y bloquearon las rutas comerciales de ultramar no autorizadas entre Irán y el resto de Asia, lo que agotó lentamente muchos recursos del gobierno persa/iraní. Como resultado, la dinastía safávida colapsó, y a principios de 1700, estaba bajo un fuerte ataque. Diferentes grupos tribales y étnicos causaron estragos en sus fronteras, y los rusos y los otomanos aprovecharon este momento de debilidad como su oportunidad para tomar el control de Persia, lo cual hicieron. Para 1724, la dinastía safávida ya no existía, y Persia se dividió entre los rusos y los otomanos, poniendo fin a la independencia de Persia por aquel entonces.

La Dinastía Kayar (1789-1925)

Los intentos a mediados del siglo XVIII por restablecer la independencia persa fracasaron, y no fue hasta el final de siglo, con el surgimiento de la dinastía kayar, que Persia pudo volver a mostrarse como una nación libre e independiente. Se considera que esta es la última dinastía de Persia. Su caída coincidió con el estallido de la Segunda Guerra Mundial, y las presiones de otros países, así como de su propio pueblo, la obligaron a aceptar una monarquía constitucional durante los últimos 20 años de su gobierno. Los Sahs continuaron gobernando Irán hasta la Revolución iraní en 1977, y la familia Kayar todavía existe hoy, aunque no tiene ninguna pretensión de gobernar Irán.

La dinastía kayar surgió en la resistencia bajo el mando de Sah Mohammad Khan Kayar, que puso fin a la breve dinastía afsárida (el mencionado intento de establecer un monarca persa después de la caída de los safávidas). Y tan pronto como aseguró el control de Irán, inmediatamente puso sus ojos en el Cáucaso, con la esperanza de recuperar los territorios perdidos en los siglos anteriores. A los éxitos iniciales les siguieron derrotas aplastantes a medida que los rusos se movían contra los kayars y pudieron tomar los territorios que conforman la actual Georgia, Azerbaiyán y Armenia.

Estas derrotas llevaron al trazado de las fronteras iraníes que conocemos hoy. Y la dinastía kayar se considera responsable de la «modernización» de Irán. Construyeron la primera universidad de Irán y de Oriente Medio, la Dar ul-Funun en Teherán en 1851. Además, los kayars introdujeron tecnologías occidentales que condujeron a la industrialización del país, y en el siglo XX, comenzaron a comercializar combustibles fósiles con el resto del mundo; hasta el día de hoy, Irán es miembro de la OPEP (Organización de Países Productores de Petróleo), y tiene el mayor suministro de gas natural del mundo.

Quizás la característica que más define a la dinastía kayar fue su sumisión a las potencias extranjeras. Los británicos se involucraban cada vez más en los asuntos de Oriente Medio, y diversos acuerdos realizados por los reyes kayar con empresas comerciales británicas dieron como resultado que la mayoría del comercio iraní fuera manejado por los propios británicos. Estos acontecimientos llevaron al pueblo iraní a sentir que sus líderes estaban vinculados a potencias extranjeras, y esto fue una de las fuerzas motrices del impulso de reforma que se produjo a principios del siglo XX.

Fue esta reforma la que traería más democracia a la región de la que nunca antes se había visto. El país estaba en la ruina financiera, y el clero y las clases mercantiles exigían que el sah cediera poderes para que otros pudieran manejar los asuntos del país y ponerlo en una mejor posición para el éxito. A principios de 1906 estallaron protestas en todo Irán y para finales de año se había redactado y ratificado una constitución que establecía un parlamento, limitaba el poder real y exigía que el sah obtuviera la confirmación del parlamento para los nombramientos del gabinete.

Esta medida pareció iniciar un proceso de transición democrática, pero la democracia en el Irán ha sido y sigue siendo bastante difícil. Hasta el día de hoy, la mayoría de los estudiosos y expertos en relaciones internacionales coinciden en que los principios democráticos no se respetan en Irán y que las libertades individuales, especialmente las de las mujeres y niños, están considerablemente limitadas en comparación con los países más liberales de Occidente.

Esto puede entenderse más fácilmente cuando se examina de forma más amplia el desarrollo del Irán como nación. Las clases terratenientes, los poderosos gobiernos regionales y un monarca absoluto han sido partes integrantes de la cultura iraní/persa desde mediados del primer milenio antes de Cristo. Y dado el curso de la historia bajo los kayars -principalmente la intrusión de potencias extranjeras en los asuntos iraníes- no es tampoco una sorpresa que el auge de la democracia en Irán coincidiera también con un aumento del sentimiento antioccidental, que llevó a las superpotencias del siglo XX, Gran Bretaña y Estados Unidos, a apoyar a los gobiernos autocráticos iraníes en lugar de un verdadero gobierno del pueblo.

Además, los kayars presidieron Irán durante la Primera Guerra Mundial y, aunque eran oficialmente neutrales, fueron invadidos por los otomanos poco después de que estallaran los combates. Sin embargo, su respuesta fue en gran medida defensiva, e Irán pudo evitar la ocupación de sus antiguos rivales. Los rusos también desempeñaron un papel importante en la limitación del poder de la dinastía kayar. No solo los obligaron a salir del Cáucaso, sino que también lograron evitar que Irán avanzara a otros lugares al norte o al este.

En general, la dinastía kayar, aunque mucho menos poderosa que las anteriores, jugó un papel importante en el desarrollo del Irán moderno. Ayudó a introducir nuevas eras de gobierno más democrático, industrialización y logros científicos impulsados por una inversión en la educación pública y superior. Su eventual caída puede entenderse como parte de una tendencia más amplia en la que las monarquías medievales fueron sustituidas por formas de gobierno más modernas, pero con la familia kayar aún viva hoy en día, sigue existiendo la posibilidad de que los monarcas persas puedan volver a alcanzar el poder y la gloria.

Conclusión

Esta breve discusión sobre las diversas dinastías que existieron después de los aqueménidas no hace justicia a la gloria y el esplendor que Persia ha experimentado en los últimos 2.000 años. Sin embargo, debería ayudar a mostrar cómo este gran imperio de antaño sigue vivo hoy en día. Las formas de gobierno desarrolladas por Darío I ayudaron a los reyes persas a controlar el territorio que ahora llamamos Irán durante la mayor parte de 2.500 años.

Pero quizás más importante, el éxito de estas dinastías ayudó a mantener la cultura persa y a establecer un sentido de identidad, algo que sigue vivo hoy en día. Y las políticas generales de tolerancia religiosa y autonomía regional han ayudado a establecer a Irán como un país dinámico y multicultural que es uno de los más poderosos y significativos no solo en las regiones circundantes, sino también en el mundo.

Capítulo 9 - Arte Persa: Mezcla de Oriente y Occidente

La aparición de los persas a mediados del último milenio antes de Cristo los convierte en relativamente nuevos en la etapa del Asia occidental. Sin embargo, una vez que llegaron, se convirtieron rápidamente en una de las potencias más formidables del mundo. Aunque el continuo dominio de su patria, la meseta iraní, se les escapó -la conquista por los griegos bajo Alejandro y más tarde los musulmanes de Arabia que interrumpieron largos períodos de dominio persa-, el dominio de sus imperios bajo las dinastías aqueménida y sasánida ayudó a establecer una fuerte cultura persa que persistiría sin importar quién controlara Irán.

Gracias a su capacidad de mantenerse como una potencia fuerte durante gran parte de la antigüedad y el período medieval, los persas pudieron desarrollar una fuerte cultura artística que influiría profundamente en otras civilizaciones.

Sin embargo, distinguir qué contribuciones son específicamente persas puede ser una tarea difícil. Cuando los persas llegaron a la escena, Mesopotamia había estado habitada durante miles de años, y los sumerios, babilonios y asirios habían logrado construir grandes imperios que influyeron enormemente en el desarrollo de la región. Entonces, en el siglo VII d. C., los persas fueron conquistados por los musulmanes, expulsando su religión nativa, el zoroastrismo, y marcando el comienzo de la Edad de Oro del islam. Durante este tiempo, los persas hicieron importantes contribuciones al arte musulmán, y la propia Persia fue considerada un punto importante para el desarrollo cultural musulmán.

Como resultado, es mejor entender las contribuciones culturales persas menos como verdaderas innovaciones y más como adiciones innovadoras. Se basaron en culturas y tradiciones anteriores que provenían de sus vecinos, como los asirios, los babilonios y los medos, pero también de los territorios que estaban en las afueras o incluso más allá de las fronteras de las tierras controladas por los persas, como Grecia, Roma, Rusia, India y, en menor medida, China. Sin embargo, a pesar de esta amalgama, Persia pudo dejar su propia huella y lo que salió de la meseta iraní ayudó a impulsar la cultura mundial y contribuyó significativamente a su avance.

Arquitectura

Al igual que sus contemporáneos, los reyes persas estaban obsesionados con la construcción. Con la conquista llegaron grandes riquezas, y casi todos los monarcas persas se preocuparon por utilizar estas riquezas para ayudar a construir palacios y otras residencias que demostraran su éxito como conquistadores y también les ayudaran a legitimar su derecho al trono.

Como resultado, gran parte de los logros artísticos del Imperio persa se encuentran dentro y alrededor de los palacios y otras instalaciones reales. El arte no fue una ocupación más generalizada probablemente hasta después de que comenzara el período islámico en Persia, por lo que los artesanos calificados se congregaron en las capitales persas, empezando primero por Persépolis y luego avanzaron hacia Susa y Ctesifonte (la capital de la dinastía sasánida, que se encuentra en el actual Iraq).

La contribución más significativa de los persas en términos de construcción fue el continuo desarrollo de las columnas. Este es un ejemplo perfecto de que los persas tomaron una forma de arte o arquitectura previamente existente y la aprovecharon para hacerla suya. Y la evidencia restante de esto existe en Persépolis, una de las principales capitales del imperio aqueménida. Las columnas utilizadas allí fueron fuertemente influenciadas por los griegos, que eran famosos por utilizar columnas para sostener su construcción de postes y vigas, pero también incorporaron sus propios elementos de estilo. Por ejemplo, las columnas persas tienen lo que se conoce como un capitel animal persa, que se refiere al uso de esculturas de animales como el capitel (la parte superior de una columna).

Los animales aparecen con frecuencia en la antigua arquitectura persa, siendo uno de los usos más notables el de «vigilar» palacios y otros edificios importantes. Esta fue una práctica desarrollada originalmente por los egipcios, pero como los egipcios fueron frecuentemente conquistados por otros imperios de la región, este estilo se difundió rápidamente, y casi todos los edificios importantes de las principales ciudades persas de Persépolis y Pasargada tienen animales bellamente esculpidos que hacen guardia en sus entradas.

Con el paso del tiempo, los persas comenzaron a adaptar otros estilos, sobre todo el de los romanos. En lugar de usar técnicas de construcción con postes y vigas, los romanos prefirieron los edificios con arcos, algo que también influiría en los estilos de construcción de la mayoría de las culturas europeas. El ejemplo más famoso de esto es el palacio sasánida de Ctesifonte, que utiliza columnas encajadas y arcos ciegos, que se construyen dentro de la estructura en lugar de fuera de ella, para formar un estilo de construcción único persa-romano. La imagen de abajo ayuda a dar una idea de lo que es este estilo.

La arquitectura persa comenzó a experimentar una transformación después de la invasión musulmana. Por eso el arte persa se divide normalmente en dos períodos: pre y post islámico. La arquitectura persa post-islámica incorporó muchos de los elementos de estilo más notables del arte islámico, como mosaicos coloridos, patrones grandes y repetitivos, caligrafía, estuco y espejos. Gran parte de esta arquitectura se exhibe en las mezquitas que se encuentran en todo Irán, ya que este habría sido uno de los principales proyectos de los arquitectos, constructores y artesanos persas durante todo el período islámico.

Además, los persas adaptaron el destello islámico de la grandeza, eligiendo construir grandes palacios, mezquitas, parques y plazas urbanas, que se convertirían en características definitorias de los edificios persas durante el período islámico. Tal vez el mejor ejemplo de ello sea la plaza Naqsh-e Jahan, construida en el siglo XVI durante la época de la dinastía persa safávida. Situada en la actual ciudad de Isfahán, está considerada como la sexta plaza más grande del mundo, y es una pieza definitoria de la arquitectura persa post-islámica. La foto de abajo muestra algunos de los componentes estilísticos de la arquitectura de la plaza, y también da una idea de lo grande que era esta parte de la ciudad.

Sin embargo, como era de esperarse, este intercambio de estilos y técnicas artísticas no era un camino de un solo sentido. Los propios persas, con su rica y vibrante historia y cultura, lograron hacer un impacto en la arquitectura islámica, y esto es evidente en todo el mundo. Específicamente, los persas fueron responsables de la inclusión de cúpulas a gran escala en la arquitectura islámica.

Esta práctica fue probablemente desarrollada por primera vez por los persas bajo la dinastía sasánida, siendo los edificios más famosos el Palacio de Ardashirt y Dezh Dohtar. Estas cúpulas eran relativamente nuevas en el Asia occidental y el Cercano Oriente, pero rápidamente se convirtieron en un aspecto central de casi todos los edificios islámicos.

Es por razones como esta que Persia es considerada como una de las fuerzas motrices de la cultura artística islámica que influyó dramáticamente en la forma en que el mundo diseñó y construyó los edificios. Los edificios que incorporan estos elementos estilísticos se pueden encontrar en regiones del mundo que van desde la India hasta España. Por supuesto, sería inexacto decir que Persia fue la única responsable de este desarrollo, pero también sería inexacto decir que los artistas y arquitectos persas no influyeron mucho en las construcciones que tuvieron lugar en toda Asia occidental antes, durante y después de la Edad de Oro islámica.

Escultura y pintura

Los estilos persas de arte y arquitectura son evidentes en sus edificios, pero más allá de eso, hay muchos otros ejemplos de cómo el arte persa fue influenciado por y también influyó en el desarrollo artístico de las culturas de la región.

Las antiguas esculturas persas tenían dos formas. La primera eran los relieves esculpidos, que se encontraban normalmente en templos o palacios. Estas obras son grandes ejemplos de cómo el arte persa fue una verdadera mezcla entre Oriente y Occidente. Por ejemplo, los europeos, sobre todo a través de los griegos y los romanos, eran conocidos por sus esculturas altamente realistas. Parecían estar más interesados en representar el mundo natural de la forma más precisa y exacta posible. Por otro lado, las antiguas culturas mesopotámicas favorecían diseños mucho más estilizados, que ponían en juego los elementos sobrenaturales o incluso surrealistas de la realidad.

Sin embargo, lo que vemos en los relieves persas es una verdadera mezcla entre estos dos enfoques. Por ejemplo, consideremos el relieve que se muestra a continuación. Se ha prestado mucha atención a los detalles de los dos animales, y los escultores se preocuparon claramente por tratar de ser precisos en términos de proporciones y tamaño. Sin embargo, el rostro del segundo animal está muy estilizado, lo que ayuda a mostrar el interés de los persas por algunas de las técnicas que se utilizaban comúnmente en Asia occidental en esa época.

El otro componente significativo de la escultura persa era su metalurgia. Los persas eran conocidos por crear estatuillas muy bellas, rhytons (pequeños recipientes que pueden ser utilizados como una copa o una jarra), y joyas. De nuevo, estas piezas representaban una bonita mezcla entre el estilo oriental y el occidental, lo que las habría hecho únicas y por tanto muy deseadas por los ciudadanos de todo el imperio.

Estos artículos representan una de las pocas oportunidades para que los ciudadanos comunes disfrutaran del arte creado como resultado del esplendor imperial. Pocos, si es que alguno, de los plebeyos podían permitirse esculturas o relieves en su casa, por lo que poseer una de estas pequeñas, pero finas, fruslerías habría sido una gran fuente de orgullo y una oportunidad para que una familia o individuo expresara su riqueza. Como resultado, estas piezas constituían la mayor parte de los artículos de comercio de lujo que los persas enviaron a otras partes del imperio, convirtiéndolas en una importante fuente de riqueza para los comerciantes persas.

Pintura

La pintura en el Imperio persa no se hizo común hasta la época de la conquista musulmana. Quedan pocas pinturas murales del período pre-islámico, por lo que es difícil saber si esto no era una práctica común o si el tiempo simplemente ha hecho que estas obras desaparezcan. Sin embargo, después de la conquista musulmana y durante la época de las dinastías post-islámicas, la pintura persa se desarrolló significativamente y contribuyó al desarrollo general del arte islámico.

Quizás los ejemplos más conocidos de esto son las miniaturas persas. Estas pequeñas pinturas se utilizaron para acompañar la narración de historias, generalmente empleadas para representar escenas narrativas en los diferentes libros desarrollados en la Persia post-islámica.

Dos elementos estilísticos principales se destacan de las miniaturas persas. El primero es que el arte persa nunca prohibió completamente la representación de la forma humana, algo que era común en muchos territorios controlados por los musulmanes. Esto ayuda a demostrar la relativa autonomía que Persia fue capaz de mantener durante el período de dominio extranjero desde el siglo VIII a. C. hasta el XVI. Y aunque la precisión de estos pintores no estaba todavía al mismo nivel que lo que veríamos de los Viejos Maestros que aparecieron en Europa durante el Renacimiento, estas pinturas ayudan a mostrar cómo podía ser la gente, cómo se vestía y también cómo vivía.

La otra gran contribución que surgió de la pintura de estas miniaturas fue el concepto de «Iluminación». Esto describe la práctica de las pinturas o incluso los textos de los alrededores con diseños altamente decorativos y ornamentales. El propósito era tratar de mostrar de forma más hermosa la obra de arte que se presentaba. Algunos de los mejores ejemplos de esto están en las copias del Corán que salieron de Persia durante este tiempo. Debido a que estos diseños fueron tan exitosos en el embellecimiento de ciertos textos, muchos artistas comenzaron a enfocar sus esfuerzos enteramente en estos patrones decorativos, que ayudaron a lo que tal vez sea una de las contribuciones más famosas de los persas al arte mundial: Las alfombras persas. La imagen de abajo muestra una miniatura persa rodeada por un borde altamente decorativo.

Alfombras y tapetes

Ninguna discusión sobre el arte persa estaría completa sin mencionar las alfombras y los tapices. Lo interesante de la producción de alfombras en Persia, sin embargo, es que era ante todo un comercio. En el mundo antiguo, el arte era normalmente algo relegado a aquellos que podían permitirse el lujo. Fue producido por aquellos que tuvieron la suerte de recibir entrenamiento en las artes, y fue creado para aquellos con la riqueza, el poder y el estatus necesario para permitirse el arte en el hogar.

Sin embargo, en Persia, al igual que en el resto del «Cinturón de Alfombras» (el término utilizado para describir los países más conocidos por la producción de alfombras en el Oriente Medio, que van desde Persia hasta la India), el tejido de alfombras se desarrolló como un medio de subsistencia por varias tribus nómadas; las alfombras se diseñaban, creaban y llevaban al mercado para ser vendidas. Debido a esta tradición, es difícil precisar un estilo en particular para describir las alfombras persas, pero se definen en parte por su excepcional elaboración y sus intrincados diseños, lo que ha contribuido a convertirlas en uno de los productos básicos más deseados del mundo.

Por ejemplo, algunos diseños reflejaban el estilo de vida nómada de quienes los hacían, contando historias de animales de pastoreo y de la vida en las llanuras de Asia central, mientras que otros están claramente diseñados con un ojo para la estética pura, utilizando patrones repetidos y otros elementos de diseño intrincado más comúnmente vistos en la Persia post-islámica.

El tejido de alfombras persas probablemente se convirtió en una industria más bajo los safávidas, que construyeron lo que puede describirse mejor como fábricas en la ciudad de Isfahán (estos eran más centros de producción que fábricas completas y mecanizadas, pero el principio es el mismo). Aquí los reyes safávidas dedicaron importantes recursos al diseño y producción de alfombras persas, ayudándoles a convertirse en uno de los principales oficios de lujo persas. Estas alfombras se hicieron tan famosas que fueron deseadas por los ricos y poderosos de todo el mundo, y muchas alfombras persas están ahora expuestas en museos de todo el mundo. A continuación, se muestra una foto de la Alfombra Ardabil, que se encuentra parte del tiempo en Londres y parte en Los Ángeles, y también la Alfombra de la Coronación, que fue comprada por la familia real danesa en el siglo XVII y se conserva en Copenhague.

La fabricación de alfombras persas ha sido inscrita por la UNESCO en sus «Listas de Patrimonio Cultural Inmaterial». Su producción representa un aspecto importante del desarrollo artístico y económico de la región a lo largo de la historia. Estimuló el comercio dentro del imperio, y también ayudó a Persia a conectarse con civilizaciones más poderosas tanto en Europa como en Asia. Además, el diseño de alfombras se benefició y contribuyó a los intrincados diseños utilizados en muchas otras formas de arte persa e islámico, ayudando a la región a desarrollar lo que se convertiría en uno de sus estilos artísticos definitorios.

Conclusión

Como era de esperarse, el arte persa es en gran medida un reflejo de su historia. El surgimiento de Persia en el escenario miles de años después de que los egipcios, babilonios y sumerios se hubieran establecido en el Creciente Fértil, significó que el arte persa temprano reflejó en gran medida los estilos de estas culturas anteriores. Sin embargo, a medida que Persia se hizo más poderosa, comenzó a afirmar su propia influencia en el arte de la región. Con el tiempo, en el momento de la conquista musulmana de Persia, había desarrollado una cultura artística lo suficientemente fuerte como para no solo sobrevivir a este período de transformación dramática, sino también para influir en ella de una manera que haría de Persia una parte importante del desarrollo general de la cultura de Oriente Medio.

Capítulo 10 - Contribuciones persas a la ciencia y la tecnología

La capacidad de una civilización para producir avances científicos y tecnológicos tiene un impacto directo en su éxito. Las civilizaciones más poderosas del mundo han alcanzado sus posiciones como resultado del uso de la ciencia para obtener una ventaja sobre sus adversarios.

Persia no es diferente. Aunque sus lejanos vecinos y antiguos rivales, los griegos, con nombres famosos como Aristóteles, Pitágoras y Arquímedes, son responsables de muchos de los avances científicos más importantes del mundo antiguo, los propios persas hicieron muchas contribuciones que ayudaron a impulsar la civilización humana y los establecieron como la principal potencia de Asia occidental.

La antigua Persia

Uno de los avances más significativos de la antigua Persia fue el qanat. Aunque sigue habiendo un debate sobre si el qanat fue enteramente inventado por los persas, estructuras similares aparecen en toda Mesopotamia y Arabia alrededor de la misma época, la evidencia sugiere que los persas fueron capaces de avanzar en esta tecnología y usarla para ayudarles a crecer como una fuerza poderosa. Hay más qanats en Persia que en cualquier otra parte del mundo

Un qanat es esencialmente un sistema de irrigación. Consiste en la construcción de un canal de suave pendiente a través de una montaña que se conecta a la capa freática y proporciona un flujo constante de agua tanto para beber como para regar. En muchos sentidos, un qanat es un acueducto subterráneo, aunque la construcción de este canal subterráneo habría presentado a los persas considerables desafíos; la construcción de tantas de estas estructuras sugiere que los persas estaban significativamente avanzados en ese momento. Los qanats de Gonabad siguen en uso hoy en día. Son unos de los más antiguos del mundo, y proporcionan agua a unas 40.000 personas que viven actualmente en Irán. A continuación, se muestra un diagrama de cómo se construye un qanat y cómo proporciona agua a la tierra y a la gente.

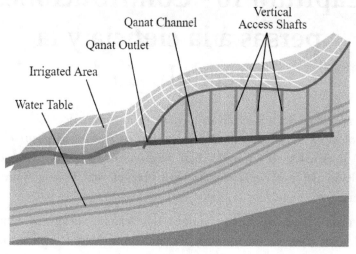

El otro gran desarrollo tecnológico de la antigua Persia fue el molino de viento. Los babilonios habían desarrollado un molino de viento y lo usaron como bomba de irrigación desde el siglo XVIII a. C., pero poco después de que los persas se asentaran en la meseta iraní, comenzaron a usar un molino de viento, que servía para el mismo propósito que el molino de viento babilónico, pero era más efectivo.

Los antiguos persas también son responsables de crear la primera batería del mundo, un dispositivo conocido como la Batería de Bagdad. Consistía en una vasija de terracota, que se llenaba de arena, y una gran varilla de hierro que estaba encerrada en un tubo de cobre, que habría sido capaz de conducir electricidad. Sin embargo, la falta de fuentes que describan este dispositivo y su estado de gran corrosión tras su descubrimiento han hecho difícil para los historiadores determinar con precisión para qué se habría utilizado exactamente este dispositivo. Algunas teorías sugieren que fue utilizado como una célula galvánica, o como una herramienta para la galvanoplastia, o un método de electroterapia. Sin embargo, la Batería de Bagdad data de la época cercana al final de los partos y principios de las dinastías sasánidas, lo que sugiere que los persas de la época eran líderes en ciencia y tecnología.

La Persia islámica y post-islámica

Después de la conquista musulmana de Persia, el antiguo poder siguió contribuyendo al desarrollo de la ciencia moderna. Una de las contribuciones más notables fue la del filósofo del siglo XI, Biruni, quien escribió en un texto astronómico que la tierra podría girar alrededor del sol. En esa época, las culturas de todo el mundo creían en un universo geocéntrico, lo que significaba que la Tierra estaba en su centro. Y aunque Biruni no tenía ninguna evidencia material para apoyar esta afirmación, podemos revisar su declaración y atribuirla a la gran cultura científica que existía en Persia en ese momento.

La Ley de Conservación de la Masa, que fue probada por Lomonosov y Laurent Lavoisier en el siglo XVIII y que afirma que un cuerpo de materia nunca desaparece, sino que solo cambia de una forma a otra, también tiene sus orígenes en Persia, siendo el filósofo Tusi el primero en escribir esta idea. Tusi también escribió algunas de las primeras investigaciones del mundo sobre el concepto de la evolución, pero lo hacía en un intento de hacer un argumento religioso, y por lo tanto no se le puede dar demasiado crédito por este descubrimiento.

Otro importante científico del período islámico, Jaber Ibn Hayyan, es considerado uno de los padres fundadores de la química moderna. Publicó una enciclopedia en la que exponía sus ideas sobre temas como las aplicaciones del curtido y los textiles, la destilación de plantas y flores, el origen de los perfumes y el uso de la pólvora. Tal vez este último tema fue el que tuvo una influencia más duradera en la historia del mundo, ya que Oriente descubrió y utilizó la pólvora mucho antes que Occidente, y su descubrimiento dio lugar a la formación de los Imperios de la Pólvora, que utilizaron esta tecnología para establecer un firme control sobre el territorio de Asia occidental y central.

Kamal al-Din Al-Farisi fue otro famoso científico que surgió del período islámico. Se centró más en tratar de describir el mundo físico, y se le atribuye el haber dado la primera explicación legítima de por qué se produce un arco iris. Sin embargo, quizás lo más importante es que hizo esta afirmación presentando primero una teoría y luego realizando rigurosos experimentos para verificarla, lo que sugiere que puede haber ayudado a introducir el uso del método científico y el racionalismo en Irán, que se convertiría en la fuerza motriz del desarrollo científico durante todo el período medieval y más allá.

Otra área en la que los persas ayudaron a hacer avances significativos en la ciencia fue la medicina. Se cree que los persas aqueménidas inventaron el concepto de los trasplantes de órganos, aunque existen pocas pruebas que indiquen que fueron capaces de realizar estos procedimientos de forma fiable y con éxito.

Una de las cosas más populares en el desarrollo de la medicina persa es la forma en que diagnosticaban y luego trataban los dolores de cabeza. Durante gran parte de la historia, esta dolencia común no fue comprendida, sin embargo, los médicos persas se propusieron tratar de averiguar qué causaba estos dolores de cabeza y cómo podían ser curados. Hicieron observaciones detalladas de los diferentes tipos de dolores de cabeza, clasificándolos por los síntomas que producían y sus causas potenciales.

Esta cultura de observación y experimentación ayudó a Persia a convertirse en un centro de medicina en el mundo medieval, una cultura que ha continuado hasta el día de hoy. La fundación de la Academia de Gundeshapur bajo la dinastía sasánida en el siglo VI d. C. representa el primer hospital docente del mundo. Gente de todo el mundo, desde Grecia hasta la India, venían a Gundeshapur para estudiar y practicar, llevándose lo aprendido a su casa. Esta academia aún existe hoy en día y es considerada una de las principales escuelas de medicina del mundo.

En el campo de las matemáticas, los persas obtuvieron muchos logros, especialmente durante el período de dominio islámico, en el que dedicaron importantes recursos al desarrollo de las matemáticas. Sin embargo, tal vez una de las cosas más significativas de las matemáticas persas fue la invención de la tabla de logaritmos por Muhammad Ibn Musa-al-Kharazmi en el siglo X. También hizo importantes contribuciones al desarrollo del álgebra, y también se expandió en la aritmética persa e india. Debido a todo su trabajo, al-Kharazmi es considerado uno de los padres de las matemáticas modernas.

Conclusión

Los persas se establecieron como un grupo cultural y lingüístico distinto hace más de 2.000 años. Y dado el éxito que tuvieron en el establecimiento y mantenimiento de un imperio durante todo ese tiempo, no debería sorprender que los persas fueran capaces de hacer contribuciones significativas al desarrollo de la cultura mundial. Sus logros en la ciencia y la tecnología se encuentran entre los más importantes. Hoy en día, la nación moderna de Irán sigue siendo un gran triunfador en el mundo de la ciencia. Todos los años se celebran importantes conferencias internacionales en todo el país, e Irán sigue siendo líder en la medicina moderna, ayudando a continuar el legado y el esplendor del Imperio persa en esta era.

Conclusión

Como encrucijada entre Europa y Asia, el Oriente Medio ha desempeñado un papel fundamental en el desarrollo del mundo en que vivimos hoy. Las diferentes potencias imperiales que surgieron de esta región -conocida por muchos como la Cuna de la Civilización- ayudaron a trazar las fronteras de algunos de los países más poderosos y poblados del mundo. Y en el centro de todo estaba Persia.

A diferencia de los asirios o los babilonios, una vez que los persas entraron en escena en el oeste de Asia en el siglo VII a. C., se convirtieron en componentes centrales del desarrollo social, político y cultural de la región. El imperio persa no solo sentó las bases de una cultura e identidad común, sino que ayudó a establecer las fronteras de la nación moderna de Irán, contribuyó a difundir el islam en todo el Oriente Medio y enseñó al mundo a administrar con eficacia y eficiencia un vasto imperio.

El primer imperio persa -el imperio aqueménida- controlaba toda Asia occidental, así como partes de África e incluso Europa. Y aunque las dinastías posteriores no podrían igualar los logros territoriales de los aqueménidas, ayudarían a establecer al pueblo iraní y a su país como una potencia económica que sería decisiva para ayudar a establecer relaciones comerciales y diplomáticas entre Oriente y Occidente.

Hoy en día, Persia, o Irán, se encuentra en una época de incertidumbre política. La Revolución iraní de 1977 trajo la democracia al país, a partir de las reformas constitucionales que se llevaron a cabo a principios del siglo XX, pero esto no trajo estabilidad.

Su Líder Supremo se ha vuelto bastante poderoso, y frente al antagonismo internacional, ha caído ligeramente en desgracia en el escenario mundial.

Sin embargo, la historia de Persia nos muestra una cosa: esta sociedad culturalmente distinta, orgullosa y avanzada está aquí para quedarse. Una y otra vez, la derrota o la inestabilidad han amenazado a Persia, pero siempre encontró la manera de reafirmarse como una fuerza dominante en la región, y hay muchas razones para creer que esto seguirá siendo así, especialmente si se considera que Irán posee las mayores reservas de gas natural, el combustible fósil que se está convirtiendo rápidamente en el favorito del mundo.

En general, no se sabe cómo será la Persia del mañana, pero si su pasado es un indicio, entonces es seguro asumir que será un país importante capaz de moldear no solo el curso de la historia de Oriente Medio, sino del mundo entero.

Bibliografía

Amanat, Abbas. *Pivot of the Universe: Nasir al-Din Shah Qajar and the Iranian Monarchy, 1831-1896.* Univ of California Press, 1997.

Bower, Virginia, et al. *Decorative Arts, Part II: Far Eastern Ceramics and Paintings, Persian and Indian Rugs and Carpets.* National Gallery of Art, Washington, 1998

Bury, J.B; Cook, S.A.; Adcock, F.E. *The Persian Empire and the West* in: The Cambridge Ancient History Vol. IV. Cambridge University Press, 1930

Fisher, William Bayne; Avery, P.; Hambly, G. R. G; Melville, C. *The Cambridge History of Iran.* Cambridge University Press.

Frye, Richard N. *The Sassanians.* Cambridge Ancient History Vol. 122 . Cambridge Univesity Press, 2005.

Kuhrt, Amélie. *The Persian Empire: A Corpus of Sources from the Achaemenid Period.* Routledge, 2013.

Nicolle, David; McBride, Angus. *Sassanian Armies: The Iranian Empire Early 3rd to mid-7th centuries AD.* Montvert Publications, 1996.

Olmstead, Albert Ten Eyck. *History of the Persian Empire. Vol. 108.* Chicago: University of Chicago Press, 1948.

Wiesehofer, Josef. *Ancient Persia.* IB Tauris, 2001.

Ancient History Encyclopedia (2009). Retrieved on November 3rd 2018, from https://www.ancient.eu

Duncan, G.S. (1904): The Code of Moses and the Code of Hammurabi, In *The Biblical World* Vol. 23, No. 3, (pp. 188-193). Chicago, IL, USA: The University of Chicago Press

Encyclopaedia Britannica (1981), Retrieved on November 3rd 2018, from https://www.britannica.com/

Gadd, C. J. (1973): Hammurabi and the End of His Dynasty. In Edwards, I.E.S., Gadd, C.J., Hammond, N. G. L., and Sollberger, E. (Eds), *The Cambridge Ancient History* Vol. 2 (pp. 176-227). Cambridge, UK: Cambridge University Press

Gelb, I.J. (1948): A New Clay-Nail of Hammurabi, In *Journal of Near Eastern Studies* Vol. 7, No. 4, (pp. 267-271). Chicago, IL, USA: The University of Chicago Press

Kent, C.F. (1903): The Recently Discovered Civil Code of Hammurabi, In *The Biblical World* Vol. 21, No. 3, (pp. 175-190). Chicago, IL, USA: The University of Chicago Press

King, L. W. (1919): *A History of Babylon.* London, UK: Chatto & Windus

Langdon, S. (1920): The Sumerian Law Code Compared with the Code of Hammurabi. In *The Journal of the Royal Asiatic Society of Great Britain and Ireland* No. 4, (pp. 489-515). Cambridge, UK: Cambridge University Press

Luckenbill, D. D. (1917): The Name Hammurabi. In *Journal of the American Oriental Society* Vol. 37, (pp. 250-253). Ann Arbor, MI, USA: American Oriental Society

Lyon, D. G. (1904): Notes on the Hammurabi Monument. In *Journal of the American Oriental Society* Vol. 25, (pp. 266-278). Ann Arbor, MI, USA: American Oriental Society

McNeil, D. G. (1967): The Code of Hammurabi. In *American Bar Association Journal* Vol. 53, No. 5, (pp. 444-446). Chicago, IL, USA: American Bar Association

Neugebauer, O. (1941): The Chronology of the Hammurabi Age. In *Journal of the American Oriental Society* Vol. 61, No. 1 (pp. 58-61). Ann Arbor, MI, USA: American Oriental Society

Orlin, L. L. (2007): *Life and Thought in Ancient Near East.* Ann Arbor, MI, USA: University of Michigan Press

Price, I.M. (1904): The Stele of Hammurabi, In *The Biblical World* Vol. 24, No. 6, (pp. 468-472). Chicago, IL, USA: The University of Chicago Press

Prince, J. D. (1910): The Name Hammurabi. In *Journal of Biblical Literature* Vol. 29, No. 1 (pp. 21-23). Atlanta, GA, USA: The Society of Biblical Literature

Rutz, M. and Michalowski, P. (2016): The Flooding of Ešnunna, the fall of Mari: Hammurabi's Deeds in Babylonian Literature and History. In *Journal of Cuneiform Studies* Vol. 68, (pp. 15-43). Alexandria, VA, USA: The American Schools of Oriental Research

Slanski, K.E. (2012): The Law of Hammurabi and Its Audience, In *Yale Journal of Law & the Humanities* Vol. 24, No. 1, (pp. 97-110). New Haven, CT, USA: Yale University Press

The Avalon Project (2008), Retrieved on November 3rd 2018, from http://avalon.law.yale.edu/ancient/hamframe.asp

Thompson, R.C. (1928): The Golden Age of Hammurabi. In Bury, J.B., Cook, S.A., and Adcock, F. E. (Eds), *The Cambridge Ancient History* Vol. 1 (pp. 494-551). Cambridge, UK: Cambridge University Press

Van de Mieroop, M. (2005): *King Hammurabi of Babylon.* Malden, MA, USA: Blackwell Publishing

Vincent, G.E. (1904): The Laws of Hammurabi, In *American Journal of Sociology* Vol. 9, No. 6, (pp. 737-754). Chicago, IL, USA: The University of Chicago Press

Wikipedia (January 15, 2001), Retrieved on November 3rd, from https://www.wikipedia.org/

Arnold, Bill T. *Who Were the Babylonians?* Atlanta: The Society of Biblical Literature, 2004 *(en inglés).*

Bottéro, Jean. *Mesopotamia: Writing, Reasoning and the Gods.* Nueva York: St. Martin's Press, 2012 *(en inglés).*

Bryce, Trevor. *Babylonia: A Very Short Introduction.* Oxford: Oxford University Press, 2016 *(en inglés).*

Crawford, Harriett. *Sumer and the Sumerians.* New York: Cambridge University Press, 2004 *(en inglés).*

Elayi, Josette. *The History of Phoenicia.* Lockwood Press, 2018 *(en inglés).*

Foster, Benjamin R. *The Age of Agade: Inventing Empire in Ancient Mesopotamia.* Nueva York: Routledge Publishing, 2016 *(en inglés).*

Grayson, A. Kirk. *Assyrian Rulers of the Early First Millennium BCE (1114-859 BC).* Toronto: University of Toronto Press, 1991 *(en inglés).*

Houston, Mary G. *Ancient Egyptian, Mesopotamian & Persian Costume.* London: A. & C. Black, 1954 *(en inglés).*

Jacobsen, Thorkild. *"The Harps That Once...: Sumerian Poetry in Translation".* Yale University Press, 1987 *(en inglés).*

King, L. W. *Chronicles concerning early Babylonian kings: including records of the early history of the Kassites and the country of the sea.* London: Luzac and co., 2014 *(en inglés).*

Kriwaczek, Paul. *Babilonia: Mesopotamia y el nacimiento de la civilización,* (ARIEL: 2010).

Lambert, W. G. *Mesopotamian Creation Stories.* European History and Culture E-Books Online, 2007 (en inglés).

Mitchell, Stephen. *Gilgamesh: A New English Version.* Nueva York: Free Press, 2004 *(en inglés).*

Sayce, Rev. A. H., profesor de asiriología de Oxford, "The Archaeology of the Cuneiform Inscriptions". *Society for Promoting Christian Knowledge.* New York: 1908 *(en inglés).*

Schneider, Adam W. and Adali, Selim F. ""No harvest was reaped:" demographic and climate factors in the decline of the Neo-Assyrian Empire". *Climate Change* 127, no. 3, 2014: 435-446 *(en inglés).*

Stol, Marten. *Women in the Ancient Near East.* Boston: De Gruyter, 2016 *(en inglés).*

Sélincourt, Aubrey. *The Histories.* London: Penguin Classics, 2002. *(en inglés)*

Cameron Shamsabad, *History's Forgotten Father: Cyrus the Great,* (Shamsabad Publishing, 2014) *(en inglés).*

Van De Mieroop, Marc. *King Hammurabi of Babylon: A Biography.* Malden: Blackwell Publishing, 2005 *(en inglés).*

Yirdirim, Kemal. *The Ancient Amorites (Amurru) of Mesopotamia.* LAP Lambert Academic Publishing, 2017 *(en inglés).*

> Boardman, John et al., eds. *The Cambridge Ancient History.* Vol. 3 Part 2. Cambridge University Press, 1991.

> Bryce, Trevor. *The Routledge Handbook of The People and Places of Ancient Western Asia: The Near East from the Early Bronze Age to the fall of the Persians Empire.* Routledge, 2009.

> Læssøe, Jørgen. *People of Ancient Assyria.* Routledge y Kegan Paul, 1963.

> Mark, Joshua J. "Assyria." *Ancient History Encyclopedia,* Ancient History Encyclopedia, 9 Ago. 2018, www.ancient.eu/assyria/.

> Rogers, Robert. *A History of Babylonia and Assyria.* Lost Arts Media, 2003.

> Roux, George. "Ancient Iraq, new ed." *NY: Penguin Books* (1986).

> Saggs, Henry WF, y Helen Nixon Fairfield. *Everyday Life in Babylonia & Assyria.* BT Batsford, 1965.

Sayce, Archibald Henry. *A Primer of Assyriology.* Fleming H. Revell, 1894.

Veenhof, K.R., *Mesopotamia: The Old Assyrian Period.* Vandenhoeck y Ruprecht, 2008.

Enciclopedia de Historia Antigua (2009). Extraído el 25 de julio de 2018, de https://www.ancient.eu/.

Crawford, H. (2015): *Ur: La Ciudad del Dios de la Luna.* Londres, RU y Nueva York, NY, USA: Bloomsbury Academic.

Enciclopedia Británica (1981), Extraído el 25 de julio de 2018, de https://www.britannica.com/.

Frayne, D. (1997): *Período Ur III (2112-2004 BC).* Toronto, CA: University of Toronto Press.

Gadd, C. J. (1929): *Historia y Monumentos de Ur.* Londres, RU: Chatto & Windus.

Kramer, S. N. (1956): *La historia comienza en Sumeria: Treinta y nueve Primicias en la Historia Registrada.* Philadelphia, PA: University of Pennsylvania Press.

Kramer, S. N. (1963): *Los Sumerios: Su Historia, Cultura, y Carácter.* Chicago, IL & Londres, RU: The University of Chicago Press.

Langdon, S.H. (1928): El Renacimiento Sumerio: El Imperio de Ur. En Bury, J.B., Cook, S.A., y Adcock, F. E. (Eds), *La Historia Antigua de Cambridge* (pp. 435-462). Cambridge, UK: Cambridge University Press.

Lloyd, S. (1936): *Mesopotamia: Excavaciones en los Sitios Sumerios.* Londres, RU: Lovat Dickson.

Orlin, L. L. (2007): *Vida y Pensamiento en el Antiguo Cercano Oriente.* Ann Arbor, MI, USA: University of Michigan Press.

Wikipedia (15 de enero de 2001), Extraído el 25 de julio de https://www.wikipedia.org/.

Worthington, F. (2011): *Abraham: Un Dios, Tres Esposas, Cinco Religiones.* Wilmette, IL, USA: Bahaí Publishing.

Abusch, T. (1986). Ishtar's Proposal and Gilgamesh's Refusal: An Interpretation of "The Gilgamesh Epic," Tablet 6, Lines 1-79. En *History of Religions* 26 (2), 143-87. Chicago, IL: The University of Chicago Press.

Abusch, T. (2001). The Development and Meaning of the Epic of Gilgamesh: An Interpretive Essay. *Journal of the American Oriental Society,* 121(4), 614-622. doi:10.2307/606502.

Ancient History Encyclopedia™ (2009). Extraída el 20 de junio de 2018 en https://www.ancient.eu/

Cooper, J. S. (1981). Gilgamesh and Agga: A Review Article. In *Journal of Cuneiform Studies* Vol. 33(3/4), 224-241. Boston, MA: American Schools of Oriental Research

Dalley, S. (1991): Gilgamesh in the Arabian Nights. En el *Journal of the Royal Asiatic Society* Third Series, Vol. 1(1), 1-17. Cambridge, UK: Cambridge University Press, por cuenta de la Royal Asiatic Society of Great Britain and Ireland.

Encyclopedia Britannica. (1981). Extraída el 20 de junio de 2018 en https://www.britannica.com/

Galpin, F. W. (1937). *The Music of the Sumerians and Their Immediate Successors the Babylonians & Assyrians.* London, UK: Cambridge University Press.

George, A. (2000): *The Epic of Gilgamesh: The Babylonian Epic Poem and Other Texts in Akkadian and Sumerian.* London, UK: Penguin Books Ltd.

Hamori, E. J. (2011). Echoes of Gilgamesh in the Jacob Story. In *Journal of Biblical Literature* Vol. 130(4), 625-42. Atlanta, GA: The Society of Biblical Literature.

Held, G. F. (1983): Parallels between The Gilgamesh Epic and Plato's Symposium. In *Journal of Near Eastern Studies* Vol. 42, No. 2, (pp. 133-141). Chicago, IL, USA: The University of Chicago Press.

Katz, D. (1987). Gilgamesh and Akka: Was Uruk Ruled by Two Assemblies? In *Revue d'Assyriologie et d'archéologie orientale* Vol. 81(2), 105-14. Paris, France: Presses Universitaires de France.

Kramer, S. N. (1956). *History Begins at Sumer: Thirty-Nine Firsts in Recorded History.* Philadelphia, PA: University of Pennsylvania Press.

Kramer, S. N. (1963). *The Sumerians: Their History, Culture, and Character.* Chicago, IL & London, UK: The University of Chicago Press.

Mitchel, S. (2005). *Gilgamesh: A New English Version.* London, UK: Profile Books Ltd.

Shaffer, A. (1983). Gilgamesh, the Cedar Forest and Mesopotamian History. In *Journal of the American Oriental Society*, 103(1), 307-13. doi:10.2307/601887.

Veenker, R. A. (1981). Gilgamesh and the Magic Plant. In *The Biblical Archaeologist* Vol. 44(4), 199-205. Boston, MA: American Schools of Oriental Research.

Vulpe, N. (1994): Irony and the Unity of the Gilgamesh Epic. In *Journal of Near Eastern Studies* Vol. 53(40), 275-83. Chicago, IL, USA: The University of Chicago Press.

Wikipedia (January 15, 2001). Extraída el 20 de junio en https://www.wikipedia.org/

Ziolkowski, E. (2007). An Ancient Newcomer to Modern Culture. In *World Literature Today* Vol. 81(5), 55-57. Norman, OK: Board of Regents of the University of Oklahoma.

Ancient History Encyclopedia™ (2009). Consultado el 13 de abril de 2018, desde https://www.ancient.eu/.

Al-Zahery et al. (2011). En busca de las huellas genéticas de los sumerios: un estudio del cromosoma Y la variación del ADNmt en los árabes maris de Iraq. BMC *Evolutionary Biology*, 11: 288. Obtenido de http://www.biomedcentral.com/1471-2148/11/288.

Black, JA, Cunningham, G., Ebeling, J., Flückiger-Hawker, E., Robson, E., Taylor, J. y Zólyomi, G., *Electronic Text Corpus of Sumerian Literature* (http://etcsl.orinst.ox.ac.uk), Segunda edición, Oxford 1998-2006.

Bodine, W.R. (1994, 1998): Los sumerios. En Hoerth, A.J., Yamauchi, E.M., y Mattingly, G. L. (Eds), *Peoples of the Old testament* (pp. 19-42). Ada, MI: Baker Publishing Group.

Encyclopedia Britannica (1981), obtenido el 13 de abril de 2018, de https://www.britannica.com/.

Galpin, F. W. (1937): *The Music of the Sumerians and Their Immediate Successors the Babylonians & Assyrians*. Londres, Reino Unido: Cambridge University Press.

Gündüz, M. (2012). El origen de los sumerios: reevaluación después de excavaciones notables en Turkmenistán Gonur Tepe y otros sitios. *Advances in Anthropology* vol. 2, No. 4, 221-223, Obtenido de https://www.scirp.org/journal/paperinformation.aspx?paperid=24588.

History on the Net (noviembre de 2000), recuperado el 13 de abril de 2018, de https://www.historyonthenet.com/.

Kramer, S. N. (1956): *History Begins at Sumeria: Thirty-Nine Firsts in Recorded History*. Philadelphia, PA: prensa de la Universidad de Pensilvania

Kramer, S. N. (1963): *The Sumerians: Their History, Culture, and Character*. Chicago, ILL y Londres, Reino Unido: la prensa de la Universidad de Chicago

Langdon, S.H. (1928): El renacimiento sumerio: el imperio de Ur. En Bury, J.B., Cook, S.A., y Adcock, F. E. (Eds), *The Cambridge Ancient*

History (pp. 435-462). Cambridge, Reino Unido: Cambridge University Press

Radau, H. (1902): La cosmología de los sumerios. En *The Monist* Vol. 13, No. 1, (pp. 103-113). Oxford, Reino Unido: Oxford University Press

Wikipedia (15 de enero de 2001), recuperado el 13 de abril, de https://www.wikipedia.org/

Notas sobre las imágenes

Basado en contenido de *Wikipedia* que ha sido revisado, editado y republicado. Imagen original de Phirosiberia. Obtenido de https://www.ancient.eu/ en abril de 2018 bajo la siguiente licencia: *Creative Commons: Attribution-ShareAlike*. Esta licencia permite a los demás mezclar, modificar y desarrollar su trabajo, incluso por razones comerciales, siempre y cuando acrediten y licencien sus nuevas creaciones bajo los mismos términos.

Imagen original de *Xuan Che*, cargada en diciembre de 2005. Obtenida de *https://www.flickr.com* en abril de 2018 con ligera moderación bajo la siguiente licencia: *Attribution 2.0 Generic* (CC BY 2.0) Debe dar el crédito apropiado, proporcionar un enlace a la licencia e indique si se realizaron cambios. Puede hacerlo de cualquier manera razonable, pero no de ninguna manera que sugiera que el licenciante lo respalda a usted o a su uso.

Imagen original cargada por Osama Shukir Muhammed Amin el 04 de febrero de 2015. Obtenida de https://www.ancient.eu/ en abril de 2018 bajo la siguiente licencia: *Creative Commons: Attribution-ShareAlike*. Esta licencia permite a los demás mezclar, modificar y desarrollar su trabajo, incluso por razones comerciales, siempre que le den crédito y licencia de sus nuevas creaciones bajo los mismos términos.

Imagen original cargada por MattF el 26 de enero de 2014. Obtenida de *https://commons.wikimedia.org* en abril de 2018 con pequeñas modificaciones bajo la siguiente licencia: *Creative Commons CC0 1.0 Universal Public Domain Dedication*. Usted puede copiar, modificar, distribuir y realizar el trabajo, incluso con fines comerciales, todo sin necesidad de un permiso.

Foto original de Hermann Vollrat Hilprecht tomada en 1903. Subida por AlexRK2 el 30 de diciembre de 2013. Obtenida de *https://commons.wikimedia.org* en abril de 2018 bajo la siguiente licencia: *Public Domain.* Este elemento es de dominio público y se puede usar, copiar y modificar sin restricciones.

Fotografiado y cargado por Eric Gaba, nombre de usuario Sting, en julio de 2005. Obtenido de *https://commons.wikimedia.org* en abril de 2018 bajo la siguiente licencia: *Creative Commons Attribution-Share Alike 3.0 Unporte.* Esta licencia permite a los demás mezclar, modificar y desarrollar su trabajo, incluso por razones comerciales, siempre que le den crédito y licencia de sus nuevas creaciones bajo los mismos términos.

Fotografiado y cargado por Marie-Lan Nguyen, en 2011. Obtenido de *https://commons.wikimedia.org* en abril de 2018 bajo la siguiente licencia: *Public Domain.* Este elemento es de dominio público y se puede usar, copiar y modificar sin restricciones.

Basado en contenido de *Wikipedia* que ha sido revisado, editado y re-publicado. Imagen original de Donald A. Mackenzie. Obtenido de https://www.ancient.eu/ en abril de 2018 bajo la siguiente licencia: *Public Domain.* Este elemento es de dominio público y se puede usar, copiar y modificar sin restricciones.

Basado en contenido de *Wikipedia* que ha sido revisado, editado y re-publicado. Imagen original de Hardnfast tomada en 2005. Obtenido de https://www.ancient.eu/ en abril de 2018 bajo la siguiente licencia: *Creative Commons: Attribution-ShareAlike.* Esta licencia permite a los demás mezclar, modificar y desarrollar su trabajo, incluso por razones comerciales, siempre que le den crédito y licencia de sus nuevas creaciones bajo los mismos términos.

Imagen original cargada por Osama Shukir Muhammed Amin en abril de 2016. Obtenida de https://www.ancient.eu/ en abril de 2018 con la siguiente licencia: *Creative Commons: Attribution-NonCommercial-ShareAlike.* Esta licencia permite a los demás mezclar, modificar y desarrollar su trabajo, incluso por razones comerciales, siempre que le den crédito y licencia de sus nuevas creaciones bajo los mismos términos.

[i] Imagen original subida por Daderot el 22 de agosto de 2014. Extraída de *https://commons.wikimedia.org* en junio de 2018 con ligeras modificaciones bajo la siguiente licencia: *Creative Commons CC0 1.0 Universal Public Domain Dedication.* Está permitido copiar, modificar, distribuir y representar la obra, incluso para propósitos comerciales, sin pedir permiso.

[ii] Imagen original subida por Rmashadi el 16 de julio de 2010. Extraída de *https://commons.wikimedia.org* en junio de 2018 bajo la siguiente licencia: Dominio Público. Este artículo pertenece al dominio público y puede usarse, copiarse y modificarse sin restricción alguna.

[iii] Imagen original subida por Rama el 22 de julio de 2016. Extraída de *https://commons.wikimedia.org* en junio de 2018 con ligeras modificaciones bajo la siguiente licencia: *Creative Commons Attribution-ShareAlike 3.0 France.* Esta licencia permite que los demás remezclen, ajusten y modifiquen su trabajo incluso para propósitos comerciales, siempre y cuando le den crédito y licencien sus creaciones modificadas bajo términos idénticos.

[iv] Imagen original subida por Rama el 25 de mayo de 2016. Extraída de *https://commons.wikimedia.org* en junio de 2018 con ligeras modificaciones bajo la siguiente licencia: *Creative Commons Attribution-ShareAlike 2.0 France.* Esta licencia permite que los demás remezclen, ajusten y modifiquen su trabajo incluso para propósitos comerciales, siempre y cuando le den crédito y licencien sus creaciones modificadas bajo términos idénticos.

[v] Imagen original subida por el Walter's Art Museum el 22 de marzo de 2012. Extraída de *https://commons.wikimedia.org* en junio de 2018 con ligeras modificaciones bajo la siguiente licencia: *Creative Commons Attribution-ShareAlike 3.0 France.* Esta licencia permite que los demás remezclen, ajusten y modifiquen su trabajo incluso para propósitos comerciales, siempre y cuando le den crédito y licencien sus creaciones modificadas bajo términos idénticos.

[vi] Fotografiada por Carmen Asensio y subida el 5 de junio de 2010. Extraída de *https://commons.wikimedia.org* en junio de 2018 con ligeras modificaciones bajo la siguiente licencia: Licencia Arte Libre. Esta obra de arte es gratis: puede redistribuirse y modificarse según los términos de la Licencia Arte Libre.

[vii] Subida el 9 de junio de 2016. Extraída de *https://commons.wikimedia.org* en junio de 2018 con ligeras modificaciones bajo la siguiente licencia: *Dominio Público.* Este artículo pertenece al dominio público y puede usarse, copiarse y modificarse sin restricción alguna.

[viii] Imagen original subida por Osama Shukir Muhammed Amin FRCP(Glasg) el 16 de marzo de 2016. Extraída de *https://commons.wikimedia.org* en junio de 2018 con ligeras modificaciones bajo la siguiente licencia: *Creative*

Commons Attribution-Share Alike 4.0 International. Esta licencia permite que los demás remezclen, ajusten y modifiquen su trabajo incluso para propósitos comerciales, siempre y cuando le den crédito y licencien sus creaciones modificadas bajo términos idénticos.

[ix] Imagen original subida por BabelStone el 24 de junio de 2010. Extraída de *https://commons.wikimedia.org* en junio de 2018 con ligeras modificaciones bajo la siguiente licencia: *Creative Commons CC0 1.0 Universal Dedicación del Dominio Público.* Está permitido copiar, modificar, distribuir y representar la obra, incluso para propósitos comerciales, sin pedir permiso.

[x] Imagen original subida por Rama el 31 de marzo de 2017. Extraída de *https://commons.wikimedia.org* en junio de 2018 con ligeras modificaciones bajo la siguiente licencia: *Creative Commons Attribution-ShareAlike 3.0 France.* Esta licencia permite que los demás remezclen, ajusten y modifiquen su trabajo incluso para propósitos comerciales, siempre y cuando le den crédito y licencien sus creaciones modificadas bajo términos idénticos.

[xi] Imagen original aportada por Dbachman el 28 de julio de 2005. Obtenida de *https://commons.wikimedia.org* en noviembre de 2018 bajo la siguiente licencia: *Creative Commons Attribution-ShareAlike 3.0 Unported.* Esta licencia permite a terceros, sin pedir permiso, mezclar, retocar y ampliar la imagen para fines comerciales, siempre que se acredite la procedencia de la misma.

[xii] Imagen original aportada por Daderot el 9 de junio de 2015. Obtenida de *https://commons.wikimedia.org* en noviembre de 2018 bajo la siguiente licencia: *Creative Commons Creative Commons CC0 1.0 Universal Public Domain Dedication.* Esta fotografía es de dominio público, por lo que puede utilizarse, copiarse y modificarse sin restricción alguna, incluso para fines comerciales.

[xiii] Imagen original aportada por Marie-Lan Nguyen el 21 de febrero de 2009. Obtenida de *https://commons.wikimedia.org* en noviembre de 2018 bajo la siguiente licencia: *Creative Commons Attribution 2.5 Generic.* Esta licencia permite a terceros, sin pedir permiso, mezclar, retocar y ampliar la imagen para fines comerciales, siempre que se acredite la procedencia de la misma.

[xiv] Imagen original aportada por Osama Shukir Muhammed Amin el 12 de marzo de 2016. Obtenida de *https://commons.wikimedia.org* en noviembre de 2018 bajo la siguiente licencia: *Creative Commons Attribution-ShareAlike 4.0 International.* Esta licencia permite a terceros, sin pedir permiso, mezclar, retocar y ampliar la imagen para fines comerciales, siempre que se acredite la procedencia de la misma.

[xv] Imagen original aportada por Heretiq el 4 de agosto de 2005. Obtenida de *https://commons.wikimedia.org* en noviembre de 2018 bajo la siguiente licencia: *Creative Commons Creative Commons Attribution 2.5 Generic.* Esta

licencia permite a terceros, sin pedir permiso, mezclar, retocar y ampliar la imagen para fines comerciales, siempre que se acredite la procedencia de la misma.

[x] Imagen original de Mapmaster. Aportada por Thamisy publicada el 26 de abril de 2012, y obtenida de www.ancient.eu. En noviembre de 2018 bajo la licencia siguiente: Creative Commons: Attribution share Alike. Esta licencia permite a terceros, sin pedir permiso, mezclar, retocar y ampliar la imagen para fines comerciales, siempre que se acredite la procedencia de la misma.

[xi] Imagen original aportada por Marie-Lan Nguyen el 11 de diciembre de 2012. Obtenida de *https://commons.wikimedia.org* en noviembre de 2018 bajo la siguiente licencia: *Creative Commons Attribution-ShareAlike 2.5 Generic.* Esta licencia permite a terceros, sin pedir permiso, mezclar, retocar y ampliar la imagen para fines comerciales, siempre que se acredite la procedencia de la misma.

[xi] Imagen original aportada por Chad and Steph el 17 de octubre de 2010. Obtenida de *https://commons.wikimedia.org* en noviembre de 2018 bajo la siguiente licencia: *Creative Commons Attribution-2.0 Generic.* Esta licencia permite a terceros, sin pedir permiso, mezclar, retocar y ampliar la imagen para fines comerciales, siempre que se acredite la procedencia de la misma.

[x] Imagen original aportada por Osama Shukir Muhammed Amin el 24 de abril de 2018. Obtenida de *https://commons.wikimedia.org* en noviembre de 2018 bajo la siguiente licencia: *Creative Commons Attribution-ShareAlike 4.0 International.* Esta licencia permite a terceros, sin pedir permiso, mezclar, retocar y ampliar la imagen para fines comerciales, siempre que se acredite la procedencia de la misma.